La Couronne et la Tiare

Cycle d'Ogier d'Argouges

Éditions Aubéron

Les Lions diffamés
Le Granit et le feu
Les Fleurs d'acier
La Fête écarlate
Les Noces de fer
Le Jour des reines
L'Épervier de feu

Cycle de Tristan de Castelreng

Éditions Aubéron

Les Amants de Brignais
Le Poursuivant d'amour

Romans

Les mauvaises routes, *Gallimard, Denoël*
La femme du boxeur
Les quatre fers en l'air
Les dernières foulées, *Rencontre*
Deux voyageurs pour Avignon, *Rencontre*

Essais

La foire au muscle, *Éditeurs Français Réunis*
L'athlète et son destin, *Éditions J.*

Biographie

Le terrassier de Prague (Emil Zatopek), *Jérôme Martineau*

Pierre Naudin

La Couronne et la Tiare

CYCLE DE TRISTAN DE CASTELRENG

Aubéron

A Jean l'Anselme
en souvenir de nos idéaux
chevaleresques.
Comme c'est loin !

« Malheur à l'homme qui vient prendre,
au moment de combattre, l'avis des femmes.
C'est un sot et un couard. Retournez dans
vos chambres, allez-y boire pour engraisser
votre panse et songez à bien manger.
C'est de cela seul que vous avez le droit de
parler, et pas d'autre chose. »

Raoul de Cambrai

Chanson de geste du XIIIᵉ siècle adaptée
en français moderne
par Paul Truffau (mars 1924)

Jeune chevalier du Languedoc, Tristan de Castelreng a quitté le château familial dès l'annonce du mariage de son père avec Aliénor, une roturière de Mirepoix qu'il avait courtisée puis éconduite en lui découvrant un cœur et un esprit dépourvus des agréments dont il les avait parés.

Il « monte » à Paris et participe à sa première bataille dans les champs de Poitiers-Maupertuis, le lundi 19 septembre 1356. Jean le Bon le remarque avant qu'il ne soit dangereusement blessé par un carreau d'arbalète.

Après cette défaite aussi horrible et humiliante que celle de Crécy, dix ans plus tôt, Tristan est recueilli et soigné par des clercs. Désemparé, il trouve en l'abbaye de Fontevrault le refuge et l'apaisement à ses désillusions. Cependant, si son corps recouvre sa vigueur, ses méditations l'incitent à la mélancolie. Il ne peut s'accommoder de l'existence restreinte qu'il mène. La sainteté des hommes qui l'entourent, l'austérité à laquelle ils s'astreignent et, entre deux prières, le silence rigoureux dont ils s'enveloppent lui deviennent insupportables. Il se confesse à Simon de Langres, maître général des Frères Prêcheurs. Le saint homme l'incite à se laisser aller à sa vraie nature. Selon lui, un hardi chevalier doublé d'un bon époux vaut mieux qu'un mauvais moine.

L'âme en peine et soulagé tout à la fois, l'ancien novice repart pour Paris.

Jean II, qui avait été emmené en captivité à Londres, revient, lui aussi, dans la capitale. Les Anglais l'ont provisoirement libéré afin qu'il puisse lui-même réunir les fonds d'une rançon démesurée. Les Français, accablés d'impôts exorbitants, ne sont pas parvenus à verser pleinement le premier acompte. Soucieux des devoirs de sa charge et de l'intérêt du pays, – au grand déplaisir de son fils, le dauphin Charles, régent du royaume –, le roi, le 5 décembre 1361, quitte son palais pour la Bourgogne. Douze jours après, à Auxerre, devant maints témoins parmi lesquels Tristan figure, il annexe ce duché, damant le pion à un compétiteur tout aussi légitime que lui, sinon plus : son gendre Charles II de Navarre dont le *ressentiment à son égard va, une fois de plus, se hausser d'un degré (1).*

Dans la nuit du 17 au 18, le roi fait mander le jeune Castelreng. Il lui enjoint de se rendre immédiatement en Lyonnais afin d'y découvrir les routiers qui, depuis Poitiers, dépècent le royaume, et de percer leurs intentions. Selon ses informations, des milliers d'aventuriers se seraient assemblés en un lieu fortifié de cette province pour y attendre la venue du roi de Navarre qu'ils pourraient élire comme leur suzerain, mettant ainsi, par cette ultime alliance, la royauté des Valois en péril.

Avant même qu'il ait entrepris cette quête, un événement inattendu anéantit les desseins de Tristan : sur le point d'atteindre l'hôtel de ville où il loge, il est victime d'une embuscade et tombe au pouvoir de Perrette Darnichot, épouse de Jean III de Chalon-Auxerre, sorte de Messaline qui « engeôle » les hommes dont elle s'éprend. Tristan parvient à lui échapper grâce à l'aide d'un ancien « Jacques », Tiercelet, un brèche-dent, ex-mailleur (2) de Chambly avec lequel il chemine vers Lyon et se lie peu à peu d'amitié.

Lors d'une halte dans une auberge, le fougueux redresseur de torts sauve une jouvencelle, Oriabel, d'un viol, et tombe au pouvoir d'un malandrin connu de Tiercelet : Naudon de Bagerant. Celui-ci le conduit à Brignais ainsi que Tiercelet et Oriabel. Là, sur des hauteurs pierreuses, sont réunis les « Tard-Venus » tant redoutés de Jean II et leurs malheureuses victimes. L'épouvante y est reine et les supplices nombreux. Pour défendre sa protégée, Tristan l'épouse devant une assistance crapuleuse sans savoir que le célébrant, Angilbert le Brugeois, est un prêtre défroqué.

(1) Après la mort de Bonne de Luxembourg, le 11 septembre 1349*, Jean II avait épousé Jeanne (9 février 1350), veuve de son cousin germain Philippe, fils d'Eudes IV. Ce *« jeune duc de Bourgongne, par grande meschéance »* était mort au siège d'Aiguillon, le 18 ou le 20 août 1346, d'une chute de cheval. Jean II était donc, par ce second mariage, le plus proche parent de Philippe de Rouvre, duc de Bourgogne, mort le 21 novembre 1361, à la suite, lui aussi, d'une chute de cheval. Il avait quinze ans.

Outre le fait que Jean II avait épousé la mère du défunt et administrait – de loin – le duché, de par la coutume de Bourgogne, Charles de Navarre, qui représentait sa grand-mère Marguerite, aînée des filles du duc de Bourgogne, Robert II, pouvait arguer de prétentions solidement fondées sur ce duché. Ce fut pourquoi, au mois de janvier 1362, il envoya une ambassade au roi de France, son beau-père. Ce fut un échec. Le 22 mai, il signait une alliance avec le roi Pèdre de Castille. Le captal de Buch, qui figurait dans l'ambassade et devait lever des troupes en Bordelais, tomba malade et l'action militaire, sans doute en Normandie, n'eut pas lieu. Toutefois, Charles II se livra en Espagne à des intrigues diverses, destinées à lui assurer, contre Jean II, à la fois l'appui financier du roi Pierre IV d'Aragon et l'assistance militaire d'Enrique de Trastamare, de ses routiers et des Compagnies. Il s'adressa ensuite, vainement, en Cour de Rome. Ses droits à la succession de Bourgogne ne furent point reconnus.

* D'après l'*Art de vérifier les dates.* Les *Grandes Chroniques* rapportent que cette mort, pour cause de peste, eut lieu le vendredi 11 août 1349 et que la reine aurait été ensépulturée à Maubuisson le 18 du même mois. C'est à la première affirmation qu'il convient de se fier. Le 11 août 1349 ne tombait pas un vendredi mais un mardi tandis que le 11 septembre était bien un vendredi.

(2) Faiseur de cottes de mailles.

Le mercredi des Rameaux, 6 avril 1362, l'ost français apparaît, fort de 20 000 hommes. Les routiers ne sont que 10 000. Une attaque de nuit leur procure l'avantage. C'est un désastre de plus. Comme pour les précédents, la responsabilité de cette défaite incombe à la Chevalerie française imbue d'une supériorité illusoire, inguérissablement impudente et imprudente.

Pour protéger sa vie, Tristan a dû se battre parmi quelques centaines de routiers assaillis sur les pentes du Mont-Rond, proche du château de Brignais. Prisonnier de ses anciens compagnons d'armes, il est conduit à Lyon où il doit être brûlé vif ainsi que quelques malandrins dont les propos empreints d'admiration pour son courage lui ont porté un préjudice fatal. Sur le chemin qui le conduit, résigné, au bûcher, Angilbert lui révèle que son mariage est nul tandis qu'une spectatrice surgie de la foule requiert, pour ce qui le concerne, l'abrogation de la sentence. Cette envoyée de la providence, c'est Mathilde de Montaigny. Baronne et deux fois veuve, elle était, elle aussi, prisonnière à Brignais. Tristan l'avait tirée des griffes de Bagerant et de son écuyer : Héliot. Mathilde, qui doit indubitablement sa liberté à Tiercelet et Oriabel, excipe d'une coutume qui n'a jamais été transgressée selon laquelle un condamné à mort doit obtenir sa grâce dès l'instant qu'une femme le revendique pour époux.

Tristan se voit contraint d'accepter ce mariage avec une créature dont il a deviné l'hystérie et qui, une fois reclus dans son château, lui devient vite insupportable. Il ne songe qu'à Oriabel. Menacé de mort par l'insatiable Mathilde qui, se sachant dédaignée, l'a pris en aversion, il parvient à fuir Montaigny en compagnie de quelques hommes d'armes de passage qui formeront bientôt sa flote (1). Il apprendra plus tard que le plus violent de ses geôliers de Montaigny l'a définitivement débarrassé de sa déplaisante épouse.

De retour à Paris, puis à Vincennes où les travaux d'un immense château se poursuivent, Tristan obtient une audience de Jean II. Il lui décrit succinctement ses malaventures sans lui révéler la trahison d'Arnaud de Cervole avant l'affrontement de Brignais et sans oser lui donner son sentiment sur l'impéritie des maréchaux de Bourbon et Tancarville, authentiques responsables de la défaite des Lis de France.

Le roi fait peu de cas de son récit. Le dauphin Charles le convoque et lui confie une mission à vrai dire impossible, mais qu'il ne peut refuser : traverser la Manche et enlever le fils d'Edouard III. En effet, le prince de Galles, sans protection particulière, séjourne au manoir de Cobham avec son épouse, Jeanne de Kent. Il doit être aisé, dans ces conditions, d'en entreprendre et réussir la capture.

Embarqués sur une petite nef battant pavillon anglais, la Goberde, et déposés nuitamment dans l'estuaire de la Tamise, à proximité du refuge princier, Tristan et ses compagnons parviennent à se saisir de

_____

(1) Petite troupe de guerriers.

l'héritier d'Angleterre. L'irruption d'un contingent de guerriers compromet l'expédition. Lors d'une escarmouche, Tristan doit abandonner son prisonnier tandis que ses hommes tombent un à un. Seul Paindorge, son écuyer, en réchappe, blessé. Les deux survivants déjouent les menées de leurs poursuivants grâce au concours d'une jouvencelle, Luciane, au service de la belle Jeanne.

Mi-chambrière, mi-damoiselle de compagnie de la princesse, Luciane était aussi, d'une certaine façon, la prisonnière de celle-ci. Fille d'un chevalier normand, Ogier d'Argouges, elle sait, par son aimable geôlière, que son père, captif en Angleterre après la prise de Calais par les Anglais (1347) est revenu en France un an plus tard au moment où la peste noire ravageait les populations du continent et particulièrement celles de la Normandie. Luciane imagine qu'à cette époque où sa mère périt du terrible mal, Ogier d'Argouges s'est lancé à sa recherche sans pouvoir la trouver puisque, pour tenter de la soustraire à la contamination, son oncle, Thierry Champartel, l'avait conduite au Mont-Saint-Michel. Une succession d'événements néfastes l'ont peu à peu éloignée de cet homme, chevalier lui aussi, et marié à Aude, la sœur d'Ogier. Une femme, Catherine Pigache, en laquelle Thierry avait confiance, a placé la fillette sous la dépendance de Jeanne de Kent qui séjournait alors à Saint-Sauveur-le-Vicomte ; celle-ci, en revenant à Londres, a emmené Luciane avec elle.

Un jour qu'elle se promène dans Paris en compagnie de Tristan et de Paindorge, Luciane reconnaît Thierry dont les événements ont fait un chevalier d'aventure courant les joutes, les tournois pour y gagner des prix et vivre décemment. Elle le présente à ses compagnons et les adjure, tous, de l'aider à retrouver son père. Tristan hésite : son temps lui est compté puisqu'il doit accompagner, dès les premiers jours de l'automne, Jean II en Avignon. Cependant, il accepte, persuadé, lui aussi, qu'Ogier d'Argouges est vivant quelque part en Normandie. De plus, il doit assurer la protection de Luciane qui l'a secouru à Cobham.

Ils chevauchent prudemment car les chemins sont infestés d'Anglais, de Navarrais et de routiers. Un jour, ils sont assaillis par des malandrins et Luciane qui, depuis Paris, réclamait une épée, prouve qu'elle sait manier une lame (1).

(1) Anglais, Navarrais et routiers occupaient, comme il a été dit, le Cotentin et d'autres places fortes en Normandie. Les premiers étaient moins des insulaires, sujets du roi Edouard III, que des mercenaires Gascons et des Aquitains. Quant au mot *Navarrais*, il désignait les partisans du roi Charles de Navarre et, évidemment, des Navarrais d'origine. Il semble que ceux-ci aient été peu nombreux. On sait, cependant, qu'ils s'embarquaient à Bayonne, dans un port parfaitement aménagé ; Bayonne qui possédait la flotte la plus importante du Golfe de Gascogne grâce à laquelle elle commerçait avec Bordeaux, l'ouest de la France, les Flandres et l'Angleterre. Ainsi, les Bayonnais pouvaient-ils obtenir du fer, de la laine, des fourrures et du chanvre de la Navarre et exporter des cuirs, du poivre, de la cire, de l'encens, de l'axonge, des porcs vivants ou de la viande de porc salée, des poissons séchés ou salés, des draps de Flandre ou d'Angleterre. Évidemment, Charles II de Navarre préférait gagner par mer, en partant de Bayonne, ses possessions normandes et revenir du Cotentin de la même façon.

Berceau des Argouges, Gratot, en Cotentin, a été préservé de la destruction des guerres et de l'invasion des plantes par Raymond, un ancien sergent, et Guillemette, sa compagne. Ces fidèles serviteurs révèlent à Luciane et à Thierry qu'Ogier vit encore. Désespéré par la mort de son épouse, Blandine, et la disparition de leur fille, il s'est retiré à l'abbaye de Hambye, proche de Coutances où, en qualité d'oblat – mais sans avoir pour autant légué son domaine aux bénédictins –, il accomplit des besognes serviles. Après des retrouvailles émouvantes, le chevalier réintègre sa demeure et y reprend son rang.

Parce qu'il doit appartenir à l'escorte qui accompagnera Jean II en Avignon, Tristan doit repartir pour Paris. Luciane, consternée, lui avoue qu'elle ne conçoit pas de vivre sans lui. Or, s'il n'est insensible ni à la beauté ni au caractère de la pucelle, le jeune prud'homme tient à rester fidèle à Oriabel, persuadé qu'il la reverra un jour, peut-être à Castelreng. Cependant, sur le chemin qui l'éloigne de Gratot, Luciane ne cesse d'imprégner ses pensées. Il advient qu'elle y supplée l'Absente.

Une nuit, Tristan et son écuyer arrivent à Tortisambert. Ils ne peuvent éviter de se mêler à la ribaudaille d'une petite armée occupée à ripailler dans la cité après l'avoir mise à sac. Bertrand Guesclin la commande. Le Breton s'apprête à attaquer Jean Jouel, un Anglais allié aux Navarrais. Ceux-ci ont fait halte au Pas-du-Beuil. A contrecœur et pour ne point être taxés de couardise, les deux compagnons acceptent de participer à l'échauffourée. Celle-ci, nocturne et acharnée, tourne à l'avantage des assaillants. Avant l'aube, édifiés sur le comportement des Bretons et la superbe de leur capitaine, Tristan et Paindorge reprennent en hâte le chemin de Paris.

* *
*

Les renvois, dans cet ouvrage, sont plus nombreux que dans les précédents. La France passant de la tutelle d'un roi dérisoire à celle de son fils égrotant, hypocrite et matois, traversait une période de difficultés extrêmes : les routiers, les Navarrais, les Anglais, les intrigues, l'insupportable rançon de Jean II le Bon firent du royaume un lamentable échiquier sur lequel certaines ex-reines tinrent à jouer des rôles importants. Comment « reconstituer », nette et compréhensible, cette portion d'Histoire quasiment inextricable (adjectif créé en 1361, eu égard peut-être à la situation) ? Par des références solides et vérifiées sans cesse. Les uns en prendront connaissance, les autres passeront outre. L'essentiel est que l'auteur n'ait pas failli à sa tâche : distraire et enseigner.

P.N.

PREMIÈRE PARTIE

Le Pape, le roi et le dauphin

I

Tristan franchit le pont-levis par lequel on accédait à la cour du Louvre. Sous l'immense porche sonore, l'ombre se diluait dans les reflets de l'eau de Seine dont une douve, en cet endroit, mouillait les soubassements du palais. Aussi reconnut-il aisément Boucicaut qui marchait en sens inverse, sans épée, le buste couvert d'une cotte échiquetée de blanc et de vert tendre ornée, sur le cœur, d'un écu à ses armes : *d'argent à l'aigle éployée de gueules.*

— Castelreng ! s'exclama le vieux guerrier, les bras ouverts pour une brève accolade. Où étiez-vous ces temps-ci ?

— En Normandie, messire le lieutenant-général (1).

Jean le Meingre agita ses mains comme s'il se les était brûlées sur les épaules de son vis-à-vis.

— Avez-vous eu à souffrir de toute sorte de guette-chemin ?

Afin de converser le moins possible, Tristan ne révéla ni l'échauffourée où Luciane avait prouvé son audace ni l'embûche du Pas-du-Beuil. Pour déjouer les ruses d'une adversité prompte et mortelle, Paindorge et lui avaient chevauché de nuit. Ainsi avaient-ils pu entrevoir quelques feux et passer au loin. Daniel Goussot, l'armurier, et sa fille avaient joyeusement salué leur revenue.

— Je n'ai vu, messire, dit-il, ni Navarrais ni Goddons.

— Vous n'êtes point comme Jean le Mercier. Il revient lui aussi du pays de Sapience. Ses gens et lui-même ont dû dégainer pour se libérer par deux fois d'une truanderie dont ils ignorent l'appartenance... Une affaire d'otagerie concernant Louis d'Harcourt, d'après ce qu'on dit (2).

---

(1) Jean le Meingre, dit Boucicaut, était alors lieutenant-général de Touraine.
(2) Écossais de naissance – mais cela est contesté – Jean Le Mercier, de Gisors, allait obtenir la confiance du régent et atteindre les sommets de la notoriété quand Charles V fut roi de France. C'est lui qui négocia les paiements de la rançon du roi Jean. Son habileté aux affaires apparut pour la première fois lorsqu'il traita de la reddition de Creil, le 26 janvier 1360. Charles de Navarre céda la ville occupée par les Anglo-Navarrais contre 6 000 royaux d'or. Il en avait demandé bien davantage. En 1392, après le premier accès de démence de Charles VI, le duc de Bourgogne le fit embastiller ainsi que d'autres *marmousets* : Olivier de Clisson (disgrâcié), Bureau de la Rivière, Arnaud de Cortic. Ils avaient le grand tort d'être honnêtes.

— Alors, on dit mal, messire. Cette affaire concerne deux cités appartenant à Louis d'Harcourt... Je ne saurais vous dire leur nom...

— Vous me semblez au fait de bien des choses ! Quel dommage que la mémoire vous fasse soudain défaut. Un vieil homme tel que moi aime à se pourlécher de quelques rumeurs... bénignes (1) Où étiez-vous ?

— A Gratot, près de Coutances, chez messire Ogier d'Argouges.

— L'ancien champion du roi Philippe !... L'on m'avait dit qu'il était mort !

— Il avait fait retraite à l'abbaye de Hambye.

— La tonsure ?

— Non... Il n'était qu'un cénobite assez particulier.

— Quiconque s'est coiffé du heaume et du bassinet au-dessus de la cale (2) ne saurait supporter la coule !

Assez fier de jouer des mots, Boucicaut rit un bon coup – pour deux, se dit Tristan, qui se contenta d'un sourire. Il dut reculer et s'appuyer au mur afin de céder le passage à un homme à cheval, vêtu de bure mais botté comme un chevaucheur.

— Qui est ce présomptueux ? Il a failli me renverser.

— Pierre Chauvel, clerc des arbalétriers du roi. Peut-être ira-t-il lui aussi en Avignon. Car vous en serez... Votre nom a été prononcé par le roi et son fils.

— J'en serai.

— S'il vous fallait partir pour la Terre Sainte ?

— Si le roi le voulait, je le voudrais aussi.

Ils étaient maintenant dans la cour. L'énorme donjon rond les dominait. Des chevaux tiraient des chariots de pierre et, tout comme à Vincennes, les gens des corporations bâtissaient, chantaient, hurlaient.

— Ce sera beau quand ce sera fini. Mais verrons-nous la fin ? Vous peut-être, pas moi... Et je vous en fais confidence : je suis d'un âge que les grandes chevauchées rebutent... Je n'ai plus qu'une ambition... dont je laisse le soin à mon fils.

— Laquelle, messire, si ce n'est messéant de vous le demander...

— Fonder l'Ordre de la dame blanche à l'écu vert pour défendre les femmes et les filles des chevaliers en l'absence de leurs époux et de leurs pères... Bah ! Si je n'y parviens, mon fils réussira.

Et là-dessus, l'ancien maréchal de France dont la devise était *Ce que vous voudrés* s'éloigna sans se retourner.

(1) Saint-Vaast-sur-Seule et Lingèvres auraient dû revenir à Louis d'Harcourt. Le 12 avril 1360, Robin Ade, capitaine anglais de Saint-Vaast, Daykin de Hereton et Janequin Voude, ses compagnons, avaient donné quittance à Louis d'Harcourt pour 8 000 écus, montant du premier terme pour une rançon de 16 000 écus exigée par Jean Chandos. Or, Saint-Vaast, tout comme Lingèvres, demeurait sous contrôle anglais.

(2) Sorte de bonnet de tissu qui protégeait la tête, les oreilles et se nouait sous le menton.

Un moment, Tristan considéra les grandes orgues de pierre blanche qui – certaines chapeautées d'un éteignoir d'ardoise – montaient à l'assaut du ciel ; puis le donjon nommé la Grosse Tour, rond, immense. Un fossé sec le défendait, garni d'un pavement que nettoyaient deux femmes armées d'un balai de bruyère. Devant les bâtiments adventices réservés à la garnison, des sergents conversaient avec un homme grand, épais, vêtu d'un jaque noir, de chausses et de heuses crottées. Il s'exprimait avec de grands mouvements. Foulant d'un pied hâtif le sable de la cour, Tristan s'approcha, le cœur battant :

« On dirait Tiercelet ! »

L'homme se retourna. Ce n'était pas le mailleur de Chambly, le protecteur d'Oriabel mais un barbu au visage las, consterné par quelque malheur.

— Connais-tu ce chevaucheur ? demanda Tristan au vougier affecté à la surveillance d'une demi-douzaine de roncins et coursiers.

— Ce que je sais, c'est que c'est un message (1) d'Arnoul d'Audrehem. Nous sommes le dernier jour de juillet...

— Je sais cela. Où veux-tu en venir ?

— Ce chevaucheur est parti de Clermont, en Auvergne, pour venir annoncer au roi et à son fils Charles qu'il y a une semaine, les gens du royaume et les routiers de Brignais ont signé un traité de paix (2).

— De paix !

Tristan faillit s'ébaudir. Que croyaient-ils, les négociateurs du royaume ? Que ces démons de Tard-Venus respecteraient leurs engagements ? Il eût aimé connaître les clauses d'un tel accord.

— Le roi est-il présent ?

— Oui... et son fils également.

Remerciant le vougier d'un geste, Tristan piéta vers la Grosse Tour.

La plupart des privilégiés admis au Louvre avaient déjà hanté ce sanctuaire en voie d'achèvement. Ils se croisaient, s'interpellaient, se congratulaient dans une rumeur de voix et de pas sans cesse traversée par des tintements d'éperons et des heurts de bouterolles se touchant l'une l'autre ou râpant un mur lors de civilités *in promptu*. Tandis qu'il abandonnait le seuil pour s'engager dans l'escalier, Tristan aperçut des personnes connues : Nicolas Braque et son frère Amaury (3), Hugues Bernier (4) et Pierre de Villaines, dit le Bègue (5) ; il le salua car ils avaient naguère échangé quelques mots.

(1) Messager.
(2) Le samedi 23 juillet 1362.
(3) Fils d'Ernoul Braque, bourgeois de Paris, anobli sous Philippe VI, Nicolas était chevalier, maître de la Chambre des Comptes. Son frère était aussi maître des Comptes.
(4) Il était Trésorier de France conjointement à Jean d'Orbec.
(5) Pierre de Villaines, dit le Bègue, tirait son nom du fief de Villaines, près de Pontoise. Sénéchal de Carcassonne et de Béziers (1360-1361), il guerroya en Normandie au cours de l'année 1362 et connut Bertrand Guesclin qui l'entraîna en Espagne. Il fut fait Grand de Castille, comte de Ribadeo. Sa sœur épousa Gutterez de Villandrando et fut l'aïeule du fameux routier : Rodrigue de Villandrando. Déplaisant à Charles VI, il fut emprisonné à Crèvecœur.

— Comment va… Castelreng ?… Où étiez-vous… passé ?

Tristan sourit. Pour quelqu'un qui souhaitait n'être pas remarqué, la male chance le desservait.

— J'étais à Brignais, messire. Je reviens maintenant de Normandie.

— Je connais bien ce duché… Je vais, d'ailleurs… y… y revenir pour… avec Guesclin… essayer d'assagir… ces reniés de Navarrais et… et de Goddons.

Incidemment contraint d'évoquer le Breton, Tristan se retint de livrer sa pensée. Si peu qu'il l'eût vu et sondé, ce routier incarnait pour lui, désormais, l'ouragan des pires passions humaines. Ni Dieu ni quelque archange ni même Notre-Dame dont outrément il se recommandait, ne parviendraient à annihiler sa frénésie meurtrière. Cet ambitieux se souciait moins de servir le roi que d'affermir son personnage. Sa gloire, il la voulait absolue et vermeille.

— Je vous souhaite, messire, avec Guesclin, moult plaisances et réussites.

— Je sais ce qu'il vaut. Sa vaillance… lui fait pardonner… le reste.

Pierre de Villaines n'était point si bègue qu'on le disait ou, s'il l'était, il savait, le cas échéant, améliorer sa diction. Il semblait prendre plaisir à rompre le cours de ses phrases, à enchâsser certains mots d'un bref silence afin de leur donner plus de vigueur ou d'éclat. C'était un homme vigoureusement musclé, lourd de charpente et de chair, au visage sobre, glabre ; un chevalier trentenaire, marchant droit, voyant net, éloigné de toute affectation ; peu ambitieux sans doute.

— Brignais, mon ami, c'est pour moi un échec pire que Poitiers.

— Je l'ai, messire, ressenti comme tel. Messire Jean le Meingre vient de me dire que les représentants du roi ont traité avec les routiers.

Pierre de Villaines soupira.

— Hé oui… Comme toujours !… Le royauté ôte ses chausses… quitte ses braies… et montre… Non : *offre* son… cul !

Tout en exprimant son mépris à voix basse, le Bègue réunissait sans doute, dans une humeur atrabile, la défaite honteuse de Maupertuis et l'incapacité, pour un dauphin qui avait fui cette bataille, de se montrer homme de guerre jusque dans les murs de ses forteresses.

— Nous sommes des vaincus… Tenez, Castelreng… J'étais… sénéchal de Béziers et Carcassonne… On m'en a… délogé… Audrehem y règne désormais. Et cela veut tout dire… Le mal que les routiers… commettront encore… ira… ira en s'aggravant… La Langue d'Oc va se… putréfier… Venez…

Tristan se laissa entraîner dans la cour. Pierre de Villaines voulait y marcher à son aise et surtout éviter d'être entendu.

— C'est à Audrehem que nous devons notre défaite à Poitiers.

— En partie, j'en conviens (1). J'étais présent quand Clermont et lui eurent leur riote (2)… Je ne sais rien des conventions passées avec les routiers. Elles doivent être… épouvantables. De plus, ce ne sont point des gens d'honneur. Ils renieront leur parole.

Pierre de Villaines avait beau affecter un air simplement contrit, c'était de la colère qui l'animait : il en débégayait peu ou prou.

— Arnoul qui arrive trois jours après Brignais, dit-il d'un seul jet. Il pouvait, il *devait* y être, ce couard… Jamais… présent quand il faut. Une dextre moins… faite pour serrer l'épée… que pour… saisir les… escarcelles… d'où qu'elles viennent. C'est pourquoi il… distribue… tant de lettres de rémission. Le roi les lui accorde… Il en reçoit… récompense. Il puise dans le Trésor… sans trêve ni scrupule… On m'en a dit de belles, sur lui, en… Normandie. Ils ont même violé Gues… Gues… clin et lui… des trêves conclues avec les… Goddons. C'est pourquoi la guerre s'y est… infectée.

D'un geste nerveux, Pierre de Villaines chassa une mouche qui venait de se poser sur sa cotte d'armes de camelin mi-partie rouge, mi-partie blanche. Puis son poing s'agita, chargé sans doute, envers les deux absents, d'une densité menaçante.

— Dieu, je le crois, fera justice de tout cela.

— Qui sait ? fit Tristan incrédule.

Tournant les talons comme s'il redoutait d'en avoir trop dit, le Bègue de Villaines s'éloigna d'un pas pesant.

Tristan monta en hâte l'escalier de la Grosse-Tour. Atteignant le premier palier, il aperçut le roi et le dauphin suivis de quelques hommes dont il ne se soucia guère. Le roi le vit avant son fils et l'interpella :

— Venez, Castelreng.

Le prince Charles répéta le geste de son père. Tristan les salua avec autant d'onction qu'un curial de longue date.

— Êtes-vous venu, dit Jean II, pour savoir quand nous partons ?

— Oui, sire.

— Eh bien, suivez-moi… Viens, Charles… Vous autres, demeurez…

Il y eut des murmures. Charles demanda :

— Où allons-nous ?

— Saint-Louis. Nous y serons à l'aise.

C'était une salle obscure, voûtée, soutenue au centre par deux piliers, garnie de hautes voûtes dont les culots, des têtes d'hommes et

---

(1) Une conversation sur la façon d'attaquer les Anglais, entre le maréchal Jean de Clermont et Arnoul d'Audrehem, dégénéra. Ce dernier insinua que Clermont était un couard. Celui-ci jura qu'il irait, dans la mêlée, plus loin que son contempteur. Il tint sa promesse et en mourut. Audrehem fut capturé. Sa rançon fut de 12 000 florins (Voir annexe I).

(2) Querelle.

de femmes, souriaient aux visiteurs. L'hilarité de ces personnages accessoires n'altérait point l'austérité de ce tinel (1) pareil au corps de garde d'une prison. Cette sévérité semblait involontaire ; cependant, après les premiers instants de silence et de gêne, Tristan sentit son esprit s'acheminer vers une sorte de résignation. Formidable par des dimensions et une massiveté qui attestaient de la toute-puissance des choses qu'on y discutait – lois, desseins, verdicts –, cet hypogée, par son aspect et la rareté de ses luminaires, semblait le morne refuge d'une royauté aux abois.

Empreinte d'une fatigue physique et spirituelle, la physionomie du roi semblait, dans la pénombre, toute d'aisance et de majesté. Sa senestre lasse tapotait sa hanche comme pour y sentir, par miracle, une épée inexistante. Il n'était plus le monarque qui se voulait redoutable avant Poitiers, le faiseur ou l'empoigneur de foudre. Sous ses sourcils parfois froncés, ses yeux ne brillaient guère plus que deux gouttes d'encre délavée. Il s'assit pesamment sur une chaire chargée de dorures et, d'un remuement faussement rigoureux du menton, enjoignit au dauphin de s'installer près de lui, dans un siège pareil au dossier plus petit. Tristan se demanda quelle image du père et du fils se forgeait l'imagination populaire. Pour la duplicité, il eût choisi le fils. Pour le courage, même fol, vain, mortifère, il préférait le père.

— Vous resterez à Vincennes, Castelreng, et attendrez mon mandement.

— Oui, sire.

— Prenez cette chaière près du seuil, dit le prince. Approchez-vous.

Tristan obéit. Le siège était étroit, plus incommode qu'un banc. Il se sentit du mésaise.

— Vous qui étiez à Brignais, dit le roi, que pensez-vous des capitaines des Compagnies ?

Tristan s'inclina. « S'ils veulent être seuls à savoir ma pensée, ils vont être servis ! » Il affecta une mine de circonstance – aussi froide et morne que les murs.

— Je vous l'ai déjà dit, sire, et à vous aussi, monseigneur, dès mon retour : on ne saurait accorder la moindre créance à ces malandrins. Ce sont tous des semeurs de mort. Leurs forfaits sont irrémissibles.

Il savait que sa fureur soudain ressuscitée préjudiciait son propos, effaçant de son contenu même l'accent de naturelle aisance qu'il eût aimé lui donner.

— Ah ! fit le roi.

Il avait espéré une simple rancune, il obtenait de l'exécration.

— Croyez-vous ? fit le duc de Normandie entre deux pincements de lèvres.

(1) Salle où se donnaient les festins et les audiences.

Il avait imprégné sa question de la noblesse innée qui était sienne tandis que son attitude se cherchait la souveraine majesté dont il était privé. Ce n'était qu'un malade en instance de couronnement qui, pour parvenir vélocement au trône, s'était pendant un temps accointé au Mauvais. « On dirait », songea Tristan, « tellement il se tortille, qu'il est assis sur un lit de fourmis... à moins qu'il n'ait des émoroydes. » Pour demeurer serein devant ces hommes, il était contraint d'amoindrir leur dignité et d'empirer les maux dont ils souffraient inégalement. Il regarda, tapotant l'accoudoir de la cathèdre, la grosse dextre du prince Charles et dans les entre-deux, quand il écartait ses doigts, de répugnantes cicatrices roses (1). Une main juste bonne à tenir un chapelet. Aussitôt, comme pour se purifier, son attention se porta sur celle du roi Jean, pâle, solide, à laquelle les lueurs vacillantes des torches conféraient une nervosité, sinon une grandeur. Certes mauvais stratège, il était chevalier.

— Ainsi, vous doutez de la parole de ces... semeurs de mort ?

— Oui, sire.

(1) Selon ses contemporains, Charles aurait failli mourir empoisonné par ses frères (Louis d'Anjou, Jean de Berry, Philippe de Bourgogne), rapporte le Dr Cabanès dans *Les morts mystérieuses de l'Histoire* (Paris, 1930), puis par Charles le Mauvais, lequel eut envie de se débarrasser de son ancien complice après son attitude quasiment passive lors du banquet de Rouen (5 avril 1356) et son incarcération. Le prince Charles présentait une fistule au bras gauche, probablement consécutive à une ostéopériostite de l'humérus, de nature typhoïdique accompagnée de chute des cheveux et des ongles. Il présentait également une déformation articulaire et une impotence chronique de la main droite. Des incisions avaient été pratiquées entre les doigts pour diminuer l'œdème. Il avait froid en permanence à cette main dont la motilité était abolie pour les actes sollicitant un effort conséquent. Charles pouvait se permettre d'écrire et de porter des objets légers, rien de plus.

On notait aussi chez lui, lorsqu'il fut roi, une dyspepsie flatulente qui s'observe chez les goutteux, de la gravelle, un état fébrile chronique.

Les médications antigoutteuses, analgésiques et hypnotiques ordonnées à Charles par ses médecins confirment le diagnostic de goutte.

Après la tentative d'empoisonnement de Charles le Mauvais, les jours du prince avaient été longtemps menacés. Il n'avait dû sa guérison qu'aux soins assidus d'un médecin de l'empereur Charles IV qui avait conseillé un cautère au bras et prescrit un régime à suivre, annonçant que, lorsque le cautère cesserait de couler, sa vie serait menacée. Il mourrait peu de temps après. Ce fut en 1380 que Charles s'aperçut de cette suppression. Sa fin se révélait prochaine (Berthevin : *Recherches historiques sur les derniers jours des rois de France*, Paris, 1825).

Selon le Dr Cabanès, cette « théorie », reprise par Henri Martin, Sismondi, etc. est suspecte. « *Déjà* », écrit-il, « *au XVe siècle, le chroniqueur Zantfliet attribuait à un empoisonnement, commis par les frères de Charles V, l'état du bras gauche du roi, celui de sa main droite, son hydropisie ainsi que son état cachectique. Froissart ne craint pas, lui aussi, d'attribuer l'ostéo-périostite à un empoisonnement du roi, en 1357, par Charles le Mauvais. Moreau (de Tours) et Bird, en Allemagne, ont suivi cette fausse piste.* »

L'intoxication serait due à de l'arsenic. Cependant, le Dr Cabanès insiste sur le fait que Charles V était fils de rhumatisant, arrière-petit-fils de goutteux. Son oncle était mort de cachexie goutteuse et l'un de ses frères, (Jean, duc de Berry), sinon deux (Louis d'Anjou) avait également subi les atteintes de la même diathèse. Charles, qui s'était marié à 13 ans, mourut le dimanche 16 septembre 1380 dans des circonstances effrayantes. Une agonie de 60 heures : état persistant d'orthopnée, phénomènes asphyxiques, crise d'hydropisie nécessitant une double ponction latérale, angoisse cardiaque (le malade hurlait). Tableau symptomatique de l'angine de poitrine coronarienne telle qu'on l'observe dans une lésion de l'aorte.

— Tout être humain engagé dans une mauvaise voie peut s'amender, dit le prince du bout de ses grosses lèvres. C'est le cas de Lyon du Val qui, il y a moins de... trois ans, *me* rendit deux forteresses.

S'il voulait offenser son père – hypocritement –, Charles y réussissait à merveille. Sans doute avait-il même été tenté d'user du *nous,* pluriel de majesté, qu'il lui tardait d'employer.

— D'après ce que je sais, messire Lyon du Val n'est toujours point un saint (1) !

— Il le deviendra... peut-être. Nous sortons tous de la même argile, poursuivit le prince d'une voix sirupeuse que n'eût pas reniée, sans doute, son confesseur.

— Certains, monseigneur, sortent de la boue, – pour ne point user d'un autre mot.

Jean II écoutait son fils sans laisser paraître ses sentiments. Il se pouvait qu'il ne fût point mécontent de lui voir un contradicteur.

— Et qui donc, selon vous, sort droit d'autre chose ? De la merde, je présume ?

Fallait-il répondre franchement ou bien, pour atteindre au même résultat, user, voire mésuser d'explications dilatoires ? Tristan songea qu'il se trouvait confronté à deux sortes d'impotents. L'aîné, affecté par une vergogne irrémédiable, tentait de recouvrer sa hautaineté perdue ; l'autre, ambitieux mais rongé par on ne savait quel poison, affectait une invincible béatitude. Prendraient-ils la vérité qu'il allait leur livrer pour une irrévérence ? Eh bien, tant pis. L'exprimer, c'était mettre en garde contre de males serviteurs ces deux piliers branlants de la royauté.

— Arnaud de Cervole...

Il y eut une exclamation : celle du prince, tandis que son père fronçait les sourcils, se souvenant sans doute que l'Archiprêtre, à Poitiers, avait subitement disparu de la mêlée.

— Je vous accorde, Castelreng, que c'est une espèce de routier... Mais assagi, repenti... et fier, n'en doutez point, de servir la Couronne !

Le roi Jean observait le profil de son fils. Il voyait son œil clair gonflé de pensées qu'il eût aimé connaître. Croyait-il toujours que Charles l'avait voulu trahir pour rendre concrètes les ambitions du Mauvais ? Il toussota. Ses paupières se fermèrent. Essayait-il ainsi d'imaginer son logement d'Angleterre et les nobles gens qui le visitaient ?

(1) Lyon du Val avait restitué les forteresses de Juilly et Oisery. Il avait exigé des lettres de rémission, la restitution de ses biens confisqués pour ses outrances, et demandé à devenir huissier d'armes du régent... qui avait hésité à le satisfaire ! Or, quelques semaines auparavant, irrité par la résistance des habitants de Thieux, il les avait enfumés dans l'église où ils s'étaient réfugiés, puis massacrés à leur sortie.

— J'ai nommé Arnaud de Cervole mon lieutenant en Nivernais.

— Ignorez-vous, messire, que les bourgeois de Nevers se sont aussitôt constitués en milice pour se garder d'un tel protecteur... et que l'Archiprêtre, pour les punir de leur insolence – je dirai, moi, de leur précaution – les a frappés d'une amende de soixante mille deniers d'or ?

La réponse tomba, tranchante et singulière :

— Avec ces deniers, il a soldé ses hommes, nous évitant ainsi de puiser dans notre trésorerie, par conséquent de hâter le paiement de la rançon de mon père.

C'était joliment trouvé, mais faux. L'Archiprêtre emplissait ses coffres. Tristan, rechigné, muselé, considéra ces deux floués, ces trahis, merveilles d'une crédulité lamentable et funeste. Le rougeoiement des flambeaux semblait signifier qu'ils atteignaient le crépuscule de leur puissance et qu'il assistait, spectateur privilégié, au couchant de l'hégémonie des Valois, pâles imitateurs des Capétiens pourtant chargés de tares innombrables. Eux, au moins, avaient fortifié le royaume, justifié ses richesses quelquefois mal acquises par l'usage qu'ils en avaient fait. Règnes éphémères, certes, d'où l'usage du poison n'était pas exclu, mais ils avaient créé, bâti, préservé leur patrimoine. Maintenant, par la faute d'un Philippe VI et l'impéritie vaniteuse d'un Jean II, les Français, nobles et vilains, s'empêtraient dans les gravats d'une royauté aussi malade que cet héritier blême, égrotant et retors dont il ne pouvait, lui, Tristan, imaginer sans répugnance la pote (1) viciée – et peut-être vicieuse – tâtonnant son épouse.

— Nous ne sommes point ici, dit le prince Charles, pour discuter des qualités et des défauts d'Arnaud de Cervole ! Nous avons délibéré avec les routiers de Brignais et sommes tombés d'accord.

Pour traiter avec ces malandrins, il fallait être en position de force. La royauté française se prostituait à eux. Hélas ! seul un Edouard III ou un prince de Galles eût osé proférer cette vérité.

— Peut-être vous demandez-vous, chevalier, dit le roi, quels hommes ont traité avec les routiers.

Il ne fallait surtout pas dire : « Que m'importe ! » mais :

— Oui, sire.

— Audrehem, Henri de Trastamare...

Quelle méprise d'avoir convié cet Espagnol aux négociations ! Jean II et son fils ignoraient-ils que ses hommes égalaient en nuisance les malandrins de Brignais ?

— ... l'évêque de Clermont, le comte de Boulogne, le sire de la Tour, le sire de Montagu, Robert de Lorris et le gouverneur de Montpellier.

_____

(1) Se disait d'une main gourde, enflée, trop grosse.

— Et pour les routiers, sire ?

Cette fois, ce fut monseigneur Charles qui répondit :

— Jean Aimery, Garciot du Châtel, le Bourc de Breteuil, Bérard d'Albret, Espiote, Bertuchin, Pierre de Montaut...

Le prince fronçait les sourcils dans un profond effort de mémoire. Son père le secourut et tirant, de sous son pourpoint, un parchemin qu'il déplia :

— Jean Havezorque, le Petit-Meschin, Arnaut de Taillebarde.

— Je les connais tous, sire. Je me garderais de leur fournir en gage la bouterolle de mon épée !... Pourquoi messire Arnoul d'Audrehem n'a-t-il pas essayé de les assaillir, *lui qui n'était pas à Brignais et dont l'armée est fraîche et entière* ?

— Parce que c'est ainsi !

Le prince Charles s'indignait. Rassasié de tout, du moins en apparence, son père ne laissait paraître sur les traits de son visage aucune expression particulière d'assentiment ou de réprobation, aucun reflet d'une pensée déterminée, d'une résolution définie ; et ce qui peut-être, selon lui, signifiait la majesté dans ce qu'elle pouvait avoir de plus proche et de plus familier n'inspirait ni le respect ni l'admiration – même si cet homme, une fois, s'était battu comme un lion avant de succomber devant les léopards.

— Ce pourquoi nous vous avons fait venir céans, dit le prince, c'est pour vous mettre en garde contre cette haine que vous vouez aux routiers.

— Sachez, ajouta le roi Jean, que nous n'accepterons point la moindre querelle si nous les rencontrons lors de notre descente en Avignon.

Avait-il peur ? Sa voix, à défaut du visage, interprétait seule des sentiments de résignation. Son fils, pour une fois, souriait aux anges. Tristan se leva et, l'attitude affleurant l'insolence :

— S'ils vous agressaient, sire ?

Il se tenait bien droit, les paumes le long des cuisses pour ne point aggraver, en croisant les bras, son manquement à l'humilité : « *Quoique blessé l'esprit réduit le physique en servage.* » Du front aux talons, il suait d'indignation, d'impuissance et de mépris.

Il y eut un silence. Le souffle rauque, lent et comme paisible du père et la respiration haletante du fils se confondaient en un bruissement guère dissemblable de celui d'un homme qui se meurt. Attendant une réponse longue à venir, Tristan regarda les cannelures des voûtes où quelques mouches volaient, tournaient et bruissaient, elles aussi. Sans plus tergiverser, le dauphin se leva :

— Ils n'oseront toucher à mon père !

Le menton et le ventre en avant, les bras écartés, le dextre plus bas

28

que l'autre en raison, sans doute, du poids de chair lestant son extrémité, il cherchait à se grandir, à se diviniser presque. Le roi s'en aperçut et se leva aussi :

— Ne craignez rien, Castelreng…

— Je ne crains que pour vous, sire, comme à Poitiers où tant de couards s'en allèrent… alors qu'à plusieurs nous vous eussions sauvé…

Il ne nommait pas expressément le fils, et d'ailleurs celui-ci avait tout oublié. Il ne nommait point Cervole, alors qu'il eût pu se le permettre. Il se courba, la main sur le cœur :

— … et je demeure, sire, monseigneur, votre fidèle et dévoué serviteur.

Sitôt dehors et seul, il soupira d'aise. Puis il se renfrogna presque immédiatement : la royauté n'en avait point terminé avec les routiers.

Il quittait le Louvre lorsque Boucicaut le rejoignit.

— Messire !… Je vous croyais déjà loin !

— Je l'aurais voulu ! J'ai été retenu par Gaucher de Lor qui retourne en son château de la Broye (1)… où le roi Philippe se réfugia après Crécy… Il m'a dit que Jean II et son fils avaient l'intention d'obéir aux instances du Trastamare et d'envoyer les Compagnies en Espagne (2).

— Je connais la plupart des chefs de route. Jamais ils n'accepteront : ils aiment à leur façon la France !

— Les Espagnols du Trastamare également : ils ne veulent plus revenir chez eux !

(1) Chevalier, Gaucher de Lor, seigneur de Ressous et de la Broye avait pris part à la défense de Reims contre Edouard III, en 1359-1360.

(2) L'Histoire telle qu'on l'enseigne a fait du Trastamare une espèce de preux au détriment de Pedro le Cruel, jugé définitivement comme un personnage ignoble. Or, dans l'ignominie, le Trastamare fut insurpassable. Il sut se jouer de la piteuse royauté française avec la complicité d'un homme des plus matois : le maréchal Arnoul d'Audrehem, lieutenant du roi en Langue d'Oc.

En juin et juillet 1361, Audrehem n'empêcha pas les bandes d'Espagnols du Trastamare d'entrer en France. Le 13 août, il quitta opportunément sa « base ». Fin février 1362, le Trastamare et ses suppôts se mirent aux gages d'Arnoul et de la sénéchaussée de Carcassonne. Avec lui, ils se rendirent aux frontières d'Auvergne non point pour combattre les routiers *mais pour pardonner à ceux qui le souhaitaient*. De retour à Nîmes début mai, le Trastamare s'y fit remettre 800 florins d'or, après quoi, sur ses conseils, Arnoul revint en Auvergne pour traiter avec les Compagnies. Le 3 juin, à Montpensier, les deux hommes et leurs gens se trouvèrent devant une horde de 1 200 routiers. Les Espagnols en occirent 600 et firent 200 prisonniers. Ce fut pourquoi le Trastamare assista *persona grata* aux délibérations du traité de Clermont, y prenant souventefois la parole et promettant de conduire les Compagnies en Guyenne si la guerre y reprenait. A la demande d'Arnoul, les otages des routiers seraient remis à son compère Henri, lequel, pour ses bons offices, récolterait 53 000 florins des sénéchaussées de Langue d'Oc.

Le 13 août, le Trastamare s'engagea à emmener les Compagnies hors du royaume, y compris l'Archiprêtre et ses brigands. Poussé par Audrehem qui dut recevoir sa ristourne sur ce marché honteux, il promit de servir le roi de France avec tous ses barons, et Jean II, le « fauché », leur accorda 10 000 livres de revenus pour eux, leurs femmes, leurs enfants, et 10 000 livres pour le seul Henri, sa femme, leur fils, *leur vie durant*. S'ils échouaient dans la conquête du trône de Castille, ils vivraient tous en France.. ➞

— Quand il m'advient d'ouïr des sots et des penseurs qui prétendent que le royaume est une terre d'asile, l'envie me prend de les pourfendre. La France me paraît une pute insensée qui, méprisant ceux qui l'aiment, n'accorde son corps qu'à la mauvaise gent.

— Je dirai même, messire, approuva Tristan, que plus ces mauvais coucheurs sont laids, plus elle jouit !

— Est-elle incapable, désormais, de recouvrer la sagesse afin d'enfanter des filles et des fils dont elle pourrait être fière, qu'il lui faille se faire trousser et détrousser par la canaille ?

Tristan n'osa répondre affirmativement. Si peu qu'il eût approché le roi et son fils, il avait vu des vaincus.

— Je viens d'apprendre, dit Boucicaut, qu'en avril dernier, lorsque ce gros outrecuidant d'Audrehem a chevauché contre les routiers de Seguin de Badefol établis à Montpellier, il avait emmené Moreau de Fiennes, le Bègue de Villaines, le Baudrain de la Heuse qui, en tant qu'amiral, n'avait rien à faire là... *et aussi le Petit-Meschin !*

— Qui survint à Brignais, au plus fort de la bataille, pour secourir les routiers et les aider à vaincre l'armée aux lis !

— Pour ce qui concerne Arnoul d'Audrehem, cela s'appelle avoir du discernement !

Suite de la page précédente :
Le 3 février 1363, Jean II confirma l'accord et offrit des terres au Trastamare par l'intermédiaire de Gomez Garcia, trésorier du comte (Servian, Hérault, 21 mars 1363). En avril, Jean II, *à la demande du Trastamare*, décida que les cités de Cessenon, Servian, Thézan, de la viguerie de Béziers seraient du ressort du sénéchal de Carcassonne (où Arnoul « régnait »). Henri obtint également lors de cette saisine : Roquebrun, Vieussan, St-Nazaire-de-Ladarez, Pierrerue, Mus, Veyran, Prémian, Fraisse. Après quoi, allant à Paris, il se fit remettre 1 000 florins d'or pour le défrayer de ce voyage accompli en compagnie d'Arnoul.
Dès septembre 1362, les Espagnols opprimèrent la population de Nîmes. Des rixes eurent lieu et Arnoul donna tort aux honnêtes Nîmois. Il députa le viguier d'Albi, Pierre Leu, pour réquisitionner les bêtes de somme qui devaient emmener les bagages de la comtesse de Trastamare en Espagne. Jeanne de Peñafiel, de la famille de La Cerda, avait épousé Henri le 17 mai 1350. Il ne fallut pas moins de 54 mulets. Tout cela allait en Espagne mais n'en provenait certes pas ! Or, si le couple Trastamare repartait au pays, les Espagnols, eux, restaient. On s'entre-tua dans Nîmes. Les Nîmois accusés d'avoir tué des Espagnols furent capturés et pendus aux fourches patibulaires (23 septembre) avec l'approbation d'Audrehem. Ces chiens de guerre dévastèrent les sénéchaussées de Carcas et Beaucaire.
Le 17 mars 1363 Henri n'avait reçu que 39 000 florins sur les 53 000 promis. Il obtint le reliquat le 28 avril, après qu'on eut pressuré les Languedociens. Les Espagnols devinrent pires que les routiers. Dans une lettre du 23 décembre 1362, le Trastamare est cité comme un fauteur de troubles.
Les Espagnols rejoignent les Compagnies. On croit s'assurer leur neutralité en imposant le peuple. Les manants de Frontignan se rebellent. On pend les meneurs.
2 mars 1364 : Une émeute éclate à Narbonne contre les Espagnols qui ont tué, violé, incendié. Une centaine d'Espagnols combattent les Narbonnais désarmés. On se tue pendant trois jours. On exécute les gens honnêtes au nom du roi de France et on inflige aux survivants une amende de 8 000 francs or. Avec la bénédiction d'Audrehem, la ville est sommée d'entretenir à perpétuité deux prêtres chargés de dire des messes pour le repos des âmes des hommes du Trastamare. Alors, pour accomplir un grand ménage, on lance l'idée de semer la guerre en Espagne. On va combattre Pierre le Cruel qui a tué Blanche de Bourbon. Il est l'ami des Juifs, c'est un excommunié. On assiéra le Trastamare, digne allié de la France, sur le trône de Castille !

Ils rirent, mais d'un rire insincère. L'humiliation d'appartenir à une noblesse et une armée constamment malmenées les ulcérait autant que la crédulité d'un roi et d'un dauphin insensibles à la vergogne.

— Connaissez-vous, demanda Tristan, les conditions du traité de Clermont ?

— Hélas !... Je les tiens du roi lui-même. Il fut signé le 23 de ce mois (1). Tenez, mon jeune ami, allons dans ce recoin.

Quand ils furent seuls dans l'ombre de la tour de la Taillerie, Boucicaut enchaîna :

— Les Compagnies doivent sortir de notre royaume sans jamais plus y rentrer à moins d'une guerre entre la France et l'Angleterre ou entre les comtes de Foix et d'Armagnac.

— Adonques, dit Tristan, s'ils en partent par miracle, ils y reviendront au galop !

— C'est ce dont je suis sûr, moi aussi... Mais oyez ce qui suit : les routiers doivent faire serment et hommage au... Trastamare et ne pourront quitter leur compagnie sans sa permission.

— C'est une clause qui prouve une ingérence outrancière dans les affaires de la France avec le consentement de cette... pute !

Boucicaut acquiesça. Son visage dur, halé, solide, avait pâli.

— Hélas !... Arnoul doit avoir fait cette trouvaille. Il est comme cul et chemise avec cet Espagnol et son frère Sanche... Sachez encore, compère, que les routiers doivent tous vider le pays dans les six semaines sans s'arrêter plus de six jours au même endroit et sans rien y prélever d'autre que leur nourriture et celle de leurs chevaux.

— Autrement dit : après six jours, quand ils partiront, il ne restera rien que des morts et des cendres.

Boucicaut approuva, soupira et reprit :

— Trente-quatre de leurs capitaines resteront otages du Trastamare qui, les six semaines écoulées, pourra encore, durant trois mois, les mener où bon lui semblera. Tous les routiers doivent jurer de respecter ce traité, particulièrement les otages. De toute façon, ils sont assurés du pardon du roi de France en attendant celui du Pape et du roi d'Angleterre. Quant aux rançons qui leur sont dues, Arnoul leur a promis de les faire acquitter pourvu qu'ils lui présentent leurs exigences par écrit. Il leur donnera des otages qui, comme ceux des Compagnies, seront remis à la garde du Trastamare et avant le 8 septembre, à une journée de marche des frontières de France, on leur comptera cent mille florins d'or, faute de quoi, on restituera les otages de part et d'autre et le traité sera nul.

— Ce pacte ne sera jamais respecté.

— C'est ce dont je suis sûr. Le Trastamare a fait hommage au roi de France contre cent cinquante trois mille florins d'or.

(1) 23 juillet 1362.

— L'envie de vomir me prend.

— Moi, je vomis Audrehem !

Cette fois pour de bon, Boucicaut s'en alla.

*   *

*

L'atelier de Daniel Goussot retentissait d'un concert de tapotis et frappements dont Tristan connaissait les couplets et l'antienne. Les uns, fréquents et légers, révélaient un fer acérain (1) épousant peu à peu la forme d'une bille de bois pour devenir épaulière, cubitière ou genouillère ; les autres, brefs, espacés, concernaient un acier sablonné, écroui sur l'enclume – une épée sans doute ou quelque passot. Le soufflet de la forge expirait en mesure. Nulle voix. Les talons des marteaux imposaient leur tumulte.

Tristan se demanda s'il devait entrer plutôt que de monter dans sa chambre et y attendre le souper. L'absence de Boucicaut ne rendait que plus inacceptable sa solitude. Il admirait le maréchal autant qu'il en avait pitié. Pourquoi fallait-il que la royauté fût si laide ? S'il ne s'était déterminé à quitter la suite de Jean II pour gagner Castelreng et retrouver, ne fût-ce qu'un jour, Oriabel, il eût fait en sorte de ne plus réapparaître au Louvre et à Vincennes. On l'eût cru mort, sans doute, et nul ne l'eût regretté.

Constance Goussot traversa la cour. Grande, avenante, elle portait une robe légère dont l'étoffe blanche et pimpelorée (2) seyait à ses courbes onduleuses. Il s'en détourna pour s'abandonner à la mélancolie de son oisiveté. D'ordinaire, il trouvait toujours à quoi s'employer. Ce jour d'hui, il ne savait que faire. Bien que Paindorge, occupé à l'écurie, fût d'une bonne accointance, Thierry lui manquait. Luciane également.

Constance repassa et lui sourit. Son œillade était franche. Il résolut d'attendre, bien qu'il ne doutât plus des sentiments de la pucelle à son égard. Et puis, maître Goussot veillait sur elle.

Il descendit les trois marches d'accès à l'armerie dont il poussa le hus et le contre-hus (3). A la faveur d'un courant d'air, l'odeur complexe du logis emplit ses narines et sa gorge. Cela sentait la braise, la fumée, l'eau de refroidissement, noire dans un tonneau dont certaines douves suintaient ; et les fades relents du fer tourmenté chaud ou froid, de l'huile rance et de l'axonge ; et la sudation des hommes qui, par cette chaleur, s'activaient torse nu. Daniel Goussot

(1) Qui tient de la nature de l'acier.
(2) Étoffe ornée de broderies imitant les feuilles de la pimprenelle.
(3) Partie inférieure d'une porte conçue de telle façon que l'on peut ouvrir la partie supérieure cependant que le bas reste fermé.

frappait sur une lame tandis qu'Yvain, paisible, actionnait le soufflet. Flourens gironnait une épaulière et Guyot, une cubitière. Tristan regarda les murs gras, les râteliers d'outils aux tenailles nombreuses et les armures en voie d'achèvement, suspendues çà et là comme autant d'énormes épouvantails. Piétinant les limailles et rognures de fer, il s'approcha du haulmier (1) qui, posant son marteau, sourit sous sa moustache.

— Une passot (2) ?

— Oui, messire. Pour un chevalier déplaisant qui nous fait réparer son armure. Mais quoi ! il nous faut faire avec tout chacun.

— Comment se nomme-t-il ? Je le connais peut-être.

— Fouquant d'Archiac.

— C'est un fumeux doublé d'un capiteux (3).

— Je m'en suis douté. Il est à l'écurie et soigne son cheval.

Certain d'avoir excité la curiosité de son hôte, Tristan continua :

— L'an passé, j'ai accompagné le roi dans sa visite des bonnes villes (4). Au commencement de juillet, sur le marché de Meaux, deux hommes s'offrirent pour une bataille à emprise de volonté (5). C'étaient Fouquant d'Archiac, appelant, et Maingot Maubert, défendant. Il ne faisait point chaud ; c'était pis : la fournaise !... Maingot Maubert me parut un prud'homme solide, circonspect, modeste et aduré aux armes... L'autre, ce Fouquant, chevalier, seigneur de Tornerac, me fit l'effet d'un chercheur de riotes. Sitôt qu'il fut en selle, son cheval desrayé par la chaleur et les coups d'éperons inutiles en ce cas (6), lui fit si peur qu'il en descendit et se trouva fort en peine de requérir son contendant qui lui, était resté en selle. Il faisait si chaud que les armures étaient de véritables chaudrons livrés aux feux du ciel. Dépité de ne pouvoir occire son homme, Archiac alla s'asseoir sur un banc, au bout des lices, sous les huées de la foule. Maingot Maubert était las, lui aussi, au point qu'il s'empêtra dans ses rênes, titilla son cheval et tomba... Comme au sortir d'un rêve, Archiac se mit debout et, une longue épée dans sa dextre, marcha à très grand-peine vers Maingot pour l'occire en l'accusant d'avoir reculé devant les Goddons, huit ans plus tôt, époque où il était capitaine de Saint-Jean d'Angély...

— Puis il trouva le défaut de l'armure !

(1) Faiseur de haulmes, armurier.
(2) Épée large et courte à deux tranchants que portaient surtout les gens de pied. On disait : « Une passot. »
(3) Personnage irascible, violent, doublé d'un obstiné.
(4) De retour à Paris le dimanche 13 décembre 1360, Jean II voulut en personne récolter l'argent de sa rançon. Le jeudi 1er juillet suivant, il prêchait sa cause au marché de Meaux.
(5) C'est-à-dire qu'ils s'offrirent de combattre devant le roi sans avoir été poursuivis ni cités par lui, et qu'on leur laissa régler les conditions de leur rencontre.
(6) Un cheval *desrayé* est quasiment indomptable.

— Non, maître Goussot. Il releva la ventaille de Maingot pour croiser son regard avant de le meurtrir… Or, Maingot était mort, frappé de popelésie (1).

— La main de Dieu.

— Je ne le sais… Comme souvent, c'était le meilleur qui mourait… Le cheval de Maingot appartenait de droit à Archiac. C'était, je dois le dire, un coursier magnifique. Le dauphin, présent, le voulut. Il était bienséant qu'Archiac le lui offrît, même avec regret et douleur…

— Il le lui vendit ? Il eut cette outrecuidance ?

Tristan hocha la tête et, s'adressant aux aides de maître Goussot, attentifs et suffoqués :

— Il le vendit très cher : quatre cents deniers d'or.

— Merdaille ! soupira Yvain. Il me faut plusieurs années d'ouvrage pour gagner cela…

— Moi qui voulais lui faire un prix… grommela maître Goussot.

Et se tournant un peu, il frémit. Et tout bas :

— Quand on parle du loup…

Fouquant d'Archiac venait d'entrer dans l'atelier.

D'un pas leste, il marcha jusqu'à l'enclume, vit l'épée de passot mais n'osa la toucher :

— Belle allumelle (2)… Quand auras-tu fini ?

— Demain, en fin de matinée.

— Trop tard. Je veux partir à l'aube.

— Impossible, messire.

— Passe la nuit. Ta femme, demain soir, te paraîtra meilleure.

— Même si j'achevais cette épée avant l'aube, votre armure ne serait point réparée.

— Tes aides, eux aussi, n'ont qu'à passer la nuit.

Yvain, Guyot et Flourens grimacèrent. Soudain, à bout d'arguments, Fouquant d'Archiac s'avisa d'une présence importune :

— A moins que cet homme ait ta préférence !

D'une main, il avait saisi maître Goussot par le cou. Tristan vit l'armurier chercher sur son enclume un marteau qui ne s'y trouvait plus. Et pour cause : il le tenait dans sa dextre.

— Holà, messire ! dit-il tout en tapotant ostensiblement sa paume senestre avec la panne de l'outil. Je suis l'hôte de maître Goussot. Je suis passé le voir avant de regagner ma chambre. C'est un ami. En tant que tel, je vous prie de le lâcher promptement.

— Qui es-tu pour oser me parler sur ce ton ?

— Je suis chevalier. Je te connais et tu me connais.

(1) Ou *popolésie* : apoplexie.
(2) Lame.

34

Tristan fit deux pas vers le seuil de l'atelier. Il était certain, en s'exposant à la lumière, de provoquer un « Oh ! » qu'effectivement il entendit.

— Si ton nom ne me revient pas, je reconnais ton visage.

— Mon nom est Castelreng et mon prénom Tristan. Nous n'avons jamais cousiné ensemble.

— C'est vrai.

— Tu fus l'ami de Guillonnet de Salbris et de Thomas d'Orgeville.

— C'est vrai.

— Orgeville est mort à Brignais.

« A quoi bon dire à ce rioteux que je l'ai occis parce qu'il m'avait assailli. »

— Dieu ait son âme, dit Archiac en se signant. Et Salbris ?

— Je l'ai percé d'un carreau d'arbalète. Il me cherchait, je l'ai trouvé.

Archiac, cette fois, ne se signa point.

— Tout de même, dit-il, je t'ai connu à Auxerre, lors de cette soirée chez Perrette Darnichot.

— C'est vrai. Je l'avais oublié.

— Puis je t'ai perdu de vue... J'avais quitté Paris avec Tancarville, le 30 novembre.

— J'en suis parti avec le roi Jean le 5 décembre.

— Cette soirée a eu lieu le 17 (1)...

Archiac avait bonne mémoire. Il ajouta :

— J'ai rejoint le roi à Dijon six jours plus tard : le 23. Tu n'étais plus là... Où étais-tu passé ?... Demeuré avec la Perrette qui te faisait du charme ?

Tristan, soudain, fut las d'un tutoiement qui l'indisposait. Il s'était toujours écarté de cet homme lorsqu'il l'avait deviné enclin à lui adresser la parole. Pour ce jour d'hui, il s'était montré suffisamment disert. Il en éprouvait du regret. Son mépris survivait. Le seul fait concernant Archiac dont il gardait souvenance, c'était sa riote avec Maingot Maubert. Il retrouvait d'ailleurs, trait pour trait, le présomptueux de ce jour de fureur et de soleil. Un grand hutin aux épaules larges, aux jambes tordues par d'innombrables chevauchées. Il scrutait sans plaisir ce visage rond et glabre où l'on voyait d'abord de gros sourcils fricheux, puis le nez aplati dans quelque échauffourée, le menton entaillé d'une fossette et d'une cicatrice. Les cheveux bruns étaient taillés à l'écuelle ; certains grisonnaient bien que ce chevalier d'aventure n'eût guère plus de trente ans. C'était un

(1) Entré à Auxerre le 17 décembre, Jean le Bon en partit le 19. Il arrivait le 23 à Dijon et s'y montra généreux envers tous ceux qui pouvaient renforcer sa position en Bourgogne, en particulier Gérard de Thurey et son frère Guillaume, l'archevêque de Lyon.

goguelu (1) abrupt, solide, sans nuance ni valeur humaine estimable quand bien même il voulût se donner l'apparence d'un preux. Il était vêtu d'un pourpoint de tiercelin noir, – cette étamine souple employée pour les vêtements légers et les doublures des tentures et des bannières. Le noir lui convenait. Il l'avait fait rehausser de parfilures d'or au col et au-dessus de la ceinture d'armes. Ses jambes étaient gainées de coutil, l'une rouge, l'autre safran. Des heuses à bout pointu lui montaient aux genoux. Il portait des éperons dorés qu'il ne devait quitter que le soir et poser à son chevet afin de les voir briller avant de s'endormir.

— Buvons un coup et portons-nous la santé !

— Je n'y tiens pas… Je ne bois guère et quand je vide un gobelet ou un hanap, c'est avec des hommes à ma semblance, qu'ils soient chevaliers, manants ou armuriers comme maître Goussot… Mais… Oh ! Robert, que t'advient-il ?

Paindorge venait d'apparaître. Il frottait doucement son menton dont la rougeur qui virait au noir ne devait rien au soleil.

— Où t'es-tu fait ça, mon compère ?

— Demandez-le, messire, à cet homme.

— Je l'ai buqué (2), dit Archiac en recouvrant son sourire.

— Qu'avait-il fait ?

— Saisi avant moi l'étrille que j'allais prendre.

— Il y a quatre étrilles, dit maître Goussot. Toutes à la même place.

— Il a pris celle que je voulais.

— Elles sont toutes pareilles.

— Celle que je voulais ! insista Archiac.

Un fumeux, décidément.

— Va te soigner, Robert, dit Daniel Goussot. Ma fille a un onguent pour les coups que nous nous donnons parfois.

Tristan posa le marteau sur l'enclume et, croisant les bras :

— Ne vous avisez jamais plus, messire, de bourder mon écuyer. Sans quoi…

— Sans quoi ?

— Je vous malmènerai avec plus d'efficace que Maingot Maubert n'en eut en présence du roi sur le marché de Meaux !

Le visage d'Archiac passa du rouge au blême. Certes, il n'avait point peur mais il était saisi. Son pénible combat contre un homme mort avant qu'il ne l'eût touché restait dans son esprit comme une espèce d'offense. Et voilà qu'il trouvait sur son chemin un homme qui y avait assisté !

— J'aurais voulu, continua Tristan, être à la place de Maubert ! Je t'aurais rebroussé le poil !… Et si tu tiens à m'affronter, j'y consens. Je prendrai ton cheval, tu garderas l'étrille.

(1) Content de soi.
(2) Frappé.

Il y eut un rire étouffé : celui de Flourens auquel Goussot donna un coup de coude dans la poitrine. Puis tout fut silence.

Tristan avait senti le danger prendre forme. C'était un pur hasard que cette rencontre, et cependant, à Meaux, il l'avait souhaitée au moment où il avait vu Archiac, l'arme au poing, avancer péniblement vers Maingot Maubert immobile pour le saigner avantageusement. Il regardait maintenant sans ciller cet homme qui sur le front, le tour des yeux et la banlèvre portait des rides profondes, comme creusées à la pointe d'une alène. Assurément, Archiac subissait une épreuve : ses complices ordinaires, l'orgueil et l'emportement, se voyaient contrariés, repoussés par la présence d'un chevalier apprécié du roi et certainement du dauphin ; un perturbateur informé de sa force et qui ne s'en souciait pas plus que des trois ou quatre mouches que sa sueur attirait autour de son visage. Il réprouvait cette sorte d'esclandre : d'ordinaire, c'était lui qui se plaisait à les provoquer.

— Tu ne sais pas ce que tu cherches !... La mort, tout simplement.

— Je veux t'étriller un bon coup... Et j'aimerais que Maingot Maubert nous regarde...

— ... et t'assiste !

— Pas même.

Une velléité de rire anima la bouche d'Archiac. Tristan put entrevoir dans ses pupilles les braises d'un courroux qui s'enflammait.

— Aussi vrai, aussi fort que je me nomme Archiac, je ne t'ai point fait de tort, chevalier ! C'est ton écuyer que j'ai meshaigné (1). Il s'en remettra.

La voix grondait, frémissante. Tristan se fit des plus doucereux :

— Mon écuyer faisait ce qu'il fait chaque jour en mon nom et place. C'est bien moi que tu as laidengié (2).

— Si tu veux m'affronter, tu le regretteras.

Le visage d'Archiac avait changé : la joie d'occire animait sa figure massive où sa bouche affamée peut-être de cris et de jurons tremblait comme celle d'un muet s'évertuant au langage. Un sentiment d'inexprimable répulsion envahissait Tristan : « *Es ësfrounta coumo bërgan dë bos* (3) ! » Puis, oublieux de sa langue natale : « Déjà il se délecte à l'idée de ma mort tandis que moi, je ne veux pas la sienne... Simplement lui fournir une chaude leçon ! »

— Je n'ai jamais regretté mes actes et t'étriller me sera une joie.

— Où ? Quand ?

— Dans la cour voisine. Maintenant.

Les armuriers chuchotèrent. Pour une fois, leur journée serait marquée d'un bel événement.

(1) Blessé, maltraité.
(2) Injurié.
(3) Il est effronté comme un brigand des bois.

— Allez fermer les huis, dit maître Goussot à ses aides. Mettez la bâcle.

— Je n'ai point de vergogne à me battre en public.

— Moi si, Archiac. Et puis, conviens-en : si j'ai le dessus, tu maudiras les manants d'assister à ta déconvenue.

Observant scrupuleusement l'adversaire, Tristan percevait jusqu'à dans ses mouvements la décomposition d'un orgueil fallacieux.

— Avec quoi ? A cheval ?

— Ce que tu voudras, Fouquant, mais à pied : nos chevaux manqueraient d'espace.

— Dommage... J'aurais aimé t'empoindre de mon glaive. Répète-moi ton nom.

— Tristan de Castelreng.

— J'ai une archegaie (1) : *Pélias*.

— Moi pas.

— J'en ai une, dit maître Goussot.

— Alors, soit, un lancié (2). Et si nous rompons nos hampes ?

— L'épée, mais *Pélias* te vaincra.

Tristan ne voulut point savoir, de crainte d'une risée, ce que signifiait ce nom étrange.

— A l'épée, soit !... Quant à ta Pélias, j'en ferai une pigouille. Et moins encore... Si je te vaincs, Archiac, ton cheval m'appartient.

— Soit... Nous adoubons-nous comme pour une guerre ?

— Certes, puisque nous sommes chez des gens de métier.

Tristan souriait. Par cette chaleur, l'armure serait insupportable, et qu'il le voulût ou non, Archiac penserait à Meaux avant que de penser à mal.

— Va t'adouber, dit-il. J'y vais de mon côté.

$$* \; *$$
$$*$$

— Voulez-vous, messire, que je vous aide ?

Tristan se retourna. Ainsi, Constance l'avait suivi. Livide et frémissante, elle joignait les mains. Telle quelle, dans le chambranle de la porte, il la devina moins passionnée de Dieu que de solas et délits (3) plus terrestres. Ils donnaient à son regard une luminosité si précise qu'il sut, s'il sortait vivant du jeu mortel auquel elle assisterait mouillée des épaules aux cuisses, de quelle récompense il serait honoré.

(1) Sorte d'épieu, de javelot. *Pélias* était le nom de la lance d'Achille qui, seul, pouvait en fair usage. Elle avait été coupée sur un arbre du mont Pélion par le centaure Chilon. Quant à la *pigouille*, c'était une perche pour faire avancer les bateaux dans des endroits peu profonds.
(2) Combat à la lance.
(3) Plaisirs et délices.

— Damoiselle, dit-il, Robert va m'apporter mon armure. Laissez-moi seul.

— Ah ! bon... si c'est ainsi...

Dans ses yeux, soudain, brillèrent les larmes d'un déplaisir dont Tristan fut touché.

— Je croyais que Thierry occupait vos pensées...

Où avait-il trouvé cette inflexion de reproche qu'il ne ressentait pas ?

— Nenni !... A vrai dire, je vous croyais, moi, fiancé à cette...

Elle s'était retenue de dire : « *cette fille* ». Il lui en sut bon gré. Elle demeura un moment sans souffle, les joues rouges d'une espérance poignante : Luciane n'existait plus. Cependant, un nuage embruma ses yeux clairs :

— Seigneur ! dit-elle, courbant la tête, les paupières baissées, le visage tragique. J'ai peur pour vous... Cet homme me paraît l'incarnation du mal.

Elle se poussa contre lui si violemment qu'il chancela en maudissant une péripétie qu'il eût certainement appréciée ailleurs, en d'autres circonstances.

— Allons, allons, dit-il. Plus tard, je ne dis pas...

En se montrant, Paindorge mit un terme à des désirs sournois incompatibles avec des préparatifs minutieux.

— Messire, cet Archiac a un écuyer digne de lui. Je le vais observer car il me paraît capable de tout... Regardez...

Tristan s'approcha d'une fenêtre. Dans la cour, Archiac se préparait. Son plastron de cuirasse, posé de chant sur une escabelle et touchant au mur de l'écurie, brillait comme un fragment de soleil.

— Vois, Robert... Il se penche... Il se regarde comme devant un grand miroir. On dirait un devin cherchant une image, un signe... Il ferait mieux de s'apprêter tout en priant pour sa vie !

Tristan souriait. Un homme tel qu'Archiac ne pouvait être un fervent des sciences divinatoires et particulièrement de l'énoptromancie. C'était un guerrier rude, sûr de soi, et qui peut-être ne savait point écrire. Et parce qu'il était plus proche de l'animal que de l'homme, le vaincre serait malaisé.

— *Elle* est partie, dit Paindorge. Qu'est-ce qu'elle vous voulait ?

Constance avait disparu. Tristan émit un soupir de soulagement.

— Ce qu'elle me voulait ? Dis plutôt *ce qu'elle me veut* si tu ne l'as deviné.

— Ce n'est pas le moment de penser aux vuiseuses (1).

— J'en conviens. J'attendais ta venue.

— J'ai vu l'archegaie que Goussot vous a proposée.

_____
(1) Choses oiseuses, vicieuses, futiles.

— Belle arme ?

— Oui... Guère différente de la framée de jadis, sauf qu'elle est un peu plus courte à ce qu'il me semble... Cela va être un béhourd difficile !

— Je le sais.

Paindorge tira jusqu'au centre de la chambre la fardelle contenant l'armure et les bourras protecteurs. Tristan, placide, se laissa recouvrir de linges épais, puis de fer pesant dont il fit jouer les articulations.

— Vous n'êtes point trop goin (1) ?

— Non, mais je sue déjà. Mon dos ruisselle... Je vais te paraître outrecuidant, Robert, or, sache-le : je suis sûr d'obtenir l'avantage. Archiac ne supporte pas la chaleur.

En dépit de cette certitude, Tristan s'apprêtait à passer par des alternances d'espoir et d'effroi.

— Je vais devoir béhourder violemment... Essayer de rompre le bois de sa Pélias pour en venir promptement à l'estrémie (2)... Là, je serai à l'aise.

Il le savait : la jubilation lui serait aussi néfaste que l'angoisse avant que la défaite d'Archiac fût consommée.

— Je ne souhaite point l'occire. Je le veux voir pâle et vergogneux. La mansuétude peut jeter dans ce cœur sec et stérile une semence bénéfique.

— Vous aberrez, messire ! Ce n'est pas en humiliant un homme qu'on s'en fait un ami.

— Ce n'est pas en le laissant mort sur le pavé qu'on administre une leçon à un homme !... Car elle n'est plus profitable... Et puis, je vais te dire... Son cheval est-il beau ?

— D'un blanc de perle... C'est, en vérité, un destrier magnifique... Le genre de coursier qu'on ferrerait d'or ou d'argent.

— Je préfère lui ravir son cheval que de lui ravir la vie.

— Pourquoi pas les deux ? interrogea Paindorge en frottant son menton dont le bleuissement virait au violet.

* *
*

(1) Trop engoncé. Afin d'amortir les coups, il fallait disposer entre le corps et la carapace de fer un épais capitonnage de coton et de filasse. Il était nécessaire, dit un texte, que le harnois de corps fût large et ample afin qu'on pût vêtir et mettre dessous un pourpoint ou corset, et il fallait que le pourpoint fût « *feutré de trois doigts d'épais sur les épaules et au long des bras jusques au col, et sur le dos aussi parce que les coups des masses et des épées descendent plus volontiers ès endroits dessusdits qu'en autres lieux.* » On appelait parfois *brassières* ces vêtements que renforçaient, en Brabant, Flandres, Hainaut et dans les Allemagnes, de menus bâtons.

(2) *Estrémir* : jouer de l'épée.

Ils étaient face à face. Leurs bassinets déclos, ils différaient le moment d'en abaisser le viaire (1). Archiac souriait, Tristan s'y refusait. A cinq pas l'un de l'autre, ils s'observaient, cherchant à percer, en deçà de l'armure, leurs brassières matelassées afin de connaître la chair, les muscles, les os, sources d'une vigueur qui était un mystère. L'archegaie que Tristan serrait mollement encore mesurait une toise, l'estoc compris. La *Pélias* d'Archiac semblait plus longue. Son picot en feuille de saule étincelait. Il tenait, lui aussi, son arme des deux mains et la vue de celles-ci fit sourciller Tristan. Elles étaient protégées par des gantelets à gadelinges (2) : la partie saillante des poings et le dessus des phalanges de fer étaient hérissées de bossettes pyramidales afin que les doigts repliés, l'ensemble fît office de masse d'armes.

— On dit que le prince de Galles a des gantelets de cette espèce et qu'il aime à donner des horions dans la tête et le corps de ceux qu'il veut châtier.

— C'est vrai. Je les enlève pour amignarder les femmes et mon cheval. Je les conserverai pour t'administrer des gourmades.

Tristan sourit enfin. Il avait laissé Archiac l'attendre. Certes, il s'était mis à l'abri, mais il faisait si chaud que la différence était faible entre la lumière et l'ombre. « Il sue plus que moi. J'en suis sûr. » Cette certitude le réconfortait. L'armure de son adversaire était celle qu'il lui avait vue à Meaux : des épaulières spacieuses renforcées par des rondelles, un plastron doublé d'une pansière ; une ample baconnière, des tassettes en forme de cœur cintré, à la pointe émoussée, puis suprême renfort, des flancards défendant les hanches. Point de solerets de fer mais des heuses courtes. « Comme moi... A terre il faut se mouvoir aisément... » Sur la tête un camail et par-dessus un bassinet dont la visière avait été façonnée en façon de demi-sphère.

Tristan n'osa se détourner. Il sentait sur lui les regards de Paindorge, Constance, Goussot et ses aides. Derrière Archiac, l'écuyer, adossé au mur, tapotait son épée. C'était un haingre (3) au nez pointu sous son chaperon noir. Il portait sur ses vêtements une cotte vermeille rehaussée d'un écu aux armes d'Archiac : *de gueules à deux pals de vair au chef d'or.*

— Messire Archiac, dit-il. Si vous ne voulez pas fondre avec votre fer, il serait temps de commencer ce poignis (4).

La suggestion fut entendue : Tristan dut faire un prompt saut de côté pour éviter le dard ferré lancé contre sa poitrine.

— Une boutie pour rien, dit-il. Un coup légier (5).

(1) Visière.
(2) On les nommait aussi « à broches ou à picots ».
(3) Maigre, efflanqué.
(4) Combat de poing, mais aussi combat bref.
(5) *Légier* : facile.

41

Ce n'était pas ainsi qu'il espérait se battre, mais hampe contre hampe jusqu'à ce que l'une d'elles se rompît ou que son possesseur fût renversé. Alors, on empoignerait les épées.

— Allez, Fouquant !... Pousse ton bois !... Qu'il ne prenne pas racine en tes mains !... A Dieu ne plaise que je succombe car je ne te crains pas plus qu'une pomme pourrie !

Mieux valait susciter d'autres fureurs et s'y soustraire sans suer.

— Holà ! messire Archiac... Tuez-le : il le mérite !

— C'est donc ton écuyer qui dicte ta conduite ?

Tristan éluda une seconde attaque pointée vers sa tête. Maintenant, il avait le soleil dans le dos. Archiac n'avait pour se protéger de l'éblouissement que l'ombre criblée de trous de sa visière. « Nous sommes deux contre lui maintenant : Phébus et moi ! Le vrai Phébus... Pas le comte de Foix, roi de l'outrecuidance auprès duquel Archiac paraîtrait un enfant ! » Il fallait attendre. Attendre que sur un coup bien ajusté, ce grand fumeux se repliât dans sa coquille comme un escargot effrayé.

Tristan ruisselait. Pressentant un assaut, il recula. Bon sang qu'il faisait chaud ! Le dos comme une marmite au sortir de l'âtre. La nuque brûlante. Il se refusait, comme son adversaire, à clore son bassinet.

— Ah ! s'écria Archiac.

Sans trop se courber, Tristan eut le temps d'incliner la tête. Le fer de l'archegaie pointé sur son visage, ripa contre l'épaulière dextre. Yeux dans les yeux. Rire d'Archiac :

— Alors ? Vas-tu te battre au lieu d'eschever (1) ?

Tristan sourit sans mot dire. Son silence, c'était du mépris. C'était du répit. « Par ce temps-là, il serait vain de t'échauffer. » Attendre encore.

Quand la *Pélias* piqua son nez pointu vers lui, il l'esquiva une fois de plus et de son arme serrée d'une seule main, la dextre, il fit monter la hampe d'Archiac qu'il empêcha, ensuite, de redescendre en marchant contre le présomptueux.

— Tu veux m'occire. Moi pas... Bâton contre bâton, je vais être ton homme !

Rien de mortel dans un affrontement de cette sorte. Les bergers avec leur houlette, les pèlerins avec leur bourdon ou leur tau pratiquaient ces sortes d'assauts.

Les hampes se heurtaient en tous sens et claquaient. Par deux fois, Archiac essaya une atteinte aux jambes ; il reçut aussitôt deux flancades terribles et s'abstint de recommencer. Mais il donnait des

(1) Ou *eschiver, eskiever* : esquiver.

42

coups hargneux, essayant de frapper au corps et à la tête, travaillant tantôt bien, tantôt à contre-pied sans jamais atteindre son but. A chaque fois son bois passait tout près. Et c'était tout. Tristan le refoulait, le martelait. Le soleil restait son complice, son allié, son protecteur.

— Sais-tu ce que je fais, Archiac ?... Je te tire toute l'eau de ton corps !... Je t'assèche et t'amenuise !... Tu as soif !... Je vois tes lèvres ! Sèches... Craquelées... Ta bouche... Tu y as du plâtre... Tes poumons ronflent comme une cheminée en hiver !

Tristan avançait toujours, prompt à la feinte ; plus prompt encore à la défense. Les claquements se succédaient sans qu'il y eut, sur quelque portion d'armure, la moindre touche angoissante.

— Holà ! j'ai failli t'atterrer. Il m'eût fallu te relever... Par ce temps, je n'y tiens pas... Tu me parais habile comme un de ces gros clercs qui béhourdent ainsi entre deux messes.

— Justement, j'y pensais !

Ils rirent. Tristan aussitôt proposa :

— A quoi bon nous rigoler (1) l'un l'autre ? Restons-en là, buvons un coup, soyons amis avant qu'une de nos armes soit route (2).

— Non !

— Alors, prends !

C'était un coup furieux. Il atteignit le bois adverse en son milieu. Y avait-il un nœud ? La hampe ploya en craquant.

— C'était une archegaie, ce n'est plus qu'une lique (3). Quel morceau te convient : le ferré ou l'autre ?

Ce que Tristan voyait du visage ennemi avait de quoi le satisfaire. Rouge, le souffle haletant, Archiac n'était plus si sûr de lui, si plein de sa force qu'au commencement de ce béhourd. Ses paupières lourdes, poivrées de sueur, cillaient. Son nez vermeil coulait sans qu'il pût se moucher avec une main hérissée de picots. Sa bouche cherchait du frais, du mouillé. La fureur, cependant, l'écrasait moins que la fatigue. Toutes ses articulations chaudes, et même bouillantes, lui faisaient mal. Comme autant de flèches enflammées, les rayons du soleil transperçaient son armure et embrasaient sa poitrine. Il n'y avait plus en lui de place que pour la honte.

— Cessons !

— Non.

— Tu sais pourtant que maintenant, je puis te clouer comme un papillon !

— Non.

— Un hanneton ou un bousier !

— Je ne puis cesser. Ce serait m'abaisser !

(1) Railler.
(2) Rompue.
(3) Bâton.

— Faites ce qu'il vous dit, messire, hurla l'écuyer d'Archiac approuvé par Goussot et ses aides.

— Impossible. Ce serait déchoir !

— Tu peux choir et déchoir ensuite !... Allons Fouquant : cessons. Ne confonds pas sagesse et humiliation. Tu es chevalier, je le suis ; le roi Jean a besoin de nous au même titre. Mieux vaut meshaigner les routiers que de nous entre-tuer pour quelques mots qu'au fond de nous nous réprouvons !

Archiac ne répondit pas, sentant confusément peut-être qu'il n'avait cessé de trahir l'idéal auquel il s'était voué. Un idéal qui, à Meaux, s'était dévoyé quand bien même son adversaire fût mort avant qu'il ne l'eût frappé de son arme. Il avait surtout vécu en lui-même. Rien de ce qui existait à l'entour de sa personne avait eu accès à son cœur – sauf les chevaux et les jolies dames.

— A l'épée, dit-il. A l'épée si tu consens.

— N'oubliez point, cria de loin maître Goussot, que messire Castelreng pourrait présentement vous transpercer.

Les archegaies tombées, les épées miroitèrent. Cette fois, Tristan assaillit Archiac à grands ahans, sans trêve, épuisant celui-ci et le réduisant à la reculade. Ce nonobstant, il se défiait d'un taillant imprévu, d'une estocade prompte et mortelle.

Elle vint. Il put y échapper par un bond giratoire. Il eut alors le soleil dans l'œil et s'étonna qu'Archiac eût pu supporter tant d'éblouissement aussi longtemps.

Avait-il été sot d'attaquer à outrance ? Il voyait mal, décidément.

Il évita il ne savait quoi. Il avait entrevu la luisance de l'arme adverse. Il s'en était débarrassé. Ses jointures de fer répondaient à ses gestes... Quelle chaleur !... *Fa caout... Affanas te !* Fais chaud... Dépêche-toi... Il devait supporter cette chaleur. C'était celle de la Langue d'Oc... Celle de Castelreng !

Oh ! ce coup imprévu maintenant sur sa tête. Il l'avait vu venir sans pouvoir le parer.

Il sentit contre sa nuque et au-dessus une douleur qui s'emboîtait sous le timbre du bassinet. Il sentit les coulures de sueur qui gluaient sur ses joues, son cou, le creux des fesses. « *J'ai eu peur !* » Son dos se plombait. Il avait des élancements dans le ventre. Si le silence s'était fait, il eût entendu son estomac coasser comme lors de certains jours de jeûne. La lumière était décidément trop vive et lui trop imprévoyant.

— Je sais gauchir (1), Archiac. Prends garde à ma forcennerie.

Ses lèvres semblaient craquer. Un gobelet d'eau fraîche... Même tiède. Même chaude pour éteindre le feu de son gosier. Écarquillant

(1) *Gauchir* : esquiver.

les yeux, il frappa et sentit contre son épaule le contre-coup d'un taillant bien appliqué, heureusement assené de biais.

Archiac attaqua, encore. Tristan se défendit au mieux.

Il avait le cœur sur les lèvres, les mains moites, désespérément. Lourdes. Il respirait avec des poumons poussiéreux. Chauds. Taris du moindre sang. Il essaya de les emplir. L'air était brûlant. Fournaise comme en Langue d'Oc où il y avait toujours de l'ombre et de quoi boire. Sa vue se brouillait sous les gouttes de sueur. Sa conscience enflammée consumait à demi la moindre intention de réplique. Ses jambes ne suivaient plus ses coups. Ses idées ne descendaient plus jusqu'à ses bras. Il y voyait fort mal. Son ardeur oscillait comme lui.

Il sentit son bassinet s'érafler lors d'un coup qui lui tombait sur l'épaule. L'épée d'Archiac, à plat, n'entama rien mais aggrava un chancellement de mauvais augure. Il parvint à se dégager, à montrer son dos au soleil. Le passage de la clarté à l'ombre le rendit aveugle un instant. Il eut juste l'opportunité de se dégager, de porter un taillant au bras dextre ennemi cependant que maître Goussot clamait :

— Cessez, messires… C'est assez !

Et que Constance s'enfuyait, horrifiée.

Tristan recula. Il vit Archiac flageoler. Il se jeta contre lui, l'empêchant de fournir un seul coup, le poussant, plastron contre plastron, cependant que des voix l'adjuraient : « *C'est assez… Pas l'occire… Lui faire pisser le sang… Pas l'occire. Meilleur que je ne le pensais…* » Il jugeait son homme. Il louchait dessus. Vrai : son visage vermillonné indiquait qu'il atteignait ses limites. Il fléchissait les genoux et le dos.

Tristan s'écarta brusquement, laissant Archiac titubant. Il le croyait exténué ? Un taillant pareil à un jet de baliste lui prouva aussitôt le contraire.

« Je suis debout ! Mon épaulière a tenu… Soif !… Mon Dieu, ce que j'ai soif !… Ont-ils prévu de l'eau ? »

Il surveillait Archiac. Coup par coup. Cela rebondissait dans leurs paumes, fourmillait dans leurs doigts. Ils attendaient, pour recommencer, que la fatigue leur consentît une trêve, mais ils se désolaient : elle ne les quittait plus.

Archiac donna le premier coup. A voir comment son épée descendait et touchait le sol de sa pointe, il était *cuit*.

Tristan se mit à l'accabler autant que ses membres y consentaient.

C'était bon de voir le présomptueux Fouquant parer les coups la peur dans l'âme. C'était bon d'ouïr maître Goussot et ses aides hurler à la victoire. C'était bon de se dire qu'on allait boire, boire, boire et se mettre nu pour recevoir de pleins seaux d'eau sur le corps.

Sans tenter le moindre taillant, il fit quelques pas de côté pour se dégourdir les jambes tandis que l'épée prête à éluder un coup, il observait Archiac. Puis il avança, plié légèrement, se releva, tenta de bûcheronner par quelques coups rapides son antagoniste aux abois. Vainement.

Il aperçut le bassinet d'Archiac à travers une brume lumineuse, une poudre de soleil eût-on dit. Il oscillait. Il…

Il sentit comme une ruade sur son flanc senestre. A trop avoir guetté la tête de son homme, il avait oublié son épée !

Il demeura debout, plus ébahi d'être d'aplomb que d'avoir reçu cette flanconade heureusement amortie par sa cubitière.

Quoi ! il était contre le mur de l'écurie.

Il devait se dépêtrer de cet accul sinon il ne pourrait se dérober aux coups. Certes, l'autre pouvait y casser son épée mais…

Il se dégagea, essayant de cueillir cette tête de fer où il voyait un peu de rouge de pomme mûre. Ses jambes ? Solides. Ses yeux ? Ils le picotaient mais sa vue restait bonne. Rage ! Tiens, Archiac, prends ça… Goussot et ses aides vacillaient derrière Archiac. Constance, réapparue, avait ses mains devant les yeux. Le grand Haingre d'Archiac ricanait.

Tristan attaqua encore, bref et bas. Manqua sa proie. Recommença. Une réplique à la désespérade lui envoya un éclair de feu à la base du cou. Tonnerre dans l'épaule. Merdaille ! Il ne pouvait sans douleur remuer son bras dextre. En finir !

— Tu ne peux m'échapper !

Prompt et furibond, le taillant de Tristan s'abattit sur le timbre du bassinet, fracturant la charnière senestre de la visière. La coiffe de fer branla si fort que les aiguillettes qui la fixaient au colletin d'armure se rompirent. La partie mobile, privée d'un de ses pivots et rabattue de biais, entailla la joue et le nez d'Archiac avant de pendiller sur le côté dextre de la défense de tête. L'homme fléchit les genoux et tomba en hurlant, la face la première.

— Messire Tristan !… Oh ! vous m'avez fait peur.

Il titubait. Constance était devant lui. Et maître Goussot et ses aides.

— Soutenez messire Castelreng, compères, sinon il va cheir (1).

Flourens tendit au Haingre un seau d'eau et une touaille. L'écuyer nettoya le visage du vaincu sitôt qu'il l'eut dégagé de ses fers et de son camail.

— Seigneur, soupira profondément Archiac. C'était comme une effoudre (2) !

Le Haingre le tira par les aisselles et, avec l'aide de Guyot, l'adossa contre un mur. Tristan s'approcha :

(1) Choir.
(2) Ouragan.

— Dans une mêlée, nous nous serions conduits de la même façon.

— J'ai cru t'avoir et tu m'as eu.

— Non, Fouquant : nous étions égaux en courage et en force.

— Pourquoi ne m'as-tu pas achevé ?

— Un guerrier tel que toi mérite des égards. Vivant, tu restes utile.

— Tu cognes dur.

— Et toi ?… Tu m'as parfois malement meshaigné !

Daniel Goussot ramassa le bassinet du vaincu et l'examina dessus et dessous avec plus de pitié qu'il n'en avait pour le visage abîmé.

— Nous le réparerons… Nous verrons aussi pièce à pièce si vos armures n'ont pas souffert.

Il souriait. Il allait pouvoir, pendant quelques années, dire à ses chalands ce qu'avait été ce combat. Certains le croiraient, d'autres non. Comme les beaux livres avaient des vignetures pour parfaire leurs images, il ornerait ses propos d'enluminures à sa façon.

— Mon cheval t'appartient, dit Archiac maussade.

C'était la coutume. Il s'y pliait. Son cœur saignait.

— Si nous étions Roland et Olivier, tu préférerais me donner ta sœur.

— A défaut de fille ou de sœur, je peux te bailler ma cousine. Elle est belle et pieuse, et sa virginité me semble garante de bonnes mœurs futures. Elle m'en a parlé fréquemment ces temps-ci…

— On parle fréquemment de ce qu'on a perdu.

Tristan riait. Il avait lâché sa réplique pour complaire à Constance visiblement angoissée. Aucun doute que son pucelage la démangeait, si toutefois les aides de son père le lui avaient laissé.

— Perdu ou pas perdu, si tu veux la voir, cette cousine…

— L'avoir ou la… voir ?

— Qu'importe, nous irons rue des Vieilles-Étuves.

— Pour le moment, à propos d'étuves, messire Goussot et ses gens vont nous faire porter à chacun un tonneau et nous nous tremperons dans moult pintes d'eau avant de nous régaler de son vin ! Holà ! Paindorge, viens m'ôter toutes ces plates ! Il me tarde d'être nu.

— Accours, Hélion, et fais-en autant !

Les deux écuyers obéirent. Constance s'éloigna, suivie de Flourens, de Guyot et d'Yvain peu pressé, semblait-il, de rempoigner son marteau.

— J'ai rompu ta *Pélias*.

— Le plantard seul importe.

— Tu as moult perdu à me titiller.

— Il me reste l'honneur. N'est-ce pas l'essentiel ?

Leurs écorces de fer s'amassaient sur le sol. Tristan songea qu'il eût pu exiger *aussi* l'armure d'Archiac sans que celui-ci eût à se regimber, l'honneur, justement, le lui interdisant. Il n'en éprouvait pas la nécessité. Une fois qu'ils furent en braies, ils s'examinèrent.

— Seigneur ! fit Paindorge. Messire, vous avez à l'épaule une meurtrissure noire, grosse comme un œuf et sur l'arrière-bras senestre une… bobèche bleue qui tourne au noir…

— Et pour moi, dit Archiac, une plaie étanche au flanc !… Sans mon fer tu m'aurais tranché par moitié.

— Votre épaule, dit Hélion… Oui, la senestre, elle saigne…

— Le bain que je prendrai me guérira.

— Je vous avais bien dit de vous couvrir davantage !

— Je me suis souvenu de Meaux et de Maingot Maubert…

— M'aurais-tu tué comme tu en avais l'intention avec lui… si toutefois j'avais été vaincu ? demanda Tristan avec une bienveillance amusée.

Archiac n'était pas de ces hommes qui soupesaient leurs mots avant que de répondre, et sans doute méprisait-il tous ceux qui s'adonnaient à des débats internes, – pernicieux.

— Oui.

— Tu viens de perdre ton cheval. Allons le voir.

* *
*

— Comment l'appelles-tu ?

— C'est un croisé de more et de genet d'Espagne. *Alcazar* est son nom.

— Cela veut dire ?

— Les mahomets appellent ainsi leurs palais. Ce cheval appartenait à un Espagnol du Trastamare. Il a trois ans de corps et dix par son esprit. Ce routier, un Castillan, l'avait baptisé *el Cid*, puis il a changé disant qu'une bête, même d'une beauté merveilleuse, ne pouvait porter un nom d'homme… surtout celui-là.

Archiac avait mené son cheval sur le seuil de l'écurie. Il venait de le libérer de sa longe. Alcazar restait quiet comme une personne accoutumée aux hommages, aussi figé qu'une statue, n'eût été la longue queue neigeuse qui, parfois, effleurait sa croupe.

— Il est beau, en effet.

— Dis plutôt, compère, qu'il est divin. Le Christ était le plus beau des enfants des hommes, Alcazar est le plus beau des fils de chevaux.

Dans un silence lourd quelquefois profané par le bruissement d'une mouche, le coursier immobile semblait se recueillir avec une intensité d'attention qui défiait les commentaires. Le cou roide sous la longue crinière onduleuse, les yeux fixes, noirs, miroitants, les lèvres serrées, il guettait, eût-on dit, un signe du Destin. Cette attitude signifiait à Tristan qu'il le devrait traiter différemment des autres sans qu'il pût en prévoir la façon. Cette sérénité le souciait. Elle ne sentait pas l'affectation. Il avait vu des étalons et des haquenées admirables prendre des poses. Alcazar, dans sa sublimité, restait lui-même. Il éprouvait. Il attendait. Comme issue de sa solennelle blancheur, cette attente affermissait, chez Tristan, la conviction qu'entre eux existerait une entente, une connivence sinon une amitié mais que c'était à lui de l'obtenir en grâce. La gravité mystérieuse qui enveloppait Alcazar s'accordait au regard mélancolique qu'il venait de lancer vers le fond de l'écurie, comme s'il regrettait de devoir y retourner, et le frémissement qui, tout à coup, effleurait son corps magnifique, – tel un vent égaré sur de la neige à peine dure – suggérait un besoin de galops hennissants dans de grands espaces feutrés d'herbe et de mousse. A dire vrai, ce n'était point un animal. C'était une belle œuvre de chair au service d'une âme conquérante.

— Une peau de perle, se merveilla Tristan cependant que sa dextre glissait sur le garrot frais et soyeux.

— Comprends-tu maintenant pourquoi je voulais une étrille et point les autres ? Ses lames et ses dents me paraissaient plus fines.

— Plutôt que de buquer Paindorge, tu devais lui en donner la raison. Il aurait accepté que tu te serves.

Cet homme méritait-il un tel cheval ? Celui de Meaux était de la même espèce, mais noir. Cet Alcazar devait susciter des envies.

— Il vaut mieux que je te le dise. Je ne l'ai point acheté, mais pris à un capitaine d'Enrique de Trastamare. Je l'ai vu, j'en fus fou tout comme d'une belle dame… Nous avons décidé de courir trois lances. A la seconde, Alcazar était mien.

— Rochet ou picot de fer ?

— Picot… Quand on est mort, on est insensible à toutes les déconvenues.

Un crapuleux, ce Fouquant. Le regret de Tristan d'avoir à le peiner s'effaça devant cette certitude.

— Le prince des chevaux, dit-il tandis que sa main glissait sur l'épaule d'Alcazar.

— Une espèce de dieu pour cortège sacré.

Tristan se pencha pour examiner les jambes parfaites, les cuisses robustes, les jarrets déliés. Sans même qu'il eût vu Alcazar galoper, il devinait qu'il déployait dans la course une énergie et une harmonie sans égales. Un rythme de foulées amples, aériennes ; des cadences variées, acceptées de bon cœur à l'inverse de certains autres coursiers. Malaquin lui-même se regimbait parfois lorsqu'il devait passer de la marche à la course pour revenir au trot et à la galopade.

— Tu permets ?

— Je n'ai rien à te permettre, Castelreng… puisqu'il est à toi.

Un homme demi-nu sur un cheval de rêve. Sans rênes. Alcazar eût pu se fâcher ; il accepta cette présence nouvelle. Souple, adroit, gracieux, il trotta dans la cour, hochant parfois sa tête blanche pour le plaisir, semblait-il, d'éparpiller sa crinière. Nourri de chevauchées, il trouvait agréable de porter sur son dos un chevalier sans armure cependant que Tristan imaginait le jeu des tendons et des muscles sous la robe unie où bleuissaient quelques veines. Il *voyait* les os saillir ou se dérober sans qu'aucun ne fût passif. Et sa gorge serrée d'émoi lui faisait mal. « Il est tien… C'est un prodige qu'il soit à toi ! » Il sourit :

— Un divin instrument de voyage… et de joutes… Fluide comme l'eau, solide comme le granit.

— Promets-moi…

— Quoi, Fouquant ?

— Ne le prends pas à la bataille.

Alcazar s'arrêta. Un nouveau frémissement parcourut ses flancs tandis qu'il regardait son ancien compagnon avec une tristesse imprégnée de remords. Une main sur son cœur, involontairement, Archiac était inquiet et Tristan lui sut bon gré de sa franchise.

— Tu peux avoir confiance en moi. Il est au service des nobles causes et, tout comme moi, tu sais que la guerre est la plus belle merdaille que les hommes ont inventée.

Il sauta sur le sol.

— Il est docile.

— Impétueux.

Le cheval les observait ; des diaprures animaient ses yeux aux longs cils gris et courbes. Il écoutait. Dans sa vaste cage thoracique, un cœur violent battait et répandait ses pulsations jusqu'à l'extrémité de la croupe.

Archiac s'approcha avec une espèce de déférence dont Tristan fut ébahi.

— J'ai connu avec lui des galops effrénés… Regarde… Pourquoi cette encolure est si belle ? Parce que tout y est vigoureux et flexible, nerf et sensibilité… Cette tête refuse le chanfrein de fer ; ce cou n'a nul besoin de camail, ce corps se refuse aux bardes…

La main d'Archiac parcourait moelleusement la robe d'Alcazar pour la dernière fois. Une belle main aux doigts longs, à l'extrémité arrondie, l'ongle propre légèrement entouré de chair. Et nul doute que la robe fine, presque transparente d'Alcazar, rendait le toucher plus vif et plus exquis. Il hennit et se mit à ruer.

— Il vaut mieux le laisser, dit Tristan… D'ailleurs, vois : les aides de Goussot nous portent les tonneaux…

— Le temps qu'ils les remplissent...

— Non, Fouquant, dit Tristan. Laisse ce cheval. Tu te fais du mal. Il ne sait pas, lui, ce qui se passe entre nous.

Il souriait. Il allait dire autre chose quand il dut affronter un regard furibond.

— Holà ! que te prend-il ?

— Rien... Quand nos armures seront réparées, nous nous séparerons.

— Cela va de soi.

— Il se peut qu'un jour nous nous retrouvions et que tu aies toujours Alcazar...

— Il se peut... Je le préserverai et soignerai aussi bien que tu l'as fait.

Archiac courba le cou et parut ramasser ses forces. Une certitude terrible se leva en Tristan : « Il me hait, non pas parce que je l'ai défait, mais parce que je lui prends son... son trésor ! » Archiac, en ce moment, relevait la tête.

— Eh bien, si nous nous retrouvons, je ferai comme avec Diego de Fuensaldaña : je te demanderai de courir trois lances.

— Je les courrai volontiers !

— Tu m'en fais la promesse ?

— Oui...

Tristan se tourna vers Alcazar.

— Viens, dit-il. Tu es mien pour longtemps, peut-être pour toujours.

Le blanc coursier, docile, entra dans l'écurie.

* *

*

Ce devait être la mi-nuit. Dans la rue un cheval passa bruyamment et l'éclair d'une lanterne lacéra l'opacité des ténèbres. Un chien aboya. Deux hommes coururent, l'un, sans doute, poursuivant l'autre. Alors, après qu'une solive ou un meuble eut craqué, la maison des Goussot recouvra le sommeil – pour autant qu'elle l'eût perdu.

La lune argentait le mur de l'écurie et cette faible lumière, en s'insinuant par les contrevents mi-clos, se reflétait sur la blancheur du drap imprégné de sueur et froissé par d'incessants mouvements. Tristan éprouvait un de ces mésaises corporels qui succédaient, pour lui, au repliement de ses forces après qu'il eut olindé : lourdeur dans les épaules et les coudes, picotements dans les mains, impression que ses reins, ses hanches, ses genoux se changeaient en pierre, crampes dans les mollets, si fortes qu'il avait dû, par deux fois, se mouvoir de la fenêtre à la porte, les pieds à plat, les orteils autant que possible immobiles.

— Macarel !... Il fait aussi chaud que dans mon pays !

Il n'avait pas poussé le verrou de sa porte. Mieux : il avait entrebâillé celle-ci afin d'obtenir un léger courant d'air. Il savait ne rien risquer. Archiac se complairait à l'attaquer de front. La lance paraissait son arme préférée. Pour le désarçonner au moins dans son esprit, il suffirait qu'ils se courussent, lui, Castelreng, sur Alcazar, Archiac sur le cheval fougueux qu'il n'allait pas manquer de se procurer. La présence du coursier blanc sur la lice ne ferait qu'accroître son émoi. Un homme ainsi encharbotté compromettait ses chances. Mais qu'avait-il à se soucier de ce grand félonneux ! Il ne l'avait pas revu depuis leur bain. Toujours livré aux tourments d'une déconvenue qu'il s'efforçait de dissimuler, Archiac était allé errer dans Paris après avoir reçu de maître Goussot l'assurance de pouvoir partir le lendemain dans l'après-midi.

« Pour aller où ? » se demanda Tristan. « Il lui reste un sommier. Est-il assez riche pour acquérir un nouveau cheval de selle qui convienne à sa hautaineté ? »

Il éprouvait, à l'idée de ne plus rencontrer cet homme, une satisfaction confinant à la joie. Pour se précautionner contre une roberie, Paindorge avait proposé de veiller toute la nuit dans la parclose d'Alcazar, l'épée hors du fourreau.

« ...de sorte que si *elle* vient céans, ce bon Robert n'en saura rien ! »

Il avait évité Constance. A table, sa présence empressée, mais silencieuse, ses frôlements nombreux et calculés, l'avaient distrait de ses pensées de voyage. Paindorge non, qui observait la fille de l'armurier avec reproche.

« Il pense trop à Luciane. Il s'est institué son protecteur... Quand Constance me regardait comme un dieu, j'ai bien cru qu'il lui en ferait reproche !... Rien ne me lie à Luciane. Rien ne peut me lier à Constance. »

En mangeant, il s'était étonné que dame Goussot ne vît pas plus clair dans la conduite de sa fille, – à moins que s'y étant accoutumée, elle en fût venue à l'encourager sans souci des conséquences.

Il avait quelque difficulté à réinstaller Constance dans sa mémoire. Et pourtant elle était plus proche de lui que Luciance et Oriabel. Quel visage entouraient ses longues tresses sombres ? Ses yeux étaient-ils bleus ou noisette ? Sa bouche était large, vorace. Elle avait, dans l'effronterie, une aisance de fille des rues.

« Elle viendra... Mais elle tarde ou par crainte ou pour que ce soit... meilleur. »

Il tressaillit.

« Tiens, la voilà ! »

Il venait d'entendre le léger craquement d'une marche dont le bois fléchissait sous un pied certainement nu. Il tendit l'oreille. Un autre pied, une autre marche, puis un arrêt. Suspension de mouvement, mais continuation d'un souffle qui refusait de s'atténuer.

Ce ne pouvait être qu'elle.

« Elle est moins hardie que je ne le croyais. »

Il sourit bien que son expectation lui devînt une gêne. Il fut tenté de se lever, puis renonça. Il discernait de mieux en mieux le petit craquement lent des marches qui, régulièrement désormais, dénonçaient la témérité de l'approche. La respiration de plus en plus perceptible se faisait sourde, mince – entre des mâchoires serrées. Le bruissement d'une robe certainement soulevée jusqu'aux jarrets devenait, lui aussi, distinct.

Tout à coup plus rien. Le fantôme de chair atteignait le trapan (1). Quelques lattes remuaient faiblement sans grincer. L'air frémissait sous des pulsations irrémissibles.

« Hardie, obstinée, mais prudente. »

Il avait cru d'abord à une illusion : il était dupe de sa fatigue, de sa solitude et de l'attention dont il s'était cru l'objet de la part de Constance. Maintenant, une vapeur lumineuse était là dont les longs plis soyeux essuyaient le parquet avant que ce fût le pavement de la chambre.

Il devina qu'on touchait la porte et que l'on s'étonnait qu'elle fût entre-close. Il vit hésiter puis paraître, tout d'abord mince et pâle, une blancheur un peu nacrée comme la robe d'Alcazar. Cette infime clarté s'élargit doucement, sans hâte, de plus en plus largement : *elle* avançait.

— Dormez-vous ?

Il distinguait maintenant la chevelure dénouée tandis que l'ombre refluait autour du vêtement de nuit. Le sentiment de triomphe aisé, délicieux, qui l'avait si fortement oppressé au commencement de l'apparition se dégagea de sa poitrine, mais son gosier restait serré, des gouttes picotaient son front ; une sorte d'incertitude le maintenait immobile sur sa couche.

— Messire…

C'était bien elle. Feignant de sortir d'un rêve qu'elle venait de hanter, il chuchota :

— Constance…

— Je ne suis pas venue pour ce que vous croyez.

Elle maîtrisait péniblement sa voix. Il tapota le rebord du lit :

(1) Haut de l'escalier ; endroit où finit la rampe.

— Asseyez-vous.

Elle refusa et demeura coite, assez proche pour qu'il pût la saisir à condition de se pencher. Sur le mur blanc, derrière, son ombre blême s'inscrivait, aussi légère qu'une illusion.

— Venez auprès de moi.

— Non.

Elle cillait des yeux. Ces lueurs intermittentes, c'était tout ce qu'il pouvait distinguer de son visage. Mais elle fit un pas comme pour qu'il admirât la rondeur de ses épaules et son cou de lis dans la corolle d'une ample encolure et, plus bas, cet ensemble de courbes et de creux qui semblaient éclore des ténèbres. Avait-elle comme lui les jambes amollies, la chair dure et le cœur battant ? Il ne l'eût point juré. Elle fit un nouveau pas et il crut savoir ce qu'elle allait dire. Qu'elle ne pouvait dormir parce qu'il faisait chaud. Qu'elle n'était pas la fille qu'il imaginait. Qu'elle refuserait de partager sa couche et découragerait tout geste, toute approche. Mais elle prenait plaisir à ne rien dire, à ne rien faire, sinon prendre la mesure d'un pouvoir qu'il trouvait dérisoire.

— Cet homme, messire... Ce Foulques d'Archiac. Défiez-vous-en.

— C'est ce que je fais.

— Il veut reprendre son cheval.

— C'est ce que je sais.

— Je l'ai ouï parler à son écuyer... Il vous advient d'aller à Vincennes...

— Oui... Comment l'ont-ils su ?

— Par mon père.

— Je lui ai fait quelques confidences.

— Eh bien, ils vont se mettre à l'aguet... Ils ont tout leur temps. Un jour que vous vous rendrez à Vincennes...

— Archiac me provoquera.

— Oui... Il dit qu'il connaît un champ qui fera l'affaire.

— Il n'a point de lance... J'en suis privé.

— Il s'en procurera. Non, messire, bas les mains.

C'était un refus dans un souffle exprimant sinon l'acceptation, du moins l'envie. Constance glissa des doigts qui l'avaient effleurée dans un envol de chair et d'étoffe assorti d'un petit gloussement.

— Ah ! bon, soupira Tristan.

Ce n'était qu'une mince défaite. Il avait touché à son fantôme, il s'était pénétré de sa réalité. Vierge, Constance ? Impatiente de l'église et du prêtre ? Certes, mais pour être plus libre, ensuite, de sa personne.

— Vous êtes bonne de m'avoir prévenu, mais vous pouviez le faire demain.

— Il m'a semblé que ça ne pouvait attendre.

— *Tendre*, vous l'êtes, m'amie, dit-il en palpant une hanche qui ne se déroba point. Vous avez un beau nom, vous l'a-t-on déjà dit ? Il est fréquent dans mon pays mais nullement à Paris (1).

Il saisit la main que Constance lui offrait comme pour être rassurée, bien que l'obscurité parût incapable d'exercer la moindre anxiété sur la raison de cette audacieuse. Sa paume lisse et ses doigts fins avaient la tiédeur et la fermeté de tout un corps qui ne pouvait plus s'éloigner.

— Lâchez-moi. Il me faut clore cette porte.

Elle poussa doucement le verrou. Il vit s'élever dans l'air un brouillard presque impondérable : la chemise volait, l'atteignait au visage, chaude, moite, imprégnée d'une odeur qu'il avait oubliée : celle du safran dont les femmes usaient pour leur toilette et la teinture de leurs vêtements. Une brume odorante qui l'incitait, dans l'attente d'un mieux, à dominer une envie de félicité dont il s'était cru guéri pour de longues, très longues semaines.

— Cet Archiac est un grand fumeux, dit Constance en s'asseyant et le touchant immédiatement de son bras tiède.

Oppressé par la présence inespérée de la jouvencelle, confondu par une félonie dont les intentions lui étaient révélées au moment le moins opportun, Tristan garda le silence. Si Archiac le contraignait à l'affronter une fois encore, il s'y résoudrait sans plaisance mais sans crainte. Sa nature était ainsi faite qu'elle cédait plus volontiers à la violence qu'à la circonspection.

« Ce félonneux prendra une leçon de plus. Et pour qu'il cesse enfin de titiller les gens, eh bien je l'occirai ! »

Était-ce parce qu'il avait un corps nu contre lui, doux et tangible, un corps de femme, qu'il revoyait cette armure au bassinet déclos contre laquelle il avait mésusé de ses forces ? Pourquoi essayait-il de recréer son contenu ? Un homme d'une tigrerie déraisonnable. Un hutin toujours prompt à l'agression parce qu'il aimait à s'enivrer d'estours (2) comme d'autres de boissons. Jamais il ne tolérerait qu'Archiac lui reprît Alcazar. La blanche robe de ce prodige avait le poli du marbre et l'éclat de la nacre. Jouissance que de monter un tel coursier. Présentement, il se devait d'enjamber Constance pour un galop qui lui restituerait sans doute le goût de ses amours perdues.

Il se leva, désireux de marcher pour se donner de l'air. Aussitôt, la jouvencelle fut dans ses bras, le front renversé, haletante, se refusant aux lèvres qui cherchaient les siennes mais point à l'épieu qui, herbe et chair, en touchait d'autres.

(1) Constance de Provence (ou d'Arles), reine de France (? - 1032) était la fille de Guillaume Taillefer, comte de Toulouse. Elle fut la troisième épouse de Robert II le Pieux (v. 1003). Ses contemporains l'accusèrent d'avoir apporté à la Cour des Capétiens les mœurs fort libres et le luxe des souverains du Midi.

(2) Combats.

— Viens, dit-il en voulant la mener jusqu'au lit.

Elle lui résista parce que s'allonger, c'eût été avouer une concupiscence dont l'assouvissement pouvait être tant bien que mal différé. Son esprit ingénieux et hardi avait pris pour prétexte de son incursion les desseins sans doute imaginaires d'Archiac.

— Approche.

Il ébaucha un geste. Elle l'encouragea d'un souffle à poursuivre afin qu'il connût mieux ses failles et moiteurs. Des frissons drus la parcoururent.

— Mon Dieu ! dit-elle lors d'une transe exagérée.

— Voilà, m'amie, qui pourrait te valoir l'excommunication. Or, je ne suis point Dieu, ni *ton* Dieu, mais je bénis ta présence.

Bien que la nuit se fût embrunie, il entrevoyait Constance. Fors sa voix, il ne reconnaissait ni la vacelle (1) prompte à le servir à table ni la fille de son hôte qui s'attardait à l'atelier pour peu qu'il y fût entré. Son esprit oscillait entre l'envie de la coucher promptement sur le lit et la résignation simulée qui inciterait l'effrontée à prendre cette initiative.

Un éclair de chaleur illumina le ciel. Il n'y eut aucun craquement, l'orage n'étant pas pour Paris, mais Constance avait frémi, comme atteinte par la foudre. L'arc ferme et bandé de son corps avait permis une avancée plus profonde.

— As-tu peur ?

— Nullement. Laissez-moi vous conduire.

— Je ne te savais pas si… engageante.

Il était ébahi par tant d'aptitude à un jeu parti (2) dont il avait cru la jouvencelle incapable, bien qu'elle lui eût manifesté, à force de frôlements et d'œillades, un appétit différent de ceux qu'elle s'évertuait à satisfaire midi et soir. D'où tenait-elle cette langueur, ces vivacités, ces audaces ? Elle pesait sur lui de tout son poids, de toutes ses formes, se reculait, se gorgeait d'air et revenait pousser vers les lèvres d'homme ses lèvres humides, plaintives, mouvantes ; et ses yeux brillaient sous les cillements lents des paupières jamais tout à fait closes.

Il s'énivrait moins d'elle que du plaisir qu'elle lui offrait, et des mouvements auxquels elle le conviait avec des plaintes brèves, des *Ah !* qui sourdaient du tréfonds de sa gorge et des ronronnements : toute une effronterie de fille follieuse, tandis que ses mains glissaient, promptes ou lentes, fiévreuses, sur ces hanches viriles à la hauteur des siennes, et soudain s'envolaient tels des oiseaux apeurés.

— Eh bien !

(1) Servante.
(2) Jeu bien partagé.

Elle s'était brusquement libérée. Tristan reçut contre sa poitrine et son ventre un dos ferme et des rondeurs où il s'insinua tandis que de ses mains en conque, il enfermait des seins sous lesquels ses paumes percevaient des battements précipités.

Constance fit un pas sans souci qu'il fût cloué en elle et qu'il la maintînt fermement contre lui.

— La fenêtre, dit-elle.

Il la suivit sans la lâcher, furieux qu'une lune opaline pût les dénoncer à quelque insomnieux.

— La nuit est belle.

Elle se courba, les mains appuyées sur le rebord de l'embrasure. Tristan se pencha aussi.

— J'aime, dit-elle. Pas vous ?

Ce mélange de sérénité, d'insolence et de mystère ne cessait d'étourdir Tristan. Il était victime d'une espèce de sortilège où c'était Constance qui lui dictait ses volontés. Il devinait qu'il allait atteindre et dépasser une limite. Ensuite, rien ne serait proscrit, sans doute.

Il voulut en finir, se réinsérer, faire en sorte qu'ils fussent pâmés de plaisir l'un et l'autre.

— Non... Pas là, dit-elle. Je vais épouser Flourens. Il me croit pure... Mes parents également... Autrement, j'y consens...

En cet instant, elle donnait de la beauté à la luxure.

Il abdiqua devant cette volonté peut-être insane, peut-être pas. Il se soumettait aux sens comme elle voulait qu'il s'y soumît, sans y trouver de délice particulier. Sa raison exaltée se mêlait à une fête dont Constance tirait une joie singulière. Il n'y avait plus d'Oriabel, plus de Luciane, plus rien que cette fille exigeante dont les ahans le stimulaient. Il trouvait du plaisir à la rassasier. Elle l'avait vaincu en quelque sorte. Elle regardait la nuit et semblait compter les étoiles.

— Besognez-moi... Holà ! Holà !... Ah ! messire...

Elle se repaissait, elle se dandinait, la poitrine secouée sans prendre garde aux doigts enfoncés dans ses hanches. Et quand elle se fut enflammée :

— J'ai vu passer une étoile filante. Pas vous ?

— Je regardais ton dos, tes épaules, ta nuque.

Elle se releva. D'un bond, elle fut près du lit, se saisit de sa chemise et s'en vêtit avec une vivacité de vierge surprise au bain.

— Reviendras-tu ?

Tristan s'approchait. De ses deux mains tendues, elle lui interdit d'avancer.

— Non... Plus un pas... J'avais envie de vous connaître mieux. C'est tout.

Il n'osa lui demander si elle accueillait ainsi les chevaliers qui venaient confier leur armure à son père et prenaient logis chez lui. Il la laissa ouvrir la porte. Elle s'éloigna sans un mot, sans un bruit – comme un songe de chair aux contours éphémères.

Tristan revint vers la fenêtre pour se refroidir d'air nocturne. En bas, dans la cour, un homme lentement marchait vers l'écurie.

— Holà ! Archiac.

Le hutin s'arrêta, saisi d'étonnement.

— Si tu veux reprendre Alcazar, dis-toi bien que mon écuyer veille et qu'il est aussi habile que moi à l'épée.

Archiac en ricanant retourna aux ténèbres.

Au fond, la visite de Constance n'avait point été inutile. Doublement.

II

— Holà ! Castelreng… Quel beau cheval avez-vous là !

Le roi Jean souriait avec un air d'envie. Tristan le dissuada de se méprendre sur une générosité dont il se sentait incapable.

— Il est beau, sire, en effet… Je ne le vendrais pas pour cinq cents écus d'or… Je l'ai obtenu durement. Il appartenait à Fouquant d'Archiac.

— Le fumeux du marché de Meaux qui marchanda si cher le coursier que je monte ?

— Oui, sire. Or, vous ne devez point regretter votre achat…

Pluton méritait l'admiration. Il était royal de lui-même. C'était un moreau à la robe parfaite dont chaque mouvement faisait jouer des satinements d'argent de l'encolure à la croupe. Son harnois simple et clair mettait en valeur ses beautés propres. Il n'avait point, hélas ! un maître à sa mesure et en paraissait désolé.

— Archiac m'a cherché querelle, sire. J'obtins son cheval de haute lutte et c'est pourquoi j'y tiens au risque de vous déplaire.

Sous son chaperon d'azur semé de lis d'or, le roi n'avait pas sourcillé. Ses pensées, sans doute, étaient ailleurs. Il dit pourtant :

— Tant mieux si vous avez cravanté (1) ce Fouquant. Il ne vous avait pas vu à l'œuvre comme moi, à Poitiers… Il n'y a nul démérite à avoir le dessous face à un chevalier de votre trempe !… J'espère qu'il l'a compris.

— Je crains que non, sire. Il attend l'occasion pour recouvrer son bien. Je ne redoute pas qu'il m'assaille mais je regretterais de recevoir quelques coups susceptibles de me faire renoncer à vous suivre en Avignon.

Jean II eut un subit abaissement des paupières et une moue brève, songeuse :

(1) Écrasé, vaincu.

59

— Rassurez-vous, Castelreng, puisque nous partons demain.

— Je le sais, sire.

— Je vais chasser une dernière fois. Mes veneurs ont vu un cerf près de Charenton. Par saint Hubert, je le veux... Où alliez-vous ?

— Messire Charles m'a fait demander au Louvre.

— Bien... N'oubliez pas demain, au petit jour...

— Oui, sire.

— Nous traverserons discrètement Paris.

Et se tournant vers ses compagnons immobiles, moins attentifs qu'impatients :

— Pour ce, point de hériban (1). C'est vers la paix, la paix du royaume de Dieu que nous chevaucherons.

Immobile, Tristan vit le roi s'en aller. Il n'avait guère prêté attention aux dix hommes qui l'accompagnaient. La meute l'avait intéressé davantage. De bons veautres, cinq ou six limiers, ainsi qu'une douzaine de hourets, ces chiens courants sans nez mais non sans voix. Et déjà, tandis que les chasseurs se fondaient dans les bois de Vincennes, des huages (2) retentissaient.

— Trop tôt. S'il a son cerf, ce sera un miracle.

— Hé oui ! dit Paindorge qui chevauchait Malaquin. Voulez-vous que je vienne avec vous jusqu'au Louvre ?

— Non. J'irai seul. As-tu tout emmené de chez Goussot ?

— Tout, excepté Constance.

Bien que dépourvu du don d'éloquence, l'écuyer savait se faire entendre. Comme il semblait d'humeur chagrine, Tristan, curieux, lança comme un hameçon :

— Mieux vaut que nous dormions à Vincennes. Nos chevaux et nous-mêmes y avons plus d'aises... Qu'en dis-tu ?

— J'avoue que je me sentais mieux chez Goussot.

— A cause de Constance. Pas vrai, Robert ?

Avant même d'obtenir une réponse, Tristan guida son coursier jusqu'à Malaquin, lequel acceptait d'être chevauché par un homme solide, pondéré, au visage austère sous un grand front que le camail dissimulait jusqu'aux yeux. Si Paindorge ne laissait pas de devenir indispensable, il savait être absent, discret, silencieux. Or, ce jour d'hui, sa sincérité prévalait sur ses silences.

— Oui. A cause d'elle. Une nuit, elle est entrée dans ma chambre.

Tristan sut contenir son ébahissement tandis que son compagnon, les sourcils froncés sous ses mailles afin de mieux l'observer, attendait qu'il lui confirmât ce dont il se doutait.

— Je devine, Robert, ce qu'exigea de toi la damoiselle au clair potron.

(1) Proclamation d'un seigneur appelant ses vassaux à la mobilisation.
(2) Cris poussés pour forcer le gibier.

60

Un ultime soupçon d'incrédulité poussa Paindorge en avant de sa selle :

— Est-elle venue vous visiter aussi ?

— En douterais-tu après avoir vu de quelles œillades elle m'assaillait ?

Aucun émoi ne troubla l'équilibre des traits de l'écuyer. S'il pouvait à bon droit s'étonner de cette double et différente visite – la même nuit, peut-être –, il ne garderait point de celle qui le concernait un souvenir impérissable.

— Oui, Robert, elle est venue. J'ai fait à sa demande ce que tu as fait tandis qu'elle admirait le ciel et les étoiles.

Ils rirent. Ils s'étaient comme désenvoûtés.

— Allons, décida Tristan, je vais galoper au Louvre. J'y verrai le régent. Je prendrai ses mandements. En attendant mon retour, occupe-toi des chevaux, des oreilles aux fers... Descends et passe-moi Malaquin. Alcazar, où je vais, ferait trop d'envieux.

* *
*

Il retrouva l'enceinte du palais royal et les maçons, les charpentiers et les brouetteurs aussi vaillants que ceux de Vincennes. Il réentendit, mêlés aux chants et aux bruits des voix, les grincements des poulies et des essieux de chariots. Du haut de Malaquin, il avait conscience d'une supériorité spécieuse sur ce menu peuple laborieux au point d'en éprouver de la gêne alors que la plupart des prud'hommes et des bourgeois ayant quelque affaire à traiter en ces lieux se délectaient d'y être vus sans deviner le mépris plus ou moins avéré qui ravalait leur personne. L'ostentation de certains seigneurs venus là moins pour quelque raison d'état que pour se distinguer de leurs pairs plus modérés dans l'allure et la frisqueté (1) restait stérile. Ils étaient comme tous, comme lui, Castelreng, des vaincus. Vaincus par les Goddons ou les routiers, vaincus jusqu'au tréfonds de leur âme.

Les rênes lâches, il pénétra dans la cour toujours peu encombrée, mais bruyante, colorée. Il mit pied à terre. Tenant Malaquin au frein, il avança vers une demi-douzaine de varletons (2) préposés à la garde des montures. Il confia son cheval à un jouvenceau roux, joufflu, affable puis, rajustant sa ceinture d'armes inclinée par la lourdeur de la Floberge, il avança vers la Grosse-Tour.

Si peu nombreuses que fussent les femmes, et comme il s'y attendait, il retint leur attention. Il savait qu'elles ne se refusaient rien

(1) Élégance.
(2) Petits valets.

et ne se refusaient guère. Il fut indifférent à leurs regards, à leurs rires où, sous la moquerie, palpitait la convoitise. Lorsqu'il était arrivé pour la première fois à Paris, il y avait trouvé les mœurs différentes de celles de la Langue d'Oc où l'existence était molle, certes dissipée, mais empreinte d'une gaieté qui faisait des amours légitimes ou non une espèce de jeu sans gravité ni sombres conséquences. Ici tout semblait faux, frelaté, éphémère. Les prud'hommes qu'il avait croisés ou croisait maintenant appréciaient surtout, chez la femme, les agréments extérieurs et les satisfactions qu'ils en pouvaient tirer peu ou prou sans d'ailleurs qu'elles parussent contrariées d'être traitées comme des follieuses d'une essence supérieure. D'où leur effronterie, leur complaisance et l'audace de certaines qui, dans les coins ombreux, se laissaient outrément tâtonner. Lors de la captivité du roi, les usages s'étaient assagis pour renaître dès son retour – comme il paraissait de mise à la fin d'un grand deuil. La promptitude des liaisons nées au hasard d'une œillade ou d'un festin ne cessait d'étonner Tristan, et ni le roi ni le dauphin ne semblaient avoir connaissance de débordements qui ne concernaient en rien la Seine toute proche.

Et lui, Castelreng, dans tout cela ? Il regardait sans émoi, sans réprobation. Constance l'avait si radicalement purgé que ces gentilfames lui semblaient plus à plaindre qu'à blâmer. Que certaines fussent rien moins que des putes et que leurs propos fussent indécents, il passait. Sa simplesse lui tenait lieu d'armure.

— Oh ! je te connais, toi, chuchota l'une d'elles en s'accrochant à son bras.

Peut-être était-ce vrai ; peut-être était-ce faux.

— Lâchez-moi, dit-il.

— Et si j'étais l'épouse du dauphin (1) ?

— Vous ne l'êtes point. Et je vous plaindrais fort !

Elle était blonde, le visage un peu rond, belle dans son sourire et ses atours chez lesquels l'azur tenait une place importante. Des bras fermes sous les manches larges afin qu'on vît ses avant-bras lorsqu'elle faisait le moindre geste. Et des mains blanches, fortes, aux doigts longs et possessifs.

— Ainsi, tu ne veux pas me connaître en privé ?

— Pas le temps. Je pars demain. Avignon...

— La cour papale est un bordeau... C'est ce qu'on dit.

— Pourquoi n'iriez-vous pas séduire le Saint-Père ?

En même temps qu'il voyait s'illuminer les yeux gris, Tristan

_____

(1) Jeanne de Bourbon était fille du duc Pierre Ier, tué à Poitiers, et d'Isabelle de Valois, sœur de Philippe VI. Elle était née le 23 février 1338, la même année que son cousin Charles de Normandie qu'elle épousa le 8 avril 1350.

aperçut Boucicaut qui passait, soucieux, perdu dans ses pensées. La damoiselle hardie le lâcha sans un mot. Il la laissa prendre du champ et la suivit de loin, indifférent aux mouvements et aux voix des manants et des quelques prud'hommes qui piétaient ou chevauchaient à l'entour. Il conçut nettement, soudain, qu'il s'ennuyait. Il avait vu sur le visage de Boucicaut les signes d'une humeur sombre. L'idée que ce preux se faisait du royaume, le désespoir de ne rien pouvoir contre ce dépérissement envenimaient son âme trop exigeante. Cette aigreur était contagieuse. Son antidote eût été le soudain essor d'une confiance absolue en quelque chose ou en quelqu'un. Mais *quoi* ou *qui* en l'occurrence ?

Bien qu'il trouvât incongru de penser présentement à Luciane, Tristan la sentit s'imposer dans sa mémoire comme un remède à sa maussaderie. Elle le troublait. Moins qu'Oriabel mais plus insidieusement. Il se sentit tout à coup incapable de tramer le moindre dessein, de supporter n'importe quelle manifestation de joie, de côtoyer ces hommes et ces femmes dont la vie lui apparaissait comme quelque chose de lisse, de clair et d'inutile. Le seul sentiment aigu qu'il éprouvait, c'était une sorte de courroux contre lui-même, une irritation forcenée contre les manœuvres de la destinée.

Il sut à peine comment il était parvenu devant le prince Charles.

— Ah ! Castelreng, dit celui-ci en reposant le gobelet d'or au fond duquel brillait un peu de rouge. Voyez, j'achève de dîner, mais vous ne me gênez point !

Le régent semblait avoir repris des forces. Son œil torve étincelait. Son teint blanc-gris contrastait avec ses pommettes roses et son gros nez fibrillé de violet. Sa bouche souriait avec une espèce de finesse, voire de sensualité qui contredisait l'attitude austère qu'il avait prise à la venue d'un féal quelque peu gêné de troubler une collation sur sa fin et dont une carpe semblait avoir constitué l'essentiel.

Debout, Tristan vit le dauphin regarder, sur le bord supérieur d'une crédence, une couronne qui, sans être royale, affirmait son orgueil. Les mauvaises langues disaient que messire Charles n'avait pas été ravi de voir revenir son père et qu'au fameux banquet de Rouen, il avait essayé de s'allier à Charles de Navarre qui, par dépit d'avoir été « lâché », l'avait fait enherber. Renonçant à une ascension véloce, il attendait son heure, souriant sans envie de sa grosse bouche molle, se faisant simple, humble même, afin de s'assurer la faveur populaire – ce que le roi Jean n'eût jamais essayé. Quelle que fût la hauteur d'où il voyait la France et ses futurs sujets, il avait la vue basse. Inexorablement.

« Il semble un boutiquier pieux et hypocrite, mais je lui dois respect et féauté. »

Tristan se sentait au niveau de cet homme et même il éprouvait un secret plaisir à abolir entre eux les distances.

— Castelreng, j'ai besoin de vous pour ce reze (1) nécessaire que mon père va, demain, entreprendre en Avignon.

— Monseigneur, je suis venu recevoir vos mandements.

— Un bien grand mot, chevalier.

Charles riait petitement, baissait la tête comme un enfant qui prépare un bon coup.

— Le roi doit voir le Pape.

Et soudain, avec une fureur imbibée de mépris :

— Il va jeter comme un froc de bure sa... sa majesté aux orties. Afin d'obtenir *quoi* ?... Le savez-vous ?

— Non, monseigneur.

— Afin, Castelreng, d'obtenir de quoi avoir le droit de demeurer en France.

Tristan n'osa dire un mot ni faire un mouvement.

— Or, vous le savez bien : il est en grand état de détestation.

Et derechef la grosse bouche eut une sorte de pli indulgent.

— Il est mon père et je crains pour lui quelque embûche sur le chemin que vous emprunterez... Sa capture par des routiers grossirait, en quelque sorte, cette rançon qui pèse de son poids terrible sur le royaume... Ah ! que ne suis-je un manant...

Tristan s'émut sous ce regard tout à coup presque noir où palpitaient de fugaces éclairs. Il s'étonna que ce jeune homme laid, pauvre mais protégé et promis au trône de France, eût à se plaindre de sa destinée. Or, Charles réprouvait déjà ce soupir de petitesse ou d'impuissance ; il en rougissait même tandis que sa grosse main blême et demi-morte, – qu'il avait jusque-là dissimulée sous la table – s'agitait à deux reprises et, comme fourbue, retombait sur le genou de son propriétaire.

— Veillez sur lui... Il va manger plus qu'il ne le faudrait et boire plus encore... Il y aura... des femmes... Peut-être d'autres créatures... Il peut y avoir, dans l'ombre, des dagues et des haussarts... Je n'ai point confiance en tous ceux qui l'entoureront, sauf en Arnoul d'Audrehem.

Messire Charles manquait de discernement. Et sans doute n'avait-il pas plus soif de compassion que de sermons sur la vie et la mort.

— Avignon est un lupanar. Nous savons tous cela, sauf Sa Sainteté. Veillez sur le roi. Agissez au besoin...

Tristan sursauta :

— Mais, monseigneur, je n'ai point qualité pour intervenir. Le roi pourrait se courroucer d'une présence trop rapprochée... Alors, si

(1) Voyage.

64

j'émets une réprobation, même en disant que c'est en conformité avec vos désirs...

Il s'empêtrait. Ses phrases perdaient toute valeur. Il n'en appréciait ni le fond ni la forme.

— Faites au mieux, Castelreng ! Vous n'êtes point de ceux qui doutent et atermoient...

Tristan regardait son interlocuteur bien en face. Adossé à sa haute chaire, il semblait jouer avec sa cuiller qu'il frottait contre le suage doré de son écuelle. L'ombre d'un sourire lui amincissait parfois la bouche. Elle s'élargit ; des dents petites, crayeuses, apparurent :

— Mon père n'est plus très... royal. Serais-je avec vous qu'il sentirait sur ses épaules une pesanteur légère... car il faut savoir être indulgent...

La phrase demeura en suspens mais un gros rire retentit. Tristan fut désolé par l'espèce de trivialité que cet ébaudissement dégageait, accompagné d'un geste bref de la pote (1) dextre molle et percluse dont il se fût, lui, séparé d'un coup de hache : mieux valait un moignon que cette pieuvre hideuse.

— Je vais également vous fournir la seconde raison de ce reze et ce sur quoi vous me devrez informer... s'il *la* voit, ce qui m'étonnerait.

Il y eut un silence lors duquel le dauphin regarda autour de lui comme s'il cherchait la responsable d'un inaltérable souci.

— Qui, monseigneur ? se permit Tristan.

Le front penché, en se plissant, ne laissa présager rien d'agréable. Du cuilleron où subsistait un soupçon de nourriture, le prince tapota le fond de l'écuelle.

— Le roi aurait l'intention d'épouser Jeanne de Naples.

— La comtesse de Provence (2) !

La tête branla sur le cou pâle, maigre et ridé. La cuiller tomba sur un morceau de pain.

— Hélas ! Hélas !

La grosse main monta et descendit au-dessus de la table avant de passer sous le plateau, cependant que Tristan, perplexe, se demandait ce que le dauphin de France éprouvait. Du courroux ? Du mépris ? De l'aversion pour son père ou pour une femme dont la réputation était certes des plus détestable. Une gaupe couronnée, disait-on, une enchanteresse à laquelle on imputait maints trépas dont celui de son premier mari, André de Hongrie. Son inconduite avait scandalisé

(1) Main gourde, enflée, énorme.
(2) Jeanne 1re, reine de Naples, comtesse de Provence, née en 1326, était la fille de Charles de Sicile, duc de Calabre, lui-même fils de Robert le Sage, roi de Naples. Il mourut le 19 janvier 1343 - avant son père. Il avait épousé Marie de Valois.
Lire en Annexe II : *Une belle aventurière : Jeanne de Naples.*

le Pape. Au milieu de la dépravation d'Avignon où elle séjournait parfois, elle étincelait, disait-on, d'une incorruptible beauté, d'où, évidemment, de ténébreuses aventures.

— Avez-vous été informé, Castelreng, de ce dessein de mariage ?

— Jamais, monseigneur, d'où mon ébahissement.

— Il paraît pourtant qu'on en fait des gorges chaudes.

— J'ignorais tout, monseigneur.

C'était mentir. Ce que Thierry Champartel lui avait confié, à Gratot, c'était que le roi voulait Jeanne pour son fils Philippe, surnommé le Hardi depuis qu'à Poitiers il avait fait merveille tandis que son frère aîné, devenu dauphin de France, guerpissait honteusement.

Monseigneur Charles soupira, plissa sa grande bouche d'avaleur d'hosties et prit son temps pour ne pas épuiser vélocement le plaisir d'une révélation qui confinait à la volupté.

— Il veut ce mariage. Elle est jeune et lubrique, il est lascif et de sens rassis... si j'ose dire. Le produit de... euh... l'addition des âges et des corps, une fois divisé par deux, ne donnerait point un résultat équitable.

— Assurément.

— La princesse est jolie. Déjà deux mariages et deux morts suspectes... Sans compter les autres... Jeanne, à plus de trente ans, prend des airs de pucelle. On lui accorde une expérience de fille déleurrée... Non ! Non ! Je ne la souhaiterais même pas à mon mains-né Philippe si je le détestais !

« Holà ! », songea Tristan, « c'est justement ce qu'on dit. Son hardement, à Poitiers, t'a humilié sans pourtant que tu en sois témoin ! »

— Ce serait, Castelreng, vouloir le trépas d'un frère bien-aimé.

D'un geste de sa main saine, le dauphin chassa des idées funèbres.

— Laissons cela. De l'un ou l'autre mariage ne naîtrait rien de bon, pas même des enfants. Si vous voyez le roi coqueliner auprès de cette Jeanne, quittez Avignon à franc étrier pour m'informer. J'enverrai un message au Pape... Un mariage !... Et d'ailleurs, Castelreng, où se feraient les noces ? En Angleterre !... Mon père y devra retourner s'il n'acquitte point sa rançon. Mieux vaut qu'il revienne seul sur la Grande Ile pour y jouir de ses nouvelles habitudes.

Le visage sombre s'éclaira :

— J'étais, chevalier, dans l'obligation de vous entretenir comme je le ferais avec un de mes familiers... Bien sûr, bouche cousue.

— Je vous en fais serment sur ma vie, monseigneur.

Cette révélation et ce commandement frappaient moins Tristan que le fait d'avoir ignoré partiellement cette histoire. Cela prouvait à quel point il s'était désintéressé de la Cour depuis son retour à Paris. Il

66

agirait scrupuleusement comme on le lui demandait.

— Voilà, dit le dauphin en se versant une rasade d'un vin lourd, couleur sang. Je vous porte la santé. Bon courage et bonne chance… et que Dieu vous garde !

De sa main légère, pâle, osseuse, il leva son gobelet à hauteur du front. Il avait grand besoin de ce geste emphatique et puéril pour affirmer, sans doute, son appartenance au trône. La chaire sur laquelle il reposait en prenait certainement pour lui l'apparence.

— Partez, dit-il d'une voix changée, autoritaire, – royale avant la lettre. Oubliez ces confidences. Ce fut l'effet de ce bon vin de Chypre… Soyez fort attentif et veillez sur le roi.

Tristan sentit qu'il n'existait plus. Poussant la porte, il faillit se heurter à un homme en livrée royale, porteur d'une aiguière. Un breuvage y fumait tel l'encens dans une cassolette, mais au lieu d'une odeur de myrrhe et de mastic (1), c'était une flaireur de médicament qu'exhalait la trompe d'argent.

(1) Encens d'Orient.

III

— Est-ce Avignon ? demanda Paindorge.

— Non : Villeneuve… Avignon est plus loin, de l'autre côté du Rhône.

— J'espère que le nouveau Pape a de bonnes cuisines, de bons queux pour apprêter la nourriture et des appartements étroits…

— … bien chauffés, acheva Tristan.

Le froid s'était accru sitôt leur longue traversée de la Bourgogne. La pluie s'y était mêlée. Maintenant l'hiver montrait les crocs. Un vent glacé mordait les chevaux et les hommes.

— Nous avons perdu trop de temps, dit Tristan.

Il pouvait parler sans crainte : ils chevauchaient très en avant d'une compagnie d'hommes d'armes dont, à défaut d'exercer le commandement, il avait la surveillance. Jean II qui, depuis Paris, lui avait assigné cette tâche, se disait content d'avoir laissé les rênes du pouvoir à son fils, lequel devait enrager sans doute d'être à nouveau lieutenant général du royaume au lieu de gouverner pleinement celui-ci.

Hormis cette satisfaction hautement déclarée, nul ne pouvait, dans l'immédiat entourage du souverain, connaître les pensées voire les desseins qui s'ébauchaient sous le front royal rougi tant par le froid que par les gouttes. Boucicaut, ce grand langagier, prétendait que son éloignement du Louvre et de Vincennes ne le séparait point des affaires. Après quoi, le maréchal souriait à l'entour avec quelques clins d'œil de connivence dont nul ne discernait la teneur. Jean d'Artois, comte d'Eu, disait que Jean le Bon cherchait une aventure susceptible de rehausser son destin. Le comte de Tancarville alléguait que portant toujours le deuil de son ami de cœur, La Cerda, il voulait demander au Pape des prières pour son âme. Le comte de Dammartin, amateur de confidences, avait renoncé à en récolter une seule.

Monseigneur Tristan de Maignelet évoquait le mariage avec Jeanne la Chaude, qu'en cachette il appelait la ribaude. Le Grand Prieur de France, qui se plaignait des reins, recueillait chaque matin les propos du roi et les conservait pour lui seul.

Jean II avait voulu repasser par la Bourgogne dont il avait fait son duché l'année précédente, après que Philippe de Rouvre, dernier duc de Bourgogne de la première Maison royale de Bourgogne, eut trépassé (1). Les fêtes avaient succédé aux fêtes, les joutes aux joutes. Quel gros retard sur tout ce qu'on avait prévu !

L'on aurait dû partir fin août. Le roi, soudain, avait atermoyé. On partirait à la mi-septembre. On avait laissé passer le 15. Tristan avait oublié le quantième du départ, mais c'était un beau jour : le soleil resplendissait et les oiseaux chantaient dans la rouille des arbres. Il s'était gardé de trop se montrer à Auxerre, dans la traversée de Cravant et même à Vézelay. Certes, Perrette Darnichot, son ancienne geôlière se fût montrée incapable de le capturer une seconde fois, mais il eût suffi d'un archer habile pour l'exclure à jamais de la suite royale. Après Dijon, Beaune, Chalon-sur-Saône, on était entré dans le Mâconnais et le 2 novembre, on avait fait à Lyon une assez longue halte : le roi souffrait du foie et d'un accès de mélancolie que le Grand Prieur lui-même n'avait pu apaiser.

— Je commence à être las de cette chevauchée, dit Paindorge.

— Le roi également. Par moment, quand je l'observe, je jurerais qu'il a du regret d'avoir quitté l'Angleterre.

Tristan souriait sans envie. Mais quoi : il fallait mettre un peu de gaieté dans ce cheminement monotone qui touchait, heureusement, à son terme.

— Il regrette les belles dames de la Grande Ile... ou les beaux gars.

— Peut-être.

— Il ne peut se divertir en France.

— Je n'ai point vu comment il s'est diverti à Trichastel, mais Boucicaut m'en a dit deux mots. Il paraît qu'il se frottait hardiment les mains et s'ébaudissait très fort en voyant les pendus (2).

— Vous qui en avez souffert, vous auriez dû voir ces routiers se balancer au bout de la hart (3).

— Non. Ma satisfaction ne se serait point vue, et je doute que l'on ait eu Tallebardon.

— Vous auriez dû vous trouver là.

— Comment l'aurais-je pu ? J'étais en avant avec les fourrageurs.

(1) Philippe de Rouvre était mort le 21 novembre 1361.

(2) Lorsque Jean II passa en Bourgogne, il fit pendre, à Trichastel, trois capitaines de Compagnies : Guillot Pot, Tallebarde ou Taillebardon (nom que l'on a orthographié de dix à quinze façons) et Jean Chauffour (Paradain : *Annales de la Bourgogne*).

(3) Le gibet ou la corde.

— Le roi prétend, pour s'en persuader lui-même, que les routiers vont s'assagir.

— Illusion, Robert !... Quand le dauphin m'a déclaré que tout homme engagé sur une mauvaise voie pouvait s'amender, j'ai eu envie de m'ébaudir en me disant qu'il pensait à lui. Crois-moi : les routiers ne changeront jamais. De l'Archiprêtre à Hawkwood en passant par cent de leurs capitaines, ces malandrins resteront ce qu'ils sont. Ils ont leurs lois, désormais. Leurs débordements hideux leur sont autant de jouissances qui s'ajoutent à celles qu'ils obtiennent de leurs otages. La guerre leur est aussi nécessaire que la nourriture, et leurs batailles, eux, ils les gagnent (1). Malgré notre bobant (2), nous sommes des vaincus.

— Hélas ! soupira Paindorge.

— Mais nous avons cent excuses dans nos bissacs pour amoindrir nos échecs.

Chemin faisant et surtout à la table du roi, on avait abondamment parlé des méfaits des Tard-Venus sans jamais s'accorder sur la façon d'en nettoyer le royaume. Jean II faisait confiance à Arnaud de Cervole qui venait d'épouser Jeanne de Châteauvilain (3) et qui, pour vivre en prud'homme plutôt qu'en chevalier d'aventure, devait entraîner, sous la conduite du Trastamare, les Grandes Compagnies en Espagne. Parce qu'il méprisait l'Archiprêtre et pour contrecarrer les desseins de ces milliers de malandrins, Boucicaut était parvenu à convaincre le roi qu'un seul remède existait contre cette peste rouge : prêcher une grande croisade au-delà des mers et reconquérir Jérusalem. Cette idée qui ne répugnait pas à la « sagesse » du dauphin flattait les instincts chevaleresques toujours vigoureux de son père.

Tandis que Tristan retenait Alcazar afin d'être plus près du roi, le vieux maréchal reprit sa litanie :

— J'irai moi-même, sire, s'il le faut, jusqu'au Saint-Sépulcre. D'autres nous ont frayé la voie pour reconquérir les saints lieux.

— Vous ne me l'aviez point dit, Le Meingre !... Qui ?

— Nicolas Stamworth, l'ancien capitaine de Régennes. Il a pris la Croix et ses hommes aussi. Maintenant, ils sont en Orient.

— Des Goddons !... Qui d'autre encore ?

— Jean d'Arleston, l'écuyer d'Edouard III... Eh oui, sire : l'homme qui, voici deux ans... en janvier si ma mémoire est bonne, s'est emparé de Flavigny.

— Derechef un Goddon !

(1) Lire de M.H. Keen : *The Laws of War in the Late Middle Ages* (Les lois de la guerre à la fin du Moyen Age) et *les Condottières*, de Geoffrey Trease (Sequoia, Bruxelles, 1972).

(2) Pompe et vanité.

(3) Orthographe de l'époque.

— Certes, sire, mais il s'est accointé avec plusieurs seigneurs bourguignons, particulièrement Guy de Pontailler (1), pour accomplir un pèlerinage à Notre-Dame de Nazareth.

— C'est vrai qu'il faut là-bas des hommes de chez nous. Mais une vraie croisade ne peut se réaliser qu'avec l'appui de la papauté. Or, le Pape est tout neuf, si j'ose dire.

— Neuf, sire ? Il est de chez nous. Il pensera comme vous, comme nous (2).

Avant même qu'ils eussent entrepris leur chevauchée, on leur avait appris la mort d'Innocent VI. Le roi s'était inquiété. Qui succéderait au Saint-Père ? S'il ne pouvait se flatter d'influer sur l'élection, il avait salué le prochain avènement comme un signe de la Providence : il allait rencontrer un nouveau Pape, sans doute plus jeune, donc plus malléable que l'ancien – dont il n'avait d'ailleurs point à se plaindre. Il s'était fort peu inquiété des mystères du conclave. Deux hommes dévoués régnaient sur cette assemblée : les cardinaux de Boulogne et de Talleyrand-Périgord. Des dissensions les opposaient, de sorte que ne pouvant se faire nommer eux-mêmes, ils s'accorderaient sur un tiers. Un candidat s'était présenté. Originaire du Limousin, son pays natal était sous la tutelle de l'Angleterre. On l'avait écarté. Le choix s'était porté sur un homme qui n'appartenait même pas au sacré collège mais qui était de France : Guillaume Grimoard. Tout jeune, il avait embrassé la vie monastique ; on le disait pieux et intègre (3). C'était à peu près tout ce qu'on savait de lui.

— Devrai-je aller vers lui ou viendra-t-il vers nous ?

— Sire, il viendra vers vous. Avant que d'être Pape, il est votre sujet.

Le comte de Dammartin souriait, tout fier, tout revigoré d'avoir lancé cette réponse. Tristan, qui n'avait fait que l'entrevoir à Paris et

(1) A cette époque, Guy de Pontailler n'était pas encore maréchal de Bourgogne.

(2) Jean II ne cessa de remettre son départ. *Les Grandes Chroniques* seules le datent de la fin août, mais il prit le chemin d'Avignon en septembre, sans doute dans la seconde moitié du mois, de sorte qu'il dut apprendre la mort d'Innocent VI (12 septembre 1362) à Paris et l'ouverture du conclave (22 septembre) en chemin. Une note des *Archives de la Côte d'Or* indique qu'il fut à Villenes, à la frontière septentrionale de la Bourgogne, « *le mardi après la Saint-Denis* », donc dans la seconde quinzaine d'octobre.

(3) Guillaume Grimauld ou Grimoald était né à Grisac, en Gévaudan. Successivement professeur de droit canon à l'université de Montpellier, abbé de Saint-Germain d'Auxerre puis, en 1358, de Saint-Victor de Marseille, Guillaume Grimoard n'avait pas encore obtenu le chapeau de cardinal. Il n'était même pas en France au moment de son élection : Innocent VI l'avait chargé d'une mission en Lombardie. Élu le 28 octobre 1362 et mandé en toute hâte, il arriva secrètement en Avignon le 30 octobre. Son intronisation, sous le nom d'Urbain V, eut lieu le 5 ou le 6 novembre. A Paris, le peuple et le clergé murmurèrent contre cette élection hâtive, en dehors des usages, et le continuateur de Nangis se demanda quel rôle l'Esprit Saint avait joué dans cette affaire. Urbain V annonça de bonne heure son dessein de revenir à Rome. Il quitta Avignon le 30 avril 1367.

Clément V avait, le premier, transporté le Saint-Siège en France, en 1305. Après lui, Jean XXII, Benoît XII, Clément VI et Innocent VI y avaient résidé.

Vincennes, le trouvait sans intérêt. C'était un grand brun glabre aux yeux noirs, le nez camus, les membres épais, quoique trop gonflés de graisse. Il n'était aucun prud'homme plus empressé que lui auprès du roi.

— Je n'ai jamais vu ce Grimaud qui se fait appeler dorénavant Urbain V, dit Boucicaut. J'aimais bien Sa Sainteté Innocent VI. Puissiez-vous, sire, ne point regretter le feu Pape et obtenir de son successeur tout ce que vous demanderez !

Nul ne broncha. Les fers des chevaux crépitaient sur le sol dur, leurs lormeries tintaient gaiement. Parfois retentissait le heurt d'une épée contre un étrier, l'éternuement ou la toux d'un homme d'armes enchifrené. Et l'on avançait sans hâte dans ce pays où çà et là quelque ruine évoquait, – comme partout ailleurs depuis Paris – le passage des routiers, leurs hurlements et ceux de leurs victimes ainsi que les grondements des flammes.

— Ah ! Ah ! ricana tout à coup Jean II, nous n'aurons point, nous n'aurons jamais été inquiétés par quelques-uns de ces linfars qui dévorent ce royaume... Et Villeneuve est purgée de cette vermine.

Il s'était refusé à dire « *mon* royaume », et même « *notre* royaume » comme pour exorciser toute embûche malencontreuse. Il faisait de la France un pays innomé, impersonnel, et révélait ainsi qu'il avait redouté, comme lors de son retour d'Angleterre, d'être assailli par quelques hordes impitoyables et d'être contraint de négocier avec leurs chefs pour pouvoir atteindre Avignon. Il oubliait qu'à plusieurs reprises, il avait été tenté de descendre le Rhône sur quelque grand radeau de bois et que seule la crainte d'une noyade l'en avait dissuadé (1).

— Nous sommes rendus, gémit le Grand Prieur en tapotant du plat de la main la croupe de sa mule.

(1) Le retour provisoire du roi Jean II en France eut lieu en plusieurs étapes.
Le 13 juin 1360, il quitta la Tour de Londres.
Le 8 juillet, il fut en vue de Calais. Pas moins de cinq navires transportaient ses bagages et sa suite.
Le 25 octobre, il fit à pied le pèlerinage de Boulogne en compagnie du prince de Galles. A Notre-Dame-de-Boulogne, il retrouva son fils après quatre ans de séparation. Ils partirent pour Saint-Omer qui les reçut fastueusement (3 et 4 novembre). Le 11 décembre, Jean II coucha à Saint-Denis et le dimanche 13, il fit son entrée à Paris « *sous un poêle d'or à quatre lances* ».
Dans une de ses lettres, Pétrarque raconte que Jean II, lors de son retour de Londres, avait dû traiter avec les hommes des Compagnies pour prendre le chemin de Paris en toute sécurité : « *Chose lamentable et vraiment honteuse !* » écrit-il. « *Le roi lui-même, au retour de sa captivité, a trouvé des empêchements pour rentrer dans sa capitale ainsi que son fils qui règne maintenant (Charles V). Il a été forcé de traiter avec les brigands pour voyager plus sûrement à travers ses possessions. Quel est l'habitant de ce beau royaume, je ne dis pas qui l'eût pensé, mais qui eût pu se le figurer même en rêve.* » Et d'achever ainsi : « *Quomodo vero credent hoc posteri* » : la postérité refusera de le croire.
Jean II n'était guère rassuré. Il savait que quelques mois avant qu'il eût entrepris ce voyage, les Compagnies d'Auvergne, en passant par Villeneuve-les-Avignon, avaient commis de tels forfaits que le cardinal Guy de Boulogne avait lancé contre elles... les foudres de l'Église !

Elle était recrue de fatigue car gros, mou comme un sac de farine, le religieux ne consentait à quitter sa selle que pour prendre son repas ou satisfaire de loin en loin quelque besoin au plus profond d'un boqueteau. Il eût pu profiter des haltes décidées précisément à cet effet, mais c'était avec un certain plaisir qu'il aimait à se distinguer de ses compagnons, – sans penser qu'il excitait les imaginations et les rires d'un bon nombre de sergents et de quelques prud'hommes qui le « voyaient » accroupetonné, la bure retroussée jusqu'aux aisselles, ses yeux déjà gros et sombres exorbités par des efforts malaisés. Bien que la mort lui eût permis d'atteindre promptement le Paradis sans fournir le moindre coup de crosse pour sa défense – celle-ci étant tenue à tour de rôle par un des clercs de sa suite –, il n'avait cessé d'avoir peur, même la nuit, entouré par ses tonsurés allongés à proximité de son lit ; même lorsque le chemin plat et dégagé eût pu lui inspirer une sérénité meilleure qu'une prière. Il pouvait, désormais, confesser sans malice :

— Je suis soulagé de mes craintes.

— Ah ! fit Boucicaut dont le cheval encensait comme pour approuver l'homme de Dieu, il faut dire qu'au lieu de peur j'ai éprouvé, moi, de la méfiance. Je préfère aux embûches une bonne bataille où l'on voit droitement l'ennemi. Ce cheminement nous a... girouetté la tête.

— Si je vous ai choisis, dit Jean II, c'est que vous êtes pareils à ceux qui, à Poitiers, sauvèrent le dauphin.

Il y avait de la gaieté ou du mépris dans cette précision. Le roi n'ignorait point que tous savaient que son fils aîné s'était escampé avant même que la mêlée fût désastreuse pour les lis. Guichard d'Angle (que détestait Ogier d'Argouges et qui venait, disait-on, de passer aux Anglais), Jean de Landas, Thomas de Voudenay et Robert de Waurin, sire de Saint-Venant, avaient rejoint le dauphin dans sa fuite pour assurer sa protection et le mener à Chauvigny. Tristan de Maignelay, son porte-étendard, avait été blessé et capturé par les Anglais tandis que la bataille du duc d'Orléans cédait à la panique (1). Oui, le dauphin était un couard. Sitôt en sécurité à Chauvigny, ses accompagnateurs – « et moi, Castelreng » – étaient revenus dans la presse : pour eux, la mort valait mieux que la vergogne. Mais mourir dans une échauffourée sur le chemin d'Avignon...

— Nous touchons au but, dit Paindorge.

Il semblait qu'il n'eût jamais tant chevauché.

— Nous sommes attendus, annonça Boucicaut qui ouvrait la marche.

Bien qu'on fût un mardi, quinzième jour de novembre, et bien que la cité eût souffert des routiers, Villeneuve-les-Avignon se préparait

(1) Transi de peur et de honte, le dauphin regagna Paris dix jours après Poitiers.

à recevoir un roi qui avait choisi d'y séjourner de préférence à la cité papale sans jamais éprouver le besoin d'en fournir la raison.

Devant deux grosses tours portières inachevées, une foule effrangée par une incessante agitation attendait la venue du monarque et de sa suite. C'était à qui traverserait le chemin pour trouver le meilleur endroit d'où admirer Jean II et lui crier sa joie. Plus loin, en haut d'un gros donjon carré en instance de finition, des têtes et des bras bougeaient. Les hurlements d'en haut, faibles, discontinus, tombaient sur ceux d'en bas lacérés de crécelles. Tous les trois pas, de part et d'autre de cette voie triomphale, des gardes impuissants à contenir des remuements exagérés, frappaient les indisciplinés de la hampe de leur vouge.

— Comme partout, dit Paindorge.

Il y avait du mépris dans cette remarque. Tristan se demanda si elle concernait le roi ou cette multitude qu'il voyait de mieux en mieux.

— Je préfère les voir ainsi. Mieux vaut séjourner dans une ville ou un pays ami que dans une cité hostile. Non seulement la tristesse en est bannie mais encore, on n'a rien à craindre des ombres et des lames qu'elles dissimulent.

Quelques cavaliers précédaient les représentants de diverses corporations, sous leurs bannières. Ils devançaient une ambassaderie de bourgeois endimanchés. Un des prud'hommes chevauchant un coursier houssé de soie vermeille galopa au-devant du roi, le salua bien bas et se présenta :

— Pierre Pèlerin, sire, de l'Hôtel d'Arnoul d'Audrehem (1).

— Arnoul n'est donc point là pour me conjouir ?

— Il était à Toulouse, sire. De là, il a dû partir pour Carcassonne et de là il se rendra, je crois, à Béziers. Il ne tardera point à être auprès de vous.

Tristan ne pouvait voir le visage du roi ; cependant, il le devina contrarié. A l'inverse, un sourire égayait la face pâle, barbue, de Boucicaut.

— Messire Arnoul, ajouta Pierre Pèlerin, vous a choisi une belle demeure pour hôteler (2) dans Villeneuve.

— Et vous serez mon hôtelaire (3) ?

Pèlerin se courba cette fois sans égards particuliers : le roi était le roi mais c'était un vaincu :

— Oui, sire. Je ne serai point seul.

Jean d'Artois conduisit son cheval près du roi.

— Et nous ? dit-il abruptement.

Il était grand, roux comme son père, arrogant comme lui mais

(1) Pierre Pèlerin avait été anobli par Arnoul d'Audrehem à la mi-février 1362.
(2) Loger en hôtel.
(3) Maître d'hôtel.

moins entreprenant. S'il avait suffi d'un héron à Robert d'Artois pour provoquer entre la France et l'Angleterre une guerre sans merci, peut-être perdurable, il apparaissait, lui, comme un homme dépourvu d'astuce et sans doute d'intelligence (1). Il était le seul à porter un camail et un jaseran de mailles fines, sans grand pouvoir de protection mais qui le rassuraient tout de même.

— Toutes les dispositions ont été prises, beau sire, non seulement pour votre hôtel mais pour vos pourvéances.

— C'est bien, dit le roi. Avec vous, Jean, et Arnoul, dans ce qui nous est offert, nous nous retrouverons comme naguère à Londres.

C'était révéler incidemment – ou plutôt confirmer – que la captivité en Angleterre avait eu certains attraits que la royauté de France proscrivait aux prud'hommes anglais. Mais déjà, comme pour interdire à ses proches quelques réflexions acides et désobligeantes, le roi avançait, entre Pèlerin et Artois suivis du Grand Prieur et des autres prud'hommes.

Assez loin en retrait, Tristan regarda les grosses tours et, à leur base, les multiples consoles de leurs mâchicoulis abandonnées dans l'herbe par les tailleurs qui s'étaient joints à la foule. Cet appareil guerrier lui fut indifférent. Devant, Boucicaut commençait à se redresser. Tancarville regardait lui aussi les pierres et les tours ventrues. Il se pouvait qu'il les comparât aux défenses de son château dont il parlait parfois avec mélancolie. Dammartin, la face penchée, semblait inaccessible. Tristan de Maignelet tapotait l'encolure de son cheval afin peut-être de le rassurer car le hourvari augmentait.

« Nous sommes des vaincus de fort bonne apparence. »

Tous ces chevaliers supposément unis ne s'entendaient guère. Orgueilleux et ignorants, ils attachaient une importance extrême à des riens : le goût du vin, celui d'une soupe ou d'un cuissot, la croupe d'une gentilfame ou d'une servante. Religieux, certes, ils s'enflammaient parfois au récit d'une bataille qu'ils convenaient avoir pu gagner s'ils l'avaient entreprise autrement. Poitiers revenait fréquemment sur leurs lèvres, non point comme le glas de leur impéritie mais comme une prouesse malencontreuse. En versant à nouveau un sang imaginaire, ils ravalaient le fiel du déshonneur et de

(1) Les enfants de Robert d'Artois, traître à la France : Jean, Charles et Louis ainsi que leur mère, avaient été délivrés de la prison où les avait fait jeter Philippe VI, par Jean II, sitôt après son couronnement. Ils avaient reçu d'importants dons pour les dédommager d'une injustice à vrai dire irréparable. Charles, qui fut pris à la bataille de Poitiers, eut après le bannissement de Philippe de Navarre, frère de Charles le Mauvais, le comté de Longueville-en-Caux. Il obtint ensuite celui de Pézenas. Mais le comté d'Artois lui tenait à cœur : en 1367, il s'aboucha avec plusieurs capitaines de Compagnies pour reconquérir *ses* terres. Ses desseins échouèrent.

Jean d'Artois avait été pourvu du comté d'Eu le 9 avril 1352, par Jean le Bon qui l'avait confisqué au connétable de Brienne après son exécution. La même année, il épousa Isabelle, fille de Jean Iᵉʳ, vicomte de Melun, comte de Tancarville. Fait prisonnier, lui aussi, à Poitiers, il vécut dans l'entourage du roi, prit part à la bataille de Roosebeke et mourut le 6 avril 1387.

la défaite. En un même ferment de haine, leur esprit concentrait les passions de la guerre et les humiliations où les avait entraînés un courage certes éminent mais faussé à l'avance par leur inguérissable présomption. Il suffisait d'évoquer les milliers de morts de Brignais pour les réinstaller à la fois dans leur peau et dans la défaite. Moins que le roi sans doute, ils avaient craint les routiers. Ils allaient s'engager dans une foule en liesse et se prendre, Jean II pour Artus, Tancarville pour Gauvain, Artois pour Perceval, Dammartin pour Lancelot, Maignelet pour Galaad. Sans compter, cheminant à l'arrière, les chevaliers de petite estrasse (1) comme lui, Castelreng, les écuyers moins accorts que ne l'était Paindorge, et les sergents qui, à de rares exceptions, se croyaient des leudes tout droit sortis de Camelot.

Ce fut, à l'ombre de l'entrée, la cohue des évêques mitrés et crossés, des moines, des édiles et des bourgeois ; les cris si confusément mêlés qu'on n'en pouvait discerner aucun sauf *roi*. D'un coup d'encensoir, un prélat fit une aspersion en direction de Jean II, tandis qu'un échevin, viguier ou consul jetait en l'air son chapeau. On s'arrêta. On sourit. Tristan trouva que la cité ne se pouvait comparer avantageusement à Carcassonne. Et pourtant, c'était le même sol vert, montueux, crêpé de quelques arbres chauves, et à droite et à gauche les profils sévères d'une enceinte bastionnée dont les tours étaient soit décoiffées, soit parées de tuiles bombées telles que celles de Castelreng. Sur les chemins de ronde, pareils à de petits astres tombés du ciel, les barbutes, quasiment immobiles, alternaient avec les lunes des fauchards. Au-delà, inclinée vers le Rhône, s'étendait ce qui subsistait d'une campagne féconde incendiée par les routiers, écrasée par la piétaille, aplatie çà et là par les fers des chevaux ou labourée par les jantes des chariots de butin. Et l'on voyait au loin, dans les feux de ce jour froid et venteux, un terroir fauve et nu où des ruines élevaient leurs chicots charbonneux.

— Eh bien, messire, dit Paindorge. Le temps est froid, l'accueil est chaud. Reste à savoir ce que seront les prochains jours.

Il avait passé sur son hoqueton une pelisse en peau de chèvre. Il frémissait – d'émoi ou de froid – tout en observant les bastions gris parfois revêtus d'un peu de lierre et cette foule dont le charivari ne cessa que pour mieux reprendre quand le roi l'eût saluée.

On franchit le seuil. Les voûtes de l'étroite courtine résonnèrent à grand hahay (2). Tristan vit la vraie cité avec ses maisons claires, hautaines, et ses pavés disjoints, crottés, pisseux. Il vit aussi une salle éventrée où des routiers sans doute avaient logé, dormi, assouvi leur

(1) Extraction.
(2) Tumulte, confusion.

passion des buveries et des riotes. Quelques maisons éborgnées arboraient des tentures sans qu'on y vît un seul visage.

On atteignit un carrefour. La foule attendait, tout aussi dense qu'au-dehors des murs. Non, la cité n'avait point trop souffert. Elle accueillait le roi comme Jérusalem avait accueilli le messie, et c'était en quoi la ferveur des Villeneuvois s'égarait. Jean II n'avait rien d'un sauveur, encore moins d'un rédempteur. C'était un homme las, un captif en sursis, une sorte de mendiant muni, pour tout viatique, de l'or pointu de ses éperons et de celui de la simple couronne enfouie dans un sac confié à Boucicaut.

— Le Pape est absent, releva Paindorge. Et pourtant, le roi lui a fait annoncer sa venue.

— Sa cité n'est point celle où nous sommes et des deux souverains, c'est lui le plus grand... Le roi voulait visiter Clément VI ; monseigneur Urbain V se sent moins concerné par tout ce qui devait se dire entre le feu Pape et notre sire Jean... Et puis, Robert, Villeneuve n'est point ville sainte, bien que remplie en notre honneur par moult gens d'Église et de moutiers.

Des clercs nombreux se pressaient au-devant des curieux qu'ils contenaient autant que les hommes d'armes affectés à leur surveillance. Les uns étaient vêtus d'une bure propre, les autres, miséreux dans leurs haillons couleur de terre, suscitaient la pitié plutôt que le respect. Agroupées aux endroits les meilleurs pour être vues, les femmes paraissaient en surnombre. Par leurs garnaches et manteaux entrouverts, leurs vêtements avaient de quoi surprendre. Colliers et pentacols d'or, de gemmes, de perles étincelaient sur leurs robes de cendal ou de satanin, souvent passementées d'or. Les cottes et les gonnelles fendues du cou au nombril et rapprochées çà et là par des fermails orfévrés semblaient des invites à la luxure. Des garde-corps échancrés à la façon d'Espagne devaient découvrir à chaque pas des chemises légères et, en deçà, des appas séduisants. Des cordelières d'argent ou d'or, en fils ou plaquettes, soulignaient les tailles graciles et affinaient les fortes. Sous les huves, les volets de soie et les amusses légères piquetées de fleurettes factices, les visages n'étaient que bienveillance et gaieté.

— Je comprends, messire, l'appétit des routiers.

— Moi davantage encore que tu ne l'imagines.

Si l'Archiprêtre, Tallebarde, Bertuchin, Naudon de Bagerant et autres Bérard d'Albret avaient eu connaissance de ces richesses, comment eussent-ils pu refréner leur malefaim d'argent, d'or et de pierreries ?

— Regarde !

Tristan alentit le pas d'Alcazar puis du doigt désigna deux jeunes gens juchés sur un tonneau, un peu en retrait. Ils se tenaient par la taille, joue contre joue, comme garçon et fille, mais c'était un couple masculin, adepte de la singulière amitié antique, – Achille et Patrocle et tant d'autres alors –, si étroitement étreints, si visiblement épris l'un de l'autre qu'Artois, indigné, les menaça du poing.

— Apaise-toi, dit Boucicaut. Tu en verras d'autres, si j'ose dire, quand nous serons en Avignon.

Alcazar commençait à trouver le temps long. Malaquin semblait prêt à couvrir quelques lieues de plus ainsi que Tachebrun auquel l'emploi de sommier semblait convenir à merveille. Et l'on avançait toujours, par deux de front, lentement, dans une foule qu'une esplanade désépaissit et où le cortège fit halte.

— L'hôtel du roi doit être dans ces belles maisons. Le voilà qui met pied à terre.

— Nous pouvons, messire, en faire autant.

Il allait falloir attendre. On procéderait à la répartition des logis selon l'importance des seigneurs et des hommes de leur suite.

— Souhaitons qu'ils se hâtent !

Il semblait que cette réception eût été prévue de longue date, à l'inverse de la plupart des cités où Jean II s'était arrêté. Alors que les regards semblaient converger vers la personne royale et ses grands feudataires, Tristan se détourna, touché par l'un d'entre eux dont d'instinct il avait perçu l'insistante curiosité.

Une femme l'observait et mieux : lui souriait. Il avait espéré sentir ainsi sur lui, un jour, l'intérêt ou l'appel de grands yeux verts, sertis de cils tellement dorés qu'on les eût pu croire poudrés d'or. Hélas ! ce n'était point son amour de naguère. La dame qui, maintenant, caressait le chanfrein d'Alcazar, était brune, assez grande, âgée d'environ trente ans. Un manteau d'écureuil la couvrait du cou aux jarrets, d'où débordait une robe de soie framboise – la fraîche couleur de ses lèvres. Une huve assortie d'un long voile d'yraigne coiffait ses cheveux drus dont les tresses épaisses, enlacées d'aiguillettes vermeilles, lui tombaient à la taille.

— Quel beau cheval ! Il mérite, comme les mules des cardinaux, un mors en or.

— Je vous regracie pour lui, dame, de votre louange.

— Puis-je savoir son nom ?

— Alcazar.

Elle siffla soudain comme l'eût fait un homme.

— Seriez-vous d'Espagne ? De Castille ?... Appartenez-vous au Trastamare ?

— Non, dame. Je suis de la Langue d'Oc... A quelques lieues de Carcassonne. Tristan de Castelreng pour vous servir.

Tandis qu'il s'inclinait avec cérémonie, elle sourit, visiblement sensible à cet hommage prompt et sincère en un lieu peu propice à ces sortes d'usages. Elle s'éloigna d'un pas et contempla le cheval comme elle l'eût fait d'une belle image de marbre, devinant, sous sa docilité présente, des témérités extrêmes dès lors qu'on les lui commandait ; pressentant de quelles passions d'espace et de galops éperdus ce coursier et son possesseur étaient friands.

— Il a dû moult souffrir d'avancer au pas ou à l'amble.

Elle revint en avant pour évaluer, semblait-il, l'épaisseur des muscles compacts traversés quelquefois d'un bref frisson. Ces modelés de la chair révélaient à eux seuls les qualités de vélocité, d'énergie, de souplesse d'Alcazar. Et fermant les paupières pour s'investir, comme une aveugle, d'un surcroît de clairvoyance, elle laissa courir ses doigts fins et nus sur l'encolure et la crinière échevelée.

— C'est un cheval de roi... ou de prince.

— Je ne le suis point... Est-ce votre pensée ?

— Non pas, messire !... La noblesse de l'être et de l'esprit prévaut souventefois sur les parages (1) les plus sûrs, les plus reconnus et respectés.

Qui était-elle ? Il ne pouvait qu'admirer ses cheveux ténébreux et, malgré l'épais manteau qui l'engonçait, la courbe harmonieuse de ses épaules. Ses yeux d'un bleu profond, violent, de vitrail, répandaient sur lui, sur Alcazar et parfois même sur Paindorge, le rayonnement d'une âme qui, sans doute, savait passer de la suavité la plus capiteuse à des courroux effrénés... Mariée ? Sans doute, mais libre par le divorce ou le veuvage – sans quoi, elle n'eût pas abordé ainsi un inconnu. Elle avait le don de s'imposer par son mystère autant que par son sourire, par sa voix douce et tintante mieux encore que par son regard où flamboyaient parfois des lueurs d'améthyste. Tristan n'osa lui demander son nom. Princesse fourvoyée dans la plèbe ? Richissime bourgeoise en quête d'aventure ? En tout cas, ce n'était pas une follieuse de haut rang comme celles du palais royal. Elle eût été de toutes les réjouissances de la Cour, et il l'imagina sous des voûtes sonores, faisant retentir le pavement de son pas ferme, accompagnée de l'intérêt des hommes et de l'examen vipérin des femmes, toutes d'autant plus mécontentes qu'elle eût affecté dans une morgue savamment apprise, davantage d'indifférence que de mépris.

— Nous nous reverrons quelque jour, dame, si vous êtes de Villeveuve.

— Je l'espère, dit-elle avec un air de langueur désabusée. Où logerez-vous ?

— Je ne le sais. Sans doute à proximité du roi.

(1) Parage : haute naissance.

— Êtes-vous de ses gens ?

— Non.

Il crut qu'elle allait dire : « J'aime mieux cela », mais elle recouvra sa mélancolie.

— Le dauphin m'a chargé de veiller sur son père quand l'occasion m'en sera offerte, car par ma foi, il est bien entouré.

— C'est ce que j'ai vu.

Il n'était pas douteux qu'ils s'étaient plu dès l'abord et qu'ils éprouvaient l'un et l'autre, au même degré sans doute, le désir de se revoir. Était-ce sagesse ? Tristan devinait chez cette femme une créature capable de tous les emportements dont l'inclination du moment consistait à lui plaire.

— Je m'appelle Jeanne.

C'était dit en forçant sur l'accent. Syllabes musicales où semblaient frissonner des ailes et palpiter l'allégresse de ce jour de fraîcheur, de soleil et de liesse.

— Jeanne tout court ?

Il s'attendait à une réponse. Il reçut une question :

— Avez-vous connu d'autres Jeanne ?

— Aucune.

Il vit frémir l'ébène d'un sourcil soigneusement épilé.

— Eh bien, vous m'appellerez Jeanne Première.

Et, tournant les talons, elle s'en fut à grands pas.

* *

*

— Jamais je n'aurais imaginé tant de richesses. Si le Christ était humble, ses serviteurs ne le sont point.

— Je nous préfère en ce petit palais que dans une grange… comme Jésus enfant, messire. Et puissions-nous ne pas changer de domicile tout le temps de notre séjour.

— Si l'on nous octroie cette merveille à nous qui ne sommes que des hobereaux, qu'a-t-on dû offrir à Boucicaut et aux autres !

— Et au roi, messire… Au roi !

Dans le royaume et au-delà, ce n'était un secret pour personne que les cardinaux nommés par les Papes français étaient riches immensément. Les *livrées* (1) que s'étaient fait attribuer à Villeneuve et en Avignon les dignitaires de la papauté sous l'omnipotence de Jean XXII avaient été lentement transformées en palais, certains reproduisant, disait-on, les dispositions des logis pontificaux afin que le Saint-Père, en visite, s'y sentît plus à l'aise. Les tinels, les

(1) Logements. Le goût d'un luxe effréné date de 1316, sous le pontificat de Jean XXII.

chambres, les cours même, et jusqu'aux écuries étaient pavés de céramiques lumineuses dont l'assemblage formait des fleurs et des pampres entre lesquels couraient des animaux des champs. Au raffinement des sols s'ajoutait celui des logements clairs, vastes, meublés de tables, sièges, crédences de bois précieux et de tapisseries de fils d'Arras et de Chypre. Celle qu'admirait Paindorge représentait le Genre humain guetté par les Vices, prétexte à l'apparition d'une ronde de quatre femmes dénudées autour de deux jouvenceaux ahuris. Le rose çà et là magnifié des chairs ne laissait que peu de place au sinople et au safran des vêtements, et à l'azur d'un ciel où planaient trois colombes. Sous cette haute lice, un grand siège encombré de banquiers (1) invitait à des entretiens à deux, pas davantage. Tout proche se dressait un lit à baldaquin dont les colonnes touchaient de leur gland d'or les poutres peintes en vermillon – la couleur des rideaux de velours de la couche.

— Quatre matelas, dit Paindorge admiratif.

— Tu pourras en prendre un et dormir à mes pieds.

— Non... Je veillerai aux écuries... Et puis quoi : vous pouvez avoir envie d'introduire céans quelque belle dame... et même cette Jeanne.

— Non, Robert. Nous sommes ici douze chevaliers, logés dans douze chambres, et une trentaine d'écuyers. Imagine ce que serait ce petit palais si nous y amenions des femmes.

— Voilà ce qui ressemblerait à un bordeau.

— Tu dis vrai... Je ne sais pas le nom du cardinal qui nous offre l'hospitalité. Mais...

— Par le sel de mon baptême, messire, croyez-vous que le mitré qui nous cède son gîte n'a pas mêlé quelques nuits, et même quelques journées...

— ... la volupté païenne à l'amour de Jésus ?

Paindorge acquiesça sans toutefois sourire :

— C'est ce que j'allais dire... en moins bien.

Tristan rit de bon cœur sans pour autant se décharger du malaise où l'avaient plongé tant de richesses insolentes : ors et argenteries, dorures, mosaïques, tapisseries et luminaires dignes d'une cathédrale ou d'un palais de satrape.

— Une fois dépouillé de ses habits et de sa religion, un homme est un homme. Nous savons qu'il règne en Avignon, en même temps que le Saint-Père, une intempérance effrénée. C'est un Italien, Pétrarque, qui l'affirme et, paraît-il, l'écrit. Il va de Rome en Avignon et inversement... Sans être entré dans la cité sainte, je suis prêt par ma foi à lui donner raison.

(1) Coussins disposés sur des bancs.

Après avoir, d'un geste, écarté les coussins, Tristan s'assit sur la banquette.

— Range nos vêtements dans ce coffre, là-bas. Ensuite, nous irons voir nos chevaux... Puis nous ferons un tour dans Villeneuve.

— Ne voulez-vous point voir Avignon ?

— Pas avant que le roi s'y soit rendu.

— Il n'y a qu'un pont et le Rhône à traverser...

— J'en conserve une mauvaise souvenance. Ne te souviens-tu pas de la couardise du roi (1) ?

— Oh ! si...

Et l'écuyer, têtu, ajouta :

— Et cette Jeanne ?

Indubitablement, posant cette question, Paindorge songeait à Luciane.

— Je ne m'en soucie pas plus que du Grand Prieur dont nul ne prononce le nom (2) !

Tristan mentait et mentait mal : la dame brune ne cessait de hanter son esprit. Moins à cause de sa beauté pure et mûre que de cette noblesse dont il la sentait investie. Belle et même superbe. Redoutablement belle. Était-il sage et surtout était-il prudent qu'il cherchât à la revoir ?

(1) Lorsque Jean II se rendit en Avignon, il passa prudemment sur la rive impériale du Rhône car la rive française n'était pas sûre.

(2) Quel était le nom patronymique du grand prieur de France ? Froissart et les autres chroniqueurs ne le révèlent *jamais*. Les lettres papales le désignent toujours sous le titre de *prior hospitalis s.Johannis Jerosolimitanis*.

Le 15 juin 1363, Urbain V lui concède le privilège d'un autel portatif (*Urbani V, de litterris communis* 902) ainsi que celui de pouvoir célébrer la messe avant l'aurore, soit par son prêtre, soit par un autre si la nature des activités l'exige (lettre 905 du même jour).

Le 14 avril 1364, le Pape exhorte de prieur de France ainsi que les précepteurs dudit prieuré à se rendre au chapitre général car l'île de Rhodes est sous la menace des musulmans (lettre 14 780).

Enfin, le 17 juillet 1369, le Pape accorde licence au prieur de France de gérer 1, 2 ou plusieurs préceptories ou maisons, afin d'éviter des charges trop lourdes (lettre 24 722).

Le prieur est nommé *Robertus de Juliaco* (ou *Jollii* ou encore *Joliaco*). Il occupe encore les mêmes fonctions sous Grégoire XI (1370-1378), du moins jusqu'en 1373.

C'est tout ce que l'on sait sur Robert de Juillac, le plus haut dignitaire des hospitaliers de Saint-Jean dans la province de France. Il avait en charge les activités charitables de l'ordre.

L'éditeur et l'auteur remercient M. Benoît Brouns d'avoir entrepris pour eux, en Avignon, des recherches sur cet homme.

IV

Quatre jours d'oisiveté. Le roi demeurait invisible. L'on disait, dans son immédiat entourage, qu'il attendait Arnoul d'Audrehem pour concerter des décisions importantes et qu'il accordait des audiences brèves, mais nombreuses, à la suite desquelles il se retirait, rompu, dans sa chambre. Tristan écoutait ces propos vrais ou faux d'une oreille distraite. Jean II n'avait aucunement besoin de lui. Contrairement à ses pairs, il s'en réjouissait tout en maugréant de perdre dans une cité fraîche de bon matin, tiède dans la journée, glacée la nuit, un loisir dont il eût pleinement profité à Castelreng – surtout si Oriabel et Tiercelet s'y trouvaient.

Sans fuir le commerce de ses pareils, il se bornait à des salutations, voire quelques sourires lorsqu'il advenait qu'il les rencontrât. Jamais le sentiment de son inutilité ne l'avait accablé à ce point. Répugnant aux festins offerts par les édiles et les prélats constellés – dont trois avaient dégénéré en buveries indignes –, il chargeait Paindorge de leur composer des repas froids et frugaux qu'ils prenaient assis en quelque endroit soleilleux de l'enceinte, décoiffés par un vent qui pour eux volait de Sparte et pour les autres de Capoue.

Tandis que vers midi, ce samedi 19 novembre, Tristan rêvassait accoudé au parapet du pont qui enjambait le Rhône, un nuage se forma et se maintint au-dessus d'Avignon. Les dents de pierre des palais et des églises se gâtèrent.

— Il va neiger, dit Paindorge. Je conçois que le Pape se tienne au chaud. Jamais il ne franchira ce pont parce qu'il veut que le roi vienne à lui comme n'importe quel fils de l'Église.

— Tu dis vrai. Quant à moi j'aimerais traverser.

Tristan bâilla. Il était las de Villeneuve. Il connaissait sa chartreuse, ses églises, ses palais dont le plus beau, à ce que l'on disait, appartenait au cardinal Griffon. Son inutilité l'humiliait. Il sentait

83

s'appauvrir sa vigueur et son sang. La brune Jeanne avait disparu. Paindorge affirmait l'avoir entraperçue, vêtue en manante, sur le seuil d'une taverne. Il l'avait rabroué : « Compère, la prendrais-tu pour une nouvelle Messaline ? » L'écuyer n'avait jamais ouï parler de la reine de Rome et de ses débordements. N'était-ce pas mieux ainsi ?

— Voilà Boucicaut, messire. Il va passer le pont, lui, sans hésiter.

— Quelques lettres du roi pour le Saint-Père.

Le maréchal arrêta son cheval, un grand baucent noir de corps, aux jambes quasiment blanches. Il l'avait apprêté simplement pour ne pas susciter la moindre convoitise dans une cité dont on disait que les robeurs de toute espèce étaient aussi nombreux que les gens de robe. Il était, lui aussi, vêtu presque humblement : manteau de mouton, heuses de cuir sans éperons ; sous un chaperon noir sans cornette, son visage à la barbe blanche semblait mousser comme le dessus d'un hanap de cervoise. Comme toujours, il semblait un modèle de bonhomie, de force et de vigilance. Ses yeux larmoyaient au vent.

— Castelreng !... Je me demandais où vous étiez passé.

— J'attends, messire. Nous attendons tous. Parfois, je me demande si nous traverserons ce pont.

— Demain, jour de sainte Catherine. Vous voyez, c'est bientôt. Le roi se plaît à Villeneuve.

— Combien de jours y resterons-nous ?

Le maréchal eut un grand geste et une lippe d'ignorance :

— Il me paraît peu enclin à rentrer à Paris. Disons un mois, peut-être deux.

— Quand je vois toutes ces richesses, ces saintes richesses, je comprends que les routiers aient été tentés.

— Je crains qu'ils ne le soient encore.

Jean le Meingre redressa sa taille et bomba sa poitrine. Ce n'était pas pour augmenter son importance mais pour se soulager, un temps, du fardeau de soucis dont il semblait chargé.

— Où sont-ils, messire ? Avez-vous des nouvelles ?

Le maréchal mit pied à terre et fit signe à Paindorge de s'éloigner. L'écuyer s'en alla marcher le long du fleuve.

— Les routiers reviendront. Ils sont même en chemin... De Carcassonne en Avignon, et au-delà, les bourgeois, manants et vilains ont approuvé ce traité de Clermont qui nous humiliait, nous, hommes de guerre, et maintenant hommes de guère ou de peu, si vous comprenez mon propos. On a assuré ces malandrins du pardon du roi de France et du Pape. Arnoul leur a donné des otages qui, comme ceux des Compagnies, seraient remis à la garde du Trastamare et il avait été convenu qu'avant le 8 septembre dernier, à une journée de marche de la frontière d'Espagne, on leur compterait cent mille florins d'or, faute de quoi on restituerait les otages de part et d'autre...

— Et le traité serait nul.

— Oui… Sans savoir ce qu'il adviendrait de ces conventions, il y eut des processions et des liesses partout. Cinquante-trois mille florins ont été accordés en prime au Trastamare par les sénéchaussées de Langue d'Oc. Le 13 août, un nouveau traité a été conclu. Enrique doit emmener les compagnies en Espagne, y compris l'Archiprêtre et ses hommes. Il s'est engagé à servir le roi de France avec son frère Sanche et ses barons. Le roi, qui n'a pas un sou, leur a accordé dix mille livres de revenus pour eux, leurs femmes et leurs enfants ; mêmes dispositions pour Enrique, sa femme, son fils *leur vie durant* ! Si les Espagnols échouent dans leur conquête du trône de Castille, ils reviendront vivre en France.

— La France est hospitalière ! Les exilés qu'elle conjouit finiront par l'occire !

— Le saviez-vous ? Pour perfectionner le traité de paix, Audrehem s'est rendu subrepticement à Paris avec le Trastamare et deux chefs de compagnies : Garciot du Châtel et Garcia de Jussi. Ils ont exigé mille florins d'or pour les défrayer. C'est pour remplacer Arnoul que Tancarville avait été nommé lieutenant de toute la Langue d'Oc (1), mais notre homme s'est regimbé : il veut ce pays pour lui seul, ce qui signifie…

— Qu'il y trouve son compte.

— Hélas !… Les deux routiers dont je vous parle sont revenus à Nîmes avant lui et le Trastamare… Ils ont, avec leur suite, pris logis à l'auberge des *Deux Pommes* et c'est là que le gros Arnoul leur rend visite… Il doit surveiller le départ des Compagnies.

— Sont-elles parties ? Vont-elles le faire ?

— Il y a eu des remuements (2). Arnoul donne des coups et ouvre son escarcelle. Ses compères, le sénéchal de Beaucaire et Pierre Scatisse, trésorier de France, veulent de l'or, encore et encore. Ils sont insatiables… Ils ont frappé durement les villageois d'Anduze : trois cents florins d'or pour l'expulsion des Compagnies… Ils n'en ont demandé que cinq cents à Narbonne, qui est une cité au moins dix fois plus grosse et prospère, mais où ils ont de grands amis.

(1) Le 13 août 1362.
(2) Le 23 août, Perrin Boias, passant au large de Montpellier, était allé se loger à Bouzigues (Hérault) ; le Petit-Meschin était à Uzès. Le 24 août, l'Allemand Jean Haverzogue, Pierre de Montaut, Espiote et d'autres passaient, eux aussi, au large de Montpellier. Le Bourc de Breteuil et Bertuchin demandaient asile au couvent des Frères Mineurs de Montpellier, puis partaient vers le sud. Le 25 août, Garciot du Châtel, Jean Aimery et le Petit-Meschin passaient par Montpellier. La promesse des 100 000 florins produisait son effet. Mais ce n'était pas tout que de promettre : il fallait tenir. Arnoul et le Trastamare arrivèrent à Nîmes le 5 septembre et levèrent des impôts. Par les coups et les menaces on parvint à réunir 90 000 florins. Tandis qu'il pressurait le peuple, Arnoul d'Audrehem exemptait Yolande, reine de Majorque, du paiement de 120 florins d'or, somme à laquelle les nobles de Montpellier l'avaient taxée pour la rançon du roi Jean et il fit lever la mainlevée de la saisie qui avait été mise sur ses biens… Or, Jean II, le 31 août précédent, avait ordonné de contraindre Yolande à payer sa part du subside !

— Mon écuyer qui tend l'oreille un peu partout m'a appris qu'à Carcassonne, messire Audrehem a mis à l'amende les hommes qui, comme c'est leur droit le plus naturel, refusaient de veiller aux remparts.

— Il y a mieux encore !... Des Nîmois ont occis des Espagnols qu'ils avaient surpris à violer des femmes et à piller leur maison. Aussitôt, les hommes du Trastamare ont trouvé cette vengeance affreuse et décidé de se revancher en mettant la ville à sac. Un carme auquel ce dessein fut révélé en confession a prévenu les Nîmois qui avaient pris part à l'occision des violeurs. Ceux-ci se sont enfuis en Vivarais dès l'annonce qu'Arnoul et Scatisse venaient à la rescousse, non pas des Nîmois mais des Espagnols.

Messire Boucicaut reprit son souffle. Il était, sous sa barbe, rouge d'indignation.

— Que pensez-vous, Tristan, qu'il arriva ?

— On parvint à rejoindre ces justiciers.

— Oui. Ils étaient six... Et après ?

— On fit une enquête.

— Non.

— Alors, on ne les put juger.

— Si... On les pendit aux fourches patibulaires, sous les acclamations des Espagnols et la satisfaction souriante d'Audrehem (1).

De la part d'un tel homme, une telle ignominie ne pouvait surprendre Tristan. Il demanda simplement :

— Où est-il ?

— Ce cher Arnoul ? Fin octobre, il était à Mazères avec l'armée royale, puis à Pamiers, toujours avec l'ost... Il a puisé dans la rançon du roi, *sans son consentement*, pour payer les Compagnies, lesquelles se meuvent je ne sais trop comment. On a vu une avant-garde à Beaucaire, commandée par le Bourc de Breteuil et Bertuchin.

— Je croyais qu'ils avaient été payés.

— Arnoul semble confondre sa bourse et celle de Garsiot du Châtel, le trésorier des Compagnies. De plus, la guerre vient de reprendre entre Armagnac et Foix. Chacun choisit son camp. Certains de ces démons, repus de la France, sont partis pour l'Aragon... Les Espagnols, autour de nous, deviennent de plus en plus mauvais. Le

(1) La pendaison de ces six malheureux Nîmois eut lieu le 23 août. Sévir plutôt que servir était la spécialité d'Audrehem. Lorsque les habitants d'Arras accablés d'impôts se révoltèrent, en mars 1356, Arnoul vint instaurer son « ordre » dans la ville. Il fit pendre immédiatement et sans procès 100 bourgeois et le lendemain, nullement rassasié, il organisa une rafle sur le marché. Il y fit, séance tenante, décapiter 14 soi-disant meneurs. Or, trois vrais meneurs parvinrent à lui échapper, qu'il ne put jamais rejoindre : Jean de Hainaut, Friart le Parmentier et... Tartelette. Pour cet admirable service, le roi octroya à Arnoul une rente de 1 000 livres tournois transmissible à ses héritiers, à ajouter à sa pension de chevalier de l'Ordre de l'Étoile.

Trastamare est mécontent : il ne peut, pour le moment, combattre Pierre le Cruel... Mais lequel des deux est le plus cruel ? C'est là-dessus, chevalier, que je vous quitte !

Avec une agilité dont Tristan ne fut pas surpris, le maréchal sauta en selle et, se penchant :

— Sa Sainteté Urbain V me paraît être un homme bon, loyal, assez ennemi des richesses et de l'ostentation... Vous le verrez demain... Préparez-vous !

Et soudain, avec un sourire plus restreint que le précédent sous la touffe drue de la moustache :

— Une noble dame m'a parlé de vous. Voyez-vous de qui il s'agit ?

Tristan discerna, dans la voix du maréchal, un mélange de commisération et d'inquiétude.

— Si c'est celle à qui je pense, je ne connais que son prénom.

Sous le bord quelque peu usé du chaperon, les gros sourcils poivre et sel se froncèrent.

— Ne l'approchez point. Serais-je votre chapelain que je vous fournirais le même conseil... Non, que dis-je ! Je vous interdirais d'échanger un seul mot !

Tristan leva les yeux et découvrit un visage étranger : des yeux demi-clos sur des lueurs farouches, des lèvres gonflées dans une sorte de moue de mépris à l'adresse de cette Jeanne et, sur le front soudain dégagé par un sursaut de colère, de sombres cicatrices. Une dextre gantée de chevreau gris souris s'agita cependant que le baucent trépignait d'impatience.

— Je serais attristé de vous voir mourir jeune pour une coucherie qu'elle vous accorderait aisément... et dont un autre serait jaloux ! Comprenez...

Un coup de vent chassa le reste de la phrase tandis que le coursier s'en allait au galop. Paindorge qui revenait et avait entendu commenta simplement :

— Vous voilà prévenu.

— J'ai cru, dit Tristan, ouïr mon père quand jadis, il m'admonestait.

* *
*

Le soir, il partit seul errer dans Villeneuve.

La foule envahissait les rues illuminées de loin en loin par des pharillons et, sur certains seuils, par des lanternes aux vitres de corne colorée. Des chevaliers, des écuyers passaient en compagnie galante ; d'autres allaient, bruyants, s'enfermer dans quelque auberge pour s'y soûler de vin et récits de batailles. Quelques hommes d'armes dispensés de service épuisaient leur ennui en piétant çà et là sans trop oser entrer dans les cabarets les plus médiocres par scrupule ou crainte de s'en faire exclure au vu et su de tous : rançonnés, friponnés, maltraités et lobés (1) par la piétaille des routes, les tenanciers ne recevaient plus que leurs concitoyens. S'ils servaient les prud'hommes avec civilité – encore qu'ils fussent rares à hanter leur taverne –, c'était pour les abuser. Le vin coûtait cinq fois moins qu'à Paris. Sur les tables douteuses il valait dix fois plus.

La cité tournait à son profit tout ce qui musait à portée de ses commerces et de ses femmes. Rares étaient les Villeneuvois chez lesquels Tristan percevait une hostilité, voire une haine. Il se sentait cependant surveillé, inclus dans l'extension d'une force sournoise et qui l'assoupissait inexorablement ; prêt à pénétrer malgré lui dans un cycle de violences sans fin. Des hommes qui jamais n'avaient porté une arme s'insinuaient dans ces processions profanes. Des espions peut-être. Mais à qui ? Et pourquoi ? Des évêques piétaient, bénisseurs d'ombres soudain agenouillées. Et des capelans (2) sur le parvis des églises désertes mais illuminées tendaient la main. Parfois, une charrette passait. On voyait dodiner des tonneaux, tressauter des victuailles. Il fallait nourrir le roi et ses vassaux, et l'on disait qu'ils gloutonnaient plus encore que les éminentissimes.

Tristan marchait, regardait, approuvait ou désapprouvait les scènes entraperçues. L'air était froid, sec, impalpable ; les chairs étaient chaudes, douces, prenantes. Parfois, un cavalier trottait comme un fantôme. Des étincelles jaillissaient sous les sabots crépitants. Des femmes riaient : les hommes devenaient leur plaisir et leurs proies plus qu'elles n'étaient les leurs. Oui, c'était bien Capoue sur la berge du Rhône, et partout à l'entour les routiers s'éployaient.

Elle sortit d'un porche obscur, – celui de sa maison peut-être –, grande, majestueuse dans le vaste manteau qu'il lui connaissait. Avant même qu'il eût vu son visage, il avait su que c'était elle à cause de l'odeur subtile, capiteuse, de ses cheveux et de son corps. Elle était fortunée : ces senteurs appartenaient à l'Orient et distillaient de la langueur et du mystère. Il éprouva en les humant une sensation de griserie légère mais persistante. D'un coup d'œil circulaire, il vit qu'ils étaient seuls, qu'elle souriait et qu'il était comme empêtré de gêne et d'espérance. L'espèce de mésaise qu'il avait éprouvé à lui parler le jour de son arrivée à Villeneuve renaissait avec plus de vigueur et de poids. Il avait soudain froid, sauf aux joues, et faisait son possible pour ne pas trembler. S'il avait pu reculer sans crainte de

(1) Moqués.
(2) Prêtres pauvres.

passer pour un béjaune, il l'eût fait – pour avancer, ensuite, de quelques pas.

— Eh bien, me prenez-vous pour un épouvantail ?

— Non point, dame. Si vous étiez ainsi dans un champ de froment, il n'aurait plus d'épis en une matinée.

— M'avez-vous cherchée ?

— J'ai piété çà et là…

Réponse astucieuse. Il s'en félicita. Il l'avait cherchée en craignant de la rencontrer.

— Voilà, messire, qui m'honore.

Elle riait du pouvoir qu'elle exerçait sur lui, bombait, dans la brèche de son manteau, des seins durs sous la nacre d'une robe d'yraigne.

— Je vous ai vu passer hier, dans la soirée. Le temps que je descende et vous étiez parti… Mais vous voilà.

Elle frottait ses mains comme une manante qui, au marché, se serait réjouie à l'issue d'une bonne affaire ou une pénitente qu'un confesseur indulgent eût absoute de quelques péchés aussi gros qu'irrémissibles. Ils restaient immobiles, visage contre visage – ou presque – et les vapeurs de leurs haleines se mêlaient. Ils ne savaient plus quoi se dire. C'était comme s'ils n'avaient pas parlé la même langue ou comme si, venant de très loin l'un et l'autre, l'émoi de se connaître ou de se reconnaître les eût privés de la mémoire des mots.

— Vous me semblez une âme en peine. Êtes-vous marié ?

— Non.

Elle parut rassurée. Mieux : satisfaite.

— Venez, chuchota-t-elle en lui prenant la main.

Il la suivit, résigné, jusqu'au seuil d'où elle avait fait irruption dans la rue. Il aperçut, en retrait de la façade, une porte entre-close aux gonds des plus discrets. Son esprit devenait obéissant et grave. Et pourtant, les admonestations de Boucicaut y résonnaient tel un glas.

Une salle, un escalier. Pénombre douce, tiède. Un feu se consumait dans une cheminée. *Elle* ne lui jeta qu'un coup d'œil agacé – comme à un malade exsangue qu'elle eût soigné assidûment et qui se fût joué de tous ses pronostics. Elle ne pouvait vivre seule. Trois ou quatre servantes, sans doute : tout brillait faiblement dans une odeur de cire.

Elle le guida vers l'escalier, toujours muette, et si sa main se faisait dure, exigeante, son regard, entre ses paupières clignées, devenait anxieux.

A mesure qu'ils posaient leurs pieds sur les degrés de bois, ceux-ci craquaient plus fort comme pour dénoncer leur présence. Tristan prêta l'oreille à quelques chuchotis, en dessous, suivis presque aussitôt d'un craquement de pêne.

— Tu sais que je m'appelle Jeanne. Ne prononce jamais ce nom…

Elle ouvrit une porte. Celle d'une chambre. Il s'y était attendu.

Elle ne le lâchait toujours pas, mais sa paume poissait la sienne. Après tant d'ombres noires ou grises traversées, la clarté d'un candélabre haut sur pied leur blessa les yeux.

Le lit s'imposait tout d'abord par ses dorures, ensuite par les hermines dont il était revêtu. On eût pu s'y tailler un vêtement de prince. Il y avait aussi, proche du luminaire, une armoire aux incrustations de nacre, tels des yeux d'oiseaux, immobiles ; deux faudesteuils et une table. Un grand rideau pourpré cachait une fenêtre. Quelqu'un toussa en bas : une femme aux aguets.

— Je la fouetterai demain. Ça lui apprendra, dit Jeanne.

Puis, la voix toujours impérieuse :

— Défais-toi... Je veux profondément faire ta connaissance.

Elle venait enfin de lui rendre sa main. Il hésita. N'était-il pas déjà défait ?

— Allons, tu n'es plus un enfant !... Nous allons perdre un temps précieux.

Il s'assit sur le lit et enleva ses heuses tandis qu'elle enlevait lentement son manteau et, d'un mouvement sec des jambes, envoyait rouler ses souliers l'un sous un faudesteuil et l'autre sous l'armoire. La lumière du candélabre à cinq chandelles jetait des reflets d'or dans ses cheveux dont elle dénoua nerveusement les tresses. Elle soupirait parfois. Sans doute regrettait-elle l'absence de sa chambrière.

Elle s'approcha. Sa robe était légère et transparente. Du col à la ceinture, des cartisanes (1) de fil d'or et d'argent figuraient des lis assemblés.

Ses bras nus en avaient la pâleur et l'arôme.

— Hâte-toi, je déteste attendre.

Il était demi-nu. Il frémit, traversé par la conviction qu'il avait affaire à une sorte de Perrette Darnichot qui, une fois soulagée, repue mais lucide, le récompenserait mortellement. Une idée lui vint encore : cette femme qui le dominait parce qu'il restait assis était au-dessus de toutes celles qu'il avait connues. Non pas par sa beauté mais par sa condition.

— Couche-toi... Non pas dans les draps. Reste sur les hermines. J'aime sentir leurs poils me chatouiller comme je vais sentir les tiens contre mes seins, contre mon...

Elle avala le mot et enleva sa robe. Un marbre de haut en bas. Un marbre aux cheveux d'ombre éployés sur des seins d'où bombaient deux framboises mûres.

(1) Petit morceau de parchemin entortillé d'un fil de soie, d'or ou d'argent qui servait jadis, dans certaines broderies, pour former le relief.

Elle marcha vêtue de sa seule splendeur jusqu'au luminaire dont elle souffla les chandelles. Il fit noir mais la blancheur de la courtepointe mit un peu de grisaille aux abords de la couche. Tristan vit l'inconnue revenir, s'approcher, s'allonger près de lui frémissante et fraîche.

— Laisse-moi t'aimer, dit-elle.

Elle se mit à couvrir de baiser ses épaules, son cou, ses seins. Il voulut participer mais elle grogna et lui enjoignit de se tenir quiet jusqu'à ce qu'elle lui intimât ses volontés. Il sourcilla. Sa méfiance augmenta. Cette succube avait le goût du commandement. Tandis qu'il entendait son souffle bourdonner, il pensa aux hériades, ces abeilles solitaires, ces amazones ailées aux piqûres venimeuses.

Eh bien, non : il se refusait à ce servage ! Il la renversa. Il fallait qu'il se montrât fort, entreprenant, exigeant. Qu'il asservît cette reine de l'ombre. Sous les baisers divers dont il était prodigue, il sentit comme un bouillonnement s'élever en elle et il eut bientôt ses lèvres tour à tour fermes et suaves contre les siennes.

— Ah ! dit-elle, le corps cabré, je consens à devenir ton esclave.

Il la parcourut, connut sa senteur et son goût dans l'odeur légèrement musquée qu'exhalaient les hermines. Revint vers cette bouche assoiffée de plaisir plus encore que de lui-même. Ils s'emmêlèrent dans ce qui pouvait être une lutte où, comme des bêtes furieuses, leurs désirs s'exaltaient sans jamais se confondre. Et quand elle eut poussé une plainte assourdie, elle rit tandis que sa main cherchait dans ce corps d'homme une seconde lance pour une joute dont encore une fois elle serait l'appelante.

Il la satisfit encore. Par nécessité : pendant longtemps, sans doute, il serait exorcisé de ces « choses ». Sa gorge le brûlait. Déception : n'aurait-il dans sa vie affaire qu'à des putes ? La Darnichot... Mathilde de Montaigny... Constance... Oriabel restait sa bien-aimée.

— Toi, dit Jeanne, repue, tu me plais... Sais-tu que tu m'as dominée, ce que je déteste... Mais je ne t'en veux pas. Une reine parfois peut avoir des faiblesses.

Il n'osa lui demander : « Reine de quoi ? » Chacune de ses paroles demeurait et demeurerait une énigme. Elle soupira encore et encore. De quels secrets desseins son esprit s'emplissait ?

— Je t'ai voulu, je t'ai eu... Il se peut, chevalier, que je te veuille encore. Accepteras-tu ?

Allons, il n'était pas condamné. Grâcié, il eut au-dessus de lui un corps bouillant, moite, aux frémissements sauvages. Il se sentit pris aux épaules, secoué, mordillé puis mordu jusqu'au sang à l'oreille senestre.

— Holà ! fit-il, vous mériteriez...

Elle rit : trois perles claires, puis grondante :

— Frappe-moi… Fesse-moi ! A cet endroit, nul ne verra les marques.

C'était inattendu, révoltant. Il sut qu'elle ne se moquait point, qu'elle ne voulait point l'éprouver.

— Non, dit-il.

Elle eut comme un sanglot furtif avant de recouvrer cette voix de commandement qu'il avait en détestation :

— Je l'exige… Obéis !… J'ai besoin quelquefois que l'on me fasse mal.

Il ne voyait que ses yeux. Étaient-ce des larmes qui en roulaient ?

— Fais-moi ce dernier plaisir… Tiens, je m'allonge sur le ventre… Frappe-moi… Sache-le : devant moi les gens se courbent et même certains s'agenouillent !… Eh bien, si tu consens, oui, oui, si tu consens, je m'agenouillerai devant toi.

V

Paindorge poussa violemment la porte de la chambre :

— Messire, le jour se lève !... Je ne veux pas savoir ce que vous avez fait cette nuit. Vous êtes revenu si tard que j'ai craint pour votre vie.

Tristan bâilla, s'étira, sortit une jambe des draps et frissonna.

— Merdaille, il fait grand-froid !

— Non point !... Debout, messire !... Les délits (1) sont passés, nous allons voir le Pape... L'auriez-vous oublié ?... Après votre disparition, hier soir, Galehaut, l'écuyer de Boucicaut, est venu m'annoncer : « *En armure de fer.* » La vôtre est prête. Il me chaut que mon harnois le soit... Je vais vous rère (2). Ensuite, je m'occuperai d'Alcazar et de Malaquin... si vous permettez que je le préfère à Tachebrun.

— Accordé !... Occupe-toi aussi des housseries et lormeries.

— C'est fait. Votre Floberge est fourbie, elle aussi.

L'écuyer allait refermer la porte. Il la rouvrit et seul son visage apparut dans l'entrebâillement du vantail et du cantalabre :

— Si vous l'avez chevauchée, elle vous a mis dans un bel état ! Souvenez-vous de ce qu'en a dit Boucicaut : défiez-vous-en !

— Le conseil était sage. Nul ne m'a vu sortir de sa maison.

— Qu'en savez-vous ?

Cette question laissa Tristan pantois.

— Hâtez-vous, messire. Nous nous réunissons tous à l'entrée du pont Saint-Bénézeth, et pour nous appeler, on sonnera à herle (3).

* *
*

(1) Délices, plaisirs.
(2) Raser.
(3) Il y aura une volée de cloches.

93

Tristan ne voyait pas la tête du cortège. Au-delà des garde-fous du pont, le Rhône gras et boueux étincelait entre des berges couleur rouille. Devant, parmi les flottements colorés des pennons et des bannières, apparaissait une sorte de forteresse entourée d'arbres grisonnants qui, sous le ciel charbonneux, perdait l'importance dont elle se prévalait lorsqu'on la regardait de l'autre côté de la rive.

En présence de cet édifice de plus en plus distinct, l'impression de respect, voire de religiosité se retirait de Tristan. Il n'avait devant lui qu'un château de briques et de pierre d'un teint jaunâtre, fortifié ici et là de tours et de contreforts. *Ça* le palais de l'entremetteur de Dieu ? Le logis du substitut suprême ? La première église du Christ ? Cette bastille ne lui procurait que le sentiment calme, purement humain, d'un lieu de refuge ordinaire pour voyageurs exténués. Elle avait résisté aux routiers, disait-on ? Soit : ses hautes murailles auraient pu soutenir un long siège. Elle avait vu fumer à ses pieds les camps des pires malandrins et particulièrement celui de l'Archiprêtre. Jamais ces enfants de Satan n'eussent osé l'envahir. S'ils se moquaient du courroux des hommes, ils redoutaient celui du Très-Haut.

A l'extrémité du pont, des gardes dépourvus de vêtements de fer, mais armés de vouges, adoptèrent une attitude rigide peu avant le passage du roi.

— Les papalins, dit Artois assez haut pour montrer qu'il était informé.

Dès lors, il y en eut de loin en loin, de part et d'autre de la rue, indifférents au passage du roi et aux remuements d'une foule clairsemée. Ils étaient coiffés d'une sorte d'aumusse et portaient un pourpoint safran. La plupart étaient des quadragénaires qui sans doute, avant d'opter pour la paix pontificale, avaient guerroyé tant et plus.

Une enceinte crénelée apparut où, de distance en distance, des tours comme liées en gerbe par l'infini serraient étroitement la cité. Cette ceinture défensive était épaulée de petits châtelets de sorte qu'Avignon, de près comme de loin, paraissait plus guerrière que religieuse.

— Bah ! fit soudain Paindorge en caressant l'épaule de Malaquin tandis qu'on s'engageait sous la voûte d'un châtelet cantonné d'échauguettes.

Bruyante, bariolée, la populace grossit. Tristan aperçut, blanc et rouge, un costume oriental, puis un autre, soudain avalés par la cohue.

— Y a-t-il des mahoms ? interrogea Paindorge.

Il n'eut pas été plus troublé en voyant flotter sur les remparts des bannières de sinople à sept langues, frappées du croissant détesté.

— Il se peut que ce soient des marchands vénitiens ou quelques chevaliers venus de Rhodes. Le Pape est le remède universel des âmes en peine. On le vient voir de partout.

Des maisons pauvres apparurent aux fenêtres desquelles se penchaient des enfants. Comme pour aggraver le trouble de Paindorge, des moucharabis de bois s'accrochaient à la façade de l'une d'elles, et l'on eût dit deux tumeurs sur une peau blême. Plus loin, des édifices nobles apparurent. Tristan vit sur les murs des armes où figuraient des lis d'un dessin vigoureux et même, au-dessus d'un écu de pierre : *Mont joye Sainct Denis*. Bien qu'étant attendue, la bannière aux lis faisait son effet. On frappait des mains, on criait « *Noël* », et « *Vive le roi !* » D'un carrefour surgit un capitaine à cheval. Il salua Jean le Bon et le précéda pour lui ouvrir la voie.

La foule s'accroissait, devenait téméraire : certains présomptueux voulaient toucher le souverain ou son cheval. Aucun des grands vassaux ne semblait à l'aise. Suivant l'usage, lorsque le roi manifestait du déplaisir, ses subordonnés tremblaient, or, la malaisance de Jean II, ce matin, semblait inguérissable. Tristan de Maignelet confia, penché, à Boucicaut :

— Il a mal dormi… Il paraît qu'il se réjouira davantage de voir la reine de Provence – si elle est présente – que le Vicaire du Christ !

Tristan retint Alcazar juste avant qu'il n'allât donner de la tête dans la croupe du baucent que le maréchal obligeait à l'arrêt.

— Holà ! tu as tes nerfs, dirait-on.

Le cheval blanc houssé de vermillon remua sa tête encapuchonnée. Il détestait ce vêtement dont Paindorge l'avait affublé. Il aimait sa nudité blanche. Il aimait à se sentir libre. Qu'il eût autour de lui une robe de vent, certes, mais point ce tissu pourtant léger qui constituait une entrave à ses jambes, à son cou, et en faisait une espèce de jument parée pour une saillie de grand prix.

— Allons, sois quiet, recommanda Tristan. Si tu crois que je me sens à l'aise dans tout ce fer qui m'étreint.

Bien qu'il l'eût bien en main comme à l'accoutumée, il redoutait que la foule et son vacarme ne missent son coursier d'humeur si mauvaise qu'il ne pût l'empêcher de ruer, de hennir et de troubler la bonne ordonnance d'un cortège lentement apprêté. Il sentait sous le houssement soyeux les frissons d'Alcazar et se demanda ce que Fouquant d'Archiac eût fait à sa place. Quant à Malaquin, tout proche, lui et l'écuyer s'accordaient : patient et sage, le cheval noir dansait sur place, doucement.

On repartit. La rue s'élargit. Paindorge ne cessait de regarder de part et d'autre, étonné de la richesse des vêtements parmi lesquels, parfois, quelques haillons insinuaient des ténèbres fâcheuses. Des plus hautes fenêtres jusqu'aux seuils, devant les échoppes ou debout sur un montoir, des femmes souriaient, gesticulaient. Les plus jolies, qui souvent se montraient les plus hardies, clignaient de l'œil sans que le pâle soleil en fût cause, – ce qui valut aux chevaliers le spectacle inattendu d'une querelle de ménage : un homme surgit d'un couloir et admonesta sa conjointe tout en la ceignant de ses bras. Tandis qu'il l'emportait au plus profond des murs, on l'entendit hurler plus fort que la rebelle. Sans doute l'avait-elle griffé ou mordu.

Des sergents, maintenant, frayaient la voie au roi. Les uns donnaient de l'épaule, les autres menaçaient de l'épée.

— Merdaille, dit Boucicaut alors qu'on arrivait sur une place. On dirait qu'il y a marché. Un marché dans un grand bordeau plein de mécréants (1) !

— On se croirait, dit Artois, chez les Mores ou chez les Turcs.

L'œil dur, le dégoût à la bouche sous la visière déclose du bassinet, il tendait un doigt accusateur vers un entassement de tentes bariolées à l'écart desquelles, dans un parcage composé de planches et de cordes, on voyait rassemblés et divisés par espèces, des chevaux, des bœufs et des moutons. Son ébahissement eût été aussi fort, sans doute, si Turc ou Mahom, il s'était égaré lors d'un voyage et, croyant découvrir La Mecque, serait entré de bonne foi dans le Saint des Saints des infidèles.

— Allons, Jean, dit Maignelet, tête nue. Ne faites point cette figure qui vous messied. Ce marché plein de vie nous offre ses couleurs, ses odeurs et son gai remuement… Il est en Avignon le centre de la vie profane comme le Saint-Siège est le centre de la vie sacrée. Il faut de tout pour faire un monde !

Tristan considérait les grands hangars de toile entre lesquels couraient des travées assez larges pour y engager deux chevaux, et les étroites ruelles encombrées de chalands indifférents à la présence royale. Empressés ou cupides, certains marchands haranguaient les passants et en attrapaient quelques-uns par la manche ; d'autres les laissaient approcher, l'œil bas mais brillant comme s'ils leur avaient tendu un piège infaillible.

— Fallait sonner de la trompette, dit Paindorge. Certains ne savent pas que nous sommes présents !

(1) « Avignon », écrivait Pétrarque, « est devenu un enfer, la sentine de toutes les abominations. Les maisons, les palais, les églises, les chaires du pontife et des cardinaux, l'air et la terre, tout est imprégné de mensonge. On traite le monde futur, le jugement dernier, les peines de l'enfer, les joies du paradis de fables absurdes et puériles. »
Et encore :
« Une demeure de tristesses, la honte de l'humanité, une sentine de vices … Dieu y est tenu en mépris, l'argent adoré ; on y foule aux pieds les lois divines et humaines. Tout respire le mensonge : l'air, la terre, les demeures et surtout les chambres à coucher. »
La licence régnait et l'argent coulait dans une cour pontificale si opulente et prétentieuse que les mules des cardinaux avaient des mors en or et des « fers » d'argent. C'était, selon Pétrarque, une ville à piller. Cependant, les fortifications et le palais des Papes, citadelle massive, dissuadaient les routiers d'entreprendre le moindre assaut. Il eût fallu, pour avoir une chance de réussite, une artillerie dont ceux-ci ne s'embarrassaient point.

Les genoux de Tristan frôlaient des boutiques où l'on vendait des choux et des châtaignes, des poireaux et des raves. Ici et là, des quartiers de viande pendaient. Dans sa locule enfumée, un drouineur (1) martelait un vase de cuivre. A côté, un sellier et un tisserand avaient abandonné leur ouvrage. Debout sur un banc branlant, ils acclamaient le roi qui saluait de la main. Un comptoir de menuisier apparut puis un étal de potier dont les cruches et les pichets vernissés, jaunes, rouges, tremblèrent quand maladroitement ou non le sire de Tancarville heurta une corde de son étrier.

— Place ! Place ! hurla-t-il. Avait-on besoin de nous faire traverser ces échoppes.

Le présentoir d'un orfèvre étincelait. On s'arrêta. Le roi se pencha. Il eût pu tendre la main et saisir un objet de valeur. S'y refusant, il demanda au marchand s'il était riche et ajouta :

— Contribues-tu au paiement de ma rançon ?

— Oui, sire… Grossement.

— Pas assez puisque j'appartiens toujours aux Anglais.

Puis, tourné vers Artois et Boucicaut, mais hautement à l'intention de tous :

— J'ai peine à croire que les routiers sont venus jusqu'ici. Ne serait-ce point une grosse jangle (2) ?

Des légumes, encore, puis un amas de tissus châtoyants. Et des échoppes où grésillaient des fritures.

— Ils mangent à leur faim, dit Jean II avec une sorte de rancune, comme s'il avait jeûné maintes fois dans sa vie.

Dans les haies des gens massés sur son passage, il pouvait voir les manteaux, les pourpoints, les houppelandes de prix et çà et là quelques bures humbles et sobres. Les chevaux avançaient toujours très lentement.

— Vive le roi !

— … le roi !

— … le roi Jean !

Tristan voyait du bonheur sur les faces blafardes des ascètes de Dieu et celles, rougeaudes, des bourgeois et des prud'hommes. Les femmes étaient belles avec un air d'effronterie, de malice, d'orgueil. Il ne retrouvait pas, chez ces gens-là, les caractères de la Langue d'Oc et surtout la jubilation franche, accueillante, des manants et des nobles de Mirepoix, Albi, Carcassonne, Limoux. Visages clairs des enfants. Visages de bronze de leurs pères. Visages anguleux de quelques Juifs aux cheveux en vrilles. Visages abrupts des soudoyers et des capitaines de la cité qui marchaient maintenant aux flancs du cortège et dont la heuse éperonnée soulevait les grands paletocs aux pans

(1) Chaudronnier ambulant.
(2) Plaisanterie.

maculés de boue. Parfois, un cheval hennissait, un chien aboyait et jappait à la suite d'un coup. Toujours des maisons de plus en plus propres. Toujours des cris. Et soudain...

— Messire ! s'étonna Paindorge. Eh bien, quoi ?... Qu'avez-vous vu ?

— J'ai cru voir Tiercelet.

— En êtes-vous sûr ?

— Je t'ai dit « *j'ai cru* »... Il était là-bas, au fond de cette allée.

— Vous a-t-il vu ?

— Je ne sais. Il doit me croire à Montaigny.

— Avancez.

Il fallait obtempérer. « Si c'était Tiercelet, je le retrouverai. » Mais était-ce le brèche-dent ? Si c'était lui, Oriabel vivait-elle en Avignon ? Depuis quand ?

La rue se dégagea encore. Quelque part, une cloche sonna. Puis d'autres. De grands envols de pigeons et de corneilles assombrirent le ciel, les maisons et la rue. La violence des battements d'ailes domina en force et en vacarme l'alliance des carillons et des campanes esseulées. L'air vibra. Des chevaux ruèrent. Le roi lui-même, aussi piètre cavalier que son grand-père, son père, son fils Charles et son grand-oncle (1) faillit vider les étriers. Toute proche de Tristan, une femme s'exclama : « Qu'il est laid ! » Une autre lui confia : « Il semble malade... *Macarel* ! faut du courage pour coucher avec lui ! » Une autre affirma qu'avec un tel *houmi*, on n'avait pas grand-chose à craindre, surtout la Jeanne de Naples, s'il était venu pour l'épouser. Déjà, Tristan s'éloignait, soucieux.

« Et si c'était Tiercelet ? »

Ici, des boutiques scintillaient sous les feux des luminaires. On ne savait trop, passant devant, ce qu'elles contenaient, mais c'étaient assurément des merveilles. On disait que la cité papale condensait en miniature tout ce qu'on pouvait contempler en Italie. Et pour cause. En chemin, Boucicaut avait raconté que les marchands toscans venaient fréquemment de Pise en Avignon soit par la mer, soit par le Rhône et que certains d'entre eux s'étaient même installés dans la ville. Il avait cité un certain Francesco di Marco Datini. On voyait dans ses boutiques tout ce qui titillait les mains et l'esprit des hommes d'armes : des crucifix d'or, des mitres criblées de joyaux, des ciboires et chandeliers merveilleux, des vaisselles magnifiques ainsi que des soies et brocarts de Lucques, des volets de Pérouge et d'Arezzo, des tryptiques, des enluminures et des argenteries de Florence. Datini achetait et vendait maintes armes de Milan, des épées, dagues,

(1) Selon plusieurs chroniqueurs, Philippe le Bel, à Fontainebleau, s'était fracturé une jambe en tombant de cheval.

carquois, éperons et lormeries de Florence, Bologne, Viterbe. Il envoyait aussi ses aides à Lyon pour y acquérir des heaumes de joute, des bassinets et bicoquets qu'il revendait en Italie car leur solidité était incomparable. Il entretenait chez lui quelques fourbisseurs et s'était assuré les services d'un Flamand réputé, Hennequin de Bruges qui maillait des haubergeons et des hauberts. Tout ce qui pouvait convenir à des chevaliers fortunés s'entassait à son domicile où l'on trouvait jusqu'à des clous d'or pour ferrer les palefrois (1).

« Et si c'était Tiercelet ? »

Il fallut tourner à un carrefour. Alcazar faillit heurter un cheval tourdille (2) de forte taille monté par un homme de trente ans, brun, souriant, et qui ne portait point d'armure.

— Messire, n'est-ce pas Alcazar que vous montez ?

Tristan, ébahi, avala sa salive et eut du mal à reprendre son souffle.

— Si, messire, en vérité. Il m'appartient.

— Vous l'avez obtenu de Foulques d'Archiac ?

— Malaisément, messire.

Qui était cet homme aux joues gonflées d'une barbe de quatre jours.

— Est-il parmi vous ?

— Je ne l'ai point vu. Pensez-vous qu'il soit en Avignon ? Êtes-vous un ami ?

— Son ami ?... Ah ! messire, c'est justement le contraire.

— J'en suis heureux... Tristan de Castelreng pour vous servir.

— Amanion de Pommiers (3). Je suis sûr qu'Archiac séjourne en cette ville. Nous devons lui et moi conclure une riote... devant le roi, s'il y consent.

Encore une dissension. Décidément, cet Archiac était un monomaque !

— C'est vrai qu'il est un fumeux. Je lui ai donné, à Paris, une leçon qu'il n'a sûrement pas digérée. Il me veut, paraît-il, une revanche mortelle. Mais je vous accorde volontiers la priorité.

— Je vous en sais bon gré... A nous revoir, messire.

L'homme talonna son cheval et se fraya, de la voix, un passage. Alors, les palais pontificaux apparurent.

— Adoncques, c'est ça, murmura Paindorge sans émoi.

— Le Palais-Vieux... Et cette tour, selon ce que m'a dit Boucicaut, c'est la Trouillas et l'autre la Tour des Anges... s'ils existent.

D'un regard vif, Tristan considéra les murs talutés à leur base et munis de mâchicoulis sur des cintres serrés entre des arcs-boutants puissants.

(1) En 1367, lors de l'inventaire du magasin, on recensa 45 bassinets, 60 cuirasses, 12 haubergeons, 23 paires de gantelets. Quand un client ne pouvait acheter d'emblée un article, **Datini** le louait en prenant des garanties. En fait, il pratiquait le neuf, l'occasion et le *leasing*. Il rachetait aux détrousseurs tout ce qu'ils avaient pu glaner sur les champs de bataille et pratiquait des rabais.

(2) D'une robe d'un gris très rare.

(3) Ou Amadieu, Amanieu.

— Et ça, messire ?... Et ça ?

L'écuyer désignait successivement une vaste façade, une échauguette sur contrefort et au-dessus d'une voûte deux tourelles malingres surmontées de clochetons verruqueux.

— Le Palais-Neuf.

Construite en équerre avec l'ancienne, de façon à aménager une vaste cour intérieure, la récente forteresse ne leur inspirait que de la déception. Ils ne découvraient rien de sacré dans ces murailles rosâtres, mais plutôt une espèce d'affectation ou d'hypocrisie. Cette irréligieuse emphase les rendait soupçonneux quant à la foi des Papes qui avaient présidé à l'édification de ces monuments. Les comparant soudain à Sainte-Cécile d'Albi, rose, éclatante d'unité, de grandeur et de ferveur, Tristan douta que ces palais pussent abriter d'authentiques serviteurs de Dieu. Alors qu'il s'était attendu à une rencontre susceptible de réveiller sa piété assoupie, de forcer son admiration, de le rassurer sur la présence divine incarnée par tous les prélats qui, mitre en tête et crosse en main, attendaient le roi dans le scintillement de leurs chasubles de soie, de satanin ou de tartaire (1) rehaussées de pierreries, il ruminait sa déconvenue. Au cours du long cheminement qui l'avait conduit de Paris jusqu'à ce parvis envahi d'une foule fiévreuse, il avait comparé les châteaux qu'il entrevoyait de près ou de loin. C'était un passe-temps pour lui que concevoir le caractère de ceux qui les avaient bâtis et entretenus. Si l'âme des constructeurs de la Papauté d'Avignon, volontaire, astucieuse et même frivole imprégnait tous ces édifices, l'esprit divin en était absent.

— Bah ! fit-il. Pour tout ce que nous aurons à faire...

Au lieu d'imaginer, au deçà des murailles, le front impassible, le regard clair et la sérénité quasi vertigineuse d'un successeur de Saint Pierre, il peuplait son esprit de tonsurés hilares observant aux fenêtres une foule pareille à celle de ce dimanche de sainte Catherine dans laquelle, comme maintenant, erraient des filles follieuses outrément vêtues.

— Depuis que nous sommes partis, dit Paindorge debout sur ses étriers, je n'ai pas aperçu le roi. Il a dû mettre pied à terre car je ne le vois pas davantage... A-t-il mis sa couronne ?

— Oui. Elle est rivée sur son bassinet... Et le Pape apparaît, coiffé de la tiare.

— Je le vois, messire !... Une, deux, trois couronnes l'une au-dessus de l'autre. Sa tiare, comme vous dites, on dirait une cervelière qui ne peut pas descendre au-delà des oreilles.

C'était bien observé. Cependant, si la sainte coiffe célébrait la primauté de l'or, de l'argent et de la papauté sur toutes les valeurs

_____
(1) Ou *tartare* : riche étoffe d'or et de soie.

humaines, les vêtements étaient d'une simplicité presque monacale. Ils insultaient, à vrai dire, le grand bobant (1) des serviteurs de la papauté.

Sa Sainteté Urbain V s'avança seul au-devant de Jean II.

Silence. Pas un oiseau. Aucun mouvement. Les chevaux eux-même semblaient victimes d'un sortilège. On entendait sur le sol le tintement de la crosse, toute simple elle aussi, que le nouvel Élu tenait haut et fort.

Le roi gravit quelques marches et disparut pour une génuflexion. Le Pape ébaucha un sourire. Un brouhaha s'éleva de la foule. Jean II se releva, ôta son bassinet que Boucicaut reçut en ses mains et, faisant visage :

— Très Saint-Père, nous sommes honoré d'être en votre auguste présence… Moult honoré, en vérité…

Parlait-il pour lui seul ou pour tous ceux qui l'avaient accompagné ? N'importe ! Jean II avait recouvré le ton solennel et puissant dont il usait à la Cour. Toutefois, quel que fût le tour si personnel et si royal de l'expression, il ne suffisait pas à justifier la fadeur d'une apologie à la portée de tout chacun. Le perdant de Poitiers ne songeait point à plaire, ni même ne souhaitait que le Pape le suivît dans une dissertation chargée d'épanalepses (2) sur les affinités du royaume et de la papauté pour le profit spirituel et matériel qu'il en pourrait tirer. Il lui fallait dire quelques phrases en public ? Il les prononçait en attendant les propos plus austères et probablement décisifs qui s'échangeraient tête à tête.

Tristan tendit l'oreille. Les chuchotements composaient une rumeur qui rendait parfois incompréhensible l'improvisation royale.

— … et le regretté Saint-Père Innocent VI, qui nous avait invité en Avignon, le savait bien… Vous êtes apparu comme… comme un…

Le roi soudain manqua de souffle et d'idée. Comment, cependant, eût-il pu passer sous silence la circonspection et la bénignité du défunt, un saint homme acquis à la royauté de France et dont il sentait peut-être l'ombre à son côté, plus affable, plus accessible à certaines prières et requêtes urgentes que ce nouveau venu qui souriait toujours avec un air de componction – si ce n'était de compassion ?

A l'évocation du feu pontife, la foule avait murmuré sourdement, moins pour célébrer à sa façon les mérites du disparu que pour se féliciter d'entendre un roi corriger une injustice : on disait que le malheureux Innocent VI avait été ensépulturé en hâte et qu'il avait été remplacé plus vélocement qu'il ne l'eût fallu.

(1) Pompe et vanité.
(2) Figures d'élocution qui consistent à répéter un ou plusieurs mots ou des membres de phrase.

— ... votre crosse pontificale et mon spectre sont des armes plus persuasives que les aciers qui sont employés à la guerre...

La façon dont Jean II s'exprimait maintenant se révélait pesante. Certains eussent cru peut-être qu'elle ressortissait à la richesse de la pensée royale, à la profondeur de ses vues. Or, le roi n'avait aucune pensée profonde et sa vue était des plus courtes, qu'il fût sur son trône ou sur son cheval de bataille.

Urbain V écoutait attentivement, mais sans flamme et, pour tout dire : sans émoi. Dorénavant, ses préventions et ses appréhensions justifiées, son opinion quant à l'homme qui lui parlait se trouvait définitivement établie. S'il dodinait doucement de la tête, c'était moins pour signifier qu'il comprenait chaque mot sorti de la bouche royale que pour bercer son ennui en attendant de prendre à son tour la parole. Il avait longuement vécu dans un couvent. Accoutumé à l'ombre, il n'ouvrirait pas, semblait-il, de larges fenêtres sur le ciel pour que Dieu pût l'entrevoir : il le portait au tréfonds de son être. Et sans doute rêvait-il d'un *ailleurs* qui pouvait être Rome où là, vraiment, loin du royaume de France et des improbités de ses monarques, il se sentirait à sa place.

Tristan vit la plupart des chevaliers et des écuyers mettre pied à terre et s'agenouiller près de leur cheval. Le nouveau Pape bénit Jean le Bon et, au-delà, tous ses hommes de guerre.

— Sire, dit-il, et vous tous, c'est un beau jour, en vérité, que ce dimanche.

Au contraire du roi, il parlait lentement. Il dit son plaisir et non sa joie d'accueillir un souverain dont il connaissait la vaillance et dont les revers l'avaient touché bien avant qu'il coiffât la tiare. L'amour du simple et du vrai, l'aversion pour l'emphatique et le dérisoire caractérisaient cet homme qui s'excusait de n'avoir point montré, pour cette réception, une précipitation que d'aucuns eussent trouvée naturelle.

— J'ai prié pour que l'âme de mon devancier obtienne au ciel une place digne d'elle ; j'ai prié pour le royaume de France, pour vous, sire, et pour que la paix règne enfin parmi les justes. Et puis, sire, il m'a fallu apprendre tout ce qui compose l'existence d'un clerc appelé à gouverner le monde des esprits et des cœurs afin de réconcilier tous les malheureux qui désespèrent de Dieu, notre père éternel...

Un homme de raison, songeait Tristan. Un homme dans le visage duquel on eût cherché en vain quelque sensibilité affectée, voire un soupçon de miséricorde et dont le regard froid, dépourvu d'étincelle divine, dévisageait le perdant de Poitiers, l'amant du connétable Charles d'Espagne, le bourreau du connétable de Guînes dont le seul crime avait été d'accorder à la reine de France non point l'amour mais l'intérêt qu'elle méritait. Les paroles qu'il proférait maintenant sur la destinée humaine et l'exemple des rois, n'importe qui les eût pu prononcer. Il les disait cependant d'une voix de plus en plus vibrante – comme celle d'un jeteur d'anathèmes ; et devant le plus lumineux des édifices d'un palais dont l'intérieur restait un mystère, ce n'était pas la royauté terrestre et la royauté céleste qui se trouvaient confrontées, mais deux humanités différentes, inconciliables et même antagonistes. Et pourtant, il allait falloir composer. La Papauté richissime se devait d'octroyer quelques rognures de son immense trésor à un roi prodigue. Parce que c'était ainsi, tout bonnement. Parce que la France étant fille aînée de l'Église, les rois étaient ses fils – à tout le moins ses bâtards.

— Cela traîne, dit Paindorge.

Comme lui, la foule s'impatientait. Dans son immobilité contrainte et contristée, mais qui se relâchait, ses murmures n'exprimaient plus rien d'autre que l'envie de voir s'achever une cérémonie sur laquelle elle s'était méprise. Certes, elle avait vu le nouveau Pape longtemps ; mais il n'y avait pas eu de grand apparat dans sa rencontre avec le roi de France, et les paroles qui avaient retenti aux quatre coins de la place n'étaient point de celles qui pouvaient émouvoir le cœur et exalter la foi.

— Je ne me sens pas en Langue d'Oc, dit Tristan, mais ailleurs, peut-être en Arabie...

La diversité de cette population avignonnaise éclatait dans celle des visages un peu trop bruns, dans le bariolage et la cherté des vêtements. La manne céleste versait sur la cité papale aussi bien le nécessaire que le superflu. Les femmes blondes étaient rares ; en revanche il y avait quelques visages noirs avec des perles sur les narines et des boucles suspendues aux oreilles.

— Les rois mages, messire, dit Paindorge en riant.

— Quittons notre selle et partons le long de ce mur, là-bas. Nous sommes trop petits pour qu'on nous invite à entrer là-dedans.

Tristan s'apprêtait à quitter l'étrier quand il vit presque simultanément Jeanne marcher vers le roi et le saint Père, et Tiercelet, *qui le reconnaissait* et partait en courant.

« Il n'a pas pris le temps de m'adresser un signe ! Il a hâte – et je le comprends – de prévenir Oriabel de ma venue ! »

Une fanfare lourde et lente ébranla l'assistance et fit courir sur toute la prélature confite dans ses ornements somptueux, un frémissement qui agita les crosses comme l'eût fait un grand coup de vent. Il y eut, au-dessus des têtes, des lueurs d'armes d'hast et le roi et le Pape marchèrent vers le palais, lentement, suivis de quelques chevaliers à pied, leur monture tenue aux rênes.

— *Elle* était là, messire, dit Paindorge. J'ai même cru qu'elle allait saluer le roi !

Ils parvinrent à s'extraire de la foule. Aucun d'eux n'eut envie de se remettre en selle, moins parce que le fer dont ils étaient couverts les engonçait que parce que marcher favorisait leur curiosité pour les gens et les choses.

— Nous devrions, messire, revenir à Villeneuve.

— C'est ce que je me dis.

— Les maisons y sont peu nombreuses mais belles. Et puis, vous avez mauvaise mine. On dirait que vous avez eu affaire à la mesnie d'Hellequin (1) ! En vérité, faudrait que nous retournions à Gratot en passant par Castelreng.

— Nous irons. J'ai vu Tiercelet et il m'a reconnu.

— Il ne vous a pas approché ?

— Non.

— C'est mauvais signe… Il aurait dû courir vous rejoindre. S'il s'est enfui, c'est qu'il est mécontent de votre présence.

— Penses-tu qu'Oriabel est morte ?

Paindorge n'osa répondre affirmativement. Des gens, maintenant, refluaient de la place. La cérémonie devait être achevée. Tristan fut dépassé et salué courtoisement par des hommes et des femmes tandis qu'il suscitait la curiosité des kyrielles de jouvencelles qui s'éloignaient en dansotant, bras dessus bras dessous, comme pour se réchauffer. Elles riaient et s'écartaient en hurlant des quémands qui çà et là tendaient la main, accroupis sur certains seuils. Comme pour s'opposer au *luxus* de ce jour exceptionnel, ils étaient plus loqueteux, plus pitoyables que tous leurs congénères qui, chaque dimanche, s'empressaient sur les parvis. Leurs plaies faisaient horreur, leur saleté donnait le frisson et leurs lamentations, vraies ou fausses, plutôt que de provoquer la pitié suscitaient la frayeur des femmes et la moquerie des galopins.

— Il se peut, Robert, que Tiercelet se sente coupable… si tu dis vrai, ce dont je doute. Il m'avait promis de veiller sans trêve sur Oriabel…

— Certes… Mais il advient, messire, qu'on se sépare moult fois dans une journée. Pendant ce temps, il peut advenir des choses pas belles…

Tristan préféra se taire. Quand il aurait retrouvé le brèche-dent, il saurait la vérité.

— Tiercelet est surtout un oiseau de nuit. Retournons à Villeneuve.

_____

(1) Ou encore, le cortège d'Hellequin. Au Moyen Age, bande d'esprits malins ou d'âmes en peine qui menaient grand bruit pendant la nuit et parfois ravageaient tout. Hellequin (de l'ancien germain *hel* ou *helle* – enfer – et *chunig* ou *Kuning* – roi –) est primitivement un prince des démons.

A la tombée du jour et à pied, nous reviendrons dans ces rues et pousserons les portes des tavernes.

Paindorge se mit en selle. Alcazar broncha, remua, et Tristan eut quelque difficulté à se jucher dessus.

— Eh bien, compère, que te prend-il ?

— Ce qui lui prend ? s'étonna Paindorge. Voyez qui traverse cette placette sans nous voir, heureusement.

— Fouquant d'Archiac !

— Oui, messire... Alcazar l'a aperçu avant nous, mais ce fumeux ne peut nous reconnaître, vu que nous sommes armés en guerre et que nos chevaux sont houssés de toutes parts, ce qui empêche qu'on voie leur robe !

— Encore heureux qu'il ne passe pas dans la rue où nous sommes !... Il eût été capable de me jeter son gantelet au visage... et de vouloir m'escagasser aussitôt.

— Un autre homme le cherche, messire. Cet Amadieu de Pommiers qui m'a paru, lui aussi, avoir du sang bouillant dans les veines. Et c'est tant mieux pour vous car vu votre état – oh ! vous pouvez me regarder méchamment – vu votre état, je ne donnerais pas cher de votre peau si Archiac vous provoquait !... Cette Jeanne me fait l'effet d'une sangsue.

— Tu ne crois pas si bien dire, fit Tristan, songeur, en mettant Alcazar au trot.

* *
*

Le froid s'était durci depuis la matinée. De l'autre côté du pont Saint-Bénézet, la nuit semblait un granit noir pailleté de lueurs tremblées plus nombreuses que de coutume. On fêtait le Pape, le roi, sainte Catherine – tout. Boucicaut et quelques autres avaient réintégré Villeneuve, mais Jean II tardait à reparaître en son hôtel. Pourtant, disait-on, Urbain V ne l'avait pas convié à souper.

Après les soins donnés aux chevaux, Paindorge s'était allongé sur la paille de l'écurie. Il s'y était endormi, oublieux de la visite aux tavernes. Plutôt que de l'éveiller, Tristan l'avait couvert de deux flanchières (1) sans même qu'il s'en doutât. Une force ou une envie l'avait alors poussé jusqu'à la maison de Jeanne. Personne. La rue semblait morte. Il ne sut s'il devait s'en réjouir ou s'en contrarier. Son esprit oscillait entre le songe – Jeanne et ses ivresses enflammées – et le réel : Tiercelet donc Oriabel. Morose, il revint sur ses pas, décidé à traverser le pont pour errer dans la cité papale et y retrouver celui qui par deux fois lui avait sauvé la vie.

(1) Ou *flancherie* : partie du harnais qui recouvrait l'arrière-main du cheval, mais aussi, pièce d'étoffe épaisse qui se plaçait sous la selle.

Tandis qu'il franchissait le Rhône, croisant quelques cavaliers, quelques piétons et presbytériens et des nobles dames en litière, il s'aperçut qu'il n'avait aucune arme. Cet oubli l'incita à se retourner. Il vit deux hommes qui peut-être le suivaient de loin et pressa le pas. Ils parurent soudain se hâter eux aussi. Il alentit sa marche ; ils s'arrêtèrent, se concertèrent et, penchés au parapet, regardèrent courir le fleuve. L'inquiétude se dissipa :

« Pourquoi me suivraient-ils ? Mes vêtements sont des plus simples. Sans épée, ils ne peuvent voir en moi un chevalier... Je n'ai rien commis, depuis mon arrivée, qui mérite une vengeance. »

En retrouvant Tiercelet – ce dont il était certain –, il n'aurait plus à recréer le fantôme d'Oriabel : le brèche-dent le mènerait jusqu'à elle.

« Et si elle n'est plus avec lui ? »

Comment pouvait-il en douter ? Pourquoi, soudain, cette hantise qu'elle avait rompu avec leur bienfaiteur ?... Il allait renouer avec Tiercelet. Avec Oriabel. Bien qu'elle fut morte, il prierait Boucicaut de faire annuler par le Saint-Père son mariage avec Mathilde de Montaigny.

Enfin, il était rendu : les deux tours d'entrée le dominaient. L'immense bouche d'ombre qui communiquait avec la cité allait l'absorber. Bientôt ce serait...

Derrière, le cri du hibou et des pas vifs.

— Tudieu ! murmura-t-il.

Trois hommes lui bouchaient le passage. Une lame brillait à leur poing.

— Holà !... Est-ce pour moi cet accueil ?... Je n'ai rien fait qui mérite votre ire !... Laissez-moi passer, je vous prie.

Ils demeuraient cois, menaçants. Comment avait-il pu oublier son épée !

Par quelle nigauderie avait-il renoncé à la présence de Paindorge ?

Des pas derrière. Assurément, les deux hommes dont il s'était défié un moment étaient accointés aux trois autres, et c'était l'un d'eux qui avait imité le cri de la chouette.

— Que me voulez-vous ?

Un homme, devant, passa sa lame sur sa paume et de son pouce en éprouva le tranchant :

— Messire Castelreng...

— De qui tiens-tu mon nom ?

— Qu'importe ! On vous a montré à moi d'un joli doigt, ce matin, et demandé de vous saigner.

— Qui ?

— Nous ne sommes pas là pour paroler.

Tristan résista à la sourde répulsion qui lui enjoignait de reculer, car c'eût été devenir la proie des deux sicaires, dans son dos.

Cinq, c'était beaucoup. C'était trop sans sa Floberge.

Il ne sut d'où vint l'agression. D'instinct, il avait cru bon de se jeter de côté. Il sentit contre sa joue le vent d'une main armée. Son regard, son cœur, ses poumons s'affolèrent. Un homme poussa un hurlement et tomba, comme mort, sur les pavés gras. Un autre emplit à son tour la voûte de son cri et de ses gargouillements.

« On m'aide ! »

Alors qu'il évitait de justesse une coutelade à la gorge, une lame entama l'épaule de Tristan et celui qui l'aidait se montra, tout proche, superbement grand et fort dans l'espèce de clarté qui fumait au-delà de l'entrée. Les malandrins déguerpirent.

— Tiercelet !

— J'étais des leurs... Non ! Non !... Ne va pas imaginer que j'aie récidivé avec la truanderie. Quand j'ai su qu'on voulait t'occire, j'ai demandé qu'on m'accueille dans le complot... pour t'aider une fois de plus !

Le cœur de Tristan s'affolait toujours. Double émoi que cette embûche et ces retrouvailles.

— Sans moi tu serais mort.

— J'en conviens.

— Sans épée en Avignon, la nuit !... Cette cité n'est autre qu'un bordeau, sauf le Palais depuis la venue du nouveau pontife.

— Que fais-tu céans ? Vis-tu ici ? A proximité ? Où est Oriabel ?

Tiercelet souriait toujours. Cependant, Tristan ne se méprenait pas : ce sourire ambigu n'était qu'une grimace. Un désarroi terrible s'inscrivait peu à peu sur cette face ombreuse dont les yeux secs s'embuaient.

— On va en parler. Marchons un peu... Je te raccompagne... Sais-tu qui voulait ta mort ?... *Non !...* Eh bien, je te le dis tout net : une femme... Une Jeanne que tu as certainement enconnée.

— Je n'ai rien d'un presbytérien.

— Sais-tu qui elle est ?... *Non !...* Tu ne sais rien d'elle ?... Eh bien, c'est Jeanne première, la comtesse de Provence. La reine de Naples !... On a raconté ici, depuis peu, que Jean le Bon la voulait épouser. Ce sont là des sornes en provenance de Paris... Outre que tu peux imaginer le couple qu'ils formeraient, si la belle consentait à coucher avec ce bardache, sache que la Jeanne est mariée ou fiancée, je ne sais, avec le roi de Majorque (1).

— Jeanne, cette...

(1) *Voir annexe II.* La date du 27 mai 1362 est avancée pour ce mariage. En ce cas, le roi et le prince Charles en eussent été avertis. D'autres dates sont également citées : décembre 1362 et 21 mai 1363. Il semble probable que les velléités de mariage de Jean II ne furent qu'une invention du dauphin destinée à discréditer son père. D'ailleurs, cette histoire aux relents nauséeux s'évapora très vite.

Le mot sécha sur les lèvres de Tristan. Tiercelet ricana silencieusement :

— Tu as dû t'en payer pour qu'elle te veuille mort.

C'était bien de Tiercelet ce ton moqueur et paternel.

— Une nuit... Oriabel n'en saura rien. Je connais ton amitié. D'ailleurs, j'ignorais que je te rencontrerais. J'en avais perdu l'espérance. Tu ne peux savoir combien mon cœur a battu quand je t'ai entrevu ce matin !... Tu as fui, cependant...

— Je venais d'être engagé pour t'occire. Il ne fallait pas qu'on nous voie ensemble.

— Tu penses à tout comme autrefois.

Tristan attira contre lui cet homme fort, généreux, prodigue en amitié. Le brèche-dent non seulement se laissa faire sans mot dire, mais, bien que malaisée, son étreinte fut forte, sincère, cependant que son regard devenait fuyant, douloureux.

— Oriabel ?

Le brèche-dent n'essaya pas, cette fois, d'éluder la question.

— Viens, marchons... Traversons le pont...

Ils avancèrent et quand l'obscurité les eut enveloppé, Tiercelet parla enfin :

— Je n'ai rien pu contre ce trépas.

Tristan se sentit vaincu.

— Continue, dit-il avec une avidité cinglante, désespérée. Qu'avez-vous fait à Lyon ?

— Après ce mariage qui t'a sauvé du bûcher, elle était assurée de ne plus te revoir. Moi, j'avais confiance. Je savais bien qu'un jour tu te délivrerais. Que tu obtiendrais le divorce... Il nous fallait fuir Lyon, fuir les Compagnies et surtout Naudon de Bagerant... Tu sais qu'elle en était en quelque sorte l'otage...

Une ardeur, maintenant, aiguillonnait Tiercelet. Il allait tout dire, brièvement, paisiblement.

— Nous sommes allés à pied vers Carcassonne... Je rapinais la nuit pour qu'elle ait à manger, mais elle avait perdu l'appétit. Je voulais gagner Castelreng...

— J'y ai pensé. J'y ai toujours pensé ! Je savais que ce serait ton idée.

— J'aurais dû en avoir une meilleure.

Tristan suspendit sa marche. Une ombre, soudain, emplissait son cœur et son cerveau.

— Mon père ne s'est-il pas montré bienveillant ?

— Grandement, d'autant plus qu'il me connaissait... Il a compris qu'Oriabel sortait du commun...

La respiration de Tristan devenait puissante, rapide. Cent pensées, cent images tourbillonnaient dans sa tête. Il essayait en vain de comparer des scènes imaginées par lui avec celles, réelles, que Tiercelet lui imposait sans pourtant user de détails susceptibles d'accroître son affliction.

— La seconde épouse de mon père n'est pas autre chose qu'une créature du commun. Elle est la fille d'un lanternier de Mirepoix !

— Justement… Si ton père s'est révélé tel que je l'avais vu la première fois, cette Aliénor, qui m'avait bien accueilli, elle aussi, s'est montrée hautaine…

— A cause d'Oriabel…

— Elle lui a dit et fait sentir, et son fils également – Olivier, ton demi-frère –, qu'elle était comme on dit maintenant : une intruse. Adoncques qu'elle devait partir.

Ainsi, le mauvais sort s'était acharné sur Oriabel. Aliénor s'était conduite avec une présomption indigne. Pourquoi ? Tristan se sentait écœuré, éreinté, endolori par une atroce charge de tambours dans ses côtes.

— Continue.

Il avait un moment clos ses paupières brûlantes mais dessous, l'image féline et corrosive d'Aliénor conservait toute sa force et sa maléfique empreinte.

— J'ai eu tort de les laisser seules quand ton père, qui venait de me prendre pour palefrenier, m'emmenait à l'écurie. Je ne sais ce qu'elles se sont dit. J'ai retrouvé Oriabel toute pâle et n'en ai rien pu tirer d'autre que des « *Laisse-moi* » et « *Cette femme est cruelle* »… Rien d'autre !

— Ensuite ?

Tristan se sentait remonter lentement d'un abîme d'horreur tout en devinant qu'il s'y replongerait bientôt.

— Elle a robé un cheval qui se trouvait dans la cour : le coursier de ton père… J'en ai pris un autre et l'ai suivie de loin : je ne voulais pas l'effrayer. Je pensais qu'elle allait recouvrer la raison…

— Tu as bien fait… Quoi que tu puisses en penser, j'aimais Oriabel de tout mon cœur.

Cette expression insignifiante acquérait tout à coup, dans l'esprit ravagé de Tristan, une puissance vierge, violente. Il prit une grande expiration :

— Continue.

— Je l'ai rejointe… enfin presque, après des lieues, au seuil des gorges de… Ah ! je ne sais plus : près de Peyrepertuse…

— Les gorges de Galamus… C'est, entre des montagnes rocheuses, un abîme terrifiant…

— Comme tu dis ! On n'en aperçoit pas le fond… Je l'ai vue sauter du cheval... Marcher... Se pencher... Je lui ai crié : « *Non ! tu le reverras.* » Elle ne voulait rien savoir...

Cette fois, Tristan les voyait : Oriabel épuisée, éplorée à côté d'un cheval fortrait ; Tiercelet tout proche et qui lui prodiguait des paroles consolantes. Il se mit à souffrir d'une façon différente : plus aiguë, plus absolue.

— Et puis, elle a sauté.

Tristan se refusa d'imaginer ce sacrifice. Il haïssait Aliénor, maintenant, après l'avoir seulement détestée. Quel mensonge avait-elle proféré pour qu'Oriabel, désespérée, se fût décidée à mourir ?

— Dès que je pourrai quitter Avignon, j'irai à Castelreng. Tu pourras m'y accompagner... Où vis-tu en ce moment ? Où puis-je te trouver ?

Un rire désagréable. Aussitôt Tristan retrouva le Tiercelet des premiers jours de leur accointance : l'ancien Jacques, le malandrin qui cachait son cœur sous des moqueries et des acerbités sans fin.

— Non... Oriabel nous unissait. Tu l'aimais, je l'aimais différemment de toi... Elle n'est plus. Notre amitié subsiste...

— J'aime que tu en conviennes !

— ... mais nous n'avons plus cette espèce de parenté qu'elle avait... forgée entre nous... Ne crains rien : je ne vais pas retomber dans ce que tu appelais mes errements... J'étais redevenu honnête et vais le demeurer... Mais si nous étions ensemble, nous ne cesserions de penser à elle, de parler d'elle. Cela ne serait point bon ni pour toi ni pour moi... Si tu passes un jour par Galamus, tu verras à dextre, dans un champ, en entrant dans les gorges, une espèce de montjoie (1) sous laquelle je l'ai mise... J'ajoute que j'ai restitué les chevaux à ton père mais que je ne lui ai rien dit... Quant à cette Aliénor dont le visage ne quitte plus ma mémoire, si Dieu ou Satan la met un jour à portée de cette lame...

Une lueur d'acier passa devant la face de Tristan.

— ... eh bien, je l'occirai !

Tiercelet tourna les talons et s'enfuit en courant. Tandis que son ombre trapue se fondait dans les ténèbres, Tristan crut entendre un sanglot.

— Reviens !... Je ne t'ai pas retrouvé pour te perdre!

Déjà, il ne discernait plus rien, sinon le bruit de l'eau fripée par le courant et qui se lacérait contre l'éperon d'un pilier de pierre.

---

(1) Ou *mont-joie* : monceau de pierres destiné à marquer un chemin ou à rappeler un événement.

VI

Quatre jours sans quitter Villeneuve. Tristan ne cessait de tisonner son ressentiment contre Aliénor et de cultiver sa rage envers cette Jeanne effectivement première dans sa vie et première dans un royaume convoité tout autant que sa personne. Il comprenait qu'elle eût voulu sa mort et qu'elle la désirât sans doute encore : aucune femme de cette espèce n'eût aimé savoir en vie le témoin de sa lubricité. Elle avait, disait-on, fait étouffer André de Hongrie, son premier mari. Louis de Tarente, le second, avait péri par le poison. Comment, dans ces conditions, lui eût-elle accordé la plus mince indulgence ?

A ce constant courroux envers deux femmes si différentes d'aspect et de naissance, – une roturière et une reine – s'ajoutait, chez Tristan, la déception d'avoir perdu Tiercelet et la douleur de savoir Oriabel décédée. Il avait toujours espéré la revoir pour vivre enfin, auprès d'elle, l'existence qu'ils avaient imaginée lors de leur captivité à Brignais. Elle disparaissait de la seule façon qu'il n'avait point prévue. Il fallait qu'Aliénor eût poussé la cruauté à un très haut niveau de turpitude pour contraindre la jouvencelle à se donner la mort.

— Venez en Avignon, messire. Allons nous y changer les idées. Vous vous amollissez bêtement ! Nous n'allons tout de même pas passer tout notre séjour à Villeneuve et ce n'est pas en demeurant dans cette maison que vous pourrez observer le roi pour énarrer ses mouvements et ses dires au prince Charles !

— Cette tâche me déplaît.

— Il ne fallait point l'accepter !

Au fait de tout ce qui s'était passé, Paindorge s'exprimait sans circonlocutions ; sans révéler, pourtant, ses convictions intimes.

— Vous saurez tout quand nous irons à Castelreng.

— Je ne sais si je dois y aller. L'envie pourrait me prendre d'occire Aliénor.

111

— Ce serait une faute : vous vous aliéneriez votre père. Lui, au moins, vous aime.

Une bourrade. L'écuyer devenait bien familier.

— Quatre jours dans Villeneuve !… Errer, dormir…

— Je me sens bien… Je me sens mieux. Je ne me suis jamais senti aussi apte à tenir une épée, une lance…

— Vous feriez mieux, si je puis me permettre, de tenir votre rang !… Arnoul d'Audrehem revient dans la soirée. Il était à Béziers. Le Pape doit le recevoir car il a contribué, paraît-il, à la quiétude d'Avignon. Ensuite, le roi lui offrira un régal. Vous vous devez d'être présent… Vous vous devez de vous joindre aux prud'hommes, même si cela vous ennuie !

— Crois-tu qu'ils se sont aperçus de mon absence ?

— Pas trop parce qu'ils gloutonnent et se saoulent à qui mieux mieux, mais Boucicaut, qui est sobre, m'a demandé ce que vous deveniez… Il a cligné de l'œil, songeant sans doute à une affaire de cœur. Je l'ai dissuadé de nourrir cette idée… Je lui ai dit que vous étiez malade.

— Tu as bien fait. De quoi suis-je censé souffrir ?

— D'indigestion.

Tristan soupira un grand coup, s'étira et bâilla.

— Eh bien, préparons-nous… Point d'armure. On parlera de guerre, sans doute, sans la faire, et l'on se verra victorieux sans l'être !

* *
*

Arnoul d'Audrehem arriva dans la soirée. Bien qu'on fût encore entre chien et loup, il était précédé de quatre porteurs de torches et suivi d'autant. Derrière, masse confuse, crépitante, aux reflets d'acier, on eût pu nombrer trente hommes à cheval.

Après un dîner pris en compagnie des hobereaux de la suite royale – au cours duquel il n'avait été question que des routiers et des moyens de les soumettre –, Tristan et Paindorge avaient erré dans Avignon sans que Tiercelet s'y montrât. Sans doute avait-il quitté la cité. Pourquoi, en l'occurrence, y était-il venu ?

Cette question s'effaça de l'esprit de Tristan lorsqu'il vit paraître les luminiers du maréchal de France. Il se trouvait alors avec son écuyer aux abords de l'église Saint-Didier, cherchant sans en trouver une taverne agréable. Ils s'adossèrent à l'un des piliers du parvis au moment ou messire Audrehem décidait, en immobilisant son cheval :

— Compagnons, n'allons pas plus avant. On dit les vêpres en ce saint lieu et nous nous devons de suivre l'office.

— Pourquoi ? demanda un homme assez éloigné pour ne pas être

112

reconnu. Nous sommes las, nous avons faim… nous sommes sales…

— Nous ne pouvons rencontrer le roi et le Pape sans nous nettoyer l'âme.

On rit. Audrehem en parut amplement satisfait. Il dégagea promptement ses pieds des étriers, sauta sur le sol et se frotta les reins en regardant à l'intérieur de l'église par l'entrebâillement du portail.

— Entrons tous. Nous y contiendrons !… Je parle évidemment de tous les capitaines et de leurs écuyers… Que les autres veillent sur les chevaux. Et surtout que les torches ne cessent de brûler.

Il y eut des piétinements. La plupart des chevaux trépignèrent. La rue ensommeillée s'anima et quelques têtes apparurent aux fenêtres. La lueur de trois ou quatre lanternes révéla, immobiles et attentifs, Tristan et Paindorge.

— Holà, vous deux !… Occupez-vous de mon cheval et de celui de mon neveu (1) !

Tristan fit un pas et, les mains réunies sur la bouche de sa ceinture d'armes :

— Est-ce à nous, messire, que vous vous adressez ?

— A qui d'autre ?… Sauf nous et vous, la rue est vide !

— Messire, permettez : vous disposez d'une suffisance d'hommes dans laquelle vous pouvez vous choisir des varlets. Nous allions à la messe, nous y assisterons.

— Qui es-tu pour me refuser ton aide ? Sais-tu qui…

— Qui vous êtes ?… Je vous connais, messire, depuis Poitiers… J'étais près de messire Jean de Clermont quand vous l'avez accusé de couardise. J'étais présent quand il fut percé de traits… Je me sens bon à tenir une épée mais nullement la bride d'un cheval, si ce n'est le mien !

— Effronté ! Tu te dois d'obéir si tu sais qui je suis (2) !

(1) Jean de Neuville.
(2) Déjà en usage au XIIIe siècle (où ils avaient la prépondérance sur les sénéchaux et les baillis), l'institution des lieutenants du roi s'était développée au XIVe siècle. En temps de guerre, ils commandaient en chef. Ils avaient le droit de détruire les places fortes et devenaient d'autant plus puissants qu'ils étaient éloignés du pouvoir central. Audrehem avait été nommé lieutenant du roi entre Loire et Dordogne le 6 mars 1352. En fait, dans un acte du 1er février de cette année-là, *il s'était arrogé ce titre* que le roi ne lui confirma qu'en 1354. Dans les quittances de guerre, il n'était que capitaine souverain. Il devint ensuite lieutenant du roi en Normandie (juin 1353) où il puisa sans vergogne dans les caisses, puis lieutenant du roi en Artois, Picardie, Boulonnais (1er janvier 1355), puis capitaine général de la Langue d'Oc (20 septembre 1361).
Il était entouré d'une escorte importante (et onéreuse). Le 8 juillet 1353, il entra dans Limoges avec 4 chevaliers, 81 écuyers, 200 hommes à cheval. Peu après, il livra combat aux Anglais près de Comborn. Ces derniers étaient commandés par Arnaud d'Albret, *Emmelion de Pommiers (ou Amadieu de Pommiers)*, Aimeri de Tartas, le sire de Montferrand et le Bascon de Mareuil. Dirigés par Audrehem, les Français perdirent plus de 50 hommes. Un des chevaliers figurant dans la montre du 8 juillet, Damp James de Beauval, fut tué. Pour une fois qu'il participait vraiment à une bataille, Arnoul faillit y être capturé. Heureusement pour lui, le bâtard de Sancey, pour le dégager, se jeta entre lui et ses assaillants et parvint à assurer sa retraite. Il périt. Cette mort n'affecta pas Audrehem. Personnage équivoque aux mains crochues, il fit surtout la guerre avec le trésor royal plutôt qu'avec son épée. Il est bien le seul chevalier qui ait possédé 9 sceaux différents et, dit son hagiographe, Auguste Molinier, « *Il est probable qu'il en changea encore.* »

113

— Je n'obéis qu'au roi et à son ains-né fils et suis en Avignon à leur demande !

— Je suis leur truchement !

— Et moi leur serviteur. Dites à vos falotiers (1) de reculer. Et aux autres !

Les hommes se mirent à gronder. « Ah ! la meute montre les crocs. Mais ce ne sont, en fait, que des chiens de maison. » Paindorge ne disait mot, réprouvant peut-être cet esclandre.

Soudain, le rire d'Audrehem retentit.

— C'est vrai, compère, ton visage ne m'est pas inconnu. Tu étais à Poitiers près de Bourbon, si ma mémoire est bonne...

— Et près du roi, messire, jusqu'à la fin !

C'était décocher dans le cœur d'un falourdeur (2), une flèche empoisonnée, mais il était trop engoncé dans son orgueil pour qu'il en sentît l'atteinte.

Audrehem passa, soudain silencieux, suivi du tiers de ses hommes. Cliquetis d'armes, frappements de semelles. Ceux qui portaient un bassinet l'enlevèrent dès que le maréchal eut ôté le sien ; d'autres, coiffés d'un camail ou d'une cervelière, les conservèrent sans que le maréchal en parût contrarié.

— Viens, Robert, dit Tristan. Ils s'engagent à senestre, allons à dextre.

La messe tirait à sa fin. Quatre prêtres la célébraient à la mémoire, sans doute, de quelque haut personnage. Sous les lampiers illuminés se pressaient Artois, Boucicaut, Tristan de Maignelet. Derrière, Amanien de Pommiers, mains jointes, priait. Les femmes, coiffées d'ornements magnifiques dont les gemmes et les broderies scintillaient d'un insolite éclat s'enivraient, semblait-il, de latin et d'encens. Les chants de la liturgie vibraient, monotones, et les formules supplicatoires semblaient répétées longuement par les échos qui reflétaient ces accents d'indicible angoisse et d'espérance pieuse. Sur un trône élevé autour duquel s'étageaient, en nombre décroissant, une vingtaine d'évêques, le Pape était assis, immobile comme une idole chamarrée, la mitre enfoncée jusqu'aux sourcils, le teint cireux, l'œil somnolent, à se demander s'il voyait toutes ces mains unies, mollement, fermement, indifférentes ou suppliantes.

— On dirait, messire, un tribunal.

Les visages des prélats exprimaient tous l'orgueil, la ténacité, voire le despotisme sacerdotal. Ils régnaient sur une ville impie. Ils en connaissaient les énormités. Leurs yeux brillaient non de foi mais d'une espèce de malignité profonde, inguérissable. Et l'odeur âcre du nard et de la myrrhe ne pouvait faire oublier, autour d'eux, celle

(1) Porte-falots.
(2) Prétentieux.

114

des vêtements rutilants, des haleines fétides et des corps que certaines macérations devaient rendre puants. Pour prendre l'hostie, une sorte de procession se forma, quiète et ordonnée, quelques bannières oscillèrent aussi riches et présomptueuses que celles des armées royales. Les évêques se levèrent et frappèrent le sol dallé de leur bâton pastoral. Le Pape lentement se dressa et ce fut alors qu'un homme entra, haletant et, le souffle rauque :

— Y a-t-il céans Amadieu de Pommiers (1) ?

Paindorge, qui s'était retourné, toucha Tristan de son coude :

— Fouquant d'Archiac, messire... Il ne manque pas d'audace !

— Nous le savons, nous, depuis longtemps !

Dans un grand remuement de fers qui s'aheurtaient tant leur intervention était prompte, unanime, les hommes d'Audrehem cernèrent le perturbateur qu'on entendit hurler :

— N'approchez point ou je troue quelques panses et tranche quelques cols ! Par Dieu, je le ferai !

Quelqu'un dit : « Il est fou ! Blasphémer devant le Très Saint-Père ! » Paindorge se pencha, frémissant :

— Il a tiré sa lame !

Tristan acquiesça sans trouver une phrase, un mot. Tout devenait confus. Il ne savait sur qui diriger ses regards. Le Pape tout à coup effondré dans sa chaire ? Amanieu de Pommiers, immobile, face à un ennemi qu'il ne pouvait voir mais dont les cris révélaient la fureur ? Les prud'hommes parmi lesquels Boucicaut levait un poing à l'intention d'on ne savait qui ? Les bourgeois ahuris et les dames effrayées, excepté, sous une coiffe emplumée garnie d'un volet d'yraigne, la belle et redoutable Jeanne ?

— Elle est présente, messire.

— Je sais. Ignorons-la.

Amanieu de Pommiers s'était mis à marcher. Sa dextre se porta vers sa hanche senestre pour y saisir la prise de son épée. Tristan écarta Paindorge et bondit :

— Non, messire ! Ne venez point parfaire à votre façon ce sacrilège... Archiac vous cherchait, il vous a découvert... Sortez tous deux !... Apaisez ce tençon hors de cette église.

Malgré l'étau des bras dont il était captif, Pommiers tirait invinciblement sa lame.

— Non, vous dis-je ! intima Tristan.

Ils étaient de la même taille, de la même force et enlacés comme deux amants. Il fallait mettre un terme à cette étreinte absurde.

— Cet homme me poursuit d'un ressentiment injuste ! J'ai occis un de ses amis à la bataille de Comborn...

(1) On trouve dans les textes *Amanieu, Amadieu, Amanion, Aymon de Pomiers* ou *Pommiers*. Le patronyme est souvent orthographié *Pommiers*. C'est celui que nous adoptons.

Il était donc pour les Goddons. En Avignon, sa sécurité restait assurée. L'église semblait tout à coup pétrifiée avec son contenu. Tout était possible et d'autant plus certain que les hommes d'Audrehem s'écartaient pour permettre une échauffourée. Quelqu'un cria : « *Anathème !* » Ce fut comme une bulle sonore pareille à celles qui sourdent des douves et des étangs, s'irisent et éclatent dès la surface. Sourd et décidé, Archiac apparut, l'épée soutenue dans le creux de son coude senestre. Tristan vit l'arme se lever. Il se pencha pour l'éviter – « Ce fumeux m'en veut aussi ! » – mais d'un bond, le perturbateur mania l'estoc en direction de Pommiers dont il perça l'épaule dextre.

— Tu l'as voulu !

Tristan donna un coup de pied féroce dans le ventre du turbulent. Archiac hurla de douleur cette fois. Audrehem et Boucicaut s'interposèrent.

— Messires, c'est assez : vous profanez ce saint lieu !

— Je n'ai point commencé, plaida Amanieu de Pommiers dont la main soutenant son épaule blessée teintait de vermillon son gant de chevrotin. J'ajoute que dans cette sainte ville, je suis autant chez moi que je le suis en Gascoigne et que messire Archiac l'est au diable vauvert !

Le Gascon remisa son épée au fourreau puis, ôtant son gant tâché de sang :

— Puisqu'il veut mon trépas, qu'il montre son courage !

Soudain jeté, le gant macula le front et la joue d'Archiac. Il s'élança mais fut maîtrisé par Audrehem et Tristan de Maignelet.

— Voilà, triompha Pommiers, qui me fait appelant devant témoins, et vous, Archiac, défendant. Bien qu'il me soit désormais malaisé de tenir mon arme, je vous attendrai quand vous voudrez, où vous voudrez !

— Mardi (1) !

(1) *Le mardi, sixième jour de décembre 1362*, rapportent *les Grandes Chroniques, fut la bataille de messire Amanieu de Pommiers, appelant, et de messire Foulque d'Archiac, défendant, en la présence du roi de France, à Villeneuve, près d'Avignon, et fut fait l'accort en champ parce que le dit roi prit le discort sur lui.* Singulier personnage que ce Foulque (Foulques ou Fouquant) d'Archiac qui, après son duel contre Maingot Maubert, au marché de Meaux, le 1er juillet 1361, allait récidiver contre Pommiers, en Avignon, toujours en présence du roi. Qui était-il ? Nos recherches n'ont guère abouti. C'était un seigneur d'Aquitaine, un compatriote de l'Archiprêtre. Depuis le traité de Calais, il continuait de servir son ancien maître. Il avait suivi en Bourgogne le comte de Tancarville lorsqu'il s'était agi d'imposer à cette province une annexion qui lui répugnait.

Originaire du même pays que Fouquant, le sire de Pommiers appartenait à une famille acquise à l'Angleterre. A Poitiers, il avait combattu aux côtés du Prince Noir. Pommiers et Archiac allaient, plus tard, fraterniser sous la bannière de l'Archiprêtre en Bourgogne. Pommiers avait trois fils : Jean, Hélie et Aymon (ou Amanion, Amadieu, etc.). Il était apparu au siège de Saint-Jean d'Angély en 1351 dans les rangs des Anglais avec le seigneur de Lesparre, Alexandre, seigneur de Chaumont et quelques autres chevaliers gascons. L'on sait aussi que le château et la châtellenie d'Archiac furent offerts, en novembre 1352, par Jean le Bon, à son favori : Charles d'Espagne. Comme quoi ce trublion n'avait point la rancune tenace !

— Prochain ? s'enquit Pommiers abasourdi par un aussi bref délai.

— Non... L'autre. Le premier mardi de décembre... Je veux, compère, que tu sois en pleine possession de ta vigueur. Ainsi, lorsque je te taillerai en pièces, tu n'auras pas la moindre excuse.

Le sang poissait la face blême d'Archiac. D'un revers de main, il voulut l'effacer ; il ne fit que l'étaler.

Boucicaut ricana. Ce serait, dit-il, le mardi 6. On approuva.

— Devant le roi ! exigea Archiac.

— Je le lui demanderai, dit Audrehem.

A peine arrivé, il prenait les rênes d'une situation qui ne le concernait en rien. Maignelet et Boucicaut en furent courroucés et le montrèrent. Le lieutenant du roi usurpait sans barguigner sur les droits du Pape. Or, le Saint-Père demeurant coi, il s'arrogeait tous les pouvoirs.

— Viens, Robert, dit Tristan, notre présence est inutile.

L'incident auquel ils venaient d'assister les laissait pantois. Ils devaient réintégrer les ténèbres. Les hommes d'Audrehem les regardèrent passer dans le pourpre de leurs torches.

— Hé ! que s'est-il passé ? demanda un sergent.

— Bah ! fit laconiquement Paindorge.

Et comme ils marchaient vers le Rhône dont les eaux glauques se piquetaient d'étoiles :

— Cet Archiac, messire, est un grand félonneux contre lequel le Pape devrait sévir.

— Si la navrure de Pommiers tarde à guérir, cette épreuve lui sera fatale. Quant au Saint-Père, il m'a fait l'effet d'un homme qui, pour une fois, ne s'ennuyait pas à la messe.

* *
*

Le dimanche 27 novembre, Boucicaut fit prévenir Tristan que Sa Sainteté Urbain V réunirait à midi, pour un festin, le roi et la fleur de sa Chevalerie. Le jeune sire de Castelreng se trouvait inclus en icelle. On se rendrait individuellement au palais pontifical en habits de ville et l'on s'attendrait pour franchir ensemble le seuil des appartements du Saint-Siège. Les écuyers n'étaient point conviés. Boucicaut insistait pour qu'on fût digne, sobre, et qu'on se gardât, lors du régal, d'interrompre Jean le Bon et le Pape lorsqu'ils s'exprimeraient.

Tristan fut un des premiers à attendre, sur la place, la venue de ses pairs grands et petits et à se dire et répéter qu'il méprisait Avignon. Au lieu de découvrir parmi ses murs le forum glorieux du monde spirituel – une seconde Jérusalem –, il avait vu et voyait chaque jour, dans l'impudent étalage de ses richesses, une cité de plaisir et d'infatuation.

117

Sodome et Gomorrhe. Aucune autre ville que celle-ci ne l'avait jusque-là marqué du sceau d'un ennui aussi pesant qu'irréductible. Masse rose et farouche sous le soleil d'hiver, le palais pontifical ne s'égayait d'ouvertures, de tourelles et d'ogives qu'à une hauteur où les échellades eussent échoué. Il n'était point déraisonnable de supposer que des messes singulières avaient été dites dans ce colosse et que des taches rouges avaient éphémèrement poissé les pavements de certaines chapelles. Nulle part ailleurs, sans doute, le contraste n'était plus saisissant qu'ici, sur cette esplanade, entre l'austérité des monuments et la frisqueté (1) des passants, tous oublieux, apparemment, de l'angoisse et de la misère des gens de leur espèce abandonnés dans les villages circonvoisins et qui craignaient le retour des pillages et des embrasements assortis de viols et de meurtres.

Jamais autant qu'en ce jour de vent et de froidure, Tristan ne s'était senti aussi vain et inutile, sans passé, sans avenir : Oriabel était morte.

Archiac survint, habillé, sous un manteau de peaux de renards entre-clos, d'un pourpoint et de chausses de velours noir, les jambes prises jusqu'au-dessus du genou dans des heuses de daim dépourvues d'éperons. Une ceinture d'anneaux d'or à laquelle pendait, dans un étui de cuir, une dague à rouelle, serrait exagérément sa taille. Ses cheveux disparaissaient sous un chaperon d'écarlate paonnage (2) dont il était évidemment fier comme l'oiseau qui arborait ces couleurs sur ses longues plumes.

— Ah ! compère... Vous en serez aussi... Comment va Alcazar ?

— Aussi bien que possible.

Pour signifier à l'importun qu'il souhaitait être seul, Tristan continua d'observer les Avignonnais, leurs dames, leurs filles et leurs fils. L'ostentation des costumes semblait croître. Les gentilfames couvertes de fards, chargées de joyaux, souriaient à n'importe qui.

— Des putes, dit Archiac. Décolletées effrontément. Aimerais-tu, Castelreng, que ton épouse soit ainsi ?

Les surcots et sorquanies exagéraient si outrément leur gorge, dans la brèche de leur paletoc de fourrure, qu'elles devaient avoir, sous leurs seins, d'invisibles coussinets. Elles soulignaient encore cette avancée par de larges ceintures orfévrées. Les jouvenceaux étaient tout aussi parés qu'elles : ils voulaient éblouir plus encore que les damoiselles en quête d'une séduction.

— Je n'ai point d'épouse, Archiac... Tous ces gens-là aiment la splendeur et, ma foi, je commence à comprendre pourquoi les routiers vouent à cette cité une espèce d'amour dans lequel le Pape n'est pour rien. Regardez, l'on dirait des papegais et des faisans...

(1) Élégance.
(2) L'écarlate paonnage était un bleu violet rappelant le plumage des paons.

118

— Et les femmes des grues !... Je me suis laissé dire qu'ils aimaient les oiseaux, non pas apprêtés dans leur écuelle, mais chez eux, à condition qu'ils soient en cage. Ma logeuse a des linottes, des chardonnerets, un faucon qui, à force de ne pouvoir voler grandement et chasser, souffre d'épilance (1). Et nous n'avons rien vu : des liesses sont en préparation pour que le roi Jean et le Pape puissent dignement recevoir le roi de Chypre et le roi de Danemark... On va dépenser sans compter ! Toutes les boutiques montreront leurs trésors, toutes les façades disparaîtront sous les draps de soie et les tapisseries. La fête que je vais donner en l'honneur de Pommiers sera un beau commencement à celles qui, par la suite, divertiront le roi, le Pape et tous leurs invités.

— Quel préjudice peut décider d'un tel combat ?

— Pommiers m'a occis un ami à Comborn.

— A la guerre, c'est chose naturelle. Si ce n'est que cela...

— La femme que j'aimais a semblé s'en éprendre.

— Cordieu !... *Semblé* seulement... Et Maingot Maubert ?

— Une querelle de taverne.

Tristan sourit. Archiac ne lui révélerait jamais les raisons exactes de sa haine envers ces deux hommes.

— Vous êtes un hutin, messire. De même que nous ne pourrions vivre sans air, vous ne pouvez vivre sans riote. Un jour, à ce jeu-là, vous serez perdant. Mort peut-être.

— Mais l'honneur sauf !

— Belle affaire que de sauvegarder son honneur si l'on ne peut qu'en jouir au-delà des vivants !

Et soudain sans sourire et le défi aux yeux, Tristan acheva :

— Je sais que vous voulez me reprendre Alcazar. Je serai votre homme dès que nous aurons quitté Avignon... si toutefois Pommiers vous laisse en vie. Je vous ai épargné une fois. Je ne récidiverai pas.

Archiac n'abandonna point son air de goguelu invincible.

— Un jour, j'ai failli tuer Lancastre qui était le meilleur Goddon qu'on pût trouver une épée à la main.

— *Failli...* N'en devenez pas un. Quant à Lancastre, il n'est pas mort d'un coup de lame mais de la peste, il y a deux ans... Mais trêve de paroles vaines : la place s'est peuplée tout d'un coup. Les chevaliers sont là... Ils piètent et le roi est parmi eux... Rejoignons-les.

Ils avancèrent coude à coude, saluèrent Artois, Tancarville, Boucicaut, Dammartin, Maignelet, tous contagionnés par le goût de la parure qui sévissait dans la cité papale. Il y avait çà et là du brocart, du camocas, du mactabas, du nachiz (2). Tristan put entrevoir

(1) Ou *épilence* : sorte d'épilepsie du faucon.

(2) *Camocas* : riche étoffe de poil de chameau ; *mactabas* ou *marramas* : espèce de drap d'or ; *nachiz, naque* ou *rataz* : autre espèce de drap d'or.

quelques dames parées comme des Vierges de cathédrale, coiffées de huves de grand prix maintenues par de longues épingles d'or et d'argent plantées dans leur crinière. Aucun cheveu ne devait paraître sous cette coiffure, de sorte qu'elles s'étaient fait épiler et même raser le haut du front.

Arnoul d'Audrehem apparut le dernier. Ainsi était-il certain d'être remarqué. C'était un homme grand et gras, d'une maturité hautaine et dont le visage poilu, couperosé, répandait autour de lui un sourire de satisfaction de soi qui n'appartenait qu'aux monarques. Or, en Langue d'Oc, n'en était-il pas un ? Et même plus : un despote puisqu'il disposait de tous les pouvoirs. Sous des sourcils noirs parfilés de blanc, ses yeux d'un bleu si pâle qu'on eût pu les croire morts semblaient vouloir fasciner tous ceux sur lesquels ils se portaient l'espace d'un éclair. Et sa bouche goulue augmentait son sourire pour atteindre cette insolente fixité que Tristan lui connaissait depuis sa querelle avec Jean de Clermont, à Poitiers.

Sous sa chaucemante (1) de cariset (2) vermeil doublé de mouton, il était vêtu simplement, mais de velours ciselé, dit de Gênes, d'une couleur d'un vert profond, presque noir, aux reflets nacrés. Il portait, comme Archiac, des heuses de daim hautes et pour rien au monde, sans doute, il eût abandonné ses éperons d'or. Quelques cheveux gris sourdaient de son chaperon noir sans cornette. Ainsi, il semblait plus un juge, un bourgeois ou un marchand qu'un guerrier.

— Ah ! vous êtes là, vous...

Voix neutre, regard indifférent – du moins en surface –, sourire pincé.

— Il feint de ne pas connaître votre nom, dit Archiac.

— S'il savait que je m'en moque comme de mes premières braies... Il ne m'aime pas comme on n'aime pas les témoins à charge.

Fût-ce Audrehem qui donna le branle ? Traînant les pieds, les chevaliers avancèrent entre deux rangs de curieux et de curieuses dont il était évident que ces dernières souhaitaient un regard, un sourire, un salut, un baiser de la main. C'était un éblouissement de parures, les unes mouvantes, les autres immobiles ou presque, et l'on entendait tinter les épées et les éperons ainsi qu'un sourd murmure d'hommes s'interrogeant sur ce qu'il adviendrait d'eux-mêmes et de leur estomac. L'orgueil et la gourmandise étant des péchés capitaux, il eût fallu, devant le Pape, éviter l'ostentation et contenir l'envie de se mettre à table, mais comment fournir à un cortège d'outrecuidants une leçon de décence ? Tristan fut certain que quelques-uns s'enivreraient jusqu'aux vomissements. Il en avait été ainsi lors de l'instauration de l'Ordre de l'Étoile, et la plupart des prud'hommes

(1) Manteau – surtout de pluie – à capuchon.
(2) Grosse serge flamande.

120

admis à la table du roi en avaient robé les couverts d'or et d'argent.

Du roi, justement, il voyait la couronne sommant un galeron noir, et parfois, lorsqu'il fallait gravir un degré, la nuque aux cheveux longs, clairsemés, dont le roux, depuis Poitiers, était devenu grisâtre.

Le Pape, en robe et calotte blanches, apparut et s'inclina comme devant son maître. Le roi Jean ne remua que le cou. D'un geste, le Saint-Père introduisit ses invités dans une cour dont la porte principale s'était ouverte comme par miracle devant lui et son hôte solennel. La cohue soudain bruyante se contracta pour avancer dans une pièce où, tout occupé à jouer des coudes, Tristan ne fit qu'entrevoir des colonnes et des luminaires qui semblaient d'or.

— Je suis venu une fois, dit Archiac, soudain privé de son habituelle fierté. Je connais la tour de la Campagne, celle qu'on nomme Trouillas et la Saint-Laurent. Le défunt Clément VI m'a reçu dans la tour de la Garde-Robe. C'est beau !

— Quoi ?

— Les murs... Un fond d'arbres et devant des enfants qui jouent. L'on voit aussi des hommes occupés à pêcher, à chasser à l'appeau, au faucon ou à courre. Le cerf est poursuivi par une grande meute...

Si Archiac espérait une question sur l'événement qui l'avait conduit jusqu'au Pape, il devait être déçu. En fait, malgré cette compagnie inattendue, inacceptable en toute autre circonstance, Tristan se sentait seul. Il existait une sorte de vide entre lui et ses pairs. Des regards quelquefois effleuraient son visage ; regards de femmes laides pour la plupart. Était-ce Jeanne de Provence qu'il voyait de dos et qui marchait auprès du roi ? Combien de jours, de semaines devrait-il passer en Avignon ? Car impatient ou non de retrouver son trône, le roi Jean se devait d'attendre les rois de Chypre et de Danemark.

« Je dois revenir à Paris et de là cheminer jusqu'à Gratot. »

Mais avant, il devait rencontrer Aliénor. Savoir pourquoi elle avait poussé Oriabel au désespoir. Il devinait par quelle géhenne la blonde jouvencelle avait dû passer avant de mettre un terme à ses jours. Il avait froid. Bourdonnements. Toux. Éclats de voix. Déjà, sans que l'on eût pinté, des visages prenaient la teinte vineuse des briques dont le palais épiscopal se composait. Pour le moment, l'on se trouvait dans un tinel où çà et là brillaient les fers des armes d'hast des papalins, mais une porte s'ouvrit. Il y eut des chuchotements : on allait passer dans les appartements de Benoît XII (1).

Tristan pénétra dans une grand-salle de parement que semblait doubler un second tinel.

— La première, dit Archiac, est destinée aux gens qui demandent une audience, l'autre à la réception des visiteurs. De la chambre de

_____
(1) Mais le Pape « en exercice » était, comme il a été dit, Urbain V.

parement, on accède à celle du souverain pontife et à son étude, incluses l'une et l'autre dans ces deux tours qui, du dehors, semblent presque se jouxter. Mais voyez !

La foule s'écartait et des tables dressées se présentaient, disposées en fer à cheval, toutes revêtues de blanc et couvertes d'une vaisselle qui faisait s'exclamer certains chevaliers tout en exorbitant leurs yeux.

— L'or et l'argent, reprit Archiac. Si ce qu'on nous sert là-dedans n'est pas délicieux, eh bien, ce sera un crime !

Des huissiers distribuaient les places. L'intrusion de tous ces hommes d'armes leur donnait crainte et malaise. Ils les accueillaient avec des gestes prompts et ronds, des sourires figés comme ceux des statues placées entre des fenêtres : saint Michel et saint Georges. Mais pouvait-on se courroucer que le Patron des guerriers de France fût en compagnie de celui des Goddons, leurs visages inclinés l'un vers l'autre et leurs yeux vides comme énamourés ? Nul ne s'en souciait. On admirait les écuelles, les pichets scintillants, les barils rangés le long d'un mur, chacun reposant sur des tenailles de bois ; on regardait les fresques : toujours un pauvre cerf poursuivi par des chiens dans une forêt insondable. Le Pape s'était installé près du roi, à l'extrémité de la salle, derrière une table de part et d'autre de laquelle venaient buter les deux autres. Des bancs crissèrent. Des femmes prirent place et s'observèrent. Tristan s'assit. Archiac en fit autant à sa dextre. Un homme s'approcha :

— Permettez ?

— Volontiers.

Et quand le convive eut occupé le siège à senestre :

— Mon nom est Tristan de Castelreng.

— Guy d'Azai, sénéchal de Toulouse.

— Et moi Foulques d'Archiac.

On se sourit. En face, à l'autre table, il y avait Artois et Boucicaut apparemment gênés d'être côte à côte ou déçus d'avoir été placés loin du roi. Les bruits s'atténuaient. Des serviteurs en livrée passaient entre les tables et plaçaient, de loin en loin, des corbeilles de petits pains dans lesquelles, déjà, des voraces puisaient sans même que le roi eût fait un geste, sans même que leur écuelle fût emplie.

On servit un pâté. Archiac y goûta et fit une grimace :

— On dirait de la conclude (1).

Tristan sourit :

— C'est ce qu'il vous faut. Vous devriez en manger chaque jour pour être le meilleur devant Pommiers.

(1) Sorte de pâtée composée de moelle, de sucre et de cannelle qu'on donnait aux oiseaux de haut vol pour les exciter à la chasse.

— Point besoin de cela… En tout cas, je ne le vois pas parmi nous. Un allié des Goddons. Manquerait plus qu'il ait l'audace de nous offenser.

— N'est-ce pas Jean Maillart ? demanda Guy d'Azai en désignant, de la pointe de son couteau, un homme grand et maigre au nez de buse.

— Non sans doute, dit Archiac. Jamais le roi ne souffrirait sa présence.

— Et l'autre, le gros, pas très loin ? N'est-ce pas Pépin des Essarts ?

— Cela se pourrait, fit encore Archiac. Il peut avoir été admis parmi nous à cause de sa prouesse à Wesinsé (1).

— En tout cas, Fremin Andeluye, qui en était – le barbu à sa dextre – est parmi nous. Il m'est moins suspect que les deux autres.

Archiac approuva : il avait compris.

— Regardez, dit-il, cette belle créature qui s'est fait attendre et prend place auprès du roi.

Cette fois, le doute n'était plus permis. Tristan posa sa question tout en fournissant aussitôt la réponse :

— C'est Jeanne 1re, n'est-ce pas ? Reine de Naples et comtesse de Provence.

— En chair et en os, dit Archiac. La chair me suffirait tant elle me paraît tendre.

Jeanne était plus que belle : elle était admirable. Tristan retrouva d'emblée dans ses façons et son port altier cette hauteur qu'il lui avait connue lors de leur première rencontre et qu'elle avait perdue au cours de la seconde pour de chute en chute se vautrer, suppliante, à ses pieds. Déjà, elle conversait avec animation et sa bouche purpurine s'entrouvait comme pour boire les éloges que Jean II lui adressait. Son large décolleté rehaussé d'une vapeur d'yraigne découvrait cette

(1) La descente des Français à Winchelsea eut lieu le 14 mars 1360. La ville de Paris s'était engagée à fournir 2 000 deniers d'or pour cette expédition, à condition qu'un des navires de la flotte d'invasion fût monté par ses bourgeois et portât ses armoiries. Le chef de ce contingent parisien fut Pépin des Essarts qui, dit-on, dans la nuit du 31 juillet 1358, avait « *puissamment, avec Jean Maillart, contribué à renverser Étienne Marcel* ». Les bourgeois d'Amiens, et en particulier Fremin Andeluye, écuyer d'écurie du duc de Normandie, participèrent à cette descente qui fut inopportune. En effet, après la féroce tempête de grêle qui, à Chartres, le 13 avril 1360, avait accablé son armée, tuant des hommes et des chevaux, Edouard III, qui s'imaginait « *vaincu par le ciel* » avait décidé de mettre provisoirement un terme à la guerre.

Cette expédition en mer avait été décidée par le maladif dauphin au moment même où la France eût pu s'accorder un répit contre l'Angleterre pour combattre la gangrène des Navarrais et des routiers.

Quant à Jean Maillart et Pépin des Essarts, il en est longuement question dans le mémoire de M. Dacier, publia dans le volume 43 des registres des Inscriptions et Belles Lettres (1786) : *A qui doit-on attribuer la gloire de la révolution qui sauva Paris pendant la prison du roi Jean ?* Ce texte figure en annexe du tome I du présent cycle : *les Amants de Brignais*. Sa lecture permet de constater qu'il s'inscrit en faux contre les balivernes qui, depuis plus de cent ans, salissent les manuels scolaires et certains ouvrages dits « sérieux ».

gorge ferme, irréprochable, dont tant d'hommes, sans doute, connaissaient les contours et la tiédeur. Sa robe d'hyacinthe, lourde, ceinte d'une tresse d'or, luisait de quelques rangs de joyaux et perlettes qui s'embrasaient lorsqu'un geste, un mouvement les exposait au soleil.

— Belle est un pâle mot concernant cette dame.

Tristan ne put qu'approuver Guy d'Azai. Éblouissante par elle-même et par ses vêtements, Jeanne de Naples incarnait la majesté triomphale dans la plénitude de sa beauté : une reine dont les sujets avaient plus à craindre qu'à espérer – tout comme ses maris. Il l'avait vue s'offrir, se donner, se reprendre avec une lascivité que, parfois, il avait trouvée insincère. Si elle n'était Messaline, elle était Poppée par les soins accordés à sa toilette, et si elle n'était pas suivie, ce jour d'hui, par cinq cents ânesses, il y avait bien, sur le moment, séduits par sa précieuse personne, un cent d'ânes dont les yeux se repaissaient de ses formes.

— On prétend, dit Archiac, qu'elle fait occire ses maris lorsqu'elle est sevrée de leurs attentions.

« Cet attentat contre moi, c'était elle l'instigatrice. »

Et Tristan, morose, se demanda s'il y aurait récidive.

— Holà ! s'ébahit Archiac, elle vous touille l'esprit, dirait-on.

— Non, dit Tristan. Je la verrais davantage occupée de fanfeluces que d'un royaume.

— Qu'une reine gouverne, dit Guy d'Azai, je le conçois d'autant plus qu'elle s'adjoint toujours des conseillers dont, finalement, elle accepte et prend toutes les suggestions à son compte. Mais les autres femelles...

Le sénéchal de Toulouse remua ses mains et reprit, sentencieux :

— Si un jour les bourgeoises et les femmes du commun sont admises à se mêler de politique, ce sera la fin de la France. Une bonne et belle tête de suzerain – fût-il le pire de tous : le plus retors, le plus hypocrite, le plus pourri, bref, le plus désastreux – suffira pour les séduire et les opposer aux hommes de bonne volonté. C'est cela, ou plutôt ce sera cela, une France tombée en quenouille... Oh ! mais, compère, il me semble qu'elle vous observe !

C'était vrai. Cependant, la belle Jeanne était trop éloignée pour que Tristan pût saisir la signification de son regard.

— Défiez-vous de la belle, insista Guy d'Azai. Il n'y a point de tour de Nesle en Avignon, point davantage à Villeneuve, mais un fleuve coule à proximité... On dit cette dame coutumière de l'abandon noxal (1)...

— Je m'en méfierai. D'ailleurs, elle ne m'attire point.

(1) Droit romain. Se dit d'un abandon qui a causé un dommage.

Tristan revint au repas. On venait de déposer dans son écuelle une tranche de poisson à demi couverte d'une jance (1) blanche dans laquelle quelques clous de girofle lui firent l'effet de gros insectes morts lors de la cuisson. Il les repoussa de son couteau tandis qu'Archiac trempait son pain dans la sauce et la trouvait succulente bien qu'il manquât, selon lui, des amandes.

— On va s'en mettre plein le coffre, dit-il.

— Le roi, dit Guy d'Azai, va séjourner ici le temps d'emplir le sien. Je me suis laissé dire que Pierre de Lusignan...

— Le roi de Chypre et de Jérusalem ? interrompit Archiac.

— Lui-même... Eh bien, je me suis laissé dire qu'il allait venir en Avignon. Et ce n'est pas tout : Waldemar III, le roi du Danemark, viendra aussi.

— Pourquoi ? demanda Tristan.

Guy d'Azai se rengorgea, vida son hanap, l'offrit à un échanson qui passait et le lampa encore. Puis, regardant ses compères :

— La Croisière (2)... Pour se débarrasser des routiers, quoi de mieux que de les envoyer outre-mer pour y meurtrir les infidèles et reconquérir la Terre Sainte ? Pierre de Lusignan a reconquis avec ses chevaliers la cité de Satalie (3). Nul doute que si nous nous y mettons tous, la Terre Sainte nous appartiendra, cette fois définitivement.

Tristan hocha la tête, aussi peu enclin à participer à ce grand dessein qu'Archiac.

— Cela fut le rêve de Philippe le Sixième. Il fit construire une flotte nombreuse puis renonça. Cette flotte, les Anglais l'envoyèrent par le fond à l'Écluse. Jamais, depuis, la mer fut nôtre. Et voici que le roi Jean va se prendre pour Godefroy de Bouillon !

— Il serait temps, dit Tristan, qu'il remporte une victoire.

— Hé ! Hé ! fit Archiac, pourquoi ne conquerrait-il pas sa voisine ? Voyez-le se paonner (4) et faire le joli cœur ! Il en ignore le Pape !

Jean II n'était qu'attentions et paroles. Cependant, s'il déployait, auprès de Jeanne de Naples, des trésors de séduction, il apparaissait qu'il l'agaçait et parfois même, la courrouçait. Elle le regardait juste ce qu'il fallait pour ne point se montrer discourtoise et devait réprimer des soupirs de mésaise, voire des bâillements. Mais le roi de France ne voyait rien, trop occupé à séduire. Certes, il ignorait que cette femme n'était sensible qu'à la fermeté. Ses façons de béjaune allaient à l'inverse de ce qu'elle attendait d'un homme et surtout d'un roi. « Le dauphin Charles n'a rien à craindre », songea Tristan. « Il ne la subjuguera point. » Et à haute voix, sur un ton de confidence :

(1) Sauce épicée composée d'amandes, de gingembre, de vin (blanc ou rouge) ou de verjus.
(2) Croisade.
(3) Cette place avait été prise le 1er juillet 1361.
(4) Faire la roue.

— On n'épouse pas un roi qui doit repartir pour l'Angleterre purger son otagerie, et qui devra y demeurer jusqu'à ce que son énorme rançon soit acquittée.

— Ce beau mariage et la dot qu'il en retirerait lui permettraient d'écourter son supplice.

— *Supplice*, dites-vous, Archiac. Vous savez, tout comme moi, qu'il n'existe aucune captivité plus dorée que la sienne... Et je vous le demande : pourquoi essaierait-il d'y échapper pour aller se sécher la chair et peut-être quérir la mort en Terre Sainte ?

Archiac eut un geste évasif si éloquent toutefois que son couteau faillit atteindre Tristan au visage.

— Le suivriez-vous, Castelreng, s'il vous en priait ? Vous établiriez-vous en ce pays de soleil et de sable ?

— Il faudrait que j'en reçoive commandement... Et je ne puis vous dire si j'obéirais.

— Même loin, très loin, le droit d'épavité laverait votre conscience de toutes les inquiétudes qui pourraient l'assombrir (1).

Guy d'Azai souriait sans savoir que sa flèche était émoussée.

— Je me soucie peu de mon héritage, messire. Ce que je me dis, c'est que nous avons déjà tant à faire avec les Anglais que ce serait une folie de traverser la mer sans nécessité impérieuse.

— Le royaume du Christ... commença Archiac.

— Nous pourrions essayer de le conquérir *après* avoir vaincu les Anglais. Après avoir délivré notre royaume des meutes qui se le disputent.

La conversation prenait une aigreur que Tristan réprouva. Guy d'Azai, qui semblait un homme d'une sérénité sans faille, tourna son visage vers les convives, côté Pape, et demanda :

— Et lui ? Pensez-vous qu'il serait des nôtres pour guerroyer en Palestine ?

Il désignait Audrehem tout occupé par son écuellée de poisson dont il extrayait du bout des ongles les arêtes pour les jeter sous la table.

— Je ne crois pas qu'il viendrait avec nous, dit Tristan. Comme à Poitiers, il ferait en sorte de nous laisser aller de l'avant. Il arriverait au port après le départ des nefs.

— Poitiers, dites-vous, fit Archiac. S'il n'y avait que Poitiers !... Il fut en retard aux sièges de Newcastle et de Durham (2), mais fut un des premiers à fuir quand Edouard III montra sa hure. Il fut aussi de ceux qui assiégèrent le château de Wark, parce que sa défense était assurée par une femme : la comtesse de Salisbury. A Ploërmel, l'année suivante, il recule. A Aiguillon, il se musse. A Taillebourg, il

(1) *Épavité* : n. f. (de épave). Droit qu'avaient les nobles français, hors du royaume, de succéder à leurs parents décédés en France, en tous leurs biens.
(2) Campagne d'Écosse de mai 1341.

se fait capturer. Le roi Jean qui l'aime bien – peut-être un peu trop – donne dix mille écus d'or pour sa rançon. Libre, il épouse Jeanne de Hamelincourt, qui est laide et a déjà servi, mais qui est riche (1). A Saint-Omer, il arrive à la fin du combat (2) et le roi le fait...

— ... maréchal de France, dit Tristan.

Il n'était point amer. Il s'étonnait à peine qu'Archiac connût aussi bien cet homme.

— Mais à quoi bon poursuivre, dit le hutin qui n'avait certes pas abandonné son dessein de reprendre Alcazar. J'ajoute cependant qu'il a fait dépiauter aux tenailles rougies Aimery de Pavie pour une affaire qui ne le concernait en rien et qu'après ce haut fait, le roi le nomma son lieutenant en Poitou, Saintonge, Limousin, Angoumois. Qu'il a fait pendre cent bourgeois de la cité d'Arras parce qu'ils réclamaient de la justice et du pain et qu'il en fit décoller une douzaine pris n'importe comment sur le marché. Pour cet acte de courage, le roi...

— ... lui octroya une rente à vie de mille livres tournois transmissible à ses hoirs (3). Cette bienveillance en or, continua Guy d'Azai, a fait dire que le roi n'avait plus un poil de sec dès qu'il voyait apparaître cette jolie barbe.

Tristan, un moment, épia ce barbu aux cheveux en friche qui, plutôt que de s'intéresser à la belle Jeanne, jetait sur son souverain des regards sans doute éloquents pour Archiac et Azai. Sur la cotte de lin gris du maréchal de France, des armes s'étalaient, aussi grandes que possible : *bandé d'argent et d'azur de six pièces à la bordure de gueules*. Il fallait bien que la poitrine du personnage fût teintée de vermillon.

Guy d'Azai toucha Tristan de son coude :

— Les routiers qui sont à l'entour de nous ont, paraît-il, menacé de rompre le traité de Clermont. Savez-vous ce qu'a fait Audrehem ? Il a puisé dans les fonds destinés à la rançon du roi. Pierre Scatisse (4) est allé leur porter ces subsides à Pamiers.

— Combien ? demanda Archiac.

— Cent mille florins... Aussitôt, le Trastamare a pleuré misère. Il en veut autant pour entreprendre, en Castille, une guerre contre don Pèdre. Or, les routiers qui, dans cette intention, étaient passés en Espagne, sont de retour... On prétend qu'ils cernent de loin Avignon.

— Ils ne devaient revenir, dit Archiac, que si la guerre éclatait entre les comtes de Foix et d'Armagnac... qui sont en paix pour le moment.

(1) Jeanne était fille de Garnier de Hamelincourt, veuve de Jean de Walincourt. Elle n'eut, paraît-il, pas d'enfant d'Audrehem, mais Haudiquier de Blancourt, dans son *Nobiliaire de Picardie* (qui lui valut les galères) prétend qu'Arnoul eut une fille, Yolande, qui épousa, en 1357, Jean Gouffier, grand maréchal et premier écuyer de l'écurie du roi.
(2) Ce fut sa spécialité avec l'escroquerie.
(3) Héritiers.
(4) Le Trésorier de France.

— Certes... Et ces Espagnols qui sont de retour en France demandent le prix d'un nouveau départ pour l'Espagne.

— Nous vivons dans un royaume malade où l'on exalte un seul remède : l'argent que l'on disperse au tout-venant. Or, plus on en fournit, plus on aiguise les appétits... Malheur aux gouvernements faibles qui croient aux seuls pouvoirs de la jactance et de l'argent : ils sécrètent un venin qui finira par les empoisonner mortellement.

Guy d'Azai approuva Tristan.

— Si vous voulez connaître mon opinion, dit-il.

Il ne put achever : le roi Jean se levait, essuyait ses lèvres d'un revers de manche et, considérant l'assemblée où cinq ou six dames semblaient s'être égarées, puis le Pape et les nombreux évêques en direction desquels il s'inclina, il éleva ses mains tout autant que sa voix :

— Très Saint-Père, excellentissimes membres du Saint Collège, gentes dames et seigneurs, je tiens, avant qu'un nouveau mets ne comble mon écuelle et mon appétit...

Le roi eut un soupçon de rire, se tourna vers la belle Jeanne pour qu'elle cautionnât ses dires, ce qu'elle fit négligemment.

— ... Je tiens, dis-je, à regrâcier notre nouveau Pape pour l'accueil qu'il nous a réservé, les grosses pourvéances et hôtels appareillés pour nous, tant en sa bonne cité d'Avignon qu'à Villeneuve...

Le roi vida le contenu de son hanap d'or et reprit en s'essuyant les lèvres, cette fois d'une paume puis de l'autre :

— Vous le savez tous sûrement : le roi du Danemark doit nous rejoindre au mois de février prochain (1) et le roi de Chypre en mars. Nous allons décider du meilleur moyen de reconquérir la Terre Sainte !

Il y eut un silence fait de ferveur mais, surtout, d'incrédulité. Tristan vit des bouches sourire, d'autres, plus nombreuses, se pincer. Si un accord pouvait intervenir entre les souverains et le Saint-Père, il était loin de se réaliser présentement parmi ceux qui seraient invités à occire des Mahoms.

— J'irai en Terre Sainte !

Le roi oubliait les réalités de sa condition : il était un captif libéré sur parole.

— J'irai en Terre Sainte et si je peux vivre seulement trois ans, je ferai en sorte qu'elle redevienne chrétienne.

Cet homme défait dans toutes ses batailles se reprenait à rêver d'un avenir grandiose, oubliant, sciemment ou non, que les Mores étaient plus nombreux que les Goddons qui toujours l'avaient vaincu sans employer, pour cela, des multitudes puissamment armées.

— Il nous faudra refouler les Sarrazins ! Il nous faudra repousser les Juifs !... Avec l'aide de Dieu et nos armes, ce sera chose vivement

(1) Waldemar III de Danemark entra dans Avignon le 26 février 1363. Il était le père de Marguerite qui réunit, plus tard, les couronnes de Suède, Danemark et Norvège et fut appelée la Sémiramis du Nord. Pierre de Lusignan, roi de Chypre et de Jérusalem, arriva, lui, le mercredi 29 mars.

accomplie. J'irai avec vous, messires, pour deux raisons. La première est que mon père, Philippe VI, l'a jadis voué et promis. La seconde, pour tirer du royaume toutes manières de gens d'armes nommées Compagnies.

Ainsi, la Sainte Croisade serait faite, comme les précédentes, moins pour la gloire de la Chrétienté que pour l'assainissement du royaume. On irait jeter la terreur outre-mer pour ne plus la connaître dans ce qui subsistait de la France. De malsaines pensées souilleraient la piété. De nombreux malandrins avaient composé les armées des précédentes croisades. Leurs capitaines s'étaient érigés en suzerains, puis en satrapes. Les dissentiments et les rancunes les avaient opposés. Le beau royaume de Jérusalem avait fait les frais de discordes innombrables. Et l'on voulait recommencer selon les mêmes principes, avec des hommes semblables. Des yeux brillaient déjà sans que le bon vin en fût cause. Ces yeux-là semblaient caresser des butins extraordinaires. Ce ne serait pas Dieu qui veillerait sur ces hommes d'armes et leurs conduiseurs couronnés d'or et non d'épines, mais Satan, Bélial, Belzébuth !

— Cet homme vêtu de pourpre qui semble prêt à battre des mains, qui est-ce ? demanda un échanson en remplissant le gobelet de Tristan.

— Monseigneur Talleyrand, cardinal du Périgord.

— Il semble se pourlécher à la seule idée de cette croisade.

— Les prélats sont toujours en deçà des armées…

Jean d'Artois, Audrehem, Tancarville, Boucicaut et, dans un angle, le Grand Prieur de France, acquiesçaient à petits coups de tête et se voyaient déjà couverts de la cotte d'armes blanche à croix vermeille. Tous s'imaginaient aussi – quand et où, ils ne le savaient – dans quelque grandiose chapelle, baisant la Sainte Croix que leur tendrait Urbain V. On prêcherait partout la croisade, affirmait Jean le Bon ; on ferait confectionner sur les mailles, des safres à croix rouge ; on chanterait les vieux chants de Quesne de Béthune et de Caron des Croisilles. Une fièvre homilétique s'emparerait de tous les prêtres. Peut-être enverrait-on quelque ambassaderie en Angleterre afin qu'une vaste trêve s'instaurât et qu'à défaut d'amitié, une solide accointance réunit les anciens ennemis dans la haine du Mahomet et le mépris du Juif (1).

(1) Une sorte de folie s'empara des esprits. Pâques tomba le 2 avril 1363. Jean II commanda, dès le vendredi saint, de faire prêcher la Croisade. Il quitta Avignon le 19 mai pour Montpellier, tandis que le roi de Chypre décidait de rallier, pour cette guerre sainte, les seigneurs de l'Empire, du Brabant, de Flandre, de Hainaut et… de France. Il partit pour les Allemagnes. Ensuite, à Prague, il discuta sur ce sujet avec Charles IV, fils du roi de Bohême, qui, à Crécy, s'était distingué en prenant la fuite alors que son père, l'Aveugle, cherchait la mort. Pierre de Lusignan se rendit alors en Brabant, à Bruxelles, à Bruges, y suscitant maints festins et fêtes sans provoquer d'engouement pour l'aventure en Terre Sainte : l'on était repu de guerres mais l'on avait bon estomac.

Urbain V avait donné la Croix à Jean II et au roi de Chypre. Il avait ordonné le cardinal du Périgord comme Légat pour le passage de la Mer.

Il ne semble pas qu'Edouard III eût été gagné par cette psychose de la guerre sainte. A ce roi réaliste, deux guerres suffisaient : celle qu'il menait sur son île contre les Ecossais ; celle qu'il gagnait, à plates coutures, contre les Français, sur le vieux continent.

— Si le roi, avec la permission d'Edouard, part en Terre Sainte, il sera marri de quitter Jeanne.

— Jamais elle ne sera sa femme, Castelreng, dit Guy d'Azai. Je sais de bonne source qu'elle se fait foutre par le roi de Majorque.

— Alors, dit Archiac, notre Jean perd son temps. Il rêve de l'enconner mais je me demande s'il y parviendrait. Au lit, on la dit pleine de malices. Qu'en penses-tu, Castelreng ?

Tristan surmonta sa gêne. Au lit, elle ne différait point d'une autre. C'était lorsqu'elle était rassasiée qu'elle se montrait dissemblable. Il regarda les convives. Leurs pourpoints et flotternels, les uns de coupe simple, les autres assortis d'ailes de houce (1), de galons et de ganses étincelaient d'autant plus que çà et là, quelque bure en contrariait l'ordonnance. D'où provenaient ces joyaux ? Qui les avait portés *avant* ? Pouvait-on reprocher à ces hommes de les exposer sans vergogne alors que les évêques et les cardinaux en arboraient aussi ? Sous leurs dalmatiques, tuniques, camails rouges ou violets parfilés d'or et d'argent, ils avaient l'air de grands seigneurs. Leur anneau et leur croix pectorale alourdie de pierreries démentaient leurs façons benoîtes. Et de plus, ils buvaient dru et s'empiffraient. Aucun danger que ces pieuses personnes fussent comme Origène des eunuques volontaires.

— ... et certes, messeigneurs, l'attente de ces deux suzerains va nous paraître longue, continuait Jean le Bon dont la voix, maintenant, semblait moins ferme, quoique râpeuse, mais nous sommes patients.

Il l'était sans doute. Il regardait au-dessus des chaperons, cheveux, barrettes et tonsures comme s'il craignait de découvrir, en dessous, sur les visages inanimés, les signes d'une lassitude en germe. Mais il lantiponnait toujours (2). Au reste, les hommes d'armes accoutumés aux vacarmes, violences et querelles des grands festins commençaient à s'ennuyer de trop surveiller leurs propos et leurs gestes. Le voisinage du Pape plus encore que celui du roi mettait leurs instincts en chômage. Aucune dissension n'était permise avec quelque voisin ou vis-à-vis détesté. On leur mesurait la boisson et l'on avait su disposer çà et là quelque moine d'apparence ascétique pour leur rappeler que la colère, la voracité, l'envie et l'orgueil constituaient quatre péchés capitaux. Ils regrettaient de ne pouvoir s'interpeller en termes crus ; de ne pouvoir lancer aux femmes, sauf peut-être à la belle Jeanne, quelques lobes ou parçons d'une hardiesse immodérée (3) et, surtout, de ne pas s'abreuver à leur aise. Et Jean II pérorait toujours, la tête penchée soit vers la reine de Naples, soit vers son propre ventre en partie couvert par son pourpoint d'azur aux lis

(1) Bandes d'étoffes flottant après le vêtement.
(2) *Lantiponner* : tenir des discours vagues.
(3) *Lobes* : moqueries. *Parçon* : proposition.

brodés de fils d'argent. Sous le chaume clairsemé de sa chevelure, son front court, capiteux (1) ne cessait de se bosseler de rides, et parfois ses yeux froids, demi-morts, regardaient le Saint-Père cependant qu'un tic parcourait ses joues creuses, et jusqu'à son menton dont la barbiche pendouillait telle une poignée d'herbes sèches. Comme, lui prenant la main, Jeanne l'obligeait à l'écouter, il prêta l'oreille au murmure d'une requête, et acquiesça plusieurs fois :

— J'y viens, m'amie. J'y viens. Or, laissez-moi poursuivre.

Tristan reçut alors, jusqu'au fond des yeux, l'éclat du regard que la souveraine de Naples dirigeait sur sa personne. Avait-il été question de lui ? Pourquoi ? Non, il se méprenait : il était insuffisamment important pour continuer d'intéresser la belle.

— … et en cette occurrence, nous traiterions, messires, avec les Compagnies. Sa Sainteté leur donnera l'absolution.

Urbain V parut surpris d'une telle certitude en forme d'ultimatum. Nonobstant son autorité en toute chose et son droit de réfutation immédiat et sans appel, il se tourna vers ses assesseurs du Sacré Collège et parut indigné de voir la plupart d'entre eux en accord avec les propos du roi.

— Ainsi, dit Tristan entre ses dents, ces enfants de Bélial se sentiront pousser de célestes ailes !… Que d'archanges, en vérité ! Messire Saint Michel sera content !

— Hélas ! fit Archiac.

— … et si nous ne franchissions pas la mer, notre allié, Enrique de Trastamare, verrait ces hordes malfaisantes renforcer ses armées !

Cette fois, le Pape approuva. Il les abominait, ces Compagnies, et ne tenait point à être rançonné comme son estimé prédécesseur. S'il aimait la vertu avec passion, il ne craignait point, en cette occurrence, qu'elle ne se corrompît dans une guerre absurde, auprès de crapuleux inguérissables. Puis il retomba dans sa méditation, triturant parfois une boulette de pain ou touchotant le pied de son hanap serti de gemmes sur lesquelles louchaient Audrehem et Artois.

— Entreprendre une guerre avec ces armées affreuses, c'est jouer gagnant sans doute pour la Castille, mais perdant devant Dieu.

— Si Don Pèdre est un malandrin, le Trastamare est un truand.

Archiac approuva Guy d'Azai tandis que Tristan, muet, voyait la belle Jeanne tirer le roi par sa manche et réitérer sa prière.

— Oui, m'amie, dit Jean II.

Et s'adressant particulièrement aux guerriers :

— Nous vaincrons !

Qui ? Les infidèles ou les Castillans favorables à Pedro de Castille ? Un convive allait-il poser cette question ? Non. D'ailleurs le roi, lancé

(1) Têtu, obstiné.

dans ses rêves chevaleresques, continuait sa verbigération sans comprendre qu'il n'intéressait plus personne. Il aurait dû savoir que sa grandeur était chétive, son crédit détérioré, ses armées amenuisées peu enclines à la bataille ; que lui-même n'était plus qu'un prisonnier en sursis et que si Edouard III s'alliait à Don Pèdre, – ce qui était prévisible –, il aurait affaire à un homme qui le dominait en tout : intelligence, astuce, sagacité, guerriers et armement. Mais sans doute parce que Jeanne le subjuguait, il affectait d'être fort et déterminé.

Tristan étouffait des bâillements.

La mine chafouine, impudente du roi, devint soudain d'une jovialité qui parut à certains de mauvais augure.

— En attendant les rois de Chypre et de Danemark, il nous faudra, messires, passer le temps. Un homme, un chevalier qui fut avec les Goddons à Poitiers, Aymemon de Pommiers, a cherché querelle à Fouquant d'Archiac présent à ce régal... Levez-vous, Archiac !

Le voisin de Tristan obéit et se tourna vers le Pape, qu'il salua cérémonieusement du chef. Des applaudissements crépitèrent auxquels le grand hutin fut sensible et répondit en levant les bras.

— Je vaincrai ! Je déracinerai ce Pommiers, dit-il d'une voix blanche que Tristan ne lui connaissait pas et dont l'outrecuidance lui parut surfaite.

Il y eut des rires, les uns pleins d'admiration, les autres malicieux. Le roi Jean se mit à marteler la table dont il fit tressauter les gobelets et les écuelles sous des poings qu'il avait énormes, car pleins de mauvaise graisse, et les poils fauves, touffus, qui les envahissaient sur le dessus leur donnaient l'aspect de deux petits hérissons. Alors, s'interrompant et courbé vers la reine de Naples :

— Notre belle Jeanne s'est plainte de l'un de vous.

Tous les convives s'entre-regardèrent ; certains mangeurs se désignèrent de leur paume sur le cœur cependant que leur tête à la bouche immobile et close oscillait dans un mouvement de dénégation.

— Il lui a manqué de respect.

Il y eut des murmures indignés et des « *Hou !* » dont l'hypocrisie ne contamina ni Archiac ni Azai, mais les fit s'ébaudir, au contraire.

— Vous, Castelreng !

Tristan sentit l'index du roi lui brûler la poitrine, comme s'il en était atteint.

— Moi ?

— Vous ! s'écria Jeanne. Oseriez-vous le nier, messire, ou l'aviez-vous oublié comme une chose mineure ?

C'était elle à présent qui frappait sur la table. Ses yeux brûlaient des feux d'une fièvre insensée tandis que du doigt, elle aussi, elle désignait cette poitrine contre laquelle elle s'était frottée sans crainte d'y malmener ses seins.

— Il m'eût violée s'il l'avait pu !

Devant le roi, le Pape, les évêques et la Chevalerie ; devant les gentilfames qui, soudain, prenaient des mines de vierges à demi offusquées sous les voiles de leurs coiffes, c'était trop. Il fallait rire !

Ce que fit Tristan, le cœur meurtri de haine et d'angoisse tandis que la réprobation contre lui s'exprimait par une nuée de mots plus abjects les uns que les autres. Pour quel homme passait-il soudain ? Et devant le Saint-Père auquel il devait demander une audience afin que son mariage avec Mathilde de Montaigny fût annulé.

La belle Jeanne avait un visage d'albâtre. Détestable femelle ! Qu'allait-elle inventer maintenant pour le préjudicier plus encore ?

— Dame, dit-il lentement, ce que vous prétendez est une improbité. Je n'ai rien à me reprocher, j'en fais serment devant Dieu et Son Ministre ici présent. Je n'ai rien commis qui…

— Et il a, tonna Jeanne, l'audace de nier !

Le roi Jean souriait : il aimait les tençons (1). Il en tenait le goût de ses parents que de fréquents pancraces opposaient et qui n'attendaient point, parfois, d'être seuls pour se porter des coups et des jouées (2). La grosse main royale s'abattit sur celle de la belle Jeanne, qu'elle ne put tapoter longtemps car la malfaitrice la retirait, ce contact lui étant tout aussi odieux qu'un attouchement obscène.

— Archiac et Pommiers seront opposés devant nous tous le mardi 6 décembre. Leur riote (3) accomplie, ou bien ils se réconcilieront ou bien l'un d'eux sera mis en terre… Il en ira de même, ensuite, entre Tristan de Castelreng et le champion de la reine de Naples : joute – une seule course – et les lances brisées, l'on saisira l'épée pour combattre à outrance.

— Soit, dit Tristan posément en trouvant sous son regard celui du Pape. Je m'en remets au jugement de Dieu.

Un clerc se leva : jeune, maigre, blanc comme une aile de poulet et, s'adressant au roi de France :

— Avignon, sire, est une cité paisible. Et Villeneuve, sa voisine, également. Vous allez faire de Dieu le spectateur de ces deux querelles dont il se serait passé, j'en ai la conviction !… Oyez donc Sa Parole qui vous enjoint de vous aimer les uns les autres ! Cessez les calomnies ! Cessez de vous haïr ! Abandonnez ces préparatifs guerriers…

Tristan vit le Pape approuver sans toutefois dire un mot dans le sens souhaité par le moine.

(1) Querelles.
(2) Gifles.
(3) Querelle.

133

— Car la Parole du Tout-Puissant, dois-je vous la rappeler, sire ? Dois-je vous l'enseigner, Jeanne ?

Il y eut des mouvements, du bruit, une espèce de réprobation contre cet homme en froc de bure qui perturbait un émoi légitime.

— *... celui qui affirme se trompe. Celui qui nie se trompe. Dieu a livré le monde à leurs disputes, et Lui, il demeure caché jusqu'à la disparition de ces artisans du mensonge...*

— Je n'ai pas menti ! se courrouça Jeanne.

— Je n'ai pas menti, affirma Tristan.

Les convives opinaient en faveur de l'un ou de l'autre, et le Pape souriait, trouvant cet étalage insane et frivole à la fois.

— A outrance, murmura Archiac.

Il semblait tout à coup redouter de périr. Un échanson passa qui remplit les gobelets. Archiac vida le sien et s'enquit :

— Qu'en penses-tu, Castelreng ?

— L'outrance !... Jeanne la personnifie. Elle veut me faire payer un moment d'abandon que je ne lui ai pas demandé.

— Tu l'as foutie ?

Tristan n'osa baisser la tête, bien qu'accablé d'une sorte de remords pour une faiblesse après tout ordinaire.

— Hélas !

Une espèce d'émerveillement illumina les yeux d'Archiac :

— Je t'envie. C'est un morceau de roi.

— Bah !

Tristan ne se sentait l'envie ni de se livrer en quelques mots, ni de déprécier la belle Jeanne. Il la toisa, la dénuda du regard avec une insolence mesurée. Elle devint livide, saisit son couteau et il put évaluer, à sa grimace, combien cette fleur de chair dont il connaissait l'odeur et les contours était pernicieuse, vénéneuse : un chiendent qui se fût paré en rose de Saron.

— Je ne manquerai pas ces déduits (1) pour tout l'or du monde ! dit Audrehem.

Et chacun de ses voisins d'opiner, ce qui parut déplaire à Jean II : envieux de gloire et sevré d'humiliations, on lui préférait tout à coup deux convives tout aussi robustes l'un que l'autre, et qui avaient accueilli sans émoi apparent l'annonce de leurs estrifs (2).

— Nous saurons apprécier, messires, vos mérites. Et comme vos émules (3) ne sont point parmi nous, je puis me permettre de vous dire : gardez-vous de leur courage et de leur science. Pommiers est un homme rude. D'après ce que m'a confié la reine de Naples, Bridoul

(1) Jeux.
(2) Combats, luttes.
(3) *Rivaux* dans l'acception d'alors.

de Gozon, son champion, n'a jamais connu la défaite... Il a d'ailleurs de qui tenir : son oncle n'est autre que Dieudonné de Gozon qui à Rhodes, voici tout juste vingt ans, meurtrit de son épée le dernier monstre de la terre : une espèce de dragon, de guivre – que sais-je ! – qui eût sans doute effrayé saint Georges... Je regrette que messire Pétrarque ne soit point en Avignon : il eût écrit sur ces deux essoinnes (1) des lignes dont la postérité se serait réjouie !

Sans doute, cette dernière phrase lui avait-elle été conseillée par le cardinal du Périgord qui lui avait fait passer, au-dessus des écuelles, un carré de parchemin que Jean II avait lu en hâte, sans cesser de parler. Il y eut un silence. Il semblait que toutes les gorges se fussent serrées dans l'attente des combats.

— D'où a-t-elle tiré ce Bridoul ? demanda Archiac.

— De son lit peut-être, suggéra Guy d'Azai.

— Non, dit Tristan. Il serait mort. Cette Jeanne est pareille à Jeanne de Bourgogne. Sa tour de Nesle est là où elle couche. Je ne serais point surpris qu'on repêche, ces temps-ci, quelques corps dans le Rhône... s'ils n'ont point été lestés d'une grosse pierre.

Archiac et Guy d'Azai le regardèrent étrangement. Il crut comprendre qu'il les gênait, soudain, l'un et l'autre, tant par sa bonne fortune que par la haine qu'il avait provoquée chez la belle Jeanne.

Elle ne l'observait plus : elle le considérait en son for intérieur comme un homme déjà mort, dont le trépas ne susciterait aucune difficulté à son champion.

— Il me faut par-occire Pommiers, grommela Archiac.

— Je vais devoir pourfendre ce Bridoul, et si je déçois la dame en survivant à ce combat, je devrai quitter Avignon afin de me mettre hors d'atteinte de sa vindication (2) et de ses sicaires.

— Holà ! fit Archiac. N'en ajoutes-tu pas ?

— Ils ont failli m'occire une fois.

Archiac doutait-il de ce qu'il entendait ? D'un regard léger tout d'abord, il embrassa les convives réunis à l'entour du roi. Il semblait qu'il eût perdu tout intérêt à ce festin et que rien d'autre ne comptait pour lui que cette reine dont il eût voulu percer les secrets, même au risque de compromettre son existence. Dans la vaste salle où les fumets des aliments et les brumailles du feu de cheminée formaient une buée de plus en plus épaisse remuée par le continuel va-et-vient des serviteurs, des rires commençaient à s'élever, traversés parfois par les crécelles des femmes.

Tristan s'aperçut qu'il était épuisé. Il n'avait plus rien à dire et ne trouvait aucun sujet susceptible de faire diversion à sa rage. « La salaude ! J'aurais dû m'en défier ! » Le Pape qui restait obstinément

_____
(1) Affaires.
(2) Vengeance.

135

muet lui lançait parfois un regard dont il n'eût su dire s'il était lourd de dédain ou de compassion. Il semblait à coup sûr mécontent que l'on eût pris, sans requérir son avis, Villeneuve pour une lice dont deux hommes ne sortiraient point vivants. Le voisinage de tous ces guerriers attablés, avides de verser le sang et souhaitant le voir couler sur d'autres, fussent-ils leurs pairs, le courrouçait jusqu'à lui couper l'appétit.

— Oyez, Castelreng et Archiac, dit le roi. Le six décembre.

— Nous y serons, sire... Matin ou après-midi ?

— Dès l'heure de none. C'est la meilleure : le soleil y chauffe mieux.

— Je me réchaufferai, sire, auprès de feu Pommiers !

— Ah ! Ah ! dit Jean II. Elle est bien bonne. Et vous, Castelreng ?

— Avec l'aide de Dieu, je ferai pour le mieux.

Tristan s'était penché, usant d'une attitude et d'un ton dont l'insolence était comme un réconfort à sa destourbe (1). Il se sentait aussi pâle qu'un homme traduit en justice et dont l'innocence devient tout à coup un délit. Le silence revenait. Le roi souriait. Jeanne souriait. Le Pape, soudain, avait au bas du visage, une sorte de trait lumineux qui pouvait être un sourire. Audrehem buvait du petit lait.

— Vous n'avez pas l'air chaud, Castelreng, dit le roi.

A quoi bon répondre. La meilleure réponse, il faudrait la lui fournir le prochain mardi. Il vaincrait ce Gozon. En toute autre circonstance, jouter contre un homme puis l'affronter à l'épée, – fût-elle rebattue comme en tournoi –, lui eût semblé une corvée. Il en allait différemment en l'occurrence. Tout cela par et pour le caprice d'une femme à laquelle, au lit, il avait tiré des soupirs béats sans doute exagérés.

Un dégoût le prit à détailler son visage aux lèvres pâles, serrées. Sous l'effet de la colère, sans doute, son teint s'était comme desséché. Ce n'était plus qu'une beauté froide comme cette guivre à laquelle Jean II avait fait allusion lorsqu'il avait annoncé la parenté de ce Bridoul avec Dieudonné de Gozon.

Il se leva et sans exciper du moindre prétexte, il s'éloigna sans même avoir, d'un geste, salué Azai et Archiac. Il sentit cent regards ou plus sur sa personne tandis qu'il s'ouvrait une voie parmi les serviteurs. Il entendit quelques rires. Ils ne purent affecter la sérénité dans laquelle il se maintenait pourtant à grand-peine.

— Il me faudra occire *son* champion !

Depuis quand et de quels lieux Jeanne de Naples avait-elle tiré ce Bridoul ?

Sitôt dehors, après avoir respiré à grands coups, les incertitudes qu'il avait maîtrisées l'envahirent. Il reprit à pied le chemin de

(1) Trouble.

136

Villeneuve, heureux de sentir son épée tinter contre sa heuse. Les manants et les bourgeois profitaient du soleil pâle, et les femmes étaient jolies, mais il les voyait à peine.

* *
*

Assis sur la margelle du pont Saint-Bénézet, Paindorge lançait un par un dans le Rhône une poignée de cailloux rassemblés sur sa paume. Tristan se soulagea de lui raconter ce qu'il avait vu et ce qui s'était dit au cours du festin jusqu'au défi, par souverain et champion interposés, que lui avait lancé la belle Jeanne. L'écuyer se recueillit et jeta, non sans fureur, le reste des cailloux dans le fleuve :

— Je vous avais prévenu. Cette femme est maléficieuse. Vous n'aviez point besoin d'un tel embrènement (1).

— Je sais !

— Nous aurions dû partir. Passer par Castelreng et revenir à Paris. Vous auriez raconté n'importe quoi au dauphin. Il aurait été satisfait et nous aussi... Puis nous serions partis pour la Normandie où une fille belle et bonne vous espère !

— Tu as raison. Maintenant, je me dois d'estriver contre Gozon. Ma vie...

— Votre vie !... Il est bien temps de penser que vous l'avez compromise ensuite d'une coucherie dont vous êtes sorti déçu.

— C'est vrai... Nous allons aller piéter dans la campagne, voir un champ où nous pourrons nous exerciser.

— J'en suis d'accord. Monterez-vous Alcazar ?

Cette question dérangea Tristan. Pas plus qu'un autre cheval, il ne voulait exposer celui-ci : de mauvais contendants s'en prenaient volontairement aux coursiers, dans les joutes à outrance, afin de jeter leur adversaire à terre.

— Je n'aurai qu'une course à fournir.

— L'autre aussi. Et je crains...

Paindorge avait baissé la tête. Il la releva et Tristan sentit ses yeux noirs s'enfoncer profondément dans les siens.

— Je crains, messire, une chose insensée si ces deux combats sont brefs.

— Laquelle ?

— Que les deux vainqueurs soient opposés pour complaire à la belle gaupe.

C'était une anticipation fortement et peut-être follement aventurée. Mais ne suffisait-il pas que Jeanne exprimât cette idée pour que Jean II la trouvât excellente ?

(1) Emmerdement.

VII

— Excepté ceux qui sont présents pour besogner, il n'y a pas un oisif à l'entour du terrain. Ni un manant ni un soudoyer de garde. Personne...

— Tant mieux, Robert. Un seul homme... oui, le supplément d'un seul homme à ceux qui sont ici suffirait à me déforcir. Je sens mes nerfs près de se rompre.

Après avoir quitté leur logis, indifférents aux curieux éparpillés sur leur passage, Tristan et Paindorge, devançant Alcazar, étaient descendus à pas lents vers le fleuve. Dans un champ plat ceint de vignes dont les ceps alignaient jusqu'au faîte d'une colline leurs candélabres ténébreux, on avait dressé quatre trefs – un à chaque angle – et des manouvriers et des hommes d'armes s'employaient à clore de leur mieux cette lice improvisée.

— Des trosses (1), messire, au lieu d'une palissade en bois.

— Je ne m'en soucie point. Ce champ est long de soixante toises, large de cinquante. C'est bien. C'est même trop pour nous meshaigner à pied.

Face aux vignes, le long d'une haie qui occultait médiocrement les brillances du Rhône, on avait érigé, en planches et en dosses (2), un échafaud pouvant recevoir sur ses escaliers de bois quelque quarante personnes. Près du garde-corps, au milieu d'un rang de faudesteuils disparates, trois chaires à haut dossier tirées d'une église juraient avec la simplicité des sièges circonvoisins. Elles recevraient entre leurs accoudoirs Sa Sainteté le Pape, le roi Jean II et la comtesse de Provence.

— Je ne me suis point fourvoyé, dit Paindorge. Il fait beau.

La veille, en consultant le ciel, il avait prédit une journée de printemps. Sa prophétie s'accomplissait : un soleil blanc tiédissait les

(1) Bottes de foin.
(2) Planches de premier et de dernier sciage qui ont conservé leur écorce.

138

maisons, les jardins et les champs de Villeneuve ; le Rhône en crue teintait d'azur son flot grumeleux et gris.

Tristan exhala un soupir. « Suis-je las ? » Sitôt son réveil, à l'aube, il était resté au lit dans l'espoir de succomber à un second sommeil. Attente vaine mais agréable qu'il n'avait cessé de prolonger. Ses ablutions achevées, il s'était sustenté d'une tranche de bœuf et d'un quart de fromage assortis de trois gobelets de vin. Maintenant, et bien qu'il n'eût pas encore endossé son armure, il redoutait, une fois fervêtu, d'être pris d'une envie gênante, malaisée à satisfaire.

— La nuit m'a paru longue, dit Paindorge en pénétrant dans le champ.

— Et à moi ! Subirai-je le sort du bien-aimé d'Iseult ?

Il faisait jour encore lorsqu'il s'était couché, le dos contre le drap, les bras le long du corps, les jambes disjointes dans une attitude reposante. Comme souvent, sa songerie l'avait emporté vers Castelreng et ses campagnes. Jamais, depuis qu'il hantait cette chambre somptueuse, il n'avait aussi soigneusement examiné dans la rouge grisaille du crépuscule, les hautes solives ornées de grosses vignetures où les verts successivement glauques et légers des feuilles créaient comme un écho à l'argent et à l'or alternés des grappes parmi lesquelles, parfois, un oiseau papillonnait. Il lui avait parfois semblé que les lueurs de son armure, pourtant désassemblée, toute proche de la fenêtre, se mêlaient à celles des pampres. Dans la rue, de loin en loin, les crépitements ferrés des chevaux, les tintements des pas d'hommes et les cliquettes des talons féminins composaient une musique légère que des rires assaisonnaient. Il s'était finalement agacé de l'influence que prenaient sur son esprit ces détails destinés, semblait-il, à lui rendre plus indispensable encore, au-delà de sa solitude, le silence apaisant des soirs de son pays. Une nostalgie l'avait saisi à la gorge, soudain enténébrée par l'incursion douloureuse de la blonde et ardente Oriabel. Son esprit inquiet s'était refusé à dévider de douces remembrances pour éluder les lugubres impressions qu'il égrenait parfois, comme un chapelet maudit, depuis que Tiercelet l'avait informé du trépas de la jouvencelle. Cependant, comme lorsqu'il la croyait vivante, les images ressuscitées par sa mémoire, intactes, avaient provoqué dans son corps la mélancolie des étreintes perdues et dans sa tête, les ruines et les fumées des grands desseins conçus ensemble dans leur geôle de Brignais.

Il avait hésité à fixer son choix sur le cheval qu'il monterait à la joute. Si Malaquin avait l'avantage d'être plus gros et plus solide qu'Alcazar, il galopait moins vélocement. C'était pourquoi il avait préféré le blanc coursier au roncin noir. Ne devant fournir qu'une lance, mieux valait qu'il sacrifiât la vigueur à la célérité. Plus il courrait promptement, moins Gozon ne pourrait atteindre aisément l'abîme de son écu. Paindorge avait trouvé cette idée pertinente.

Outre ses lormeries et les housseries non blasonnées prêtées par Boucicaut, Alcazar portait le harnois de Tristan ployé sur sa selle. Dans le bissac dont Paindorge se déchargeait, il y avait du pain, de l'eau, du vin, quelques grosses poignées de charpies et des bandes. L'écuyer posa tout près, sur l'herbe rase, le moreau (1) contenant un picotin de cévade (2) qu'il attacha sous la bouche du cheval après l'avoir débarrassé de sa muserolle et de son mors.

— Il faudra le faire boire.

— Oui, messire… J'aperçois un cuvier dans la vigne. Ne vous mettez pas martel en tête : je trouverai un seau et de l'eau… Et voyez, du côté de l'entrée du champ, il y a tout un râtelier de lances.

— Une seule, pour moi, suffira… Mais vois, Artois s'approche. On dirait qu'il jubile !

Le comte d'Eu allait à pas lents, son visage fade épicé d'un sourire que Tristan jugea trop aimable pour être sincère. Un grand paletoc de peaux d'ours l'enveloppait jusqu'aux jarrets. Son chaperon noir doublé de mouton lui tombait aux sourcils, plus roux que ses cheveux pour une fois invisibles.

— Holà, Castelreng. Ce tref mi-parti de blanc et de noir en bordure de cette vigne… Il vous est destiné. Est-il à votre goût ?

— Fort bien. Les autres sont bleu, blanc, rouge. Je n'aime point ces couleurs.

— Vous êtes le premier. Avez-vous hâte…

— D'affronter ce Gozon ?… Non, messire. Mais j'aime à m'adouber lentement.

Artois se détourna et son sourire s'agrandit :

— Voyez sur le pont !… Les voilà tous. Le Saint-Père sur sa chaise gestatoire portée par une dizaine de papalins ; le roi à cheval, et Jeanne sur une haquenée sambuée et houssée bellement… de soie blanche… Si Jean II porte sur son chaperon sa couronne – je viens de la voir briller, pas vous ? – Jeanne est coiffée d'un touret (3) et enfermée dans un manteau qui m'a l'air d'avoir été taillé dans de la sanguine (4)… Est-il vrai que vous avez voulu la foutre ?

— On dirait que tout Avignon les suit.

Trouvant la question de Jean d'Artois malséante, Paindorge intervenait sans souci de déplaire. N'ayant cure du regard que le protégé de Jean II lui lançait, il reporta son attention sur le pont Saint-Bénézet.

(1) Sorte de sac ou de cabas qu'on fixait sous la bouche du cheval.
(2) Avoine.
(3) Sorte de diadème à bourrelets et à rehauts d'orfèvrerie.
(4) Drap rouge de Louvain.

— Messire, augura-t-il, il y aura du monde !

Derrière le pourpre des prélats et la grisaille des moines, un long essaim bariolé progressait lentement, précédé par six tambours. Ces hommes en cotte gambaisée vermeille les frappaient de coups espacés, à intervalles réguliers, avec, semblait-il, un sens mystérieux et magique du pas processionnel. Sans jamais devenir grondement, le son montait, montait, se répandait dans le ciel en ondes lourdes et menaçantes. Il semblait que les tambourineurs voulussent attirer l'attention du Très-Haut sur les affrontements auxquels le Pape assisterait sans montrer trop d'intérêt sans doute aux estocades et taillants échangés par les adversaires. Urbain V sortait d'un couvent. Les jeux mortels qui se pratiquaient au-delà devaient le laisser indifférent. Il se pouvait même qu'il éprouvât du mépris pour ceux qu'ils subjuguaient.

— Si quelque chose vous manque, Castelreng, je serai sur le devant de l'échafaud : venez m'y trouver ou envoyez-moi votre écuyer.

Il y avait sur les traits d'Artois, maintenant, une expression de rigueur ou de distance qui troubla Tristan. « *L'on dirait qu'il sait que je vais mourir !* » Il conserva, envers cet hypocrite, une réserve ostensible. Rien ne devait paraître de ses sentiments, que cet homme curial (1) eût pu interpréter comme la manifestation d'une peur, voire d'une angoisse. Il ne dépréciait ni ne grossissait ses bonnes chances de vaincre : il ferait de son mieux, comme toujours.

— Avez-vous vu ce Gozon ?

— Non.

— Je ne tiens pas à vous influencer mauvaisement, mais je l'ai vu, moi. Et ce que je peux vous en dire…

— Ne dites rien. Je l'aperçois… Il domine Archiac et Pommiers de la tête et des épaules.

Trois armures de fer scintillaient dans la foule. Et celle du milieu, même de loin, dominait les autres en hauteur et largeur.

— Holà ! vous triboule-t-il déjà, que vous allez entrer sous votre tente ?

Cette fois, Jean d'Artois riait largement, montrant des dents brunes, mal plantées. Tristan se contenta d'un froncement de sourcils :

— Jamais encore, messire, quelqu'un ne m'a empeuré. Ce Gozon ne fera pas battre mon cœur plus vélocement que tous ceux qui, jusqu'à ce jour, me voulurent occire.

Disant cela, il souleva la portière du tref et s'engagea sous le cône de drap neuf à la couleur du beauçant (2), ce qui lui parut de bon augure.

(1) Homme de cour.
(2) L'étendard du Temple.

141

L'intérieur était vaste. On avait déposé sur le sol, près du mât central, une escabelle, un seau plein d'eau et au fond, un coffre long d'une toise destiné soit à recevoir les pièces d'une armure, soit un corps privé de vie. Retournant celui-ci sur le flanc, Tristan s'assit dessus, bâilla et maugréa contre le tambourinement sans cesse accru par l'approche des processionnaires. Ils avaient franchi le pont ; bientôt, le champ serait atteint ; sitôt qu'elle l'aurait circonscrit, la foule se répandrait en cris et mouvements. Il semblait qu'on n'eût point songé à répartir de loin en loin quelques hommes d'armes pour modérer, voire réprimer ses excès.

Paindorge se méprit sur une expression maussade dont la persistance échappait à Tristan :

— Bah ! messire, vous l'allez vaincre comme les autres.

— C'est moins à Gozon que je pense qu'à la gaupe à laquelle je dois ce combat.

— Je me défie de la beauté quand elle est si froide… Vous gagnerez, messire, et la Jeanne s'enlaidira de déception et de courroux… Buvez !

L'écuyer venait de tirer du bissac une gourde emplie de grenache. Il l'offrait avec une componction due sans doute au fait qu'il s'était exprimé sans ambages. Tristan but quelques gorgées puis, les coudes sur les genoux, la tête entre ses paumes, il cessa de se défendre contre une vision cruelle, inopinée, aussi désespérante qu'injustifiée : il était étendu le dos contre le sol. Gozon le dominait de son ombre terrifiante. L'éclair d'une épée s'abattait…

— Je ne sortirai d'ici que pour affronter ce géant. Assister au combat d'Archiac et de Pommiers m'exciterait au détriment de la vigueur dont j'aurai tant besoin bientôt.

— Je vous donne raison.

Paindorge sortit. Tristan l'entendit rassurer Alcazar que les tambours inquiétaient, cependant que le public qui emplissait les abords du champ donnait libre cours à son plaisir et à son impatience.

Puis ce fut le silence. Le Saint-Père, sans doute, passait de sa chaise mouvante et surhaussée à sa chaire immobile, elle aussi surélevée. Le roi et Jeanne de Naples mettaient pied à terre et gravissaient les degrés d'un escalier rustique. Les édiles et le Clergé suivaient et s'asseyaient. La plupart souhaitaient sans doute que ces affrontements fussent brefs afin de regagner des appartements tièdes.

Paindorge réapparut, le visage indéchiffrable.

— Archiac est prêt. Pommiers se prépare… La dame, qui semble frileuse, frotte ses mains garnies de chevrotin et sourit soit au Pape soit au roi… Ce froid piquant lui convient. Ses joues sont roses…

— N'aie point de regret de me parler d'elle. J'ai moins envie de vaincre son champion que de la décevoir.

Quand il aurait quitté Avignon et Villeneuve, oublierait-il son aventure avec cette beauté alliciante et redoutable ? Non, sans doute. Chercherait-elle encore à se venger de lui ?

— Allons, messire, préparez-vous... Si Archiac ou Pommiers terminait vélocement, il ne faut point faire attendre...

Tristan se laissa adouber par Paindorge qui, fréquemment, passait la tête hors de la tente pour surveiller Alcazar. Quand il fut prêt dans son fer, il pria son écuyer de vérifier les attaches des épaulières et des tassettes ainsi que les aiguillettes qui lieraient son bassinet au reste de l'armure. Il se sentait ferme sur ses jambes, incapable de s'asseoir car il se fût peut-être engourdi.

— Voulez-vous les voir ? Je peux entrouvrir la portière...

— Non. Mon oreille suppléera ma vue.

Il entendit rebattre les tambours, sonner quelques trompettes et mugir des trompes puis un « *Oh !* » énorme qui accompagnait un galop de chevaux. Les lances craquèrent et un nouveau hurlement s'éleva.

« Ils sont demeurés en selle !... Ils dégainent l'épée... Ils se courent sus et cherchent à se frapper sans s'atteindre... Archiac recule, mais c'est pour mieux revenir sur Pommiers ! »

Les cris de la foule et les hennissements suffisaient à Tristan pour évaluer l'âpreté du combat. Il eut une brève inquiétude et, le bras tendu pour toucher la hanche de Paindorge :

— Comment va Alcazar ?

— Il me paraît insensible... Archiac monte un gros roncin noir et Pommiers un guingalet vif et hargneux comme un genet d'Espagne !

— Qui, selon toi, est le meilleur ?

— Archiac !... Oh ! messire, il semble que Pommiers s'enfuit... Oui !... Il galope vers les trosses... La bonne gent qui se tenait là s'écarte. Le guingalet saute !... Le cheval d'Archiac le suit !... Sang-Dieu ! je n'ai jamais vu pareille chose... Les voilà dans la vigne. Ils montent, montent vers le haut de la boce (1)... Et disparaissent !

Rumeurs. Que disaient les privilégiés de l'échafaud ? Le Pape ? Le roi ? Quel était maintenant le visage de Jeanne ? Ce combat n'était pas le sien. Son issue la laissait sûrement indifférente. Parmi les gens du commun, prenait-on Pommiers pour un couard ? Le roi Jean avait dû sourciller au spectacle de cette fuite.

— Les revoilà !... C'est Pommiers, cette fois, qui poursuit Archiac !

Tristan ne put retenir un bâillement sonore. Son corps s'ensomnolait. Ce conflit mortel dont il ne voulait rien savoir, plutôt que de développer sa volonté de vaincre, l'endommageait peu à peu

(1) Colline.

143

sans qu'il trouvât un remède au doute, à l'impatience, aux souvenirs sanglants qui troublaient son esprit. Il avait dominé et même vaincu quelques hommes dans des estours sans merci après avoir failli succomber sous quelques coups hardis évités de justesse. « *Tiens, Héliot !... Je l'ai occis sans trop de mal.* » Mensonge ! Et de plus, le routier portait des mailles. Ce Gozon, à coup sûr, serait couvert de plates (1).

« Ce n'est pas parce que son oncle a vaincu un dragon qu'il possède sa vigueur, son énergie et son habileté !... Un dragon !... Voilà qui a une flaireur de légende... Comment vérifier ? Rhodes, c'est si loin ! »

Paindorge écarta la portière. Tristan lut du déplaisir sur le visage de l'écuyer.

— Ils sont de force égale.

— Archiac et Maingot Maubert l'étaient aussi, sur le marché de Meaux. Ce qui change, c'est le temps. Pommiers ne mourra pas de popolésie (2) comme le mal heureux Maubert !

— Ils se battent dans l'herbe, maintenant... Oyez leurs épées !... Ils se portent des taillants rares mais terribles.

C'était un commentaire superflu : à la violence des heurts, Tristan imaginait la forcennerie des coups et se demandait s'il aurait l'énergie d'en fournir de semblables. La rumeur de la foule soulignait les bourrasques, tourbillons et bonaces de cette tempête d'acier dont les échos discontinus, en secouant sa léthargie, chauffaient son sang et gonflaient sa gorge et ses poumons à l'étroit sous son écorce de fer. « *Bientôt, ce sera moi.* » Certaines images de son combat contre Héliot, dans la nuit de Brignais, traversèrent son esprit comme autant d'éclairs particulièrement éblouissants. Dominé, il avait su se ressaisir ; malade de lassitude, il avait puisé en son tréfonds la vigueur, l'astuce et la volonté de vaincre. Gozon et la belle Jeanne – aux regards aussi vulnérants que des estocades – iraient de déception en déception. Si le solennel n'avait pas manqué à la bataille que se livraient Archiac et Pommiers, il souhaitait qu'il fût exclu de la sienne. Il pouvait imaginer l'intérêt que le roi portait à Archiac ; il imaginait aussi le regard ennuyé d'un Pape tiré de ses appartements pour complaire au roi de France et sans doute à la reine de Naples : *ce que femme veut...*

— Aucun n'a l'avantage... Archiac est plus vif, mais Pommiers prévoit ses intentions.

Tristan soupira. Et si rien n'allait selon ses souhaits ? Si sa vigilance s'épuisait ? Il bâilla encore et ses doutes s'abolirent, anéantis par la certitude vivace, impétueuse, qu'il était dans son bon droit. Tout au fond de son abjection pour Jeanne, un peu de clarté

(1) Pièces d'armure.
(2) Apoplexie.

pétillait : une jouvencelle l'attendait à Gratot dont il pourrait faire son épouse. Pourquoi son avenir eût-il pu être détruit maintenant ? Il devait vivre aussi pour se recueillir, dans les gorges de Galamus, devant cette montjoie sous laquelle reposait Oriabel. Ensuite, il gagnerait Castelreng pour infliger à la maudite Aliénor la punition qu'elle méritait.

— Ah ! messire... Pommiers vient de fournir un taillant magnifique. Archiac chancelle. Le sang coule sur sa cubitière... Mais le grand fumeux se courrouce !

Sous l'effet de la souffrance et de la vergogne, Archiac serait plus déterminé que jamais à vaincre, cependant que Pommiers devait penser : « Je l'ai ! » au lieu de « Je vais l'avoir. »... Et Gozon ? Regardait-il les deux hommes pour se pénétrer de leur ardeur et de leur courage ?

« Et moi, Tristan ? »

Il avait beau attribuer les frémissements de sa chair à cet état nerveux très particulier qui devançait chez lui les grands efforts, il ne parvenait plus à dissiper l'étrange et néfaste impression que son rival serait imbattable.

— C'est Archiac maintenant qui domine Pommiers !

Plutôt que d'atténuer les morsures de l'inquiétude, Paindorge les multipliait et les aggravait. Tristan tira sa Floberge du fourreau, la mania d'une main puis des deux. « Une bonne épée, un bon cheval, une bonne armure. » Il tiendrait fermement la lance qu'on lui offrirait après en avoir vérifié le bois pouce par pouce... Et puis... Et puis, merdaille, il serait fidèle à l'image qu'il se faisait de lui-même !

— Ils n'en peuvent mais... Ils se ventrouillent (1) et se frappent mollement... à coups de poing car leurs épées se sont brisées sur un taillant de Pommiers qu'Archiac a paré de sa lame à plat... Ils se bourrent de coups de gantelets... Il y a tant de laideur dans ce poignis que le roi s'est levé pour leur enjoindre de cesser...

— Ils cessent ?

— Oui, messire. Et le roi crie qu'il les accorde de leur riote. Qu'il n'y a ni vainqueur ni vaincu.

— Comme sur le marché de Meaux.

— Oh ! messire.

Cette fois, Paindorge entra dans la tente. Un puissant émoi le ravageait.

— Je viens de voir Gozon.

— Comment est-il ?

— Énorme... Une armure, ma foi, qui ressemble à la vôtre... Et son cheval ferrans (2) est à sa mesure.

(1) Se ventrouiller : se rouler sur le sol.
(2) Gris cendré.

145

— Il sera donc lent au galop.

— Je n'ai jamais vu Hugh Calveley, messire, mais l'on dit qu'il est une sorte d'Hercule. Eh bien, Gozon, qui doit mesurer une toise, me fait penser à ce Goddon.

— Il est donc un lourdaud.

Il fallait se rassurer. Ériger autour de soi une muraille de confiance. Se faire une idée terrible mais non terrifiante de ce géant et vaincre, maintenant, cette influence négative pour n'être point accablé en le voyant. Se donner en imagination le plaisir d'annihiler ses manœuvres meurtrières.

Il le vit et se trouva aussitôt dans un état de malaisance affreux, l'esprit vide, stupide, tandis que cessait l'ébullition de son sang.

— Merdaille ! dit-il en refermant la portière et en s'asseyant sur le coffre.

Les rumeurs de la foule lui semblèrent tout à coup lugubres. L'affrontement entre Pommiers et Archiac ne l'avait ni rassasiée ni satisfaite. Paindorge dit enfin :

— Vous l'avez entrevu.

— Oui, dit Tristan.

Sa curiosité momentanément satisfaite, il subissait désormais l'influence d'un isolement tout aussi délétère que la présence d'un adversaire non point à sa mesure mais démesuré. Il n'éprouvait aucune autre sensation que celle du poids sans faille de son armure et les seuls mouvements dont les trépidations se répercutaient dans sa chair tout entière, c'étaient les battements de son cœur dans la cloche formée par sa cuirasse et sa dossière. Il avait cru pouvoir dominer *l'autre* d'un regard ; il subissait sa fascination. Sa volonté déjà se trouvait épuisée.

— Ces grands bestiaux humains se déplacent lentement. Leur cervelle est étroite et leurs gestes sont mous… Et puis quoi, messire : Goliath a bien été occis par David !

L'écuyer, lui aussi, éprouvait sur l'issue de ce combat un sentiment nouveau où l'incertitude, maintenant, repoussait la créance d'une victoire aisée, superbe.

Tristan sortit enfin, provoquant un silence. Ignorant son rival, il s'approcha d'Alcazar.

— Mon bon, tu n'auras qu'un galop à fournir.

Le coursier secoua sa noble tête. Un court frémissement parcourut ses flancs. Il piocha la terre du bout de ses sabots de devant comme pour éprouver ses fers tandis que ses muscles irradiés d'un rêve interne, composé de galops et de pauses, jouaient sous sa robe immaculée. Dans son ample cage thoracique, un cœur hardi et généreux répandait ses pulsions jusqu'aux extrêmes de son encolure,

146

jusqu'aux attaches de la longue queue qui, parfois, fouettait la croupe lumineuse. Cette activité secrète dans une immobilité qui ajoutait à la magnificence d'Alcazar semblait de si bon augure que, reprenant confiance, Tristan caressa l'ivoire précieux du chanfrein, le velours tiède des naseaux, la flèche dure d'une oreille. La lumière répandait sur la crinière soigneusement peignée une blondeur nacrée si singulière que la dextre nue qui bientôt serrerait et soutiendrait la lance de frêne s'y glissa et réchauffa.

— Il faut que nous gagnions cette course ! Il faut que j'ébranle ce goguelu dont les plates doivent être aussi dures à trespercer que les os du crâne... Aide-moi !

Les grands yeux cillèrent. Un éclat fulgurant les traversa. Une sorte de lucidité parut hanter, ensorceler le cheval : il acquiesça par de vigoureux coups de tête tout en hennissant sourdement. Alors Tristan sourit et se rasséréna. Aux frénésies qui, derechef, s'emparaient de sa personne s'adjoindrait l'ardeur belliqueuse d'Alcazar. Fondus dans un élan commun, ils pouvaient, ils devaient renverser Gozon. L'oncle du champion de la belle Jeanne avait peut-être occis, à Rhodes, un dragon flammivome, le neveu aurait devant lui un homme décidé qui ne se prenait ni pour saint Georges ni pour un preux, mais savait tenir des armes !

— Regardez-le enfin, messire, ou il va croire qu'il vous effraie !

Tristan obéit.

Gozon ne différait de lui que par la taille. Son armure à la couleur d'eau était d'un travail simple, sauf le bassinet à visière bulbeuse que surmontait une touffe de plumes d'aigle. Des penthères en émail rouge (1) soulignaient sa gorgière et sous l'une de ses genouillères scintillait un jambelet (2) maintenu sur le fer par une cordelière.

— Il est grand.

Et pour se rassurer, Tristan se dit dans sa langue natale : « *Noun së podou counoûissë de linën lous fennas é las omés (3)* » tandis que Paindorge continuait :

— Son cheval, messire, est à sa mesure... Un roncin dont le père serait un éléphant !... Et son houssement rouge ajoute...

— N'en dis pas davantage.

Paindorge obéit. Tristan regarda la flambe (4) étincelante suspendue au troussequin d'une selle profonde, constituée sans doute uniquement de fer revêtu de velours vermillon.

— Cet homme est Gondrebœuf, dit Paindorge. Son père devait avoir des couilles de taureau !

(1) Clous d'armure.
(2) Bijou, talisman qui se portait à la jambe.
(3) De loin, on ne peut apprécier ni les femmes ni les hommes.
(4) Épée à lame ondulée.

Tristan considéra la face à demi cachée de Gozon dans l'ombre de la ventaille relevée.

— D'après le teint de son visage, ce serait plutôt Caquedent (1). Je hais les Mores, les Sarrasins, tous les démons de l'Arabie et de l'Egypte. Ils sont fourbes, fangeux, plus sauvages que des lions envers les faibles, plus couards que des brebis en présence des loups.

— Les haïr est une chose bonne, messire. Défiez-vous cependant des atteintes de ce forfante et préparez bien les vôtres. Son écu est pourvu d'une buffe (2) sur laquelle votre lance ou votre épée peut glisser. Le vôtre n'en a point. Avez-vous vu ses armes ?

— *De gueules à la fasce d'argent.*

— Le vôtre...

— Je ne suis pas mécontent de l'avoir laissé à Vincennes. Je vais faire honneur à Boucicaut qui m'en a offert un vierge de toute peinture. De bois et de fer : voilà ma devise !

Un garçonnet en manteau de velours vert amande traversa le champ. Il serrait sur sa poitrine un objet que Paindorge reconnut aisément :

— Un duge (3) qui doit être rempli de bon vin ou d'autre chose qui fouette le sang.

Parvenu devant Gozon, l'échanson fit une sorte de génuflexion, lui offrit le vase à boire et tira de l'encolure de son vêtement une pipette d'or ou de cuivre afin qu'il s'abreuvât sans dénouer les aiguillettes de son bassinet.

— Voilà bien des commodités auxquelles je n'avais point pensé !

Gozon aspira goulument le liquide. Le plumail de son bassinet se composait d'une touffe de plumes de paon dont les ocelles dorées, clignotant aux souffles du vent léger, faisaient songer à des yeux de chat, immenses.

— Vous sentez-vous bien ?

— Tané, recreu (4), mais j'ai toujours éprouvé cela quand je compromettais ma vie.

— Avez-vous vu ses gantelets ?

— Oui... Des gantelets à gadelinges. Je m'en défierai (5).

Soudain, la rumeur grandit : le roi Jean venait de se dresser devant son siège. Il brandit son poing dextre :

— Le temps nous presse, messires !... Êtes-vous entalentés à vous affronter ?

(1) Gondrebœuf : héros de *Guérin de Montglave* ; Caquedent : prince sarrasin, héros de *Baudouin le Diable*.
(2) Bande de fer convexe au-dessus du bouclier.
(3) Vase à boire cylindrique en forme de tonneau et muni d'un couvercle.
(4) Fatigué, affaibli.
(5) Ou *gantelets à broches* ou *picots* : la partie saillante du poing était munie d'une suite de pointes, de façon que le poing fermé fît office de masse d'armes. Ceux d'Edouard de Woodstock avaient pour pointes des petits lions.

— Certes, dit Tristan.

— Oui ! cria Gozon.

— Eh bien, commencez !

Tristan se tourna vers Paindorge :

— Lie-moi au col mon bassinet. Que ce soit solide.

L'écuyer posa l'épaisse enveloppe de fer, ventaille ouverte, sur la tête de Tristan et noua les aiguillettes qui le maintenaient sur le colletin de l'armure.

— Pourquoi fermez-vous les yeux ? Pour ne plus le voir ?

— Non. Il me semble qu'ainsi je rassemble mes forces.

Tristan se sentait la gorge sèche. La sécheresse, d'ailleurs, avait envahi son âme. L'unique sentiment qu'il éprouvait était une aversion irrésistible à l'égard de son ennemie plus encore qu'envers son champion. Il devait en finir bellement afin de les offenser l'un et l'autre. Cependant, malgré ses efforts, il ne parvenait à feindre ni la sérénité ni le désintérêt pour tout ce qui vivait bruyamment autour de lui.

— Un bon coup de lance, messire. Visez à la vue. Éborgnez-le…

— C'est ce que j'espère.

— Elle se dresse…

Jeanne de Naples, en effet, se levait de son siège alors même que Jean II réintégrait le sien.

— Elle vous observe… Elle s'emplit la vue de vous.

Tristan se détourna.

— Hé, messire, attendez. Voyez qui vient vers nous.

C'était Artois, une lance sur l'épaule. Il souriait sans malice et sans cet air condescendant dont il ne se départissait point, sans doute, jusque devant son miroir.

— Tenez, Castelreng… Voici votre glaive.

Il employait le nom ancien. Il tourna les talons sans ajouter un mot tandis que Paindorge, l'arme en main, en examinait la prise puis, pouce par pouce, continuait son inspection en remontant vers le fer façonné en feuille de saule, aiguisé comme un tranchet.

— Rien à dire, messire. Du bon frêne. Aucun trait apparent. Voulez-vous regarder ?

— Non : tu as ma confiance.

— Alors, allons-y !

Ensemble, Paindorge portant la lance, ils rejoignirent Alcazar. Tristan eut à cœur de se jucher seul en selle tandis que Gozon devait avoir recours à l'aide du gros Tancarville qui voulait peut-être, en aidant son substitut, complaire à la reine de Naples.

— Êtes-vous bien chaussé ?

Tristan fit jouer ses pieds dans les étriers.

149

— Oui. Et je me sens aussi chevillé à ma selle que le Pape à sa chaire. Ne crains rien : je vais amignarder ce gros lourdaud !

— Votre écu.

Tristan passa aisément son épaule dans la guige de cuir, et sa senestre se crispa solidement sur l'énarme constituée de fils de fer tressés.

— Prenez votre temps. Le gros rustique n'est pas encore prêt.

— Ne me parle plus, Robert. Je te le demande en grâce. J'ai besoin de me recueillir.

Une inquiétude forcenée obsédait Tristan. Allait-il périr dans un moment ? Il avait mal partout, sous son fer. C'était un mal sourd, matois, à douter de pouvoir fournir des coups avec une allégresse mortelle. Mal. Besoin de voir le sang couler ; besoin de rompre, s'il le pouvait, cette épée serpentine, plus longue, plus pesante que la sienne.

— Votre lance, messire. Gozon lève la sienne : il est prêt.

Aucune palissade pour séparer les courses des chevaux. Aucun maréchal de lice pour juger des coups portés. Il y avait, au milieu du champ, un héraut en cotte hardie vermeille. Il embouchait une trompe…

Tristan s'élança en même temps que son adversaire. Immédiatement, sa lance s'éleva à la hauteur de la ventaille ennemie. Alcazar galopait de toutes ses forces, de tout son cœur. La lance ne remuait pas, toute droite, chargée, elle aussi, de fureur et de certitude.

Le choc fut ce que Tristan redoutait. Perdant les étriers, il fut soulevé hors de selle et retomba, assis de guingois, sur son troussequin, tandis qu'une douleur effrayante s'incrustait dans son épaule senestre : son bouclier s'était fendu ; le fer avait percé l'épaulière et pénétré profondément dans la chair. La foule s'était tue comme blessée, elle aussi, dans ses espérances.

« Et lui ? »

Le bassinet déplumé par le heurt, Gozon repartait péniblement vers son aire, penché, comme endormi, sur l'encolure de son cheval.

— Je crois, messire, que vous l'avez touché à la ventaille, mais je ne sais s'il est éborgné.

Tristan mit pied à terre. Il chancelait. La foule se taisait ainsi que l'entourage du Pape. Gozon quittait sa selle. Se retournait. Il y avait du sang sur sa visière et son colletin.

— Il vient vers vous.

Tristan marcha vers le colosse de fer. *« Est-il borgne ? »* Comment le savoir ? La flambe scintillait dans les poings hérissés de clous pointus.

— Tirez, messire, votre Floberge.

Et voilà : elle était hors du fourreau. Présence solide, rassurante.

« J'ai mal. On dirait que le fer m'est resté dans l'épaule, et pourtant, il n'en est rien… Je dois perdre abondamment mon sang ! »

150

Ils n'étaient plus qu'au dix pas, tout aussi furibonds et mal heureux l'un que l'autre. Des mouvements divers, contradictoires, devaient agiter la foule toujours muette mais nullement rassasiée de violence et de sang.

Ils s'élancèrent en même temps avec une impétuosité qui fit hurler çà et là. Tristan frappa sur une épaule qui s'effaça, fournit ensuite une flanconnade et rompit une des courroies de la tassette dextre. Un taillant, évité de justesse, le rejeta à un pas de Gozon, suant sous sa défense de tête, essoufflé mais content de soi.

L'Hercule s'approcha, l'épée basse, brusquement levée.

« Holà ! » s'angoissa Tristan.

Un éclair sinistre suivi de bourdonnements lui apprit que son colletin venait de recevoir un coup. Le bruit emplit son bassinet et s'en vida tandis qu'il répliquait par un tourniquet à la taille. Derechef sa Floberge trancha la seconde attache de la tassette dextre qu'elle sépara de l'armure. Bien qu'un gipon de mailles protégeât la hanche, il pouvait, la bonne chance aidant, rompre quelques anneaux et atteindre la chair.

Il souffrait de plus en plus de son épaule. Point d'écu pour la protéger. Gozon avait laissé tomber le sien en mettant pied à terre. Il devait être fasciné par cette spallière (1) rouge et vouloir à tout prix l'atteindre, fût-ce en découvrant la sienne.

« Bon sang ! Il est plus dur que je ne le pensais ! »

Quelque effort qu'il fît pour toucher férocement son adversaire, celui-ci prévoyait ses attaques et les éludait. Quelqu'un hurla dans la foule. Non point un privilégié assis sur l'échafaud du Pape ; non : un homme du commun. *Une voix qu'il connaissait*. Qui ? Une injonction sur le moyen d'en finir... *Qui ?* Une chose était sûre : il était plus vif que Gozon, que de brèves perplexités immobilisaient parfois, l'épée pendante. Un colosse de... Rhodes ! Des coups de boquillon (2). « Manqué ! Manqué ! » Il éprouvait, cependant, le sentiment complet, désespérant, d'être dominé, la quasi certitude d'être vaincu s'il n'employait pas un coup prompt et décisif. Et mortel.

Il perdit l'espoir de vaincre aussi promptement que la certitude lui en était venue. Par quelle succession d'actes et d'astuces parviendrait-il à créer l'occasion d'une estocade ou d'un taillant décisif ? Gozon semblait incapable de préparer un coup d'une fatale matoiserie. Il abattait son épée ; il suffisait de s'effacer devant elle, de tourner autour de lui, de le marteler çà et là, – en vain. Cubitière, épaulière ; jamais le bassinet trop haut placé. Ce Goliath n'était pas un homme accoutumé aux perniciosités de l'estrémie (3). Il n'usait que de mou-

(1) Épaulière.
(2) Bûcheron.
(3) Escrime.

vements connus, de haut en bas, de poussées aussitôt rétractées suivies d'un coup si pesant, si bestial qu'il pouvait, en atteignant son but, occire ou démembrer.

Tristan suait. Une buée agaçante roulait sur les parois de sa défense de tête. Chaud dedans. Dans les entailles de la vue, il voyait Gozon par fragments, par à-coups ; par tranches. Bûcheron, avait-il songé. Mais oui !... On ébranle l'arbre par le pied. Il devait faire en sorte de frapper aux jambes.

Il se courba, se releva, se courba encore. Sa Floberge s'ébrécha une fois de plus sur la lame ennemie haut levée.

« Si je continue, je vais la rompre. Je serai mort ! »

Un taillant faillit s'abattre sur sa tête. Il l'éluda d'une génuflexion et sa réplique vint, grisante, spontanée. D'un coup violent et véloce, il atteignit Gozon juste derrière la genouillère dépourvue d'oreillons, là où la chair n'a d'autre protection que des chausses de soie ou de laine.

La Floberge rompit un tendon, peut-être les deux. Gozon chut sur le flanc, voulut se relever mais en fut incapable. Un juron plutôt qu'un cri sortit de son bassinet.

« Je l'ai eu ! Je l'ai eu ! Il est incapable de se mouvoir ! Incapable de me vaincre ! Il est à ma merci ! »

Les yeux humides, écarquillés, Tristan releva sa ventaille et vit nettement l'espace où sa lame pouvait passer, entre le colletin et le bassinet.

— Dépose ton épée, Gozon... Tiens, regarde !

Il remit lentement la Floberge au fourreau et leva la dextre en direction du roi, du Pape et de Jeanne de Naples. Il sentit alors dans son flanc une brûlure plus terrible encore que celle de son épaule. Il fit noir dans ses yeux. De pesantes ténèbres s'engouffrèrent dans sa cervelle. Il entendit des cris et des crépitements, un bruit de course et une voix d'homme :

— Laisse-moi m'en charger. Je suis plus fort que toi et il est mon ami.

* Dans son bel ouvrage : *Vers Athènes et Jérusalem* (Hachette, 1898), Gustave Larroumet, membre de l'Institut, écrit sur sa visite à Rhodes, le 17 septembre 1896 : « *Nous sortons dans la campagne par une porte de nom et d'écusson français, la porte d'Amboise. Jusqu'en 1837, on y voyait le crâne gigantesque du monstre fameux que Dieudonné de Gozon aurait tué en 1342. C'est de ce côté, le moins fortifié de la nature, que les chevaliers avaient accumulé leurs moyens de défense et que se porta l'effort des Turcs, etc.* » Une lettre à l'ambassade de Grèce demandant des précisions sur ce « monstre » est demeurée sans réponse. « *Les vieilles civilisations se reconnaissent à l'excellence de leur cuisine et au raffinement de leur politesse* », a écrit jadis Georges Duhamel. Ce n'est plus le cas dans la patrie d'Homère.

VIII

— Ses paupières frémissent.

— Que dis-tu?

— Ses paupières viennent de remuer !

La brève et faible clarté disparut : deux ombres se penchaient et restaient immobiles. Il y avait une sorte de mur de glace entre elles et lui. Il ne savait qu'une chose : il sortait d'un linceul obscur, perclus de maux.

Il n'eût su dire d'où il souffrait. La douleur s'apaisait et s'excitait dès qu'il augmentait son souffle. L'étreinte de feu se relâchait, se resserrait, se dénouait encore.

— Crois-tu vraiment qu'il revient à la vie ?

— Oui.

Celui-ci, c'était Paindorge. L'autre, à la voix pâteuse… Un effort. « *Un effort et tu vas le savoir !* » Les sourcils qui se froncent. Un nom.

— Tiercelet.

Une exclamation :

— Il a parlé !

Le cri de joie dansa dans l'oreille du blessé. Les ombres s'agitèrent.

— Gozon… C'est bien ainsi…

— Tais-toi, Tristan. Ne remue pas.

Le néant et le mal, et soudain, après les maléfices brûlants, une sorte de quiétude. « *J'ai mal mais je vis.* » Cette lame dans son flanc… Ce n'était pas une félonie. Il aurait dû se défier de cet homme blessé autant que d'un sanglier qu'un épieu transperce. Bouche amère, mâchoires lourdes, sueurs sur tout le corps. Des braises dans ce flanc dont il sentait les bandages. Sur l'épaule. Une fenêtre entre les deux têtes maintenant disjointes. Du bleu.

— Où m'avez-vous emmené ?

— Tais-toi : tu vas te vider du peu de forces que tu as conservées.

— Nous sommes, messire, à Sauveterre. J'ai craint doublement pour votre vie. Tiercelet vous a porté sur son dos tandis que je ramassais en hâte ce qui nous appartenait... La nuit, je suis revenu à Villeneuve pour y quérir nos chevaux.

Paindorge poursuivit d'une voix feutrée comme s'il redoutait d'être entendu :

— On vous a soigné, veillé... On a eu grand-peur...

Tiercelet avança une main. Tristan sentit sa dextre envahie d'une tiédeur bienfaisante.

— Dors... Il te reste à dormir maintenant que tu vis.

* *
*

L'obscurité encore. Des jours, des nuits. Guérir. Plus de paroles échangées. Il n'avait pas la force d'ouvrir la bouche tellement il la serrait pour dominer les plaintes qui, parfois, montaient du tréfonds de son corps. Tiercelet se penchait au-dessus de lui. Il voyait le sourire du brèche-dent. La nuque appuyée sur son bras vigoureux, il avalait ce qu'il lui donnait à boire. Paindorge apparaissait, malade d'anxiété.

Un matin, Tristan sentit sur ses joues une espèce de glu fraîche.

— Vous avez, dit l'écuyer, une barbe de Juif.

Morsure du rasoir sur les poils. Impression de soulagement. Il vit briller, dans un angle, une espèce d'archange... Non : c'était son armure. Frottement de la lame sur le menton.

— Vous en aviez besoin.

— Combien de jours ?

— Je vous avoue que je n'ai pas compté. Combien de jours, Tiercelet ?

— Nous sommes le dimanche 8 janvier (1). Tu as été comme mort deux semaines. Un petit souffle et un cœur si faible qu'on n'osait prendre ton pouls.

— On a repêché Gozon deux jours après votre estequis... Dans le Rhône. La dame aurait pu aussi se revancher sur vous. C'est pourquoi nous vous avons soigné seuls.

— Cette maison...

— Un ami, dit Tiercelet. Nous avons besogné ensemble pour Datini, le plus gros mécréant d'Avignon. Je raccoutrais pour lui les haubergeons et les jupons de mailles que des houssepigneurs glanaient sur les champs de bataille et je fourbissais les barbutes,

(1) 1363.

154

cuirasses, bassinets. Presque tous étaient tavelés de sang sec... Allons, dors un bon coup : demain tu iras mieux.

* *
*

— Qu'est-ce que c'est ?

— Du lait de chèvre. Bois... Plus tard, tu lamperas grenache, hydromel, hypocras...

— Quel bel estour (1) que le vôtre !... Gozon était comme un gros niais au bout de votre épée...

— Il ne me semblait pas... Le roi ?

— Il mène la bonne vie.

— La dame ?

— Elle semble avoir quitté Villeneuve. Repose-toi...

Moins de douleur. Une espèce d'engourdissement. Des sueurs toujours et toujours.

— Comme chaque jour, nous allons défaire tes bandages.

— Nous ferons doucement, n'ayez crainte. Chaque fois que nous voyons ces plaies, nous nous réjouissons : vous êtes presque guéri.

— Mes forces se sont vidées.

— Vous en obtiendrez de nouvelles !

— Le roi ne s'est pas inquiété de mon sort ?

— Non, messire. Seul Boucicaut m'a dit quand nous sommes partis : « *Soignez-le bien. Qu'il vive. Il le mérite.* » C'est tout.

Que faire ? Tristan décida de demander l'avis de Boucicaut. Il pouvait se soustraire, maintenant, à l'obsession de la mort... Vivre, ce serait quitter Avignon en excipant d'un bon prétexte, cheminer vers Castelreng puis vers Paris et Gratot... A quoi bon, cependant, faire halte à Castelreng. A quoi bon enfler le ressentiment qu'il vouait à Aliénor... Comme il se sentait faible !... Pourquoi Gratot ? Pourquoi Luciane ? Avait-il cette capacité d'aimer qu'elle avait cru discerner en lui ? Il ne se souvenait que de l'ovale de son visage. Il avait oublié la couleur de ses yeux alors que le vert de ceux d'Oriabel demeurait dans sa mémoire.

— J'aimerais me lever.

— Vous tomberiez. Vous êtes maigre comme une lance.

— Dors.

— Je te croyais, Tiercelet, repu de ma présence.

— Quand j'ai su que tu affronterais le champion de Jeanne de Naples, je me suis dit : « *Va voir ça.* » Quand j'ai vu Gozon, j'ai pensé : « *Il va périr.* » Je n'avais pas le droit, quand ce gros ours t'a

(1) Combat.

155

frappé, de courir jusqu'à toi. Je l'ai pris. Nul n'a bronché : ni les manants ni le Pape ni le roi ni cette ogresse... Mais...

— Garde tes intentions pour toi... Ta présence m'est précieuse... J'ai besoin de recouvrer ta confiance... Épargne-moi d'autres soucis que celui de guérir.

* *
*

Le dimanche 15 de ce mois de janvier 1363, Tristan fut debout toute la matinée en dépit des reproches de Tiercelet mécontent de cette imprudence. Il défaillit après avoir partagé son premier vrai repas avec ses amis et reprit connaissance sur son lit, les chairs moites, le crâne chancelant et le cœur affolé.

— Que croyais-tu ? interrogea le brèche-dent. Que tu pourrais piéter, chevaucher à ton aise dès demain ou après-demain ?

Tristan acquiesça. La lourde main de Tiercelet empauma son épaule tandis qu'un sourire nettoyait son visage d'un reste d'inquiétude :

— Ton ardeur s'est éteinte et tes os sont fragiles.

— Résignez-vous, messire, dit Paindorge. Vous en avez au moins pour deux semaines encore.

Les plaies s'étaient refermées. Tristan ne souffrait plus. Sa maigreur et sa faiblesse le tourmentaient. Serait-il en état, bientôt, de tenir fermement sa Floberge ? Une lance ? Un écu ? Manger, c'était recouvrer sa vigueur or, son estomac semblait avoir rétréci.

— Les chevaux ? demanda-t-il.

— Ils sont en bon état dans la pièce attenante. Nous avons pensé, messire, qu'Alcazar était trop voyant et que si l'on vous cherchait, il pourrait vous trahir.

— Archiac et Pommiers ?

— Ils vont bien, à ce qu'il paraît.

Tristan ferma les yeux.

Le soir, il se sentit mieux et reprit place à table. Il mangea quelques bouchées d'un lièvre que Tiercelet avait colleté la veille et que Paindorge avait apprêté.

— Que s'est-il passé de toutes ces semaines ? Pouvez-vous me le dire ? Vous êtes-vous enditttés (1) ?

Tristan traînait sur les mots. Il se sentait cependant plus lucide. Les lueurs du maigre feu de cheminée rosissaient les visages de Tiercelet et de Paindorge. Ils échangèrent un regard sur la signification duquel il ne conjectura que des événements funestes.

(1) Informés.

156

— Ce qu'on sait, messire, c'est que c'est le grand amour entre le Trastamare, son frère Sanche et le roi Jean. Audrehem est chargé de leur donner des terres et il a déjà fait ses choix.

— Des terres et des villages pas loin d'où nous sommes. Ils vont pouvoir fonder une petite Espagne en pays de langue d'oc (1).

— Le roi est fou d'amputer ainsi son patrimoine... qui est nôtre également.

— Et si ce n'était que cela, dit Tiercelet. Les routiers espagnols sont revenus.

— Aisément, messire, dit Paindorge en se levant pour aller touiller des lentilles dans un chaudron posé sur le devant de l'âtre. Le traité de Clermont stipulait qu'ils pouvaient revenir si la guerre éclatait entre Armagnac et Foix. Or, cette guerre a commencé le jour même où vous affrontiez Gozon. A Laurac, le comte de Foix a mis la main sur le comte d'Armagnac (2). Les Espagnols sont revenus dans les sénéchaussées de Beaucaire et de Carcassonne. On leur délègue des ambassades pour qu'ils s'en aillent (3). Ils n'en font rien.

— Audrehem ?

— Il envoie des ambaxaderies négocier avec ces malandrins. On dit qu'il ouvre en grand la tasse royale (4).

Tristan bâilla :

— Je ne vois pas comment nous nous débarrasserons de cette engeance.

— Quand on admet et tolère trop de forains (5) sur son sol, ils finissent un jour par s'y développer pour y régner sans partage. La faiblesse envers eux précède la couardise, et plus on les absout d'être ce qu'ils sont, plus ils deviennent entreprenants au préjudice de ceux

(1) Ce fut le 3 février que Jean II accorda officiellement ce morceau du Languedoc au Trastamare. Cette mise en possession eut lieu entre les mains de Gomez Garcia, trésorier du comte, à Servian (Hérault), le 21 mars 1363. En avril, Jean II décida que les cités de Cessenon, Servian, Thézan, appartenant à la viguerie de Béziers, seraient désormais du ressort de la sénéchaussée de Carcassonne. La saisine en fut faite solennellement entre les mains du grand trésorier de l'Espagnol devant la porte de Servian, en présence de l'évêque de Mende, d'Arnoul d'Audrehem et de Pierre-Bernard de Rabastens, sénéchal de Beaucaire, désignés par le roi pour ces formalités. Henri de Trastamare eut donc : Cessenon et son château avec leur baylie ; Roquebrun, Vieussan, Saint-Nazaire-de-Ladarez, Pierrerue, Mus, Veyran, Prémian, Fraisse, Servian et Thézan.

(2) Lors du combat de Laurac, plusieurs capitaines de compagnies furent capturés et mis à rançon (5 décembre 1362). La paix fut signée le 14 avril 1363. Les routiers prisonniers se promirent de revenir en Languedoc pour se refaire un pécule tandis que le Trastamare se retirait dans le territoire concédé par le roi de France et qui, estimation faite, représentait 6 300 livres de revenu. Les 3 700 livres complétant sa pension lui furent payées comptant et il réclama les 53 000 florins d'or convenus pour son départ !

(3) Ces ambassadeurs étaient le châtelain d'Amposta, Jean de la Cour, juge en Lauragais, Oth Elbrard, seigneur de Tonnac, Guiraud Roger, procureur des encours d'hérésie de la sénéchaussée de Carcassonne. Rien n'y fit.

(4) Escarcelle.

(5) Étrangers.

157

qui méritent le respect et l'attention. La France devrait être vierge de toute souillure. Le roi en fait une putain...

Paindorge disait vrai. Mais comment se prémunir contre ce danger d'une invasion sournoise, encouragée par la Couronne, et mieux encore : entretenue par les deniers publics ? Certes, il était question d'une croisade destinée, surtout, à éloigner la pestilence des Espagnols et des Compagnies. Leurs chefs n'accepteraient jamais de guerroyer contre une autre pestilence : les Sarrasins. La France leur plaisait. Ils y faisaient fortune... Les envoyer au-devant des armées de Pedro de Castille ? Peut-être passeraient-ils de son côté s'il se montrait plus généreux que le Trastamare (1). Non, vraiment, ils se délectaient d'être les hôtes de la Langue d'Oc et du roi de France. Ils ne risquaient point leur vie à persécuter des manants et des colliberts sans armes ni vêtements de fer.

— Je vais aller dormir, dit Tristan.

Il frissonnait d'un froid intérieur qui n'était pas de bon augure, et pourtant, tout ce qu'il venait d'entendre lui avait chauffé désagréablement le sang.

— Quel temps fait-il ?

— Neige et glace, puis un soleil frileux. Le vent souffle la nuit et se tait la journée.

— Comment faites-vous pour la nourriture ?

(1) Le paiement exigé par les Espagnols n'était pas accompli le 17 mars 1363, d'où la colère du Trastamare. Il n'avait, disait-il, reçu que 39 000 florins. Le reliquat fut versé le 28 avril. Cependant, les Languedociens ne voulaient plus payer. Ainsi, pour se soustraire à ces impôts déments, la plupart des habitants de Mirepoix s'enfuirent en Catalogne. Dans les terres du comte de Foix on refusa net et aucun commissaire ne vint réclamer un sol. Le comte lui-même dit : « Non » et prétendit que les communautés du Languedoc lui devaient 100 000 florins, dette remontant à plusieurs années. Le 9 juillet 1360, à Pamiers, après la paix conclue avec le comte d'Armagnac (paix éphémère), un traité avait été scellé entre le comte de Foix et les communes du Languedoc. Par ce traité, le comte s'engageait à être sujet du roi et à chasser de sa province tous les aventuriers qu'il y avait amenés. Moyennant l'exécution de cet accord, les communes s'engagèrent à payer à Gaston Phœbus 200 000 florins d'or. Il en reçut immédiatement 100 000 et l'autre moitié tarda à venir. Au surplus, Foix n'avait pas tenu ses engagements puisqu'il avait recommencé la guerre contre Armagnac. En octobre 1362, les communes lui devaient toujours 100 000 florins. Lorsqu'il fut enfin payé, il fit au roi Jean un don de 20 000 florins... pour que celui-ci contraignît Armagnac à tenir un engagement qu'il avait été le premier à rompre.

Tel était l'état du Languedoc à l'arrivée du roi Jean. Les violences des Compagnies allaient recommencer. Les Espagnols semaient la panique (lettre du 23 décembre 1362 où le Trastamare est cité comme un fauteur de troubles dans la sénéchaussée de Carcassonne et dont Jean II ne fit aucun cas. Ni Audrehem).

En janvier, on négocia l'imposition de 1/4 de florin par feu pour l'entretien de gens d'armes et pour combattre Perrin Boias qui venait de s'emparer du monastère de Saint-Chaffre, en Velay, d'où il fondait partout dans les pays d'alentour. Le sénéchal de Beaucaire fut mis à la tête des recrues chargées d'aller assiéger l'abbaye mais ce ne fut que le 7 mars que la place fut emportée d'assaut grâce aux renforts amenés par le comte de Polignac et les nobles du pays. Le sénéchal fut de retour à Nîmes le 8 mars.

Pendant tout ce mois de janvier, Arnoul d'Audrehem circula en Languedoc. Le 3, à Carcassonne, il confisqua sa maison à un Juif pour l'offrir à Jean de Villar, notaire de la cour du sénéchal de cette cité. Le reste du temps, il obtint pour certains des lettres de rémission et, à coup sûr, de substantielles preuves de reconnaissance.

— Paindorge puise dans ton escarcelle avec une modération louable... J'avais, il y a trois semaines, un gros de nèle (1). Je l'ai employé avant que ton écuyer ne te soulage de quelques écus... Tout est cher, comprends-tu, du fait de la disette... Les boutiquiers font des réserves. L'eau-de-vie avec laquelle nous avons lavé tes plaies avant de les coudre nous a coûté un bon prix. Et encore : j'ai dû la quérir en Avignon chez un soi-disant compère... Ajoute à cela deux flassardes (2) pour que tu aies bien chaud...

— Ne me fournis aucun détail... Je sais que vous avez fait de votre mieux.

Tristan s'allongea sur le lit tout proche. Bien-être. Devant la cheminée crépitante et vermeille, Paindorge et Tiercelet se mirent à chuchoter. Clore les paupières. Soupirer d'aise. Résister aux visions dictées par la mémoire. Oublier Gozon et Jeanne de Naples. Oublier le roi et la Chevalerie. Oublier le palais du Saint-Père et les ruelles d'Avignon où il avait erré à la recherche de Tiercelet, coupe-gorge que le guet épurait à coups de vouge ou de guisarme, et cette foule composée, surtout, de races venues de la mer dans les flancs puants des navires. Si Tiercelet était réapparu une seconde fois, ce ne pouvait être que par la volonté du Très-Haut. C'était parce qu'Il savait que le brèche-dent saurait redevenir utile. Ah ! dormir... Recomposer ses forces. Qu'aucun mouvement ne fût douloureux. Cette pesanteur sur les paupières et cet engourdissement si doux après tant d'affres et de souffrances...

* *
*

Le lundi 23 janvier, en fin de matinée, accompagné par Tiercelet qui pouvait le soutenir lors d'une défaillance ou le protéger si quelque danger le menaçait, Tristan erra dans Sauveterre sur laquelle, la veille, il avait neigé.

Le soleil chauffait les toits. L'eau qui en ruisselait se fripait et babillait dans la rigole de la grand-rue pour s'assagir en grossissant des flaques brunes, pailletées d'azur et d'argent. Elle semblait nourrir en vigueur quelques gros arbres noirs sur les branches desquels se posaient des corbeaux.

— Quand ces gros oiseaux-là restent dans les cités, c'est que l'hiver sera pénible. S'il fait mauvais ici, ce doit être pire à Paris et à Gratot.

Ainsi Paindorge avait parlé. Comment lui en vouloir ?

(1) Trente deniers.
(2) Couvertures.

159

— Dis-moi ce que Robert t'a rapporté.

— Qu'une jouvencelle, Luciane, fille d'un chevalier de Normandie, est éprise de toi mais que tu n'en es point amouré.

— C'est la vérité… Tu sais combien j'aimais Oriabel.

— Son trépas te délivre de tes serments d'amour.

— Il me hante !… Je ne puis me guérir de cette plaie de l'âme.

Ils se regardèrent tandis que leurs pensées accomplissaient dans leur mémoire un cheminement différent. Sans qu'ils l'eussent voulu, ils retrouvaient Oriabel, sa blondeur, sa voix, son courage. Ne sachant comment rompre un silence pénible, Tristan resserra le col de son manteau. Ne rien dire. Attendre. Tiercelet le jugeait une fois de plus. Serait-il indulgent ? Le brèche-dent avait aimé la jouvencelle. Secrètement, passionnément, quoi qu'il se fût conduit toujours en frère aîné. Sans doute regrettait-il d'être passé par Castelreng et d'avoir provoqué son trépas.

— Mieux vaudrait ne pas parler d'elle.

— Oui, mieux vaudrait. Mais que tu le veuilles ou non, mon ami, elle ne cessera jamais de s'imposer à notre esprit, à notre cœur… Et je ne voudrais pas qu'un jour elle nous oppose… Vois-tu…

Tristan reprit son souffle et, le sourire amer :

— Je vais ostoier (1)… Non pas pour chercher la mort mais pour, si je survis, profiter de ma résurrection. Ma volonté va me conduire un jour à Gratot, mon devoir à Paris, la Providence où bon lui semblera que j'aille… Je ne veux plus m'opposer aux courants qui me pousseront çà et là.

Tiercelet passa un doigt sur le dessus de son nez qui, à la suite d'un coup reçu dans quelques escarmouche, ressemblait à une nèfe (2). Sa bouche se plissa dubitativement, et Tristan, le voyant hésiter à répondre, continua sur sa lancée :

— J'ai besoin de toi. Le chemin sera long, infesté de routiers. Je suis insuffisamment guéri pour aider Paindorge dans notre défense si quelque herpaille (3) nous assaillait… Viens avec nous. Je t'en prie et t'en adjure !

Tristan se sentait la tête vide tant il était soulagé. Les mots lui étaient venus aux lèvres avec une aisance et un poids qui ne surprenaient pas que lui-même : Tiercelet en paraissait confondu.

— Je suis seul, dit-il, et disponible. J'aime bouger. J'aime aussi me servir d'une épée, mais je sens que si je te compagne, je me condamnerai à mort. Tu attires les malfaisances !

Il avait insisté sur la dernière phrase comme pour, justement, exorciser ces malefortunes alors que le sang montait aux joues de

(1) Guerroyer ; combattre dans l'ost.
(2) Partie renflée du bec d'un oiseau de proie.
(3) Troupe de malandrins.

Tristan. Un grand appétit d'action le dominait d'un coup. Mais quelle espèce d'action ? Il n'en savait rien. Et pour quel résultat ?

— Besoin de toi, dit-il.

Tiercelet soupira. Tristan glissa sur quelques pavés verglacés. Il se sentit empoigné par un coude et contraint à revenir sur ses pas.

— Besoin de moi !

La voix du brèche-dent était changée. Sans se vouer à devenir la victime d'une amitié déjà singulière entre un noble et un manant, un chevalier et un ancien Jacques, il semblait en accepter les risques une fois encore. Il aimait l'action, lui aussi. Cette passion flambait, s'apaisait, se ravivait à chaque événement, nourrie par une espèce d'ostentation et par une sorte d'oubli de soi-même, la jouissance complète du mouvement et peut-être du meurtre.

— Je ne te dis pas oui. Je ne te dis pas non. D'ailleurs, tu n'es pas prêt pour une chevauchée. On en reparlera... Mais regarde ! Les maisons sont toutes closes. Les gens flairent la présence des malandrins... Espagnols ou routiers, point de différence.

Tristan n'osa réitérer sa proposition. Deux jours plus tard, Paindorge qui s'était rendu en Avignon pour confier, à un bourrelier, les étrivières d'une selle destinée à Tiercelet, annonça qu'il avait rencontré Jean d'Artois.

— Toujours aussi content de lui, messire.

Tristan, occupé à une partie de dés avec Tiercelet, leva enfin la tête :

— Que t'a-t-il dit ?

— Il m'a demandé où vous étiez... J'ai fait le sourd. Comment vous alliez. Je me suis félicité de votre guérison. Il m'a dit que le roi s'était inquiété de vous.

— Ah ? fit Tristan balançant entre l'incrédulité et la satisfaction. Il sait que j'existe toujours. Même si je lui ai infligé un decevenent (1) sur le champ clos de Villeneuve, peut-être se dit-il qu'il peut encore m'employer... ce que je crains !

— Villeneuve, justement, dit Paindorge. Le comte m'a dit que vous feriez bien de vous y rendre lundi prochain, à la relevée, pour y assister à un conseil important. Vous pourrez, ensuite, repartir pour Paris informer le dauphin de ce qui s'y sera dit.

Tristan fit sauter les dés dans sa paume tout en réservant sa réponse. Le roi, le dauphin, le dauphin et le roi. Il fallait qu'il cédât sa place. D'autres chevaliers pouvaient lui succéder. Il dit cependant :

— J'irai.

Ensuite, invitant Tiercelet, d'un clin d'œil, à cesser une moue de désapprobation, il reprit la partie.

(1) Déception.
(2) L'heure qui suit midi.

IX

L'hôtel du roi Jean II, au cœur de Villeneuve, était évidemment somptueux. Tristan n'en vit que les dorures tant il y faisait sombre : bien qu'un ciel de plomb pesât sur la journée, on avait négligé d'allumer les chandelles.

Il était arrivé le second, précédé de quelques enjambées par un Boucicaut dont l'humeur atrabile et glacée semblait la conséquence du temps maussade.

— Content de vous voir debout, Castelreng !

Et le vieux maréchal avait disparu derrière une tenture. Il connaissait la demeure. Bientôt, Tristan avait tendu l'oreille aux échos d'une conversation qui, d'enjouée, avait dégénéré.

— C'eût été folie, sire, que de persister dans vos intentions ! avait déclaré Boucicaut.

Quelles intentions ? Le mariage absurde ou chimérique avec Jeanne de Naples ou quoi d'autre ?

Le maréchal était le contraire d'un homme curial (1). On disait qu'il avait appris à jouter à Jean II et qu'il le tutoyait parfois brièvement lorsqu'ils discutaient *a parte*. C'était son privilège supplémentaire. Tandis que les autres ne l'approchaient que la bouche pleine de formules melliflues, le roi acceptait cette familiarité : elle le rajeunissait sans que Boucicaut parût sentir sur ses épaules, telles des mains familières, le fardeau des années périlleuses ou non.

— Votre ains-né fils, le dauphin, avait réprouvé, Dieu merci, cette intention. Vous ne devez avoir qu'un seul dessein : votre rançon. Elle est énorme, sire, et n'est point acquittée. Je crains que vous ne dussiez repartir pour Londres plus tôt que prévu... Le Pape a changé. Son prédécesseur vous était acquis. Je redoute qu'il n'en aille différemment avec ce moine de chez nous qui, m'a-t-on dit, veut réintégrer la papauté dans Rome.

(1) Homme de Cour.

162

— Croyez-vous, le Meingre, que je suis venu en Avignon pour saluer *seulement* le nouveau Saint-Père et attendre la venue de deux souverains ? J'ai commencé à m'entretenir de ma rançon avec Sa Sainteté. Elle atermoie, ce dont je ne saurais la blâmer. Mais je la convaincrai !

Las de son immobilité, certain de perdre son temps, Tristan s'éloigna vers la porte d'entrée.

Des hommes poussèrent l'huis : Artois et Maignelet.

— Le bonjour, Castelreng !... Heureux de vous revoir.

Le gros Tancarville entra, puis trois évêques mitrés, Dammartin et deux écuyers ; d'autres prélats, des chevaliers de Langue d'Oc, Jean de Neuville et un moine, le museau bas sous sa cuculle.

— Excellent estekis contre ce Gozon, Castelreng, dit Guy d'Azai au passage. Tous ont oublié l'esclandre chez le Pape pour conserver en mémoire la façon dont vous avez atterré ce géant !

— Par ma foi, je vous sais bon gré de me le dire.

Tristan recouvra son sourire. Il lui plaisait d'être salué. Il éprouvait une satisfaction profonde à se sentir admis parmi les fidèles de ce petit cénacle : sa personnalité s'en trouvait rehaussée.

Lorsque Boucicaut se montra et salua, il y eut un murmure. D'un geste, le maréchal invita les prélats puis les hommes de guerre à s'asseoir sur les faudesteuils disposés le long des murs. Alors des conversations feutrées s'engagèrent, percées çà et là par l'accent chantant des chevaliers du Midi, plus langagiers que ceux du Nord.

Un huissier apparut, quelque peu engoncé dans une cotte gambaisée d'azur privée de lis et du moindre ornement.

— Messeigneurs et messires, le roi !

On interrompit les parlures pour se lever et s'incliner à la venue de Jean II. Le geste lent, le visage indéchiffrable, il invita ses hôtes à se rasseoir et demeura debout, immobile et proche d'une chaise curule dont l'ivoire se mit à briller lorsque deux serviteurs apportèrent des candélabres qu'ils disposèrent sur des bahuts jusque-là restés dans l'ombre.

— Satisfait de vous voir... et vous aussi, Castelreng.

Tristan sentit des regards s'agglutiner sur sa personne, les uns moqueurs ou suspicieux, les autres indifférents.

— Vivant ! poursuivit Jean II. Quel tençon (1)... J'en conserverai souvenance !

Ce n'était pas un tençon mais un combat à outrance, sans vainqueur ni vaincu comme celui d'Archiac et de Pommiers. Cependant, puisque Jean II le définissait ainsi et se réjouissait d'y avoir assisté, les expressions des visages changèrent : Tristan ne compta plus que des admirateurs.

— Mais nous sommes point céans, Castelreng, et vous, messeigneurs et messires, pour parler d'une appertise (2) sans

(1) Querelle.
(2) Prouesse.

précédent… Je vous sais bon gré, chevalier, d'avoir maintenu très haut l'honneur de nos armes…

S'agissait-il d'un pluriel de majesté ou bien Jean II, *ex abrupto*, séparait-il les nobles hommes en deux groupes : ceux du Nord comme au temps de la croisade contre les Albigeois et ceux du Midi ? Trapu et comme gêné aux emmanchures de son pourpoint de soie d'azur semé de lis, le front bosselé, l'œil étincelant sous un sourcil oblique, il se voulait, comme toujours, d'une éloquence homilétique. Or, déjà, il lantiponnait.

— Un chevaucheur de Waldemar est arrivé hier. Le roi du Danemark approche. Il sera parmi nous au milieu du mois prochain. Le roi de Chypre nous rejoindra en mars… Voilà ce que j'avais à vous dire.

« Est-ce tout ? » se demanda Tristan. « Nous savions cela ! »

Le roi se détourna vers son siège d'ivoire. Derechef, il hésita à s'y asseoir et se mit à marcher au milieu de la salle, entre ses chevaliers et les évêques, heureux de se sentir entouré d'attention, sinon de respect. Heureux de taper du talon sur les grandes dalles d'un échiquier rouge et noir où son ombre grandissait et rétrécissait selon qu'il s'approchait ou s'éloignait des sources lumineuses.

Un scribe apparut, en robe noire, coiffé d'un chaperon sombre, l'écritoire sous le bras, portant son encrier comme il l'eût fait d'une fleur. Jean II lui désigna un siège, près de Boucicaut.

— Nous n'attendions plus que vous.

— Ma chambre est froide, sire. Mon encre y avait gelé.

Le roi balaya cette explication et l'œil fureteur :

— Audrehem n'est point parmi nous ?

— Il est à Nîmes, sire, dit Jean de Neuville en se levant à moitié.

Le neveu paraissait marri de cette absence. Moins que le roi. Il soupira, gratta sa barbe fricheuse et les mains enfoncées entre le pourpoint et la ceinture, – ce qui lui permettait d'effacer son ventre –, il déclara lentement, sur un ton qui, pour Tristan, trahissait une gêne mal refoulée :

— J'ai scellé, hier, les traités par lesquels j'accorde et concède les terres de Cessenon, Servian, Thézan à notre bon ami Enrique de Trastamare…

— Bon ami, sire, bon ami ! bougonna Boucicaut. Voilà, me semble-t-il, qui me paraît bien gros.

— Taisez-vous, le Meingre. Ne revenons point là-dessus !

— Je pense, sire, dit un évêque, qu'il faut y revenir, au contraire.

Il était maigre, ascétique, le front bas et têtu, le menton volontaire et même impertinent. Il continua, d'une voix mate, parfois pointue, parfois douceâtre – la voix d'un homme qui sait convaincre par la force ou l'onction :

— Nous sommes pareils à des pèlerins égarés dans une forêt profonde. La plupart de nos clartés se sont éteintes : les fils de Bélial

164

nous entourent et nous exterminent lentement. La plupart de nos espérances sont mortes : nous attendons le retour d'une paix réelle, complète, que les archanges vengeurs ne peuvent nous fournir, mais que vos armées devraient obtenir... Il nous faut une paix exempte d'inquiétude !

— Elle reviendra. Dieu est avec nous... Avec moi qui suis son truchement suprême !

Le prélat ne dit mot. Jean II en fut courroucé.

— La royauté de France, évêque, est issue de Dieu... Dieu ne peut et ne veut que son bien... Les archanges apporteront avec eux tout ce qui nous fait défaut.

— Nous avons tout perdu, sire, excepté notre foi. Les routiers et les Espagnols forgent les fers entre lesquels nous étouffons déjà... Et si j'en crois l'Ecclésiaste, c'est ainsi que commence la destruction des bons par les mauvais... Les Espagnols ne valent pas mieux que les routiers de France et d'Angleterre...

— La bonté dont nous faisons preuve envers les hommes du Trastamare nous préserve de... Ah ! vous m'ennuyez. Dieu nous enseigne la bonté, la charité...

Ses mains jointes, osseuses et blêmes, l'évêque se pencha en avant :

— La bonté, sire, ne saurait être l'inconséquence, et la charité une défaite qu'on s'inflige à soi-même, un châtiment qu'on s'administre à plaisir. Ne vous a-t-on pas dit ou ne savez-vous pas que l'enfer commence à prévaloir sur ces terres jadis douces et accueillantes ? La haine, désormais, y remplace l'amour et le mépris l'amitié. Les passions bestiales y détruisent les sentiments naturels. On viole et meurtit, on robe et embrase. Bientôt, sire, si votre bienveillance continue à s'exercer envers les impies, nous serons absorbés... Car ne l'oubliez pas : ces forains (1) se multiplient plus vélocement que des cloportes. Tout ce qui subsiste encore de beau s'éteindra. Tout ce qui provoquait le respect ou l'éloge deviendra cendre et fumée, toute valeur qui subsistera par miracle prendra rang parmi les valeurs démonétisées et inutiles.

— Oh ! Oh ! fit Jean II dont le courroux devenait visible.

Et l'évêque entêté poursuivit :

— Quand nous aurons atteint le terme assigné à ces audaces infernales, la terre de Langue d'Oc, puis celles à l'entour d'icelle seront mortes. Les maisons anéanties n'abriteront plus que de la vermine et rien, non rien ne pourra plus empêcher que les prophéties de l'Ecclésiaste ne s'accomplissent. L'obvers de votre bonne action en faveur de l'Espagnol resplendit. Le revers n'apparaît point encore, mais il porte bien son nom et sera chargé de souillures.

— Évêque ! Évêque !

— La paix planait sur ces contrées comme une colombe immaculée... La guerre, désormais, subvertit toutes les destinées. C'est un vautour qui tournoie au-dessus de nos têtes !

(1) Étrangers.

Le roi avait croisé les bras. L'un de ses pieds chaussé de cuir jusqu'au genou tapotait une dalle. Nul ne bronchait dans l'assistance et seul Artois, enrhumé, reniflait de temps en temps. Les évêques avaient acquiescé au discours de leur pair. Les chevaliers épris de guerre et d'aventures le réprouvaient dans son entier.

— Il suffit, dit Jean II en contenant son courroux. Les Espagnols sont nos amis. Enrique, je vous en donne l'assurance, ramènera bientôt ses armées en Castille. Il s'assiéra sur le trône de don Pèdre, l'infernal et diabolique meurtrier de Blanche de Bourbon (1).

Le roi s'animait, regardant surtout Artois qui, à force de renifler et d'essuyer tantôt son nez, tantôt ses yeux, semblait dolent de ce qu'il venait d'entendre.

« Toujours aussi sûr de lui », songea Tristan. « Mieux vaudrait pour le royaume, qu'il regagne au plus tôt l'Angleterre. »

Peut-être Jean II avait-il éprouvé un plaisir rare à la digression oratoire d'un prélat audacieux. De toute façon, les plaidoiries destinées à le mettre en garde contre les Espagnols apparaissaient inutiles. Il avait choisi d'être avec le Trastamare contre Pedro de Castille ; il n'en démordrait point quelles que pussent être les désastreuses conséquences de cette alliance. Mais, éprouvant soudain l'envie d'une revanche, il s'approcha de son contempteur, un poing demi-levé, menaçant :

— Je vous ai entrevu quelquefois dans les pas du Saint-Père. Qui êtes-vous pour vouloir me dicter ma conduite ?

— Anglic, sire, et Sa Sainteté Urbain V est mon frère (2).

Sur les faces graves des prélats, des sourires et des regards pétillants de gaieté apparurent. Jean II recula brusquement, l'œil écarquillé, la face tout aussi colorée, soudain, que la mosette de l'évêque.

— Vous eussiez pu me le dire avant !

— L'eussé-je fait, sire, que votre sermon eût été le même.

Le roi tourna les talons et, le front bas, marcha sans mot dire. Cependant un émoi le secouait, et sans doute se demandait-il s'il était, une fois de plus, dans la vérité ou l'erreur. Il n'ignorait rien des méfaits commis par les hommes du Trastamare. Il essayait de se tenir droit comme un Juste, mais l'âge le courbait en avant. Plutôt que de s'abscondre sous n'importe quel prétexte, il fournissait à tous ceux qu'il avait mandés l'image d'un éternel perdant. Il fallait toutefois

(1) Fille de Pierre 1er, duc de Bourbon, et d'Isabelle de Valois, sœur de la femme du dauphin, elle avait épousé, en 1353, Pierre 1er, roi de Castille. Étranglée selon les uns, poignardée selon les autres, elle était morte à Medina-Sidonia à l'âge de 23 ans. Son décès demeure une énigme car il se peut aussi qu'elle ait succombé à la peste.

(2) Urbain V lui avait, évidemment, trouvé une sinécure en Avignon dont il était évêque. Il semble qu'avec Pierre, évêque d'Uzès, Anglic n'ait guère porté d'intérêt à ce roi sans grandeur. Convoqués l'un et l'autre aux états du Languedoc, le 29 août 1363, les deux prélats refusèrent de s'y rendre sous de fallacieux prétextes. Urbain V, interrogé sur cette absence, allégua que les affaires du Saint-Siège les retenaient auprès de lui. Les États furent donc reportés au 10 octobre, à Nîmes.

qu'il se ressaisît et pour cela qu'il trouvât matière à discourir. Il n'avait, semblait-il, que l'embarras du choix :

— Je vous confirme, messires, le traité fait au mois de novembre précédent entre les ducs d'Orléans, d'Anjou, de Berry et de Bourbonnais, otages pour la France, en Angleterre, et les évêques de Winchester et d'Ely. Je l'ai reçu il y a quelques jours, à Villeneuve... Vous le savez, car je vous en ai fait part, un article de cet accord spécifie que les pensions qui ont été assignées au Prince de Galles, à Chandos et à Arnoul d'Audrehem seraient payées sans attendre le terme fixé pour le paiement de ma rançon... Chandos va donc recevoir trente mille écus d'or...

Il y eut un murmure de mécontentement puis un silence tel qu'on entendit la plume du scribe gratouiller le parchemin qui, largement, débordait de l'écritoire.

— Mais revenons à mes fils. Ils vont être conduits à Calais s'ils n'y sont déjà. Leur délivrance est fixée au mois de novembre... Ils pourront sortir trois jours durant de la cité et y revenir le quatrième, le soleil esconsant (1)...

— Bien ! Bien ! fit Boucicaut qui peut-être songeait aux écus de Chandos.

— Pourquoi donc tant d'or à messire Audrehem ? demanda suavement monseigneur Anglic.

(1) Conséquence du désastre de Poitiers, les enfants royaux, sauf le dauphin Charles de Normandie, étaient captifs en Angleterre. Louis, duc d'Anjou, obtint toutefois, le 4 février 1361, des lettres de sauf-conduit tant pour lui que pour son sénéchal, Jean de Saintré, et son secrétaire, Jean Haucepié. Il voulait visiter l'Anjou et le Maine après l'affaire du pont de Juigné qui avait mal tourné pour du Guesclin (1360). Il revint en captivité. Comme ses frères, Orléans, Berry et Bourbon, il s'y morfondit bien que leur existence fût aisée. Edouard III consentit à ce qu'ils fussent menés à Calais. Ils lui firent la promesse de s'y conduire loyalement et obtinrent qu'il leur serait permis de s'éloigner 3 jours de la cité pour y revenir le quatrième, « dedans soleil esconsant » (au coucher du soleil). Ils ne cessèrent pourtant de harceler leur frère, le dauphin, pour qu'il les délivrât.

Edouard III avait mis à sa conciliation un très haut prix. De plus, les quatre enfants royaux savaient que leur délivrance était fixée au mois de novembre. Ce fut ce traité que Jean II ratifia ce 30 janvier 1363, à Villeneuve. Les princes allaient être débarqués à Calais au mois de mai. Ils jurèrent de retourner en Angleterre si l'accord proposé par Edouard III n'avait pas reçu de suite à la Toussaint. Louis d'Anjou profita de sa permission de trois jours pour prendre la fuite. Il avait pu donner rendez-vous à sa jeune femme à Notre-Dame-de-Boulogne. De là, ils partirent pour le château de Guise. Pareil en cela à son royal adversaire, Jean II déclara que son fils avait « blémi l'honneur du roi et son lignage ». Il pria le dauphin de rappeler son frère à ses devoirs. Celui-ci résidait à Saint-Quentin. Il refusa de laisser son épouse et de repartir pour Calais.

Les documents concernant ce traité furent portés à Paris. Ils furent vidimés et confirmés le mois suivant par le duc de Normandie et le 28 du même mois, un extrait spécial de l'article concernant Arnoul d'Audrehem fut envoyé aux trésoriers royaux, lesquels durent payer au maréchal les termes échus de sa pension.

« Cette somme n'était guère à dédaigner », écrit à ce sujet l'hagiographe d'Arnoul, Auguste Molinier, « au moment où le maréchal allait se mettre en campagne à la poursuite des Compagnies. »

Comme si Audrehem, qui mettait constamment des écus dans sa bourse et perdait tout aussi constamment ses livres de comptes, eût utilisé sa propre (ou malpropre) trésorerie pour combattre qui que ce fût !

Était-il décidé à troubler ce conseil ? Son frère le lui avait-il suggéré ? Derechef, Jean II broncha :

— Parce que le roi Edouard qui l'a en estime…

— Ne sont-ils point ennemis ?

Le prélat jetait des cailloux dans un plat de lentilles. Ou d'écus. Il s'en délectait bien qu'il conservât au-dessus de l'ample cornet violet de sa mosette, un visage immobile dont la seule expression semblait une maussaderie sans limite.

Cette fois, Jean II tapa du talon, s'empressa de s'asseoir sur la chaise curule, soupira fortement et tendit l'index vers Boucicaut :

— Vous qui avez œuvré pour préserver le royaume, après Poitiers, vous lui raconterez quand nous aurons fini !

— Oui, sire, dit le vieux maréchal en lançant au perturbateur un clin d'œil sans malice (1).

Il y eut un nouveau silence – pesant – lors duquel Jean II ôta son chaperon pour râteler son crâne dégarni. Du même coup, il râtissait et rassemblait dans sa mémoire des idées dispersées lors de ses propos précédents. Il eût dû répondre *ad rem* au frère du Saint-Père. Il ne l'avait point fait et en paraissait plus confus que courroucé.

— Je compte sur vous, Boucicaut ! répéta-t-il sur le ton d'une injonction dépourvue, cette fois, de familiarité. Il ne faut pas que sa Sainteté se méprenne sur tout.

(1) Alors que Jean II entrait à Londres, le 24 mai 1357, Audrehem était envoyé vers le régent pour régler différentes affaires suscitées par cette captivité ainsi que celle de tous les prisonniers de Poitiers. La rançon du maréchal avait été fixée à 12 000 florins, et déjà, sans doute, méditait-il sur les moyens de se soustraire à ce paiement. Il ne se hâta pas. Il passa le mois de juin à Gisors, au château de Baudemont-sur-Bray, et retourna début juillet en Angleterre. Or, le 3 juillet, Edouard III accorda un sauf-conduit à Jean Cagent, qu'Arnoul envoyait vivement en France, chargé d'une mission (auprès de qui ?) dont l'objet est toujours demeuré inconnu. Ce sauf-conduit était valable jusqu'à la Saint-Michel (29 septembre). Dès le mois d'octobre, craignant de perdre sa charge s'il restait en captivité, Arnoul écrivit au régent de la lui conserver *avec les émoluments qui y étaient attachés*.

Le régent nomma lieutenant du maréchal son neveu, Jean de Neuville (jeudi 27 octobre 1357).

Arnoul était de retour en France quand il connut, à Meaux, la révolution qui venait de renverser Étienne Marcel. Il ne cessa de faire la navette entre la France et l'Angleterre comme s'il ne pouvait se passer de Jean II et tomba malade en même temps que lui*. Une fois nommé lieutenant en Langue d'Oc et par l'intermédiaire de deux receveurs, Jean de Saint-Sernin et Jean le Juif, il ne cessa d'accabler les cités pour obtenir de quoi payer *sa* rançon. Or, Edouard III, qui avait fait du maréchal son commis, s'était montré envers lui d'une libéralité insigne : une pension de 3 000 royaux d'or. La première fut versée immédiatement. Quant au second terme, qui tombait fin octobre 1362, Edouard III, en deux actes, trouva qu'il était plus simple de le faire payer par Jean II en l'imputant comme un acompte sur une des prochaines échéances de sa rançon. Il écrivit à ce sujet à Arnoul le 24 octobre 1362 et en informa Jean II le 29 du même mois. Selon lui, un souverain qui pouvait trouver 400 000 écus d'or pouvait en soustraire aisément 3 000 royaux. En somme, – et ceci est tout de même singulier –, Audrehem recevait une pension de l'ennemi. *Il s'en félicita et s'évertua à ne point acquitter le montant de son otagerie*. Le 4 novembre 1360, à Saint-Omer, Jean II le fit membre de son « grant et estroit conseil » avec, à la clé, une pension de 4 000 florins d'or.

* 1359. *Vendredi dernier mai, électuaire pour le roi et Arnoul*. (Henri d'Orléans. *Notes et documents relatifs à Jean II, roi de France, et à sa captivité en Angleterre. Fragments de comptes : Miscellanies of the Philobiblon Society, London, 1855-1859, tome II, section 6, page 139*).

Et, le doigt menaçant Mgr Anglic :

— Un jour viendra, révérendissime, où nous ferons payer aux Anglais tout ce dont ils nous sont redevables, mais, pour le moment, leur volonté prévaut sur la nôtre.

— Et le prince de Trastamare ? demanda un évêque dont le siège jouxtait celui du frère de Sa Sainteté. Sa volonté prévaut-elle aussi sur la nôtre... ou la vôtre ?

— Aucune disposition particulière et supplémentaire ne vous permet...

Discourtois et même offensant, le prélat interrompit le roi :

— Libérés de leur guerre entre Armagnac et Foix, les Compagnies se reforment... Qu'elles s'allient aux Espagnols et ces innombrables herpailles grignoteront votre royaume.

Il avait un accent italien. Il souriait un peu : les malheurs de la France ne le touchaient qu'à peine, et c'était pourquoi sa voix, pour onctueuse qu'elle fût, répandait dans les oreilles de Jean II une musique corrosive. Jean de Neuville s'en aperçut. Il se leva, se pencha vers les hommes aux robes de belle pourpre, tous inquiets. Sans doute imaginaient-ils Avignon, cité papale inviolable et sacrée, envahie par des hordes impies autant qu'impitoyables.

— Mon oncle Arnoul d'Audrehem fait en sorte que tout soit au mieux et que les Espagnols ne commettent aucun acte irréparable. Il vient de négocier l'imposition d'un quart de florin par feu pour l'entretien des hommes d'armes. Ils sont moult nombreux et s'en sont allés combattre Perrin Boias, qui s'est emparé du moutier de Saint-Chaffre. Pierre-Raimond de Rabastens, le sénéchal de Beaucaire, en a pris le commandement. Le comte de Polignac et ses guerriers doivent les rejoindre. Mon tayon (1) a également mis toutes les cités en état de défense.

— ... et de dépense, maugréa quelque part un évêque.

Mgr Anglic redemanda la parole :

— A propos de dépense, sire, les gens de Villeneuve dont les vignes et les champs se trouvent à l'entour de la lice où ces quatre chevaliers se sont affrontés, demandent instamment des dédommagements. Ces deux affrontements se sont révélés désastreux... surtout pour les vignerons !

— Ils étaient effrayés, ils seront défrayés.

Le roi s'était permis de sourire à lui-même. Il avait prouvé son esprit. Sa bouche retrouva sa maussaderie :

— Je crois que nous en avons terminé, messeigneurs et messires. Henri, notre tabellion, a tout consigné en termes appropriés, sauf, évidemment, ce qui fut de peu d'importance.

(1) Oncle.

169

Le scribe acquiesça sans relever la tête. Le roi s'en détourna. Il semblait maintenant respirer avec peine. Un sentiment violent l'étouffait sur la nature duquel Tristan resta perplexe. Derechef le doigt royal se tendit :

— Vous êtes guéri, Castelreng.

— Je le crois, sire. Je suis de jour en jour en bien meilleur état.

— En état de chevaucher.

Ce n'était pas une question. Une espèce d'angoisse perça le cœur de Tristan. Il se leva.

— Vous allez porter vélocement au dauphin différentes lettres que j'ai dictées. Elles comportent des instructions particulières sur la conduite qu'il lui faut tenir envers nos ennemis... Bien qu'il sera informé sur le conseil de ce jour d'hui, répondez-lui, s'il vous interroge, que nous sommes maîtres de toutes les situations. Venez...

Tristan suivit le roi dans une encoignure, assez loin d'une assistance dont il n'avait plus souci.

— Dites à mon fils que je vais bien. Que je conserve en main le destin de la France. Qu'il attende paisiblement mon retour.

Pour autant qu'il pût interpréter cette phrase sibylline, Tristan songea : « *Tu rêves, roi ! Tu ne préserves point la France. Tu la prostitue à des malandrins.* » Il acquiesça.

— Dites-lui que dès que je le pourrai, j'amènerai à la Cour les rois de Chypre et du Danemark et qu'il fasse en sorte, dès maintenant, de leur préparer l'accueil qu'ils méritent... Festins et joutes, belles réjouissances...

— Je le lui dirai, sire.

Et soudain, les yeux dans les yeux :

— Boucicaut m'a entretenu de cette dame de Montaigny dont vous fûtes l'époux. Je lui ai conseillé d'en référer au Pape... Il fera procéder à l'annulation de ce mariage.

— Je regracierai le maréchal, sire. Quand dois-je partir ?

— Maintenant.

Le mot parut violent par sa soudaineté. Tristan sut maîtriser sa consternation.

— Aurai-je quelques hommes avec moi ?

— Non... Votre écuyer suffira.

— Soit.

— *Maintenant*, Castelreng... C'est-à-dire le temps que je scelle ce que mon tabellion vient d'écrire et qu'il vous remette la custode contenant déjà les lettres dont je vous ai parlé.

— Sire, je...

— Allez à franc-étrier... Je sais que vous avez non loin de Carcassonne une famille qu'il vous serait agréable de visiter...

Impossible !... Vous effectueriez un détour immense et plutôt que de remonter sur Paris, vous descendriez de plus de cinquante lieues... Impossible, Castelreng... Boucicaut a tracé votre voie : Lyon, qu'il vous conviendra d'éviter, Dijon, Troyes... Quelque deux cents lieues en comptant large. Vous allez recevoir une bourse pour subvenir à vos dépenses. Il vous faut être rendu entre le 20 et le 25 du prochain mois... Défiez-vous des routiers, cette fois !

Debout, les chevaliers et les prélats confabulaient. Les voix prenaient plus d'ampleur et quelques rires commençaient à parsemer des conversations austères. Tristan, lui, n'osait parler. « *Pourquoi moi ?... Pour me rédimer de mon échec de Brignais ?* » Le roi, déjà, lui tournait le dos, croisait Mgr Anglic – qui l'évitait promptement – et s'adressait au préféré de ses hommes liges :

— Artois !... Toutes ces parlures me décident à la prudence. Il serait mauvais pour le royaume que les routiers me tendent une embûche lors de mon retour sur Paris, car je crains qu'ils ne soient au fait de toutes mes démarches. Faites en sorte de retenir des barges et de bons chevaux de trait : nous reviendrons en anaviant sur le Rhône (1). Ce n'est pas que je sois couard, vous le savez, mais il est bon de nous précautionner contre toute atteinte d'où qu'elle vienne.

— Il me semble, sire, que c'est noircir les choses...

— Non ! Non, Artois. Je n'ai point la moindre peur. Je songe uniquement au royaume qui, sans moi...

(1) Le roi Jean craignait les routiers. Surtout pour lui-même. En voici deux exemples :
Lorsque, libéré sous condition par Edouard III, il revint d'Angleterre, il resta à Calais du 8 juillet 1360 jusqu'à la fin du mois d'octobre. Il ne pouvait regagner Paris sans que le traité de Brétigny-les-Chartres fut ratifié. Il le fut le 24 octobre et deux jours après eut lieu le versement du premier terme de la rançon : 400 000 écus. Il en restait donc 200 000 à payer (ce qui fut fait en deux temps : 100 000, le 25 décembre et 100 000 le 2 janvier 1361). Restait à revenir à Paris. Pétrarque raconte dans une de ses lettres que le roi Jean, tout vaillant qu'il se crût, fut réduit à traiter avec les brigands des compagnies et qu'il dut leur payer rançon pour faire route à travers son propre royaume et rentrer en toute sécurité dans sa capitale. « *Chose lamentable et vraiment honteuse ! Le roi lui-même, au retour de sa captivité, a trouvé des empêchements pour rentrer dans sa capitale, ainsi que son fils* (Charles V) *qui règne maintenant. Il a été forcé de traiter avec les brigands pour voyager plus sûrement à travers ses possessions. Quel est l'habitant de ce beau royaume, je ne dis pas qui l'eût pensé, mais qui eût pu se le figurer même en rêve ! La postérité refusera de le croire.* » (*Illud prosus miserum prudendumque, reditu in patria prohibitos, et regem ipsum et filium qui nunc regnat, coactosque cum praedonibus pasisci, ut tutum per suas terras iter agerent : quis hoc, illo in regno felicissimo non dico cogitasset, sed unquam etiam somniasset ! Quomodo vero credent hoc posteri ! – Francisci Petrarcoe*).
Villani, dans ses Mémoires, narre le retour du roi d'Avignon à Paris. C'est tout un chapitre qu'il consacre à cette équipée sous le titre : *Comment le roi de France, craignant la rencontre des routiers, n'osa pas retourner dans ses état par voie de terre, mais s'embarqua sur le Rhône.*
Cette prudence était certes justifiée, surtout après qu'à l'aller, à Trichastel, lors de la traversée de la Bourgogne, Jean II eut commis un acte d'autorité en faisant pendre Guillaume Pot, Jean Chauffour, Taillebart Taillebardon. On peut cependant douter d'une vaillance que les hagiographes de ce monarque lui ont attribuée sans trop approfondir son caractère. Ah ! certes, à Poitiers – Maupertuis, il se défendit âprement. Mais comment eût-il pu faire autrement ? Tout homme normal préservant son honneur et sa vie, au XIVe siècle comme au XXe, est contraint d'avoir une attitude « noble » face à l'adversité.
Anavier : naviguer.

171

Mgr Anglic, d'une main blanche et ferme, leva la clenche de la porte. L'air sec et froid du dehors le fit frémir.

— *Aures habent et non audient* (1), dit-il en s'éloignant l'échine basse.

C'était la vérité. Elle résumait l'inutilité de ce conseil. Mais tout ce qu'entreprenait Jean II n'était-il pas voué à l'inanité quand ce n'était à l'échec et à la honte ?

* *
*

Assis sur un montoir devant l'hôtel où séjournait Jean II, Paindorge attendait, ignorant, selon son habitude, les autres écuyers réunis en un groupe disert. Il se leva et rassembla dans sa dextre les rênes d'Alcazar et de Tachebrun. Son visage morose s'éclaira tandis qu'il marchait à la rencontre de Tristan.

— Satisfait, messire ?... Non, à ce que je vois...

— Nous partons sur-le-champ.

— Pour où ?

— Paris.

— Hein ?... Vous n'avez eu ni repos ni cesse et vous êtes à peine guéri !

— Je sais... Regarde cette custode. Il me faut la remettre au dauphin avant la fin de février.

— C'est de la folie !... Aucun pays n'est sûr... Vous a-t-on fourni quelques hommes d'armes ?

— Non... Nous aurons Tiercelet... s'il y consent.

— Ce n'est pas une armée.

Paindorge se courrouçait. Il ne comprenait guère cette amitié entre un prud'homme et un manant qui, de plus, avait appartenu aux Jacques. Cependant, aucun dépit n'avait provoqué son propos : il n'était ni envieux ni ombrageux et Tiercelet s'était acquis sa bienveillance.

— En selle, dit Tristan. Sitôt arrivés à Sauveterre, enfardelle mon armure et nos vêtements. Tiercelet nous procurera de quoi manger et boire... A nous trois seulement nous saurons nous défendre.

— J'ose l'espérer, messire, dit Paindorge, un pied sur l'étrier.

(1) Ils ont des oreilles et ils n'entendent point.

X

Le dauphin marchait à pas lents, étayant son menton de sa main vigoureuse, l'autre dissimulée dans l'encolure de sa houppelande de petit-gris. Son gros nez sensible aux atteintes du froid rutilait dans une face exsangue où venaient de se creuser quelques rides supplémentaires.

— L'avez-vous vu fleureter avec Jeanne de Naples ?

— Non, monseigneur. Ce dont je suis sûr, c'est qu'il n'y eut aucun courtisement entre elle et le roi.

— A-t-elle pour lui de l'aversion ?

— Ils semblaient bons amis, mais c'est Jaime de Majorque qu'elle a choisi, ce que vous devriez savoir.

— Parfait... Elle est jeune encore. Les beaux enfants que le roi lui eût faits !

Ainsi se résumait l'essentiel souci du prince. Il pouvait, d'une allusion, se moquer d'héritiers qui ne naîtraient jamais. Il oubliait ceux qu'il avait conçus avec son épouse : une race de malades.

« Lui avec sa grosse pote (1) et le pus qui lui coule du bras... Des filles laides, mortelles avant leur temps (2)... Il veut un fils. *In cauda venenum* (3) ! Pauvre Jeanne de Bourbon ! Il lui transmet son mal en la foutant quand il s'en sent la force. »

— Mon père doit être marri, si j'ose dire.

(1) Main gourde, enflée, malade.
(2) Alors duc de Normandie et régent de France, le futur Charles V eut 9 enfants dont 3 lui survécurent : Charles, futur Charles VI, dit l'Insensé ; Louis, duc d'Orléans ; Catherine, née le 4 février 1377, mariée en août 1386 au duc de Berry. Ses autres filles furent enterrées le même jour, jeudi 12 novembre 1360, à Saint-Antoine de Paris. *Jeanne*, née à Maubuisson à la fin du mois de septembre 1357, était décédée à l'abbaye de Saint-Antoine, le 21 octobre 1360. *Bonne*, dont la date de naissance est inconnue, décéda le 7 novembre 1360 à Paris. Charles VI, né à Paris le 3 décembre 1366, succéda à son père le 16 septembre 1380 et fut couronné le 4 novembre suivant. Sa première « attaque » date du mois d'avril 1392. Elle se déclara lors d'une entrevue à Amiens avec le roi d'Angleterre : il y fut pris d'une « *fièvre et chaulde maladie* » : l'épilepsie. Après avoir souffert mille maux, il devint fou. On lui attribue 12 enfants dont il n'est point nécessaire d'énumérer les tares. Cette douzaine, comporta des bâtards.
(3) Dans la queue le venin.

173

La trouvaille était simplette : le dauphin se frotta les mains avant de replonger sa dextre malade au chaud contre sa poitrine.

— D'après ce que j'ai lu en hâte, le roi n'est guère accort (1) avec les Espagnols.

— Hélas !

Le dauphin hésita, se remit à marcher. Il allait lourdement, d'un pas de pèlerin, et il semblait qu'il eût perdu le fil de ses pensées.

— Nous avons l'Angleterre contre nous. Faut-il aussi que nous ayons les Espagnols ?

Tristan ne se sentit point enclin à répondre. D'ailleurs, le prince Charles ne se fût guère emberloqué (2) de son opinion.

— Il faut dire que le roi Pedro de Castille est un malandrin. Qu'en pensez-vous ? Parlez résolument !

Tristan s'inclina :

— D'après ce que j'ai appris, monseigneur, Enrique de Trastamare ne vaut rien. Les gens de la Langue d'Oc l'ont en détestation.

— Bah ! il s'assagira et ses hommes aussi.

« Plus il s'élève, plus il a courte vue ! »

— Vivement l'été ! grommela le dauphin en se frottant les mains plus vigoureusement que la première fois. Malgré tout ce bois qui flambe près de nous, le froid me paraît plus audacieux que jamais. Je songe... à la foire du Landi. Quand il y fait beau, il fait beau le reste de l'année. Redoutez-vous le froid, Castelreng ?

— Point trop. L'an passé, il a plu à la foire du Landi (3). Et nous souffrons du mauvais temps... Les terres sont gelées, les récoltes seront mauvaises.

— Et le commun, les loudiers qui souffriront de la disette nous accuseront de leurs malheurs... Que vous a-t-on dit de Chandos ?

— Rien, monseigneur.

— Il m'a fait réclamer ses trente mille écus d'or. Audrehem les lui a-t-il versés ?

— Si ce n'est fait, cela ne saurait tarder.

« Sans doute les a-t-il conservés dans son escarcelle ! »

— Avez-vous rencontré des routiers en chemin ?

— Non, monseigneur... ou plutôt quelques uns.

— Pour un homme qui, comme vous, s'est sorti de Brignais où ces démons furent des milliers, *quelques uns* n'ont pu vous effrayer. Mais je suis rassuré : messire Bertrand Guesclin et Arnaud de Cervole sont décidés à nous débarrasser de cette vermine !

« Il faut », enragea Tristan, « que je revienne à Paris, que je sois au

(1) Dans le sens ancien : avisé, prudent.
(2) *S'emberloquer* : se soucier.
(3) Cette foire s'ouvrait en juin, le mercredi d'avant la Saint-Barnabé et Saint-Benoît dans la plaine de Saint-Denis. Elle ne fut transportée dans Saint-Denis même qu'en 1444.

palais royal et dans cette Grosse-Tour pour que je doive ouïr ces deux noms ! »

Il pouvait se regimber, il ne s'en priva pas :

— Ces quelques routiers, monseigneur, avaient pour chef l'Archiprêtre !

Le dauphin sourcilla.

— Que me dites-vous là ? Oseriez-vous comparer ce bon serviteur de la Couronne et de la France à ces malandrins que nous allons... évacuer ?

Tristan s'inclina :

— Je ne compare pas, monseigneur : je vous dis les faits. Après qu'il eut assiégé longtemps le château de Vitteaux-en-Auxois avec ses Bretons et ses Gascons qui, d'ordinaire, se complaisaient avec les Anglais...

— J'ai ouï parler de ce siège. Ce châtelet appartenait à Hugues et Louis de Chalon-Arlay...

— J'en suis passé tout près et, dans une auberge, on m'a conté cette affaire... Ce qui importe, à mes yeux, c'est ce qui s'est passé lors de ce siège.

— Ah !... Et que s'est-il passé ?

— Les Bretons et les Gascons sont allés gobelotter à Villaines-en-Duesmis... là où, je l'ai appris, la Cour de France entasse les vins du roi...

Le dauphin avait suspendu sa marche. Il avait compris. Il se tourna, un peu plus pâle, vers son visiteur :

— Ils ont osé...

— Ils ont tout bu, monseigneur.

— Tancarville ne m'en a rien dit !

— Le maréchal n'a point voulu vous attrister (1).

Soudain la grosse main et la petite se joignirent à plat comme pour une prière :

— J'ai de bonnes raisons de croire en l'Archiprêtre... Et même en son frère Pierre qui est en garnison dans la cité de Bèze, au centre même de cette Bourgogne qui nous fournit de si bons vins !... Croyez que je tirerai au clair cette histoire !

Aimait-il le bon vin ? Charles de France semblait furieux. Cependant, d'un geste las, il rejeta dans son dos ce qui n'était que le petit inconvénient d'un règne encore illusoire.

— L'on m'a rapporté que Henri de Trastamare se fait fort de trouver en Espagne l'appui et le concours de Pierre IV d'Aragon. En a-t-il été question en Avignon ?

— Je ne le pense pas, monseigneur (2).

(1) Lire Annexe II : *L'affaire des vins du roi.*
(2) Ce fut seulement en octobre 1363, à la suite de longues négociations et de deux traités successifs que Pierre IV consentit à s'unir au Trastamare pour détrôner à frais communs le roi Pedro de Castille et se partager le butin.

— S'excite-t-on pour la Croisade ?

L'idée d'une guerre contre les Mahomets par malandrins interposés se présentait aussi, pour le dauphin de France, comme une dernière ressource, un dernier mais sûr remède à la gangrène des Compagnies.

— On s'excite, monseigneur. Moult dispositions sont déjà prises. Je pense que le roi vous en fait part dans une de ses lettres.

— C'est vrai ! C'est vrai !... Je la relirai quand vous serez parti... Mais dites-moi : a-t-on parlé du dessein d'Edouard III d'unir son fils Aymon, comte de Cambridge, à Marguerite de Flandre, la femme de feu Philippe de Rouvre ?

— Non... Je ne crois pas... Mais je n'étais pas toujours présent près de votre père...

— Cette union nous serait désastreuse !... Il importe que le souverain pontife s'y oppose... Comment avez-vous trouvé le Saint-Père ?

— Il me paraît un homme droit, favorable au royaume de France.

Le dauphin s'approcha d'une fenêtre d'où peut-être il apercevait Notre-Dame. Il médita longtemps tout en réchauffant sa main malade contre sa poitrine puis, les yeux clos :

— Si la Maison d'Angleterre recueillait tous les riches héritages à l'entour de la France, celle-ci serait enveloppée... Que dis-je : absorbée non sans que les parties qui l'enserrent n'eussent consumé leurs forces en des guerres longues et ruineuses... Dieu et le Pape nous préservent de ces calamités !

Tristan se voulut rassurant :

— Le Pape est bon, monseigneur. Dieu nous sera clément... Mais si ces menaces dont vous parlez sont réelles, serait-il raisonnable d'ôter des guerriers à la France pour guerroyer contre les Mahomets ?

— Vous ne comprenez rien, Castelreng !

Cette fois, inexplicablement, le dauphin se fâchait.

— Nos armées resteront, les routiers s'en iront au-delà de la mer...

« Et s'ils refusent ? » fut tenté de demander Tristan. « Ce n'est pas vous ni votre père, monseigneur, qui exercez le pouvoir dans ce royaume. Ce sont les Compagnies, l'Archiprêtre, Guesclin, Charles le Mauvais et moult autres hommes aventureux ! »

— Où allez-vous maintenant ?

— En Normandie, monseigneur.

— Soyez précis... Nous pouvons avoir besoin de vous.

« Merdaille ! » songea Tristan.

— A Gratot, près de Coutances, chez le chevalier Ogier d'Argouges.

— Ce nom ne m'est point inconnu.

— Il fut le champion de feu votre grand-père.

Le visage ingrat et blême s'illumina. Pour le petit-fils, à coup sûr, Philippe VI valait mieux que Jean II.

— Coutances... Le Cotentin... Tout cela jouxte la Bretagne où la guerre a repris… Bien ! Bien ! Je suppose que cet Ogier d'Anglure n'a plus l'âge de guerroyer… Soyez bien aise en Normandie, Castelreng… Défiez-vous des routiers qui, me dit-on, l'infestent… Bonne chevauchée…

Le prince concluait sur une méprise : Ogier d'Argouges y devenait Ogier d'Anglure. Mais c'était là l'effet d'une imagination qui s'exaltait encore aux récits chevaleresques (1). Tristan courba l'échine et prit congé.

(1) Ogier d'Anglure suivit Philippe-Auguste à la Croisade. Fait prisonnier par Saladin et relâché sous la promesse de se rendre en France pour réunir sa rançon, il ne put la parfaire et revint se constituer prisonnier. Saladin lui rendit la liberté à condition de garder les armoiries qu'il lui donnait et de prendre pour lui et ses descendants le nom de Saladin. Il y eut deux Anglure. Un Champenois qui portait *d'or semé de grillons d'argent soutenus de croissants de gueules*, un Lorrain qui portait *d'or semé de grillets* (grelots) *d'argent soutenus de croissants de gueules*.

DEUXIÈME PARTIE

L'Écume et le sang

I

— Quel bonheur d'être enfin chez vous, messire Argouges !
s'exclama Paindorge en mettant pied à terre puis en tapotant la cuisse
de Malaquin. Il nous tardait à lui et à moi d'être enfin à Gratot. Bon
sang ! toutes ces lieues m'ont paru bien longues.

— Nous avons chevauché de nuit, dit Tristan. Cela nous a permis
d'éviter les mésavenances.

— Pas vrai, Tiercelet ?

Paindorge, assurément, voulait dissoudre dans son plaisir d'être
rendu le singulier silence de retrouvailles qui ne correspondaient en
rien à celles qu'il avait imaginées.

— Oui, dit Tiercelet en quittant le dernier la selle et en remerciant
Tachebrun d'une caresse sur son chanfrein.

Ensuite, le brèche-dent resta coi, immobile, tandis que son regard
toujours vivace sous des paupières lourdes et comme ensommeillées
courait se poser partout : sur les gens, les bâtiments, les volailles pour
se perdre parfois dans le ciel moutonneux.

— Des feux lointains nous prévenaient sur des présences
déplaisantes.

Et Tristan, inquiet, résuma sa pensée :

— La Normandie me paraît aussi peu sûre que la Langue d'Oc.

Ogier d'Argouges acquiesça :

— Charles de Navarre y sévit, les uns disent à juste raison, les
autres non... Mais vous nous amenez un nouveau compagnon...

Tristan présenta Tiercelet assez embrelicoqué, soudain, dans son
personnage à mi-distance de l'écuyer et du sergent, du compère
d'occasion et de l'ami fidèle.

— Je l'ai retrouvé en Avignon... Je ne sais plus combien de fois il
m'est venu en aide.

181

— Ne parle pas de ça, dit le brèche-dent. C'était ainsi parce que ça devait l'être.

Ogier d'Argouges ne parut point ébahi qu'un manant maussade, aux gestes lourds et comme compassés, tutoyât un chevalier qu'il avait en estime. Cependant, le sourire dont il gratifia Tiercelet parut à Tristan dépourvu de la moindre urbanité.

— Vous êtes le bienvenu, messire, dit-il.

Le *messire* fit son effet : Tiercelet s'inclina ; un frémissement anima ses lèvres. La gêne était rompue, sans doute.

Ogier d'Argouges se tourna vers ses serviteurs toujours immobiles et comme indécis :

— Raymond, peux-tu t'occuper des chevaux ?... Vous avez là, Tristan, un coursier superbe !

— Alcazar, messire.

— Superbe, en effet, dit Raymond en prenant Alcazar au frein.

— Je viens avec toi, dit Paindorge.

Tandis que son écuyer s'éloignait, suivi de près par les chevaux, Tristan crut bon d'en finir avec des questions informulées sur Alcazar :

— Je l'ai obtenu lors d'un combat contre un hutin de la pire espèce : Fouquant d'Archiac. S'il peut le reconquérir en me tuant, il le fera.

Ogier d'Argouges hocha la tête. Il était hors de doute qu'une inquiétude l'obsédait, forte et irrévocable. Tristan regretta de ne pouvoir élaborer la moindre conjecture sur la nature de ce tourment.

— Je me serais battu sans pitié pour conserver Marchegai, dit enfin le chevalier normand après un léger soupir dû sans doute à la mélancolie du passé. Je ne l'aurais jamais mis en gage contre quiconque... et j'aurais refusé de le prêter au roi s'il m'en avait prié.

— Eh bien, messire Ogier, vous êtes comme moi... et ce Fouquant d'Archiac n'est point à notre semblance.

Ils marchaient lentement. Devant eux, Guillemette dodinait de la croupe, puis Thierry qui n'avait guère été loquace, Tiercelet toujours circonspect, et enfin Ogier d'Argouges auprès de ce Castelreng dont la venue, quelque attendue qu'elle eût été, semblait lui donner du mésaise.

« Où est Luciane ? Pourquoi n'est-elle pas accourue ? »

Bien qu'il touchât parfois de l'épaule son hôte, Tristan n'osait formuler la moindre interrogation concernant la pucelle. Était-elle absente ? Malade ? Mariée ? Morte ? Non, cela ne se pouvait ! D'ailleurs aucun chagrin, aucune anxiété n'apparaissait sur ces visages amis, plus attristés, toutefois, que réjouis.

— Les Navarrais rôdent à l'entour de Gratot. J'ai, ajouta Ogier d'Argouges, reçu un message de Charles de Navarre. Il voudrait mon alliance. Je l'ai rencontré lorsque la peste noire accablait le Cotentin… J'étais allé chez Godefroy d'Harcourt afin de savoir s'il pouvait m'aider à retrouver Luciane.

Enfin, le nom de la jouvencelle venait d'être prononcé.

— Déjà, – c'était en 48 –, il m'avait proposé d'être de son côté. J'avais alors atermoyé… Cette fois, j'ai dit non… bien que ses prétentions me semblent légitimes. Mais je déteste les moyens qu'il emploie pour les faire valoir.

— Je vous comprends. Il s'allierait avec le diable s'il le pouvait !

— Hé oui !… J'ai engagé trois soudoyers. Deux dorment en ce moment, l'autre est là-haut, dans cette tour… J'ai confiance en eux mais nous sommes fort peu si les Navarrais veulent nous punir pour mon refus !

— J'ai l'intention, messire, si vous n'y voyez point d'objection, de demeurer près de vous quelques jours… Ne craignez rien : j'ai de quoi pourvoir aux dépenses et, sans me surhausser dans l'intérêt que vous voulez bien m'accorder, je puis vous aider de mon mieux.

Ogier d'Argouges hocha la tête sans que Tristan pût percer son regard.

— Restez céans, ami, le temps que vous voudrez. A vrai dire, je vous espérais.

C'étaient vraiment les premières paroles aimables.

— Moi aussi, dit Thierry, comme libéré d'une angoisse. Il me tardait que tu reviennes.

— Je vous en sais bon gré.

Tristan souriait sans parvenir, pourtant, à éprouver la satisfaction, voire le plaisir auquel il s'était préparé. A peine étaient-ils en présence que s'ingérait, entre ceux de Gratot et lui-même, quelque chose d'indéfinissable et de contraint qu'il ne pouvait comprendre et qui lui ôtait toute envie de converser longtemps. Il sentait le père de Luciane rongé par une douleur intérieure qui sans doute était l'angoisse de perdre une fois de plus sa fille ou, tout simplement, tenace et brûlant, le souvenir de sa défunte épouse à laquelle, selon Guillemette, Luciane ressemblait trait pour trait. Il devait exister un remède à cette douleur. De quelle espèce ? Et ne disait-on pas les Normands taciturnes ?… Il se pouvait aussi que cet homme-là eût contracté ce trait de caractère au contact des moines de Hambye. Refusant de parler de ce qui l'occupait, sans doute imaginait-il tout entretien comme une contrainte dont, promptement, il se lasserait. Ce fut pourtant lui qui rompit le silence et satisfit la curiosité de son hôte :

— Luciane est malade.

— Rassurez-moi, messire !… Avez-vous grand tourment pour elle ?

Les paupières du chevalier se rapprochèrent, ses lèvres également. Il eut une espèce de rire sans que son expression maussade changeât :

— N'ayez crainte !… Ce n'est qu'un mauvais rhume. Un matin, elle a voulu faire un galop sur nos terres avec Thierry. Il lui a dit de se couvrir. Elle a fait fi de ce conseil. Le soir venu, elle a dû s'aliter.

— Un mire est-il venu ?

— Non, point besoin de mire. Je crois que votre présence sera le meilleur des remèdes. Elle désespérait de vous revoir.

— Pourrai-je…

— Évidemment, coupa le chevalier. Ho ! Guillemette…

La servante qui conversait avec Tiercelet s'arrêta.

— Messire Ogier ?

Soudain, elle semblait inquiète et soumise, et Tiercelet, qui l'observait, semblait s'interroger sur la nature de cette sujétion.

— Hâte-toi de mener messire Tristan au chevet de Luciane et… laisse-les seuls !

On rit, sauf Tiercelet. Tristan devina ses pensées. Il ne lui en tint pas rigueur. Au contraire. Oriabel emplissait leur cerveau. Leur cœur.

Il se hâta de suivre Guillemette tout en se reprochant le plaisir qui, dans son cœur, succédait à l'anxiété. Bon sang ! il révérait toujours Oriabel. Hélas ! elle était morte et pour lui, la vie continuait.

* *
*

Guillemette poussa la porte et s'effaça.

La chambre était de si petites dimensions que le lit en occupait presque tout l'espace. Tristan ne vit rien d'autre que cette couche où se froissait, en vaguelettes d'un gris foncé, une couverture épaisse, et la jouvencelle qui, brusquement étayée sur un coude, lui tendait une main avide :

— Sans même me lever pour m'en assurer…

Elle désigna d'un mouvement de tête une étroite fenêtre et reprit dans un souffle :

— … je savais que c'était vous. Dieu est bon !

— A en juger par la mine de votre père lorsqu'il m'a parlé de vous, je vous ai imaginée en grand état de langueur.

— Il m'aime trop… Je comprends l'admiration qu'il me voue. Mais il vous aime aussi.

— En êtes-vous certaine ?

— *Hum, hum !*

Ce n'était pas une réponse hardie, à sa semblance. Elle rit :

— Je vous en donne l'assurance. Et si vous doutez, Thierry vous le confirmera !

Ses cheveux dénoués inondaient ses épaules, et son regard dont l'azur sombre ne s'était point terni rayonnait d'une joie qui éclipsait son mal.

— Il semble, dit Tristan, que vous êtes guérie... sinon en voie de guérison.

Une toux rauque, brève mais douloureuse, l'en dissuada.

— Vous voyez bien que non.

— Je me repens de ce propos.

Jamais les yeux et l'esprit de Tristan ne s'étaient abîmés dans une si courte et pourtant si profonde contemplation de ce visage d'ange blessé. Lors du mouvement que Luciane avait fait pour saisir sa dextre, le drap qui la couvrait s'était abaissé, montrant largement son cou et son épaule dont la nudité d'ivoire se détachait de la couleur grise de sa chemise. Il émit une sorte de soupir qui dissimulait, en fait, un contentement dont il ne savait plus s'il exprimait la jubilation de leurs retrouvailles ou le plaisir d'entrevoir juste ce qu'il fallait de cette chair pour en imaginer le reste. L'envie d'une possession durable entra dans son cœur cependant que Luciane essayait de balbutier quelques mots et souriait de ne pouvoir dire que :

— Vous, c'était vous enfin !... Je me refusais à le croire.

Il appuya sa bouche au creux de cette main douce, fiévreuse, odorante, et releva son front pour rassurer la jouvencelle :

— Je n'ai pas pu m'interdire de revenir.

— Je vous en sais bon gré.

Sous les paupières doucement bleutées par des veilles inséparables de sommeils pénibles, les reflets du jour pourtant pauvre en clarté vibraient dans les prunelles lasses avec l'intensité des gemmes.

— Votre venue dissipe mes inquiétudes. Souventefois j'ai cru à votre mort.

— Sans preuve aucune.

— Comment aurais-je pu l'obtenir, cette preuve ? Croyez-vous que Paindorge serait venu m'apporter une si funèbre nouvelle ?

— Oui, il serait venu.

— C'est vous que j'attendais. Et si vous êtes de retour...

Tristan comprit la signification des mots imprononcés. Parce qu'elle avait souffert de sa condition de chambrière chez les Anglais, parce qu'elle lui avait prouvé son aisance à manier les armes et parce qu'elle était malade, Luciane ravivait les sentiments de commisération

185

et d'admiration dont il s'était cru délivré hors de sa présence. Cependant, la crainte de ne point vivre heureux auprès d'elle et le désir de la faire sienne étaient encore si bien confondus en lui qu'il tenait à s'accorder un délai de méditation pour éviter tout fourvoiement dont il pourrait, plus tard, se repentir.

— Pour tout, dit-il en s'efforçant à la douceur, pour tout, il convient de se résigner à la patience.

Souvent, sur le chemin de Gratot plus que sur aucun autre – et pour cause –, il avait cherché à se dégager des liens anciens désormais non point importuns mais inutiles. S'en était-il libéré ? Non. Il lui semblait qu'Oriabel continuait à l'aimer d'autant plus fort et d'autant mieux qu'il se détachait d'elle. Invinciblement.

— Êtes-vous revenu pour m'épouser ?

Luciane n'avait pas osé demander : « M'aimez-vous ? » Ores c'était tout de même étrange que cette insidieuse et abrupte question vînt d'elle. Puis il ne s'en étonna plus : elle aimait à simplifier les choses. Comme il hésitait à répondre, elle insista :

— Êtes-vous toujours lié par serment ?

— Non.

— L'avez-vous retrouvée ?

— Non.

Il s'interdit d'ajouter : « Elle est morte » par souci de voir naître sur les lèvres pâles, tiédies d'un peu de fièvre, un imperceptible sourire.

— Alors, nous n'avons pas avancé d'un pouce.

Elle avait besoin de réconfort, nullement de courage. Au moment, toutefois, où ses espérances baissaient, la Providence lui avait envoyé l'homme qu'elle souhaitait. Un homme encore indécis mais dont la présence ne pouvait que la rassurer.

— Guérissez, lui dit-il, nous en reparlerons.

— Vous me semblez avoir perdu toutes vos armes. Et je suis étendue, à votre merci. Craignez-vous d'attraper mon rhume ?

C'était une invite à baiser ses lèvres. D'ailleurs, la tête blonde retombait sur l'oreiller et la petite bouche à peine rose exhalait un râle tellement doux et faux que Tristan ne put s'empêcher de rire.

— Votre audace n'est point affectée par ce rhume.

L'audace et l'ironie... Il avait pu déceler, dès leurs premiers jours d'existence commune à Paris, ensuite lors de leur chevauchée vers Gratot, les principaux traits de son caractère. L'ironie surtout. Quelquefois sincère, souvent affectée, elle procédait chez elle d'une faculté d'observation qu'il avait louée en secret. Luciane aimait à examiner fugacement ou non les êtres et les choses et à lancer fortuitement, à leur sujet, un mot juste, parfois acéré. Cette sagacité semblait la conséquence de sa captivité passée. Épier les Goddons de son entourage pour se repaître de leurs défauts avait été sa panacée. Elle en avait tiré des principes qui lui avaient permis d'adoucir son infortune. Désormais, ces argus contribuaient à l'exaltation de son orgueil et, il le pressentait, à la domination de sa charnalité. Nul doute qu'elle avait été menacée, qu'elle avait su aussi tenir les rênes à des ardeurs naturelles qui, dans l'exercice des armes, avaient trouvé un exutoire susceptible d'être un réconfort. Objet précieux, apparemment fragile dans une existence de guerres et de fêtes, elle avait manqué de soins maternels plus que de l'amour de ce père empêtré dans un incurable mal-être. L'angoissante durée de leur séparation, la promptitude de leurs retrouvailles avaient distendu puis rompu un lien qui, sans doute, ne se renouerait jamais. Tristan craignit soudain que la compassion qu'il éprouvait envers ces deux êtres et son constant souci d'en dissimuler les effets ne parvinssent à desservir, en les émoussant quelque peu, la sincérité des sentiments qu'il leur portait. D'ailleurs, le dilemme de toujours s'imposait à lui : soit un mariage avantageux pour le cœur, les sens et l'âme, soit le retour à une vie d'aventures dont il était las. Il n'irait pas à Castelreng. A quoi bon. Il avait, en outre, l'assurance que le Pape annulerait son précédent mariage – si ce n'était déjà fait.

— Guérissez. Alors, vous aurez ma réponse.

— La vôtre me laisse à penser qu'il faudra que je sois solide pour la supporter !

Il vit les yeux de Luciane s'embuer.

— Non, dit-il. Non !

Il se pencha. Ses lèvres touchèrent celles qu'on lui offrait, décloses, et qu'un souffle nouveau paraissait animer. Il le but et s'en vivifia, tremblant d'un contentement dont il avait perdu connaissance. Il sentit autour de son cou des bras vigoureux et tièdes, et qui tremblaient un peu ou d'audace ou d'émoi.

— Vous êtes…

Quelque chose flambait en lui : une sorte de céleste vertige. Quelque chose y renaissait : le goût d'aimer, le plaisir de se savoir aimé, la volupté de couronner une alliance irrévocable avant de la solenniser. C'était comme une nouvelle virginité de son âme qu'il contractait dans cette étreinte pure. Il recevait de Luciane tant de passion, d'adoration, qu'il s'en trouvait confondu. Oui, elle l'aimait ; elle lui vouait un culte. Le regard qu'elle posait sur lui eût été le même si elle l'avait porté sur des choses sacrées.

Elle eut un étrange sourire. La victoire y suppléait l'étonnement :

— Et vous croyez ne point m'aimer ? Vos lèvres ont dénoncé ce mensonge.

187

Comment pouvait-elle en juger ? Conservait-elle, au fond de sa mémoire, un souvenir qui l'incitait à une comparaison ?

Il la saisit aux épaules sans qu'elle eût fait un mouvement pour prévenir son geste. En fait, elle l'espérait. Elle le regardait bien en face, et, passé la lueur vive du ravissement, ses yeux toujours humides brillaient du doux éclat de cette fin de jour.

— Chut ! dit-elle en le repoussant.

Ogier d'Argouges et Thierry entrèrent.

— Père, accepterez-vous que j'épouse Tristan lorsque je serai guérie ?

— Tu lui dois ta liberté, je lui dois nos retrouvailles. Comment pourrais-je dire non ?

Quoique ambiguë, la réponse, immédiate, fleurait la bonne foi. Tristan se sentit pris au dépourvu. Or, s'il baissait la tête, il passerait pour un hypocrite et l'irréparable serait commis : Ogier d'Argouges s'en défierait. Aussi regarda-t-il le seigneur de Gratot dans les yeux, sans quitter la main que Luciane avait plongée dans la sienne.

— Resterez-vous à Gratot ?

— Oui, messire, si cela vous agrée.

— Votre père...

— J'ai dû vous dire un jour en quel état il se trouvait : marié, père d'un enfant... Il me fut impossible de lui rendre visite. Nous pourrons l'aller voir, tous, quand l'envie nous en prendra.

Tristan se sentait pris au piège. Épouser Luciane, soit, mais après d'assez longues fiançailles. « *Mathilde est morte. Tu peux donc te marier sans commettre un parjure ! D'ailleurs, tu as la certitude que le Pape doit, si ce n'est fait, annuler ce mariage !* » Il fallait sourire. Et tandis qu'Ogier d'Argouges se bornait à hocher la tête, Thierry ne s'en privait pas. La joie semblait chez lui quelque chose de neuf. Les sourdes brûlures de la mélancolie s'étaient momentanément éteintes du seul fait de ce mariage. Il en paraissait rajeuni.

— Je veux me lever, dit Luciane.

— Tu es folle !

— Prendre l'air, Père, n'est point folie. Je sens pour ce jour d'hui que c'est nécessité.

— C'est marmouserie, grommela Thierry, mais comment résister aux désirs de cette voulenturieuse ?

Il lui plut de soutenir sa nièce dans l'escalier qui les mena jusqu'au seuil de la cour. Guillemette, Raymond, Paindorge et deux soudoyers, qui conversaient sur le perron, s'exclamèrent gaiement. Ils entourèrent la malade. Tiercelet, apparemment insensible à cette apparition, demeura muet, à l'écart et le visage figé.

— Elle guérira, compères, affirma Ogier d'Argouges. Elle guérira dès maintenant.

Tristan regardait toujours Tiercelet immobile, la tête pleine de ténèbres. Il avait chéri, vénéré Oriabel. Le venin d'une déception peut-être irrémédiable agissait en lui.

— Mes amis, reprit le seigneur de Gratot, Tristan de Castelreng est revenu pour épouser ma fille. Ils s'étaient fiancés sans que je le sache. Ils m'ont annoncé la bonne nouvelle.

Était-elle bonne, vraiment, pour cet homme obsédé par on ne savait quoi ?

— C'était pour lui, achevait le baron, que Luciane se consumait de langueurs inquiétantes. Béni soit Dieu qui a voulu cette union !

Tous se signèrent sauf Tiercelet, dissimulé par Paindorge. Tiercelet dont le sourire était si mince que nul n'eût pu soupçonner qu'il souffrait d'une espèce de trahison à la fois redoutée et inattendue.

Tristan marcha vers le brèche-dent pour se disculper d'un murmure :

— Ils ont devancé mes intentions.

— Même malade, elle est belle. Tu es libre ou plutôt libéré.

Cette phrase avait l'âpreté d'une griffade. A peine Tiercelet l'avait-il proférée qu'il parut s'en repentir :

— Du moment qu'ils ne t'ont pas forcé la main, ne prends pas cet air consterné.

— Vous voilà heureux, pas vrai ? demanda Paindorge en s'approchant.

— Comment pourrais-je ne pas l'être ?

Que répondre d'autre en l'occurrence ?

Luciane s'était assise sur une escabelle apportée par Raymond. Guillemette la couvrait d'une houppelande.

« Et moi, Tristan, il semble qu'un épervier aux mailles serrées vient de s'abattre sur mon dos. *Résigné*, me voilà résigné ! »

Luciane souriait et ses pommettes roses attestaient d'un commencement de guérison. Peut-être anticipait-elle sur des vuiseuses (1) qu'elle n'avait sûrement pas manqué déjà d'imaginer. Non, il ne devait pas l'épouser maintenant. La courtiser, oui. Et attendre sereinement les décrets de la Providence.

Le soir, après un souper abondant, Ogier d'Argouges exprima des inquiétudes bien éloignées du mariage en gésine :

— Le roi ne peut plus tolérer longtemps les complots sempiternels de Charles de Navarre.

(1) Futilités, distractions, choses oiseuses et vicieuses.

— Tout allait pour le mieux lorsqu'il était en son pays, alors que prenait fin, dit Thierry, la guerre entre la Castille et l'Aragon (1).

— On dénonce partout sa présence, dit Raymond pesamment.

Il semblait tenir à faire pénétrer dans l'esprit apparemment serein des invités de son maître et ami, l'idée d'une menace constante. Il ajouta sur un ton de feinte gaieté destiné à réprimer quelques angoisses :

— S'il est resté en Navarre, il doit avoir trouvé un gars à sa semblance, qu'il fait galoper partout en Normandie afin de nous ébahir...

— Et de nous tribouler, acheva Luciane.

Elle avait recouvré ses couleurs, son sourire. A croire que sa maladie avait été une sorte de sacrifice propitiatoire destiné au retour de celui qu'elle aimait. Se sentant épié par tous les convives, Tristan n'osait trop l'observer, ni même se tourner souvent vers Tiercelet, à la gauche d'Ogier d'Argouges.

— Si Charles le Mauvais s'allie encore au roi Edouard, dit un des soudoyers, nous aurons de nouveau la guerre en Normandie : le Navarrais voudra la duché tout entière !

C'était un brun trapu, barbu, d'apparence taciturne. Lui aussi regardait rarement Luciane comme si sa présence l'incommodait. Il s'appelait Richard Goz et pouvait affirmer, avec un tel nom, qu'il

(1) La Navarre avait été administrée par le frère de Charles le Mauvais, don Louis. C'était un royaume prospère, indépendant, régi par des *fueros* et possédant des Cortès devant qui le roi avait prêté serment en 1350. Charles II avait pu obtenir des aides pécuniaires et des hommes d'armes en opérant quelques réformes dans l'exercice de la justice. En 1362, les Cortès rassemblés à Tudela lui avaient octroyé un impôt d'un vingtième sur toutes les choses qui se vendaient sauf les armes et les chevaux. Cette imposition qui devait, en principe, n'être levée que pendant 5 ans se nommait *alcabala*.

Charles II était revenu en Navarre en 1361, au moment où cessait la guerre, commencée en 1357, entre la Castille et l'Aragon. Pierre le Cruel venait de faire occire Blanche de Bourbon, devenant ainsi l'ennemi du roi de France. Aussi, le roi de Navarre accueillit-il favorablement les propositions d'alliance du roi de Castille dont il espérait se servir contre la France. Cependant, le traité une fois conclu, Pierre le Cruel annonça à son nouvel allié son intention de recommencer la guerre contre l'Aragon. Charles le Mauvais, allié du roi d'Aragon, n'avait aucun motif d'attaquer son voisin. Il dut se conformer aux clauses du traité. Sous prétexte que Pedro d'Aragon ne l'avait pas aidé lorsqu'il était captif du roi de France, il envahit l'Aragon (juillet 1362).

Afin de rompre l'alliance de ses deux adversaires, le roi d'Aragon intervint auprès du roi de France pour que la succession de Bourgogne fût soumise à son arbitrage et à celui de six cardinaux. Malgré la médiation du Pape, la guerre continua. Pierre le Cruel ayant mis comme condition les meurtres du Trastamare et de don Tello, ses frères naturels, qui combattaient pour le roi d'Aragon, celui-ci, horrifié, rejeta ses propositions. Choisi comme médiateur par les rois de Castille et d'Aragon, Charles de Navarre ne put rétablir la paix. Pierre d'Aragon fit de grandes concessions à Charles. Un traité secret fut conclu à Uncastillo. Charles II donnait sa sœur Jeanne à don Juan, héritier d'Aragon. Il s'engageait à combattre le roi de Castille. Il recevrait en échange des sommes importantes et la promesse que le roi d'Aragon l'aiderait contre le roi de France. Les deux complices se partagèrent même le royaume de Castille. Et Charles n'avait pas abandonné pour autant ses prétentions sur la Bourgogne. N'était-il pas le petit-fils de la fille aînée du duc Robert II, Marguerite de Bourgogne ? Le roi Jean n'était issu que de la seconde fille du duc Robert, et pourtant, il avait eu l'audace de réunir au duché au domaine royal ! On conçoit quelle haine le Navarrais pouvait vouer à Jean II et au dauphin de France.

descendait des vicomtes d'Avranches (1). Les deux autres, des gars de dix-sept ans, solides, vivaient moins sous son obédience que sous celle de Thierry, – ce qui semblait l'irriter. L'un, Nédelec, était un Breton sans tendance particulière – ni pour Montfort ni pour Blois – ; l'autre, Carbonnel, était un Normand de Saint-Lô ; sa blondeur témoignait de sa lignée Viking. Il parlait peu et se montrait frugal. Il ne craignait pas de cerner de regards vifs la fille de son seigneur, sans que celui-ci en parût irrité. Tiercelet lui aussi observait la jouvencelle. Moins, cependant, que Paindorge.

« Tudieu ! » songea tout à coup Tristan, « ce marmouset ne manque point d'audace ! »

Quel sentiment infusait en lui ? La jalousie ou l'inquiétude ? Cessant de mâcher la cuisse de poulet que Guillemette, d'autorité, avait placée dans son écuelle, il observa Luciane en conversation aisée – et même gaie – avec le brèche-dent. Cela suffit pour qu'il se sentît rassuré.

* *
*

Pour obtenir des nouvelles du royaume, il suffisait de se rendre au marché de Coutances, installé chaque jeudi devant la cathédrale. Certes, un tri s'imposait dans tout ce que racontaient les marchands, les presbytériens, les échevins et jusqu'aux ferreurs de chevaux, ces indispensables aides des chevaucheurs. Tristan qui, soit seul avec Thierry, soit en compagnie de Godefroy d'Argouges et de Luciane, errait parmi les échoppes et les étals, apprit que le roi Waldemar de Danemark était arrivé en Avignon un mois avant le roi de Chypre (2) et que le vendredi 31 mars, le Pape avait prêché la Croisade. On racontait que le Saint-Père et les deux souverains s'étaient félicités d'avoir trouvé en Jean II un roi de grand mérite, aussi hardi que bellement aventureux. En suivant à Jérusalem ces trois conduiseurs illustres, les malandrins des Compagnies allaient sauver leurs âmes. « *Dans deux ans* », avait affirmé le roi de France, « *nous serons en Terre Sainte.* » Après les fêtes de Pâques, Pierre Iᵉʳ et Jean II avaient quitté Avignon pour Beaucaire et Nîmes (3).

L'été s'annonçait chaud, accablant, lorsqu'on apprit que le roi

(1) Richard Goz, vicomte d'Avranches, avait pour ancêtre Ansfrid le Danois, dont une tradition fait un descendant de Rögnvald, comte de Möre, père de Rollon. La famille fit souche en Angleterre au temps de la Conquête.

(2) Waldemar, le dimanche 26 février, Pierre Iᵉʳ de Chypre le mercredi 29 mars.

(3) 20 avril 1363. Au passage, Jean II assista aux États de ces deux sénéchaussées et confirma le maintien d'une grosse gabelle. Dans la même session, les États nommèrent un député chargé de recevoir les « montres » d'hommes d'armes. Ils se chiffrèrent à 200 lances et 200 sergents à cheval sous les ordres du sénéchal de Beaucaire.

revenait lentement à Paris. Un chevalier, Godart de Bonneval qui, lui, avait quitté Vincennes, fit halte au marché de Coutances, le jeudi 1ᵉʳ juin, et demanda le chemin de la Roche-Tesson à Tristan qu'accompagnaient Luciane et son père.

— Ce chemin-ci vous y mènera, dit Ogier d'Argouges. C'est celui qui conduit à Avranches.

— Je me rends chez messire Guesclin. Croyez-vous que je l'y trouverai ?

— Ses affaires ne sont pas miennes.

— On le dit fiancé. Savez-vous si c'est vrai ?

— Comment le saurais-je ?… Mais vous me paraissez assoiffé.

— Je le suis.

— Votre cheval est hodé.

— Hélas !

— Peut-il fournir une petite lieue ?

— Je le crois.

— Alors, venez à Gratot. Vous pourrez vous y reposer une nuit et même plus.

— J'accepte à grand plaisir.

Immobile sur la sambue de sa haquenée – Hermine, en raison de sa robe blanche mouchetée de noir – Luciane restait silencieuse, et même hautaine. Cependant, lorsque le chevaucheur crut bon de dire que la fiancée de Guesclin était fort belle, selon la rumeur, elle rit :

— Eh bien, messire, ce sera le mariage d'un crapaud et d'une étoile.

Quoiqu'il fût d'ordinaire enclin à tout accepter de cette petite bouche rose, Tristan désapprouva ce trait. D'un clin d'œil, Ogier d'Argouges exprima, lui, son agrément, et même se mit à rire :

— Je connais cet homme. Si vous voulez, messire Bonneval, que nous soyons amis lors de votre séjour en mes murs, abstenez-vous de m'en parler.

Tristan ne fut point ébahi par cette recommandation. S'il détestait sans démesure ce routier devenu l'essentiel mercenaire de la Couronne, Ogier d'Argouges, lui, se courrouçait sitôt que le nom, voire le prénom du Breton était prononcé en sa présence. Cette haine qui semblait remonter à sa jeunesse prime ne s'était pas émoussée au fil des ans. Et s'il méprisait le dauphin, c'était sans doute en raison du merveillement de celui-ci pour ce hobereau sans principes. Outre qu'il avait institué Guesclin capitaine souverain, ès baillages de Caen et du Cotentin, le prince héritier l'avait « royalement » nanti d'un châtelet qui passait pour une demeure digne d'un maréchal : la Roche-Tesson, entre Saint-Lô et Avranches. Cette forteresse commandait aussi bien le cours supérieur de la Sienne que le grand chemin reliant la Bretagne à la Normandie par Saint-Lô et Bayeux. Chevalier banneret, Guesclin disposait de quatre cents hommes. On disait qu'il avait l'œil sur le frère puîné de Charles le Mauvais, Philippe de Navarre, comte de Longueville.

— Et du roi, dit Tristan, savez-vous quelque chose ?

Le chevaucheur évoqua la Croisade. Selon lui, elle aurait lieu.

— En revanche, ajouta-t-il tout en tapotant l'encolure de son cheval dont le pas s'accourcissait, il se peut qu'une guerre ait lieu en Espagne. Le Trastamare a séduit le roi qui, dit-on, le couvre d'or (1).

Ce dernier mot fit son effet. Chacun parut se replier sur soi-même. Tristan chercha en vain le regard de Luciane. Elle avait vu de l'or sur et à l'entour de Jeanne de Kent. Et des joyaux. Toutes sortes de richesses trouvaient chez la belle dame un écrin digne de leurs feux.

« Luciane n'est point avide d'or et de perleries... »

Nul doute qu'elle y songeait. Sans envie mais avec au tréfonds de son cœur une larme d'amertume. Il n'osa lui parler. Au vrai, il n'en avait guère envie. Rares étaient les moments où ils se trouvaient seul à seul. C'était parfois Thierry qui, de loin, les épiait. Ou bien Guillemette, innocemment, et même Ogier d'Argouges, comme gêné d'avoir cédé à sa curiosité. C'était aussi un soudoyer, tantôt Goz, tantôt Carbonnel qui se régalait la vue de la jouvencelle en ignorant son « fiancé ». Seuls Raymond et Tiercelet, entre lesquels naissait une amitié, ne se souciaient point d'eux.

Le seigneur de Gratot semblait tenir à ce que leur mariage fût comme auréolé de pureté ; sanctifié pour leur porter à tous deux bonne chance. Cette impossibilité d'être souvent et longtemps ensemble, cette obligation de restreindre les effusions permises et nécessaires entre des « promis », ne pouvaient avoir pour conséquence – tout au moins pour lui, Tristan – que d'affadir ses plus légitimes ardeurs. Se croyait-il seul avec Luciane que soudain une ombre, un pas, une toux, un bruit d'outil touchant un mur ou tombant à terre abrégeaient un baiser, une étreinte légère, un tâtonnement prometteur. Elle souriait de ces contretemps alors qu'il commençait à se morigéner d'avoir fait en sorte de les éviter. Néanmoins, quelles que fussent les embûches

(1) Le 23 avril 1363, Henri de Trastamare survint à Villeneuve-les-Avignon pour exiger de Jean II le reliquat des sommes qui lui étaient dues. En attendant de toucher *ses* 53 000 florins, il avait fait des dépenses que le châtelain d'Amposta ainsi qu'Audrehem et Pierre Scatisse, s'étaient engagés à rembourser. Ces trois personnes s'obligèrent chacune pour 1/3 de cette somme (9 000 florins) dont le Trastamare donna quittance le 28 avril. Il fallait ménager les Espagnols sinon pour combattre les Compagnies, au moins pour s'assurer leur neutralité. Certains, – mais est-ce vrai ? – auraient participé au siège de Saint-Chaffre. De plus, on venait d'apprendre que les routiers menaçaient Mende.

Jean II partit de Villeneuve à la mi-mai, s'arrêta à Romans le 22 pour demander aux trésoriers de verser 3 000 royaux d'or pour la pension d'Audrehem en déduction de sa propre rançon. Le maréchal reçut cette somme le 24 juillet.

tendues, cette liaison étroite et familière ne cessait de s'enluminer. Luciane augmentait en séduction à mesure que diminuaient ses réticences. Il se sentait entraîné vers elle, lié à elle avec plaisir, parfois avec ravissement. Pourquoi, en certaines occasions, n'échangeaient-ils aucune phrase ? Leurs bras, leurs mains, leurs lèvres ne suppléaient-ils pas les mots ?

« Non... Elle me parle trop peu. Tiercelet l'a-t-il mise au fait de tout ce qui a précédé son entrée dans ma vie ?... Je lui en ai dit suffisamment. Ma revenue à Gratot devrait la satisfaire ! »

Il s'évertuait à ne penser qu'à elle. Cet effort lui prouvait combien les autres avaient compté. Elles ne déserteraient jamais complètement son esprit. La malicieuse Aliénor, la despotique Mathilde n'y pouvaient plus nuire à Oriabel dont il persévérait le culte. Pourquoi eût-il tenté d'oublier ou de négliger l'importance de cette liaison amoureuse ? C'était la première où il s'était donné tout entier. Cet abandon de lui-même lui avait fait entrevoir un bonheur de vivre dont il méconnaîtrait désormais l'étendue. Grâce à Oriabel, tout ce qu'il possédait de générosité en avait reçu une force, une énergie, une signification nouvelles. Les périls de Brignais les avaient appariés solidement, ardemment et hardiment jusqu'au désastre de la bataille. Comme Oriabel, Luciane éveillait en lui des émotions sincères, mais à l'inverse de celle-ci, ces émois se trouvaient rétractés par des tiers. Toujours des velléités, jamais d'assouvissements.

Lorsqu'ils furent rendus dans la cour de Gratot, elle ne s'étonna point qu'il eût chevauché seul, à l'arrière. Il avait pourtant dû, tout au long du chemin, maîtriser l'humeur d'Alcazar toujours enclin à galoper sitôt qu'il voyait des prés aux herbes souples, épaisses, verdoyantes.

Il laissa Thierry s'occuper d'Hermine, Raymond et Tiercelet empoigner les rênes des autres chevaux, sauf celles de son blanc coursier qu'il entraîna par le frein vers l'écurie. A peine avait-il fait trois pas qu'une main le retint par sa ceinture :

— Pourquoi es-tu si chagrin ? Parce que ce Bonneval est demeuré entre Père et moi ?

Luciane le voussoyait toujours, comme si le tutoiement ressortissait au vulgaire. Que lui prenait-il tout à coup ? Elle avait un sourire figé, ascétique, et ses yeux qui semblaient taillés dans un pan de ciel démentaient la pâle gaieté qu'elle voulait exprimer.

— Je ne suis pas chagrin. J'aime à être seul avec toi.

Il fut surpris que ce *toi* eût sonné si mal dans sa bouche. Comme une sorte d'indécence ou de provocation. L'aimait-il trop ou pas assez ?

— Nous serons très bientôt unis. Père voudrait ce mariage pour Noël.

C'était la première fois que Tristan entendait quelque chose de précis à ce sujet.

— Crois-tu, dit-il, que lorsque nous serons mari et femme nous pourrons vivre un peu seuls ?

Il lui sembla que Luciane ne comprenait ni cette question ni le sens caché qu'il lui avait donné. Quelle barrière s'élevait donc entre elle et lui ? Cet obstacle portait un nom : *la famille*. Et un autre : *la mesnie* (1).

Cherchant une diversion à leur évident mésaise, il avança derechef en flattant l'encolure d'Alcazar.

Une rumeur confuse sortait de l'écurie où les chevaux prenaient place, et tout en l'écoutant, Tristan jeta un regard circulaire aux logis, aux murailles, aux contreforts dont l'énormité décuplait la résistance aux assauts de la nature et des éventuels ennemis. Chacune de ces pierres grises, noires, quelquefois brisées, lui parut différente de ce qu'il en connaissait. Le château tout entier, ce soir, semblait sécréter, à son égard, une sorte d'hostilité.

— Parfois je ne vous comprends pas.

Allons, c'était fini : Luciane revenait au *vous*.

— Il m'advient à moi aussi de ne pas vous reconnaître. Vous m'avez ignoré tout au long du chemin.

— Père était heureux de m'avoir près de lui. Je lui ai donné ce petit contentement. Il était fier de moi…

— … et Bonneval aussi. Je me faisais l'effet d'un écuyer !

— Bonneval partira et vous, vous resterez.

« Voire ! » se dit soudain Tristan.

Son humeur se muait en courroux. Allons, il fallait bien qu'il en convînt : depuis son retour à Gratot, Luciane avait changé. Elle avait le regard et les façons d'une femme sur qui reposaient le présent et l'avenir de sa demeure. Ce n'était plus la jouvencelle hardie, quelque peu capricieuse, qu'il avait connue. Elle pesait ses mots, mesurait ses regards, restreignait ses rires, contraignait ses élans. Eût-il dû s'en féliciter ? Quand elle lui offrait sa main, il comprenait, à sa nervosité, qu'elle était sortie de cette période ambiguë qui précédait l'affranchissement de la volonté. Il lui advenait, comme maintenant, d'en éprouver de la déception.

— Nous nous verrons ce soir dans la grange.

Un curieux mélange de satisfaction et d'incertitude animait cette physionomie dont l'expression devenait progressivement indéchiffrable. Tristan se dit : « On s'aime. » Luciane cessa de le regarder dans les yeux. « Elle me tient rigueur de ma sincérité ! » Plus

(1) L'ensemble des habitants d'un château : seigneur, femme, enfants, soudoyers et domestiques.

il était certain de leur mutuelle attirance, plus l'avenir à Gratot lui paraissait précaire. La curiosité sinon la surveillance dont il était l'objet, cette tutelle ou franche ou sournoise, mais en tout cas pesante exercée sur sa personne, non seulement par ceux de Gratot, mais par Paindorge et Tiercelet, égratignait sa patience. Il ne lui serait *sans doute* jamais venu à l'esprit, s'il avait eu une fille, qu'elle pût courir le moindre danger d'être dépucelée par son fiancé, même si leurs tête-à-tête s'étaient parfois prolongés dans une solitude propice à des embrassements. Et puis quoi ? Se confondre en un seul corps, une seule flamme, se pâmer en un seul vertige n'était-ce pas céder aux lois de l'amour et de la nature ?

Luciane partit sans un mot, dans un onduleux mouvement des hanches. Malgré l'opacité de la tiretaine qui la couvrait, chaque pas révélait le plein de ses formes : le soleil, lui au moins, se montrait impudique !

* *
*

La veillée fut longue, animée par Bonneval et Richard Goz qui, de soudoyer, semblait vouloir s'élever, dans l'estime du baron, à la fonction de capitaine. Thierry devait l'avoir en détestation. Tiercelet l'ignorait. Luciane prêtait parfois l'oreille à ses propos, – ce dont il tirait fierté.

Quand le feu s'éteignit dans l'âtre, la jouvencelle se tapota la bouche. Son bâillement contagionna Guillemette, Paindorge et Raymond qui se levèrent.

— Où vas-tu ? demanda le baron à sa fille.

— Me coucher, Père.

Tristan se leva :

— Moi aussi.

Il avait sa chambre dans la tour la plus éloignée de celle où logeait Luciane. D'un regard, elle lui signifia son regret. Une vesprée s'annonçait sans la plus petite étreinte, sans le moindre baiser.

« Bon sang ! » se dit-il, « je me sens parfois aussi emprisonné qu'à Montaigny où j'avais au moins des avantages ! »

II

Godart de Bonneval partit au petit matin. Seul Tiercelet, qui venait de bouchonner Alcazar, commenta brièvement son passage :

— C'est un beau langagier (1), mais il ne nous a rien dit que nous ne sachions déjà !

Au repas de midi, Luciane parut enjouée. Tristan reçut pour arrhes d'une étreinte incertaine quelques œillades prometteuses. Elle était assise entre son père, morose, et Thierry qui ne cessait de paroler soit avec Raymond soit avec Nédelec et Carbonnel lesquels semblaient soulagés de l'absence de Goz dont c'était le tour de garde. Guillemette surveillait la pitance. Le château tout entier semblait assoupi sous une chaleur grandissante. Parfois, le plafond craquait doucement.

— Selon ce Bonneval, dit Paindorge qui assumait avec plaisir les fonctions de bouteiller et d'écuyer tranchant, la guerre va reprendre…

— A-t-elle jamais cessé, soupira Luciane. Père, pensez-vous qu'on nous assaillira ?

Tristan s'étonna de ne point sentir en elle ce souffle de confiance et d'ardente foi en l'avenir qui souvent semblait lui brûler le visage. Ogier d'Argouges parut se délivrer d'une contrainte et, regardant son beau-frère plutôt que sa fille :

— Je ne m'allierai pas à Guesclin pour combattre le Mauvais.

— Que ferez-vous ? demanda timidement la pucelle.

C'était nouveau, dans leurs rapports, cette incertitude et ce mystère.

— Je l'ignore. Nous sommes esseulés sans dépendre de quiconque et subjugués sans savoir par qui. Le régent, duc de Normandie ? Le roi ? Dieu ? Présentement, il ne se passe rien qui puisse nous inquiéter.

— Pour combien de temps cette trêve ?

(1) Un beau parleur.

197

— Si je le savais, Thierry, tu le saurais aussi.

Ils achevaient leurs repas quand le roulement d'un galop sur le pont-levis abaissé leur imposa le silence. Goz apparut sur le seuil du tinel :

— Encore un chevaucheur ! Il demande après messire Castelreng.

Tristan échangea un regard ébahi avec Ogier d'Argouges, Paindorge, Luciane. Il se leva :

— Qui est-ce ?

— Je ne sais. Sa cotte d'arme porte *d'argent à l'aigle éployée de gueules.*

— Boucicaut ! s'écria Paindorge, devançant de peu Tristan.

Ils sortirent seuls, laissant les convives à leurs commentaires.

Le messager avait entraîné son cheval à l'ombre de l'écurie. Tristan se hâta en s'interrogeant. Allait-il devoir revenir à Paris ? Boucicaut, truchement du dauphin, allait-il lui confier une mission nouvelle ?

— Messire Castelreng ?... Yvain de Sacquenville au service de Jean le Meingre.

C'était un quadragénaire de forte taille, blond sous son chaperon vermeil, le torse pris, sous sa cotte armoriée, dans une brigantine elle aussi vermeille, les jambes enfoncées dans des houseaux dont le daim, à force d'absorber la poudre des chemins, avait pris une teinte grise. Il portait aux talons de gros éperons d'or. Une épée de passot pendait à sa ceinture, dans un fourreau de cuir neuf. Tristan se souvint d'avoir aperçu trois ou quatre fois cet homme lorsqu'il logeait à Vincennes.

— Messire Boucicaut vous tient en grande estime. C'est pourquoi vous me voyez à Gratot.

— Que me voulez-vous, messire. Avez-vous soif ? Faim ?

— Non. Mes hommes d'armes m'attendent de l'autre côté du pont. Nous venons de Paris...

Tristan n'osa demander : « Où vous rendez-vous ? » par souci de recevoir encore le nom de Guesclin dans l'oreille. Il vit Paindorge se diriger vers le puits et en extraire un seau d'eau qu'il versa dans l'abreuvoir afin que le cheval de Sacquenville pût boire. Il s'étonna que les gens du château, derrière Ogier d'Argouges et sa fille, ne l'eussent pas suivi. Cependant, tout à coup, il se félicita de cette discrétion.

— Messire Boucicaut m'a demandé de faire ce détour pour vous aviser de l'annulation de votre mariage... Le Pape y a consenti sur sa demande...

— Ah ! fit Tristan incapable d'exprimer sa satisfaction autrement que par un soupir.

Il se sentait enfin délivré du fantôme accablant de Mathilde. Il était libre de corps et d'esprit. Il pourrait sans remords épouser Luciane.

La face ronde et glabre du messager s'éclaira :

— Le maréchal m'a chargé de vous dire qu'on avait retrouvé, dans la forêt de Montaigny, le corps de votre épouse. Elle avait été égorgée... Son chambellan, un certain...

— Panazol ?

— C'est cela...

Tristan se sentit dévisagé avec une insistance singulière.

— Ce Panazol, messire, vous avait accusé de l'avoir occise, mais la servante de la dame a raconté dans quelles circonstances vous vous étiez enfui après que votre dame eut voulu vous tuer avec l'aide, justement, de ce Panazol. En un mot comme en cent : vous voilà libéré... prêt sans doute à épouser, cette fois, une damoiselle ou une veuve de qualité !

Sacquenville riait. Sans doute n'était-il pas marié ou, s'il l'était, vivait-il heureux en ménage.

— Je suis Normand, dit-il en jetant un regard à l'entour. Êtes-vous fiancé à une damoiselle ou une dame de Gratot ?

Tristan broncha pour cette curiosité importune.

— Si je vous parais... indécent, c'est par amitié... Certains chevaliers ont épousé des damoiselles aussi bien pour leur beauté que dans l'espérance de régner moins sur leur cœur que sur leur chevance (1). Or, vous n'êtes pas en Langue d'Oc mais en Normandie. De ce fait, rien jamais ne vous appartiendra (2).

— Je n'ai fait, messire, aucun calcul.

Tristan considérait Sacquenville bien en face. Tout au fond de son cœur il se sentait déçu. Comment cet homme pouvait-il imaginer qu'il pût être un hypocrite ? Il fallait qu'il restât maître de lui, bien qu'il se fût senti offensé tout autant que s'il avait reçu le gant de Sacquenville au visage. Il s'efforça d'affirmer sa contenance :

— Avez-vous encore, messire, quelque annonce à me faire ?

— Non, messire.

(1) Le château, la terre : la propriété.
(2) La condition des femmes, au Moyen Age, est quelquefois étonnante et souvent contradictoire. Elle varie non seulement selon les régions mais encore à l'intérieur de celles-ci. L'est de la Normandie, par exemple, différait à ce point de vue, de l'ouest, – encore que l'ensemble était géré, par principe, par les mêmes coutumes. Il va sans dire que les femmes non-nées n'avaient à peu près aucune importance partout. Il advenait qu'un noble épousant une vilaine annoblît, de ce fait, celle-ci. Il arrivait que le noble devînt lui-même vilain. Même chose dans le cas opposé ; donc, règles locales. Les hommes étaient majeurs à seize ans, les filles à quatorze, et le plus important était, pour chacun, le bien d'hérédité. La très grande majorité des puînés n'avait rien. Ils dépendaient des volontés de l'aîné.

En principe, dans le domaine normand, la femme restait propriétaire de son bien, l'époux étant chargé de sa gestion, rien de plus. Un exemple à vrai dire extrême est cité dans une saga du XIe siècle : un homme était assiégé dans son châtelet avec sa femme qui le haïssait, mais respectait son devoir d'épouse. A un moment, la corde de l'époux se brise. Il demande à sa femme de couper ses cheveux pour qu'il tresse une nouvelle corde et répare son arc. La femme refuse, – ce qui était son droit strict. Tous deux périssent.

— Je vous sais bon gré de vous être dérangé. Veuillez, je vous prie, faire part de ma reconnaissance à messire Boucicaut.

Il raccompagna Sacquenville jusqu'à son cheval et, lorsqu'il fut en selle, jusqu'au pont-levis. Il cherchait, sans en trouver, des paroles désagréables. Le messager mit fin à sa confusion :

— Messire Tristan, je connais votre histoire : Brignais, une injuste accusation, à Lyon, par un chevalier méprisable : Guillonnet de Salbris !... La dame de Montaigny qui vous sauve du bûcher en demandant de vous épouser... Votre captivité, peut-on dire, dans l'enceinte de Montaigny... Que Dieu vous garde !

Le cheval avança sans qu'on l'eût talonné. De l'autre côté du pont-levis, quatre homme attendaient. Tous portaient la livrée du maréchal Boucicaut.

— Vous avez fait vélocement ! dit l'un d'eux.

— Bref, certes, dit Sacquenville, mais efficace.

Ils rirent cependant que Tristan s'en allait.

Des nuages pareils à d'énormes verrues désenchantaient l'azur du côté de Coutances.

* *
*

Il sut d'emblée que l'orage serait sur terre avant de tonner dans le ciel : Ogier d'Argouges marchait vers lui à grands pas. Il eût couru sans doute s'il n'avait craint d'être la risée de Paindorge et de Tiercelet qui, sur le seuil du perron, avaient essayé de l'apaiser, sinon de le retenir.

— Même s'il vous en coûte, Castelreng, j'aimerais savoir pourquoi ce chevalier vous a rendu visite.

— Il ne saurait m'en coûter. Au contraire : je m'apprêtais à vous en entretenir.

— Voire !

Tristan trouva que l'entretien s'engageait mal. Tout l'empire qu'il pouvait avoir sur lui-même, il l'exerça, pendant que le baron reprenait son souffle, pour contenir un agacement dont l'ampleur l'inquiéta. Quelque chose d'autre lui chauffait le sang. Ce pouvait être une angoisse.

— Vous ne pouvez, messire, douter de ma bonne foi... Voyez-vous, en marchant, je cherchais la façon de vous mettre au fait de ce que Sacquenville vient de m'apprendre.

— Savoir ?

— Savoir, messire, que je suis libre d'épouser Luciane.

— Ainsi, vous ne l'étiez pas !

— Je l'étais en un sens.

— Soyez clair !

Tristan tressaillit. Cette semonce valait un coup de fouet. Il la jugea malvenue et désagréable.

— Messire, je vais être clair, mais avant je vous prie de lâcher mon pourpoint !

La main osseuse, nerveuse, qui avait empoigné le vêtement à l'endroit du cœur, – comme pour l'extirper de la poitrine – retomba, inerte, et Tristan dévisagea enfin le seigneur de Gratot. Il ne le reconnut pas. Une sueur qui ne devait rien à la touffeur de l'air mouillait sa face convulsée. Ses yeux larmoyaient. Un frémissement discontinu, dû à un souffle précipité, donnait à ses lèvres pâles une vie désordonnée. Ce visage penché n'était pas celui que l'on pouvait espérer d'un futur beau-père : il appartenait à un ennemi.

— Messire, contenez cette fureur. Je ne l'ai point méritée.

Tristan refusait de s'indigner. Sa propre colère l'ennuyait sans que pourtant il la trouvât indue.

— Goz m'a dit que étiez marié.

— Comment sait-il cela ?

— Il se trouvait dans l'écurie pendant que vous vous entreteniez avec ce visiteur.

Allons bon ! Le soudoyer présomptueux s'était fait dénonciateur pour complaire à son maître et en obtenir quelque avantage.

— Je ne suis pas marié.

— Vous l'étiez. Ne jouez pas sur les mots, je vous prie.

— Est-ce un crime que d'avoir été marié ? Quel reproche ai-je à me faire ?

Ce ne serait pas un orage à en juger par les premières bourrasques, mais une effoudre (1). Il fallait temporiser. Comment ?

— Bon sang, messire ! Allez-vous me jeter l'anathème parce que j'ai vécu, avant de vous connaître tous, une existence qui ne vous appartient pas ?

— Non... Vous eussiez dû m'en parler.

— J'attendais un moment favorable.

— Cela eût pu durer jusqu'au jour où j'aurais conduit ma fille à l'autel.

— Je ne suis point couard, messire, pour différer si longuement un dessein. Je m'apprêtais à vous entretenir de mon passé d'autant plus aisément que Sacquenville venait de me permettre de rompre définitivement avec lui.

Comment, avec quels mots rassurer ce furibond ? Comment lui rendre sa sérénité ? Le souhaitait-il seulement ? *Non !* Sa fille lui appartenait. Sans doute l'avait-il déjà imaginée nue, besognée par ce Castelreng qui allait la lui prendre et régner sur son corps comme sur

_____
(1) Ouragan.

son esprit. Ce rival, cet imposteur la ferait gémir d'un plaisir que peut-être il n'avait jamais dispensé à sa défunte épouse.

— Vous me connaissez mal, messire.

— Oh ! je m'en aperçois.

Tristan mesurait la détresse de ce seigneur devenu quasiment un moine et restitué à la vie, à la paternité, justement par son entremise. Deux sentiments complémentaires s'étaient brusquement partagé son cœur ; l'un ardent, étincelant : la fierté paternelle, l'autre ténébreux et complexe : une sorte de tendresse et d'admiration usurpées à celles de la mère absente. Il comprenait cet égoïsme d'autant plus passionné qu'Argouges avait été de longues années séparé de Luciane, privé du souci de la protéger, frustré du plaisir de la voir grandir. En retrouvant son enfant dans l'éclat de sa juvénilité, sans doute avait-il cru revoir son épouse à l'époque de leurs primes amours. Mais Luciane différait de Blandine. Elle était un peu ou beaucoup de lui-même. Était-il jaloux d'un bonheur qu'il ne pourrait jamais lui donner ? C'était là, semblait-il, toute l'affaire. Blandine eût admis ce mariage avec un horzain (1) parce que toute mère entendait que sa fille fût heureuse et que le bonheur, pour une femme, se concevait difficilement sans quelques loisirs accordés aux sens. Cet homme-là ne voulait pas que sa fille appartînt à un autre. Il s'insurgeait contre une réalité dont pourtant il avait usé et peut-être abusé. Qu'avait-il à s'ériger en procureur ? A jouer au pharisien ?

— Messire, essayez donc de demeurer serein. J'ai été marié contre ma volonté. J'ai fait demander au Pape, lorsque j'étais en Avignon, et ce par l'entremise de Jean le Meingre, l'annulation de ce mariage qui ne fut, en réalité, qu'une espèce de servitude... Pour tout vous dire : j'y fus contraint sous peine de mort.

— Pourquoi cette annulation ?... Goz m'a dit que vous avez occis votre femme.

— Et vous plégez (2) ce malebouche ? Faut-il que je vous en sache bon gré ?

Le persiflage, ici, semblait préférable à une dénégation outragée. Ce chien couchant d'Avranchais avait-il tenu ses propos outrageux en présence de Luciane ? A quoi bon se le demander : en s'exprimant devant elle, il avait éprouvé, à défaut de celle qui lui serait toujours refusée, une félicité dont il devait encore s'émoustiller.

— Ma femme est morte hors de ma présence, messire.

Allait-il devoir expliquer pourquoi et comment il avait épousé Mathilde ? Raconter sa captivité à Brignais en surveillant son récit pour ne pas y inclure Oriabel ? Dire comment il avait dû combattre

_____
(1) Étranger pour les Normands.
(2) *Pléger* : cautionner.

parmi les routiers assiégés afin de conserver sa vie ? Narrer comment il avait été pris et comment, alors que conduit au bûcher de Lyon avec quelques prisonniers, Mathilde de Montaigny, arguant d'un antique usage, l'avait arraché à la mort en décidant de le prendre pour époux ? Ajouter de quelle façon il avait été traité une fois dans les murs du château de la dame ?

— Parlez !… Je veux savoir. N'en ai-je pas le droit ?

Tristan hésita. Cette vérité qui ne le préjudiciait en rien lui faisait peur. Quels que fussent les mots dont l'emploi étançonnerait sa plaidoirie, ils seraient comme vermoulus. Et qu'avait-il à se défendre dans les circonstances présentes ?

— Messire, dit-il enfin, j'ai l'esprit et le corps tout aussi purs que les vôtres. Je n'ai pas meurtri mon épouse bien qu'elle eût été, pendant de longs mois, ma geôlière. Envoyé chez les routiers par le roi Jean afin de voir si Charles de Navarre n'allait pas conclure avec eux une alliance dont le royaume tout entier eût souffert, je me suis trouvé coincé, à Brignais, dans cette bataille qui fut le désastre que vous savez. Un chevalier qui m'avait en détestation m'a désigné comme traître et je n'ai pu me disculper de cette accusation bien que Gérard de Thurey, le maréchal de Bourgogne, fût venu à ma rescousse. Alors que j'étais conduit au bûcher, une femme à excipé d'une coutume qui, à Lyon, ne souffrait pas de manquement : elle exigea de m'épouser afin de m'épargner une mort imméritée. Vous eussiez accédé à son désir si vous vous étiez trouvé à ma place.

— Et cette Oriabel ? Est-elle morte elle aussi ?

Tristan se détourna. Luciane était là sans qu'il eût perçu son approche. Aussi nette et blafarde que son père dans l'ombre moite de l'écurie. Des paillettes de colère avivaient son regard et sa bouche formait une lippe inquiétante.

— Oriabel et Tiercelet furent pris et conduits à Brignais en même temps que moi. Nous ne nous sommes plus quittés, sauf lors de la bataille.

C'était la vérité. Cependant, le père et la fille s'étaient consultés d'un regard : ils doutaient. Leur parenté s'affirmait dans la colère plus encore que dans la bonace. Tristan se sentit regardé comme un animal familier qu'une mue soudaine eût rendu répugnant.

— Je vous ai parlé d'elle.

— C'est vrai.

— Allez-vous penser que je l'ai occise afin de dégager le chemin qui m'a reconduit à Gratot ?

Il riait. Il vit reculer la pucelle et ne s'en courrouça pas.

— Me croyez-vous capable d'une pareille infamie ?

Il avait rêvé qu'ils jetteraient à la face des gens non seulement leur jeunesse rieuse, mais aussi leur bonheur intime. C'eût été la victoire d'une vie différente des autres, les préjugés éliminés, les conventions assourdies ou rejetées, l'envol triomphal d'une passion partagée avec une équité rare. Une vie certes soucieuse des contingences, mais libre, en quelque sorte, de toutes les pesanteurs qui vieillissaient prématurément un couple. Le lien le plus précieux auquel il tenait, c'était l'indépendance des idées, des mouvements, des opinions. Luciane lui avait semblé digne de lui par sa beauté, son courage et la ferveur plus encore que l'admiration qu'elle vouait à son père. Y avait-il jamais eu entre eux une entente complète, une conformité parfaite de leurs cœurs et de leurs esprits ? Non, sans doute, puisqu'à la première fissure et pour des faits d'où elle était exclue, elle devenait son accusatrice.

— Je crois vous en avoir assez dit sur Oriabel... Vous semblez m'intenter un procès, me reprocher d'avoir vécu des événements qui ne vous lèsent en rien puisqu'ils précédèrent notre rencontre. Me suis-je permis de vous reprocher votre vie en Angleterre ?

— Oh ! qu'allez-vous suggérer, s'indigna Ogier d'Argouges. Que ma fille s'est corrompue auprès de Jeanne de Kent ?... Je la connais, vous ai-je dit. C'est une femme merveilleuse...

La fureur lui troublait l'esprit. Comment l'apaiser ? Ce regard de défi, le baron de Gratot avait dû l'avoir quand il maniait farouchement l'épée.

— Je n'ai rien suggéré, messire. Vivre, c'est regarder le présent et supputer l'avenir. Le passé reste le passé : on n'en peut extraire que de la vase !

Il y avait quelque chose d'infect, de nidoreux dans l'air qu'ils respiraient, sans que les exhalaisons de l'écurie en fussent cause. Tristan se sentit las, incapable de prolonger ces passes d'armes à la suite desquelles il n'y aurait ni vainqueur ni vaincu. Sa tristesse de perdre Luciane et d'être méjugé atteignait son pinacle. Ses mains crispées sur le mordant (1) et la boucle de sa ceinture tremblaient avec une violence invincible. Allons, il fallait bien qu'il allât jusqu'au bout !

— Messire Ogier, dit-il, soyez-en assuré : je n'ai pas enfourché votre fille.

— Oh ! s'indigna Luciane.

— Vous la voulez, je crois, conserver pour vous seul.

— C'est faux, n'est-ce pas ?

Luciane, éplorée, interrogeait son père. Il ne lui répondit pas.

— Mais vous mourrez un jour, continua Tristan. C'est la loi de Dieu. Votre enfant sera seule. Vieille peut-être. Immariable !... Les manants de Coutances n'en voudront même pas !

(1) Ardillon.

204

C'était une énormité, mais il fallait secouer ce vieux seigneur taciturne. Oubliant toute dignité, Ogier d'Argouges leva la main pour frapper. Prompte et indignée, Luciane l'abaissa. D'ailleurs Tristan savait tenir dans son regard et dans toute sa contenance une telle conscience de son droit que son accusateur baissa la tête ; puis, la relevant, l'œil vif :

— Outrageux que vous êtes ! Vous aviez pensé abuser de ma confiance !

— Vous ne m'en avez montré aucune.

— Je vous aurais accepté pour gendre si je ne vous avais pas senti des attaches obscures. En m'outrageant ainsi vous outragez ma fille.

— Je l'eusse outragée en la besognant puis en vous la laissant peut-être grosse et désespérée. Or, je l'aime et vous l'abandonne.

Ogier d'Argouges porta ses mains à sa tête comme si elle menaçait d'éclater. Il n'avait jamais connu, sans doute, cette logique, cette résistance aux coups qu'il assenait.

— Nous nous sommes tout dit.

— Il me semble.

Luciane sans nul doute approuvait son père. Tristan dut ciller des paupières pour éviter de sonder ces yeux où il devinait, proche d'une fureur glacée, une hébétude sans fond.

Thierry s'approchait, inquiet. Venaient ensuite Raymond et Guillemette. Tiercelet et Paindorge semblaient avoir compris : un pas lent, calculé, les rapprochait du seuil de l'écurie.

— Luciane… Que me reprochez-vous ?

— Ce que Père vous reproche. Ce silence qui était comme un mensonge…

— J'attendais… Je vous aurais tout raconté, mais eussiez-vous compris ?

— Non, dit Ogier d'Argouges.

— Je voulais vous épargner des… méditations inutiles.

Brusquement le seigneur de Gratot s'en alla. Il semblait chanceler un peu. Il repoussa de la main Guillemette qui s'empressait auprès de lui et Tristan entendit une volée de jurons d'un grand caractère, tels qu'on n'eût osé les attribuer à cette bouche respectable.

— Il est fou de rage ! dit Luciane avec reproche. A Dieu, Tristan !

Et elle courut rejoindre son père.

III

L'après-midi même de son retour à Paris, Tristan se rendit au Louvre où, en raison de l'été sans doute, les travaux semblaient s'être alentis. Il y trouva un dauphin maussade et agité parmi des gens de Cour incommodés par la chaleur. Leurs faces moites et attentives se désinfatuèrent après que le prince Charles eut dit :

— Messires et gentilfames, il faudra désormais nous montrer aconomes (1).

Sacquenville était là. Sans doute représentait-il Boucicaut absent.

— Que se passe-t-il, messire ?... Toute cette belle gent me paraît en deuil...

— Tiens, vous voilà, Castelreng.

Bien qu'il n'eût point entendu de *déjà*, Tristan craignit des questions désagréables, or, la curiosité n'était pas le fait de Sacquenville.

— Ce qui se passe, chuchota le chevalier normand, je m'en vais vous l'apprendre... Saluons monseigneur et partons.

Tristan salua le prince Charles qui le retint un moment :

— J'aime que vous soyez revenu... Allez donc loger à Vincennes.

Restait à s'incliner avant de rejoindre Sacquenville.

A peine sorti du palais, le Normand prit les rênes de son cheval des mains de son écuyer auquel il intima de demeurer en retrait, puis il partit au trot vers la berge de la Seine. Tristan l'y suivit après avoir prié Paindorge et Tiercelet de rester en arrière.

Les deux chevaliers mirent pied à terre et chacun menant sa monture par la bride, ils firent quelques pas le long du fleuve.

— Quel beau coursier avez-vous là !

— Oui, messire...

(1) Économes.

206

A quoi bon raconter, se dit Tristan, comment Alcazar était devenu sa propriété. Mieux valait s'informer :

— Monseigneur le dauphin semble avoir la migraine... Sommes-nous proches d'une autre guerre ?

— Je ne saurais vous répondre sur ce sujet. Les maux de tête de Charles de Normandie semblent avoir une cause plus frivole... Hé oui !... Il s'agit de la venue céans du roi de Chypre... Dites-vous que le roi Jean, en Avignon, a vidé le trésor... de Paris !... Guesclin exige de l'or. Celui que le dauphin lui doit et celui qu'il juge nécessaire pour bouter les Goddons et les Navarrais des places qu'ils occupent... Il est question, si ce n'est fait déjà, d'emprunter aux Juifs et aux Lombards... Avez-vous vu comment l'on vit au Louvre et un peu partout chez les prud'hommes et leurs frisques épouses ? Les joyaux gros et fretables (1), messire, la magnificence, la pertintaille hors de prix !

— J'ai vu. J'en suis consterné.

— Moi aussi... Le maréchal qui, lui, est un homme simple et de sens rassis, m'a dit qu'au commencement *de chaque année*, il ne fallait pas moins de cinq mille six cent quarante ventres de menu vair pour fourrer les robes des chambellans de monseigneur Charles qui vient, vous avez ouï ses propos tout comme moi, de nous exhorter à la modération... Or, il a décidé d'accorder à Pierre de Lusignan une réception comme oncques n'en vit!... La duchesse Jeanne, son épouse, portera un chapel de perles brodé d'or. Le prince Charles vient de racheter à Benoît Belon une ceinture que jadis sa mère, Bonne de Bohême, avait mise en gage... Il fait monter par deux orfèvres, Claux de Fribourg et Jean de Picquigny, des hanaps d'or émaillé à ses armes, des aiguières d'or fin, des ceintures d'or constellées de perles, de balais (2), de pierres précieuses avec une figure de fée pour agrafe...

— Est-ce tout ? A vous voir, il ne le semble pas !

— Non... Il a passé commande d'un chapel d'or avec émeraudes, balais et grosses perles. D'une jarretière sur un tissu de soie inde cousu d'or, de perles, diamants, balais... Une gibecière ornée de perles avec des broderies d'or représentant des dauphins... Vingt tableaux à la gloire de la Sainte Vierge... Une grande châsse en or pesant, avec les reliques : cent quatorze marcs (3).

— Tudieu ! Les pauvres gens vont être saignés à blanc...

Sacquenville eut un ricanement. La fureur y roulait torrentueusement :

— Dans l'hôtel Saint-Paul où le roi de Chypre séjournera, trois chambres sont préparées. L'une est tendue de soie couleur perse où sont représentées des colombes dans les nuées. Une autre est tapissée

(1) *Fretable* : coûteux.
(2) Se dit d'un rubis de couleur rose ou rouge violacé. Le prince austère que les historiens superficiels nous décrivent aimait le luxe et les « chichis ».
(3) Le marc équivalait à 244,7 grammes.

de cuir de Cordoue. La troisième est revêtue de velours azuré semé de fleurs de lis d'or... Et j'omettais de vous dire que le dauphin a passé commande d'un sceptre d'or à Hennequin Duvivier, son orfèvre. Il est orné de perles et d'émeraudes...

— Comment savez-vous cela ?

Sacquenville cligna de l'œil – qu'il avait gros et noir, malicieux :

— J'ai une bonne amie chambrière de Jeanne de Bourbon.

— Ah !

— Et pendant ce temps nos armées sont sans soudée (1) !...

C'était une conclusion acceptable. Sacquenville partit au trot comme s'il regrettait d'en avoir trop dit. Tristan, morose, enfourcha Alcazar.

— Que te disait-il ? demanda Tiercelet.

— Que le dauphin est un panier percé.

— C'est un Valois. Il tient de famille... Où allons-nous ?

— A Vincennes. Il nous y offre l'hospitalité.

* *
*

Logés au-dessus d'une écurie, à proximité de leurs chevaux, et pourvus comme eux d'une nourriture chiche mais convenable, les trois compagnons se trouvèrent bientôt confrontés à une ennemie invincible : l'oisiveté, et à son inséparable allié, l'ennui.

— Pour le fils du roi, nous ne valons guère mieux que Malaquin, Tachebrun et Alcazar dans leur parclose, maugréait parfois Paindorge.

— Oui, acquiesçait Tiercelet, mais quand ils dénoueront la longe, quel galop !

Connaissant la nature profonde du brèche-dent, Tristan se demandait s'il accepterait longtemps cette existence molle, inactive, parmi des gens dont il avait un mépris exempt de ségrégation. Qu'ils fussent nobles, soudoyers, meschins (2), palefreniers, ils servaient ostensiblement la Couronne.

— Moi, Tristan, disait-il parfois, je me suis mis à ton service. Si je t'aide à plaisir, je ne t'obéis pas. Comprends-tu la nuance ? Je ne me tiens pas pour vassal, comme toi, d'un roi faiseur de malheurs et d'un dauphin dont je crois l'esprit retors. Je me trouve en trop bonne santé pour dire *Amen* à ces malades.

Tristan trouvait simpliste cette rhétorique dont, parfois, il sentait cependant l'aiguillon. Il en riait : il avait grand besoin de gaieté.

Bien que tout concourût à ce qu'il fût d'une sérénité parfaite – le soleil, la liberté, conséquence de l'inactivité inhérente à l'attente

(1) Solde, paye des gens de guerre.
(2) Domestiques.

d'une décision qui tardait à venir –, il demeurait sous l'influence de sa rupture avec Luciane. Lorsqu'il ressentait trop cuisamment le feu de la cicatrice, il usait d'un palliatif qui n'était point de ceux qui endorment la douleur, mais de ceux qui l'exaltent : il sellait Alcazar et tous deux s'en allaient galoper en forêt. Il goûtait alors la volupté de regarder les arbres et d'entendre les oiseaux. Aucun chant ne paraissait plus beau, plus apaisant que leur ramage. Ni Paindorge ni Tiercelet ne revenaient sur les circonstances auxquelles ils devaient leur départ de Gratot. Seul le brèche-dent avait soupiré en arrivant à Coutances et en se retournant une dernière fois : « *C'est dur pour toi, compère, mais je crois que tu as eu raison.* » Puis, après un long silence: « *Si elle t'aime, eh bien, elle te reviendra.* » Voire…

Tristan répugnait aux confidences. C'eût été s'amoindrir que de s'y abandonner. Luciane hantait son esprit et son corps. Thierry, Raymond, Guillemette également. Auprès d'eux, il avait trouvé non seulement une sorte de famille, mais une communauté, un asile, un réconfort. Il craignait encore, il craindrait toujours que des malandrins de n'importe quelle espèce vinssent assiéger Gratot. Quant à Ogier d'Argouges, il le plaignait de s'être montré si prompt à disputer d'un passé qui ne le concernait pas. Ni même sa fille. La vie conventuelle avait faussé son jugement. Il était épris d'absolu, de pureté, mais ne différenciait plus, dans la cohue des sentiments humains, ceux qui méritaient d'être condamnés de ceux qui nécessitaient l'indulgence. Avoir été près de quinze ans vassal du Christ, avoir souffert sans doute maintes fois de ce servage, avoir refoulé ses passions et ses naturelles appétences : cette sujétion, cette peine et ces restrictions avaient fait de cet homme une espèce de saint égaré sur une terre de plus en plus inhumaine. Lorsque l'antique loi du mâle s'était régénérée en lui, ç'avait été pour éviter à sa fille d'être subjuguée par un autre mâle. Fallait-il s'indigner ou le plaindre d'être un père possessif ? Il avait une excuse : ces longues années d'inutiles macérations où il avait prié, parfois du bout des lèvres, afin que la Providence lui restituât Luciane.

Pour sa part, Tristan savait qu'il éteindrait d'une seule façon les brûlures de sa mémoire : en reprenant les efforts turbulents des batailles. En moissonnant les vies ennemies pour protéger la sienne, l'oubli, infailliblement, viendrait. Certes, c'était affreux de méditer ainsi, mais il ne connaissait aucun autre remède.

Si les échos des événements filtraient indifféremment à travers les murs de Vincennes et ceux des tavernes circonvoisines, les jeux guerriers qu'on y commentait paraissaient terriblement embrouillés. Les basses manœuvres de Charles le Mauvais prenaient, où que l'on fût, un large avantage sur les prouesses de Guesclin. Bien qu'il eût subi quelques revers, le petit roi de Navarre semblait d'une aptitude malicieuse à triompher des haines et des vengeances qu'il avait provoquées.

L'intérêt de Tristan se portait avant tout sur la Langue d'Oc. Ce qu'il en apprenait concernait toujours les Compagnies et le maréchal d'Audrehem. Les routiers, à la mi-juillet, avaient menacé Carcassonne. Le sénéchal de Beaucaire s'était lancé à leur rencontre mais Audrehem avait modéré son ardeur, de sorte que les malandrins avaient eu le temps de guerpir jusqu'à Alzonne, qu'ils avaient cerné sans y donner l'assaut : leur intention était de s'emparer de la place forte de Lattes. En effet, tous les approvisionnements de Montpellier y passaient.

— Crois-tu, demandait Tiercelet, que Charles de Navarre est l'allié des Tard-Venus ?

— Il devait s'allier avec eux à Brignais. Ce ne fut que partie remise. C'est une accointance ténébreuse, sans sceaux ni parchemins.

— Sans doute s'est-il rallié, ailleurs, à d'autres compagnies.

— Tu as raison, Paindorge. Mais lesquelles ? En quels lieux ? Nous voilà le 24 juillet. La guerre va cesser ou se multiplier en Normandie ou en Bretagne : Charles de Blois veut, depuis deux mois, conquérir Bécherel, mais il n'y parvient pas... à ce que l'on raconte.

— Où est-ce ?

— Entre Rennes et Dinan (1), Tiercelet. On dit que Guillaume Latimer, qui commande la place, est un Goddon pire que Knolles et Auberchicourt. Il entasse des trésors dont il remplit des tonneaux qu'il fait passer au fur et à mesure dans ses manoirs d'Angleterre. Le dauphin a envoyé à Charles de Blois Amaury de Craon et ses hommes pour qu'ils l'aident dans sa conquête. On a dit que Jean de Montfort marchait sur eux avec Chandos, Knolles et des Bretons (2). Mais cela remonte à deux semaines.

Le jour même où les trois compères avaient échangé ces propos, dans la soirée, Yvain de Sacquenville, de passage à Vincennes, leur apporta quelques nouvelles fraîches :

— Bécherel, dites-vous... Il n'y eut point bataille. Montfort a trouvé Blois dans une position si avantageuse qu'il n'a pas commis l'erreur de l'attaquer : il s'est contenté de le contre-assiéger. Blois et ses hommes n'ont pas tardé à souffrir de la faim et, surtout, de la soif au point de proposer à Montfort une bataille en rase campagne, dans la lande d'Evran toute proche. Cependant, au moment où les deux armées allaient s'affronter, des évêques bretons appartenant qui à Montfort, qui à Blois, sont intervenus pour empêcher la bataille (3). Il

(1) Le siège de Bécherel avait commencé au mois de mai de cette année 1363.
(2) C'étaient Gautier Hewet, Jean Harpedenne, Olivier de Clisson, Tanegui du Châtel, Olivier de Tréziguidi, Olivier de Cadoudal, etc.
(3) Le mercredi 12 juillet.

fut convenu d'une suspension d'armes. On a échangé des otages en se félicitant que Guesclin fût absent. S'il avait été là, on aurait dénombré des centaines de morts et des blessés par milliers... Il n'y eut rien... sinon la promesse de s'occire plus tard (1) !

— Et Guesclin ?

— Ce qu'on lui reconnaît c'est un courage énorme. On raconte qu'au siège de Rennes, Bemborough, un Anglais, lui a demandé de briser avec lui trois fers de glaive (2), trois fers de hache et trois fers de dague devant le duc de Lancastre. A la première course, il eut son heaume brisé mais il perça les mailles du Goddon. A la seconde course, il lui enfonça son glaive dans le corps et renonça à l'achever pour ne pas consterner le duc... Ce qui n'empêcha pas celui-ci d'attaquer Rennes, mais Guesclin et ses hommes incendièrent le beffroi qu'il avait fait bâtir... Maintenant, Lancastre doit être à Auray avec le fils de Montfort. C'est du moins l'intention qu'on lui prête.

— Il y a, paraît-il, dit Tiercelet, autant de routiers en Bretagne qu'il y en a en Auvergne et en Langue d'Oc.

— C'est vrai, dit Sacquenville. Les loudiers (3) bretons s'étaient accordés avec les malandrins : ils puisaient dans leur avoir pour obtenir le droit de cultiver les terres et d'y faire la récolte, mais les seigneurs ont appris ce pacte... Loins de reconnaître que ces pauvres gens n'avaient aucun autre moyen de se soustraire à la rapacité des Compagnies contre lesquelles eux, leurs maîtres, ne les protégeaient point, ils leur ont fait payer des redevances démesurées.

— Il ne leur reste plus rien, alors, dit Paindorge.

Une lippe déforma le visage de Sacquenville :

— Les quelques piécettes qu'ils avaient protégées, Charles de Blois les leur a fait prendre pour compléter le paiement de sa rançon (4).

— Et Guesclin ?

— Il se bat, Castelreng, et pense à sa renommée. Il ne lui déplaît pas d'aller titiller les Anglais jusque dans leur camp : Knolles, Pembroke, Chandos l'ont même autorisé à jouer contre un certain

(1) A la suite de cette suspension d'armes, un traité fut signé le 26 novembre, à Poitiers, en présence du prince de Galles. La trêve devait durer jusqu'à Pâques (24 mars 1364). Le lendemain de cette signature, Charles de Blois, qui cheminait avec une petite escorte, tomba dans une embuscade tendue par 500 Anglais – vraisemblablement à l'instigation de celui qu'on appelle le Prince Noir. Il ne dut son salut qu'à la fuite. Quant à Jean de Montfort, il s'agit, bien entendu, du fils de l'homme dont la conduite en partie légitime avait déclenché la guerre de succession bretonne. Il était le mari d'une fille d'Edouard III : Mary, décédée en 1362.

(2) Le véritable nom de la lance.

(3) Paysans.

(4) La Roche-Derrien avait été prise, à la fin de 1345, par Guillaume de Bohon – ou Bohum – comte de Northampton, et conservée par les Anglais depuis cette date. Avec des forces très nettement supérieures à celles des Anglais, Charles de Blois attaqua le 20 juin 1347 peu avant l'aube. Ce fut une grosse et humiliante déconfiture. Le prince y fut grièvement blessé. Il fut envoyé en Angleterre après qu'on l'eut soigné à Vannes.

Thomas de Cantorbery qui l'avait, naguère, fait prisonnier... Savez-vous comment il a triomphé de ce Goddon ?... En perçant sa monture de son épée. Ce n'est pas la première fois qu'il tue un cheval pour occire l'homme qui est dessus.

— Voilà bien, dit Tristan, la plus sale des traîtrises !

— Il n'est rien d'autre qu'un culvert monté en graine.

— C'est méchant pour les culverts, ça ! ricana Tiercelet. Je l'ai vu une fois : il a la hure de son âme.

— Croyez-vous qu'il en ait une ? interrogea Sacquenville.

Il se remit en selle et parut sur le point de partir au galop. Il se ravisa et, de l'index, invita les trois compères à s'approcher :

— Vous le savez sans doute, Edouard III avait accordé une sorte de grâce aux quatre ducs prisonniers sur la Grande Ile : Orléans, Anjou, Berry et Bourbon. A force de pleurnicher sur leur sort, ils furent conduits à Calais. Ils y étaient quasiment libres pendant trois jours à condition que, le quatrième, ils reviennent en la cité avant le soleil couchant. Une fois rendus, ils ne cessaient d'envoyer des messages au roi Jean et à leur frère afin qu'ils les délivrent (1) d'une quelconque façon.

— Je n'en savais rien, dit Tristan, mais poursuivez, messire.

Yvain de Sacquenville se pencha davantage :

— Savez-vous ce que j'ai appris et qu'on s'efforce de tenir secret ?... Le duc d'Anjou s'est parjuré. Il a rompu son otagerie et s'est enfui jusqu'à Saint-Quentin d'où il ne veut point sortir. Le dauphin est fortement iré contre lui. Il paraît qu'en apprenant cette coulpe (2), le roi Jean a dit que son fils avait blémi son honneur et corrompu son lignage. Il a l'intention de revenir à Londres où Orléans, Berry et Bourbon sont évidemment retournés !

Un rire, et Sacquenville s'éloigna sans un mot de plus.

— Avec lui au moins, dit Tiercelet, on en sait davantage qu'à Vincennes. Je commence à m'y sentir en grand état de réclusion.

— Et mois donc ! dit Paindorge.

— Un jour viendra peut-être, amis, dit Tristan, où vous regretterez cette existence. Il vaut mieux mourir d'ennui que d'un coup de lance ou d'épée !

* *
*

(1) En fait, Edouard III avait mis un très haut prix à cette grâce. Il avait imposé aux quatre princes des conditions très dures, ainsi qu'on le peut constater dans le traité pour leur délivrance, conclu au mois de novembre 1362. Quelque léonin et onéreux qu'il fût, Jean II avait ratifié ce traité par ses lettres d'Avignon, le 26 janvier 1363. Les princes furent amenés à Calais au cours du mois de mai de cette année-là. Jean II quitta Avignon le 19 mai, trois semaines avant le roi de Chypre.

(2) Faute.

Septembre commençait lorsqu'un événement tira de leur léthargie les privilégiés de Vincennes : Philippe de Navarre, le frère du Mauvais, venait de mourir, à Vernon, des suites d'un refroidissement (1).

— Mort ou enherbé ? demanda Tiercelet. On raconte qu'il était devenu l'allié du dauphin.

— Son allié fut un temps sont ains-né, jusqu'à l'affaire de Rouen (2), mais sans doute l'a-t-il oublié !

— A ce qu'on dit aussi, le Mauvais venait de s'assurer, contre la volonté de son frère, de l'appui du roi Edouard et du prince de Galles.

Quelques jours après, on apprenait au Louvre, à Vincennes et Paris, que le roi d'Angleterre, en représailles du parjure du duc d'Anjou, avait lancé sur la Normandie le vaincu du Pas-du-Breuil, Jean Jouel, ce terrible routier dont il attendait des « merveilles ». Dès lors, par son entremise, Edouard III et son fils soufflèrent sur les brasiers allumés par Navarre. Tous les malandrins de Bretagne et de Normandie firent cause commune avec ce fauteur de guerre. Jean de Montfort les rejoignit.

— D'après ce que nous a dit Thierry, à Gratot, c'est le chanoine Guy Quieret qui conseille le Mauvais. C'est lui qui s'est rendu à Bordeaux pour obtenir l'alliance du prince de Galles et du captal de Buch ! Je ne sais ce qui s'est passé entre Guesclin et lui après cette empainte (3) du Pas-du-Beuil dont nous étions, Paindorge et moi. De deux choses l'une : ou Jouel est parvenu à s'enfuir ou Bertrand l'a libéré contre une rançon si forte qu'il n'en a touché mot à personne, pas même à ses parents pour autant qu'ils le soient.

— Il a dû préférer la rançon. Entre coquins, on ne se souhaite pas la mort. Et puis, en le laissant partir, il espère peut-être le reprendre et marchander une fois encore sa liberté... Mais laissons ces larrons à leurs manœuvres. Crains-tu, Tristan, que Gratot soit menacé ?

— Je pense qu'il le fut dès notre départ. Nous étions les garants de sa sécurité. Peut-être aurais-je dû me montrer plus... coulant.

— Comme le nœud de la corde du mariage !

Tristan n'osa répondre à Tiercelet. Paindorge le secourut :

— Les clercs ne devraient point se mêler des choses de la guerre, sauf pour bénir les morts sur les champs désertés... On les y voit rarement... Et le Mauvais, *el Malo* comme on dit, est-il en Normandie ?

(1) Philippe de Navarre était mort le mardi 29 août 1363.

(2) Charles de Normandie avait convié à dîner son cousin Navarre et les Harcourt à Rouen, le mardi 5 avril 1356. Une alliance se tramait ou une tentative de Charles le Mauvais et des Harcourt pour circonvenir le jeune duc et obtenir son appui contre son père, Jean II. Celui-ci apparut en plein repas, au milieu de ses hommes d'armes, dont Arnoul d'Audrehem qui s'écria : « *Nul ne se meuve pour chose qu'il voie s'il ne veut être mort de cette épée.* » Le prince protesta mollement contre la traîtrise invoquée par son père. Le comte d'Harcourt, Jean de Graville, Maubue de Mainemares, Colin Doublet furent aussitôt décapités, Audrehem se chargeant de l'exécution. Navarre sauva sa tête.

(3) Attaque.

— Non. A Pampelune, d'après ce que j'ai su au Louvre. De là, il ne cesse d'envoyer des courriers dans ses possessions de France... Mais peut-être vogue-t-il maintenant vers Cherbourg après (1) s'être embarqué à Bordeaux (2).

— Ce ne sont que va-et-vient entre Pampelune, Bordeaux et Cherbourg où moult Navarrais débarquent. C'est maintenant qu'il faudrait les assaillir et les rejeter à la mer, mais le dauphin n'en veut rien savoir.

Au commencement d'octobre, on apprit que Jean Jouel venait de conquérir le donjon de Rolleboise. Tristan fut convoqué au Louvre le 25. Il y trouva le dauphin plus pâle que jamais, en grand état de courroux et d'inquiétude.

Monseigneur Charles allait et venait, l'air désolé, cherchant ses mots plus que d'ordinaire, cachant sa grosse main sous un manteau dont les pans glissaient sur le dallage maculé d'empreintes boueuses : il pleuvait sur Paris depuis deux jours entiers et bien qu'on eût posé des planches sur la fange des cours, on y pataugeait jusqu'aux jarrets.

« Ou est le roi maintenant ? » se demanda Tristan.

Il semblait que nul ne le sût, pas même son fils qui parfois frémissait comme si quelque terrible rival – le Mauvais sans doute – se fût mis à l'observer. Se sentait-il impuissant à déjouer ses manœuvres ? A le vaincre lors des prochaines batailles auxquelles il n'assisterait point ? Cet homme mou avait-il l'imagination violente ? Tristan ne voyait pas les seigneurs qui l'entouraient tant ce malade qui bientôt s'assierait sur le trône de France captait son attention.

— Messires, comme nous l'avions prévu, mon cousin Charles de Navarre continue à nous vouloir du mal. Son essentiel suppôt, Jouel, a pris Rolleboise. De ce donjon qui commande le cours de la basse Seine, il intercepte les naves entre Rouen et Paris et tue mes chevaucheurs... Où êtes-vous, Richard Brumare ?

— Me voilà, monseigneur.

Un grand barbu fit deux pas en avant, tourniquant dans ses mains son chaperon couleur cendre. Un jaseran de mailles légères lui tombait aux genoux. Une épée de passot pendait à sa ceinture.

(1) Charles de Navarre eut de nombreux partisans. S'il la servit abominablement, sa cause était juste. Guy Quieret l'aida de son mieux. Par un acte daté de Pampelune, le 18 octobre 1363, Charles, roi de Navarre et comte d'Évreux, mande à son trésorier, Jean Climence, de faire payer la somme de 70 royaux à son conseiller, Guy Quieret *« pour cinq chevaux achetés à Bordeaux quant il y fut arrivez pour venir devers nous, à nostre commandement »*. Par un second acte de Pampelune, le 19 novembre 1363, il mande à son trésorier de payer 30 florins à son bien-aimé écuyer, Étienne de Brucourt, *« pour le prix d'un roncin de malle qu'il a acheté pour son voyage en allant de nostre royaume et parties de France. »* (*« Per el seynor rey à la relacion de Guy Quieret »*).

(2) Tristan se méprend. Le port de prédilection des Navarrais fut Bayonne, accessible par l'Aran, affluent de l'Adour. Dès 1283, le châtelain de Saint-Jean-Pied-de-Port avait fait aménager un havre où pouvaient aborder les galupes venant de Bayonne. Après la prise de cette ville par Alphonse le Batailleur (1131) des ateliers de constructions navales avaient été fondés.

— Vous êtes, Richard, le gardien du Clos des Galées (1). Je vais vous faire verser quarante francs or. Ils sont destinés à appareiller et ordonner certains bateaux à mettre en la rivière de Seine pour résister à nos ennemis.

— Ce sera fait, monseigneur, encore que ces malandrins préfèrent galoper sur la terre que d'anavier (2).

— Je n'ai point de guerriers disponibles présentement.

C'était bien là une male chance, cette pénurie d'effectifs, songea Tristan. Et la France était trop appauvrie pour acquérir des mercenaires. D'ailleurs, la plupart des hommes sachant tenir une épée préféraient s'engager dans les Compagnies : sans qu'on y fût plus libre, on s'y enrichissait.

— Je viens d'apprendre qu'un Navarrais de la garnison de Mortain, Michel de Villeneuve, vient de faire prisonnier Renier le Coutelier, vicomte de Bayeux, l'un de mes meilleurs serviteurs... Je vais faire en sorte de le délivrer.

« Comment ? » se demanda Tristan.

Déjà, il s'ennuyait. Il eût fallu établir un constat de tout ce qui menaçait le royaume et prendre des décisions vives et opportunes. Rien de cela ne serait accompli. En regardant les hommes qu'il côtoyait, moroses et passifs, il pouvait à plus d'un titre douter de ses sens et de sa raison. Les terribles fantômes des routiers de Brignais n'avaient point cessé de peupler certaines de ses nuits. Leur bestialité le hantait toujours. Ici, dans ce Louvre inachevé, aux cours embouées de mortiers humides ou durcis, de crottis et de bouses dilués dans des flaques glauques, il étouffait d'un lourd mésaise. Le mauvais temps, certes, mais aussi l'entourage : la plupart des prud'hommes présents n'avaient plus ni l'âge ni la force de s'opposer à la mortelle volonté des Compagnies. La France n'avait point de roi qui fût capable de rassembler et d'exalter les énergies, les courages, les volontés. Quant au dauphin, qu'eût-il pu inventer comme remède aux progrès de la canaille ? Ses courroux et ses quérimonies stériles prêtaient à sourire.

— Partout ! dit le dauphin d'une voix lamentable. Seguin de Badefol a pris Brioude. Alors que notre fidèle Audrehem, pour éviter des morts et pillages, avait donné permission aux Brioudais...

— Brivadois, monseigneur, rectifia une voix qui pouvait être celle de Boucicaut.

— Certes !... Il leur avait donné permission de composer avec ce malandrin en lui fournissant leurs richesses. Ce qu'ils n'ont point voulu faire, les sots !... L'on m'a dit qu'il y avait des morts... Et ce n'est pas tout... Au sud, toujours, Gautier, dit *l'Estoc*, le

(1) L'arsenal de Rouen.
(2) Circuler par eau.

magister navium (1) d'une bande où figurent Perrin Boias et quelques autres avait exigé des moines de Saint-Chaffre une rançon contre leur liberté. Il ne semble pas qu'ils l'aient acquittée. Comment voulez-vous que nous soyons quiets si même les gens d'église ne respectent pas leur parole !

— Monseigneur, dit Tristan, traiter avec un routier, c'est traiter avec un suppôt du diable... Quand on ne peut user de fermeté, la reculade s'impose, du moins pour les gens d'Église.

— C'est vrai... Et puis nous sommes loin pour juger des choses avec équité... C'est d'ailleurs à l'entour de Paris que ces routiers abominables agissent impunément... L'effroi, désormais, hante nos for-bourgs. Vous savez, tout comme moi, que ces gens n'hésitent pas à se vêtir en presbytériens pour franchir les portes de notre bonne cité... Certains même se sont momés en évêques ! Hé oui !... Désormais nous prendrons de sévères mesures. Chaque évêque nouvellement nommé devra, après son sacre, franchir l'enceinte par la Porte Bordel (2) afin d'être reconnu par le guet, mais avant... Allons, messires, cette rumeur et ces ébaudissements étouffés ne sont point de bon goût...

Le prince ne riait ni ne souriait. Cette porte Bordel ne lui inspirait rien.

— ... mais avant, dis-je, notre nouveau prélat devra subir une épreuve probatoire... Passer une nuit au-dehors de Paris, devant cette porte où ses vassaux le viendront quérir pour l'amener en grand bobant (3) à Notre-Dame et procéder à son installation... Nous verrons ainsi si, nuitamment, notre nouveau mitré ne reçoit point de visites suspectes !

Tristan se demanda s'il ne rêvait point. Au cas où les routiers

(1) *Le maître des vaisseaux*, nom que prenaient certains chefs de route. Seguin de Badefol, alors surnommé le roi des Compagnies, était né dans la sauvage contrée du Périgord noir. Il était le fils aîné du sire de Badefol et de Berbiguières. Il s'empara, le 13 septembre 1363 de la cité de Brioude. Il ne faut pas confondre ce chef de Compagnies avec son père, Seguin de Gontaut, sire de Badefol, qui testa le 23 août 1371 et fut enterré dans l'abbaye de Cadouin.

Quant à Gautier, dit l'Estoc, il avait, avec ses compères, semé la misère où qu'il fût passé. Les tenanciers du monastère de Saint-Chaffre, qui s'étaient enfuis à son approche, n'avaient pu acquitter leurs redevances aux trésoriers du royaume. Audrehem leur accorda un sursis pour payer le subside dû à l'allié de l'Estoc, Seguin de Badefol (23 janvier 1364). Les moines étant complètement ruinés, le maréchal de France les menaça des pires contraintes (15 septembre 1364).

De quel côté était Audrehem ? *Du sien !* Quelque temps avant l'affaire de Brioude, le 13 août, il avait fait sortir des salines du Peccais, *sans acquitter le moindre droit*, 500 muids de sel appartenant au duc de Berry, otage en Angleterre. Nul n'apprit ce qu'ils devinrent. En revanche, l'on sait qu'Arnoul augmenta subitement les gages d'Azzelino de Macci, clerc, notaire et secrétaire du duc et garde du petit sceau de Montpellier.

(2) Plus tard porte Saint-Marcel, sur la rive gauche, au midi de Paris. Nommé le 11 décembre 1363, Étienne, dit de Paris, jugea prudent de se faire dispenser de ce test. Le dauphin lui accorda cette dispense le 1er mars 1364.

(3) En grande pompe.

216

eussent voulu pénétrer dans Paris, ils l'eussent fait par la violence. Il vit Richard de Brumare avancer d'un nouveau pas :

— On dit à Rouen, monseigneur, que ces démons dévorent les enfants.

— Qu'en saurais-je ? demanda, souriant enfin, le dauphin de France. Ils ne m'ont jamais convié à leur table !

On rit, cependant que de palier en palier, Tristan redoutait que la menace évoquée gaiement ne prît une terrible ampleur. Il sentait l'irréductible complicité des routiers – où qu'ils fussent –, se régénérer en audace et en malfaisance. Par chevaucheurs, ils communiquaient entre eux plus vélocement et plus sûrement que les messagers du roi et de son fils.

— S'ils venaient par malheur au mitan de Paris, eh bien, messires, je lâcherais mes lions et mes tigres !

Un homme rejoignit Richard de Brumare. Il était un peu plus haut que le maître du Clos des Galées, plus large d'épaules : une espèce de gladiateur qui se fût trompé de lieux et de siècle. C'était Guillaume Séguier, le Garde des Lions (1) :

— Nous pourrions, dit-il sans sourire, priver, monseigneur, vos bêtes de nourriture afin qu'elles aient plus d'appétit le moment venu !

Il fut déçu sinon dépité : nul ne se sentait plus enclin à la gaieté. On se concerta sans que le prince eût dit un mot. Les Anglo-Navarrais s'étaient appropriés la plupart des forteresses du Bessin d'où ils rançonnaient les pays autour de Bayeux. Ils venaient de prendre le château de Beaumont-le-Richard ainsi que ceux du Quesnay et de Molay (2). Que faire ? Si l'on ne tentait rien, leur audace s'amplifierait.

— Ils sont comme la grattelle (3), dit enfin le dauphin. Plus notre bonne gent les veut arracher des lieux où ils sévissent, plus ils s'y incrustent et désespèrent la contrée. S'en vont-ils par on ne sait quel miracle ? C'est pour étendre ailleurs toutes leurs horribletés… Voilà deux ans que Guesclin les combat en employant leurs us et coutumes de guerre… Efforcez-vous d'en faire autant !

De sa main valide, le prince parut se débarbouiller. Il regarda les chandelles sur le luminaire au-dessus de lui. L'une d'elles, dont la bobèche devait être pleine, avait fait tomber sur son nez une goutte de suif.

— La peste soit de ce vilain temps !… Oui, messires, il vous faut imiter Bertrand… Sombre, hideux même, mais quel grand cœur,

(1) Grand amateur de raretés, le dauphin tenait des bêtes féroces en cage dans les jardins de l'hôtel Saint-Paul. Guillaume Séguier, leur garde, percevait 120 francs chaque trimestre pour leur nourriture.

(2) Beaumont-le-Richard avait été pris le 18 juillet 1363.

(3) La gale.

messires !... Sa matoiserie me merveille autant que son courage. Il doit se marier avec une beauté.

— Grand bien lui fasse à elle, dit Guillaume Séguier en touchant Tristan de son coude. Il est laid comme un singe et il pue comme un bouc.

Le prince Charles s'était engoué pour cet homme. Il reprit, gonflant sa poitrine pour donner plus de force, sans doute, à son propos :

— Un grand cœur. Souvenez-vous qu'il y a peu, il s'est porté otage pour Charles de Blois.

— Bah ! fit Boucicaut qui sans doute s'était appuyé le dos au mur et ne tenait pas à se montrer, il n'était pas à Evran le 12 juillet lorsqu'on a convenu d'une trêve. C'est Charles de Blois qui l'a désigné... Et je puis affirmer qu'il était furieux, notre Breton, quand il fut remis à Robert Knolles ! Captif pour un mois sans avoir démérité (1)...

Le prince Charles parut sourd. Frottant tout à coup le bras au bout duquel pendait sa grosse main comme pour le réchauffer, il donna libre cours à une sorte de courroux plaintif dont il n'avait point coutume :

— Il fait froid et sombre, messires. L'hiver sera rude. Prenez vos précautions... Nous sommes pauvres en or mais nullement en bois de chauffe... Préparez le fourrage : il se peut que les prés soient enneigés... Pendant que nous froidissons, Edouard, prince de Galles et d'Aquitaine, tient à Poitiers et Bordeaux la cour la plus brillante d'Europe avec Jeanne de Kent, cette...

Une toux involontaire ou non interrompit le mot infâme.

« Je m'ennuie », songea Tristan derechef. « Pourvu que Tiercelet et Paindorge soient au sec et au chaud à m'attendre ! »

Une envie, soudain, lui picota l'esprit. Aller chez Goussot, l'armurier. Y prendre gîte et couvert deux ou trois jours. Attendre, la nuit, la visite feutrée de Constance. Elle viendrait à moins qu'elle ne fût mariée... Non ! cela ne se pouvait. Elle était toujours bonne à prendre de quelque façon que ce fût.

— ... un Anglais, Felton, conteste, monseigneur. Il prétend que Guesclin a rompu son otagerie avant le terme échu... On dit qu'il va lui lancer un défi !

— Eh bien, qu'il le lui lance !

(1) Dès avril 1363, Bertrand, revenu de Bretagne en Basse-Normandie, s'intitulait dans ses actes *capitaine souverain pour le duc de Normandie ès bailliages de Caen et du Cotentin*. Il était en même temps lieutenant de Philippe, duc d'Orléans, dans les possessions de ce prince entre Seine et Bretagne. Charles de Blois avait mis le siège devant Bécherel dès le mois de mai de cette année-là. Aucune bataille n'ayant eu lieu, on avait décidé de prendre des otages pour que la trêve fût respectée. Guesclin ne se proposa pas comme otage. Charles de Blois, en l'y contraignant... en son absence, privait l'armée française d'un de ses principaux combattants. Le Breton fut gardé par Robert Knolles.

218

— Est-ce la guerre ? demanda Sacquenville, sans doute à l'instigation de Boucicaut.

Le prince parut gêné.

— J'attends. J'ai de quoi déloger Rolleboise et c'est ce qui nous importe. Après la prise de ce châtelet, Jean Jouel s'en est allé, laissant dans les murs des mercenaires goddons et brabançons dont le capitaine est un Bruxellois, Wauter Strael (1)... Il soumet à ses lois tout le pays de Mantes. Je vais faire obstruer cette forteresse du côté de la Seine, par des barques de toute espèce et, du côté de la terre, par des bastides en merrain (2). Vous vous occuperez, Castelreng, de tous ces préparatifs et il va de soi que je vous fournirai des hommes, puisque vous n'en avez point avec vous !

Était-ce une méchanceté ? Tristan n'en eut cure.

— Dès maintenant, monseigneur ?

— Je puis avoir besoin de vous pour d'autres choses. Je vous dirai quand vous devrez partir.

C'était du temps perdu. Le prince fit signe à tous les prud'hommes de vouloir bien le laisser seul. Un serviteur apparut, armé d'un carnabot (3). Mgr Charles lui désigna le luminaire qui gouttait. Une à une, les petites flammes s'éteignirent.

* *
*

L'oisiveté de Tristan et de ses deux compères se prolongea jusqu'en octobre. Le premier dudit mois, ils quittèrent Paris, pourvus des documents qui conféraient à Tristan le titre de « *protecteur de la rivière Seine et des bastides de Rolleboise* » et définissaient sa mission. Cent hommes d'armes, dont quatre-vingts piétons, composaient cette flote (4) trop peu nombreuse pour affronter la petite armée de Jean Jouel, mais le dauphin avait promis des renforts sans préciser en quoi ils consisteraient.

La tristesse était partout : sur la terre inculte et dans l'immense linceul gris du ciel. Tout semblait sommeiller frileusement en attendant un hiver dont on pouvait déjà présager la rigueur.

Un grand vent et une pluie glacée s'accointèrent contre Tristan, ses compagnons et les hommes d'armes lorsqu'ils furent à moins d'une lieue de Poissy. Ils avancèrent sans trop se plaindre, le dos ployé sous

(1) Il est nommé Gautier d'Estraonc dans la *Chronique normande*.
(2) Bois de charpente.
(3) Éteignoir monté sur un long manche.
(4) Troupe d'hommes d'armes. Pendant ce temps, Mouton de Blainville assiégeait Gournay et Le Neubourg, qui étaient à la reine Blanche, sœur du roi de Navarre. Ces deux places se rendirent.

les gouttes, oubliant les cités et les hameaux tapis dans les replis d'un pays naguère et présentement martyrisé par les Anglais et leurs complices, cheminant sur des sentiers qui semblaient des casse-cou tout aussi dangereux pour les chevaux que pour les piétons, lesquels chantaient de loin en loin afin de se donner du courage : bientôt ils auraient pour gîte, en un lieu quelconque mais exhaussé, un des trefs que les sommiers portaient sereinement malgré quelques glissades dans les ornières ou la boue.

Homme de soleil, Tristan supportait mal ce froid précoce et les mouillures sans cesse accrues par les fouettades du vent. Paindorge grommelait. Droit sur sa selle, Tiercelet observait tout ce qui apparaissait devant et sur les flancs, laissant aux hommes d'armes le soin de préserver l'arrière. Il surveillait aussi, docile au bout de sa longe, une mule de trois ans, Carbonelle, qu'il avait gagnée aux dés chez un buvetier de Vincennes.

Les chevaux paraissaient insensibles aux inconvénients du temps. Malaquin supportait d'autant mieux Tiercelet qu'il remuait à peine. Tachebrun hochait parfois sa grosse tête mais se montrait docile aux humeurs changeantes de Paindorge qui, parfois, galopait en avant pour se mettre à l'aguet dans quelque boqueteau défeuillé. Alcazar jouait du sabot, impatient de fournir une course.

Ils atteignirent Aubergenville à la nuit. Il fallut dresser les tentes. Paindorge et Tiercelet, après avoir monté celle que Tristan avait reçue à Vincennes, s'occupèrent d'amasser devant elle des branches et des broussailles taillées dans une haie du voisinage.

— Nous aurions eu nos aises en quelque maison de cette cité, maugréa Paindorge. Un bon toit et des murs valent mieux que cette toile...

— Nul ne nous aurait ouvert, dit Tiercelet. Les maisons sont closes. La vue des hommes d'armes répugne à tous ces gens. Et je le conçois. Ils ont eu les Goddons, puis les routiers. Pour eux, nous sommes de la même espèce.

Le feu prit mal : plus de fumées que de flammes. Les chevaux incommodés tournèrent le dos à l'averse et refusèrent de se mouvoir autrement que pour être mis à l'abri sous la toile. Tiercelet s'éloigna à la recherche d'une grange et la trouva.

— Viens, Robert. Prends Alcazar et Tachebrun, j'emmène Malaquin et la mule. Nous serons tous au sec. Tu viens aussi ?

Tristan hésita. Un sergent passa :

— On peut dire que ça commence bien, messire !... Il y a vingt hommes sans abri...

Trente ans, petit mais large d'épaules, le visage tel un gros œuf : un crâne ras, guère de sourcils et de nez, une bouche presque sans lèvres.

220

Il portait son épée dans le dos : un bran (1) presque aussi haut que lui. Normand de l'Avranchin, il avait un nom lourd à porter : Bohémond.

— Je te laisse mon tref jusqu'à demain. Fais-en ce que tu voudras.

Tristan rejoignit ses compères. Il grelottait. « Pourvu que je ne sois pas malade ! » Non, il serait solide. Pour être craint et respecté.

La grange était petite et son toit presque intact. On ralluma un feu qu'un peu de paille revigora lorsqu'il menaçait de s'éteindre. Paindorge, accroupi sur le seuil, entama une litanie sur le temps. Tiercelet s'allongea et Tristan s'en alla circuler entre les trefs et les aucubes cependant que la pluie, qui s'était assagie, crépitait dans les flaques et sur les quelques feuillages qui semblaient défier l'automne. Une étrange torpeur s'était répandue. Quelques feux et de nombreux flambeaux assemblaient des hommes autour d'eux. On les sentait s'engourdir en présence de ces flammes courtes et comme frileuses, elles aussi.

Tristan revint à la grange.

— Mieux vaut, compères, que nous commencions mal et que nous finissions bien.

— J'ai appris, dit Paindorge, que certains des hommes qui nous suivent ont guerroyé avec Guesclin.

— C'est peut-être, en l'occurrence, une bonne chose.

— Je sens le froid, dit Tiercelet... J'ai vu, dans la journée, trois grands vols d'oies... C'est un mauvais présage...

— Je les ai vues, dit Tristan. Il est vrai qu'elles s'y prennent tôt pour guerpir vers le sud...

— Les arondelles, dit Paindorge, sont parties en août... Tout cela sent le froid.

— Eh bien, dit Tristan, une fois parvenus en vue de Rolleboise, nous prendrons nos dispositions pour nous et pour les chevaux... Tous les chevaux. As-tu une objection, Tiercelet ?

— Non. Un conseil : il nous faudra dès notre arrivée, entasser de la nourriture. J'aime trop les chevaux pour en manger... Du vin, de l'eau, du cidre... Exige aussi, Tristan, qu'aucune branche, aucune branchette ne soit jetée. A plus forte raison les débris et copeaux de merrain... Rien n'est pire que le froid pour contraindre le courage.

Et ce fut le silence. Une lune blanchâtre, comme enneigée, apparaissait dans le ciel.

_____

(1) Épée à deux mains.

IV

Après qu'ils eurent fait halte une journée à proximité de Mantes, ils s'engagèrent dans des chemins presque effacés, parmi des champs duméteux (1) dont les herbes montaient jusqu'au ventre des chevaux et aux cuisses des piétons. La noirceur des arbres rares et tourmentés ajoutait encore à la désolation des lieux. Cet automne-là prenait de jour en jour un aspect lugubre, et plus on avançait, plus le pays devenait gris, fricheux, d'une sévérité consternante.

Il fallut s'enfoncer, parfois à la queue leu leu, dans des sentes et des battues où les ronces et les chardons, les gratterons et les aubépines s'épandaient avec une prolixité telle qu'on eût pu croire ce pays hanté par des sorcières. Le chemin ne s'élargit que lorsqu'il suivit le cours de la Seine. Deux chevaux purent alors y progresser de front. Tristan se retourna en entendant hurler un homme. C'était un sergent accoutumé à veiller aux portes du Louvre et sa fureur tombait avec son poing et son talon sur un jeunet qui venait de se coucher en refusant d'avancer.

En cinq ou six foulées Alcazar fut près d'eux.

— Holà ! que se passe-t-il ?

— Il ne veut plus marcher !

— Il ne peut plus marcher, compère. Quand on a un pareil visage, il est évident que l'on souffre... Quel est ton nom ?

Le jouvenceau se souleva sur un coude :

— Matthieu, messire. Mes heuses sont neuves. Dans une autre contrée, je les aurais ôtées pour aller nu-pieds, mais avec toutes ces épines...

Seize ans. Roux aux yeux bleus. Une face pouparde. Solide. Son arc gisait dans l'herbe auprès de son carquois. Un *long bow* récolté sur un champ de bataille.

(1) Mantes était alors au roi de Navarre. *Duméteux* (vx) : couverts de broussailles.

Sous son chapel de Montauban orné d'un bout de plume d'aigle, le sergent avait, lui, une tête d'oursin. Son regard, d'une intensité difficilement acceptable, mit Tristan, peu enclin à se disputer, en fureur.

— Tu ne crois pas ce qu'il t'a dit ?

— Non.

Cet homme devait être un excellent guerrier : des muscles, une substance humaine faite pour cogner, trancher, percer, décerveler.

— Déchausse-toi, dit-il au jouvenceau.

Ce fut fait. Des orteils sanglants et gonflés apparurent. Les hommes d'armes qui n'avaient pas manqué de s'arrêter mumurèrent.

— Alors ? fit Tristan.

— Alors quoi ? demanda sobrement le sergent.

— Irais-tu de l'avant avec des pieds pareils ?

— J'essaierais.

Il y eut à l'entour des murmures de surprise, de doute et d'approbation.

— Je ne te le souhaite pas… Cela dit, tu me parais un homme de mérite doublé d'un hutin sans pitié. Mieux vaut conserver ton ire pour les Navarrais et les Goddons que pour ceux qui les vont combattre !

Sous les sourcils touffus, Tristan découvrit un regard bas dont il ne sut que penser. Il se vit approuver par la plupart des hommes devant lesquels se tenaient Tiercelet, souriant, et Bohémond hilare.

— Ton nom ? demanda-t-il au sergent.

— Milot… Milot d'Orly… à deux lieues de Paris.

— Conviens-tu que depuis Paris, justement, ce jouvenceau a dû souffrir ?

— Oui.

Point de *messire*. Cette fois la piétaille assemblée manifestait une unanimité bruyante. Tiercelet riait. Paindorge, qui était demeuré sur Tachebrun, trouvait, lui, qu'on perdait son temps. Tristan mit pied à terre et, tenant l'étrier d'Alcazar :

— Monte, Matthieu. Je marcherai. J'en ai besoin et j'ai des heuses de deux ans d'âge…

Il se doutait qu'il indignait Milot. Il le dévisagea :

— J'en aurais fait autant pour toi, mais tu as bon pied, bon œil.

La piétaille approuva par des cris et des battements de mains. L'on repartit et comme Milot s'éloignait, Tristan le retint par sa ceinture d'armes :

— Reste avec moi et parle-moi de toi, de tes batailles… Tiercelet, prends l'arc et le carquois de Matthieu. Il est jeune. Tu lui fourniras des leçons !

* *

*

223

L'on était reparti tout au long de la Seine. Parfois apparaissait un berger et son épouse emmitouflée dans une couverture. Ils veillaient sur trois brebis. Leur salut obséquieux et leur regard fuyant et sauvage disaient mieux que des mots leur insondable angoisse.

— Rolleboise ? répétait l'un ou l'autre.

Puis avec un geste las :

— C'est loin encore mais vous y serez à la vesprée.

Rolleboise apparut : une enceinte farouche flanquée de bastions décoiffés par les vents ; un donjon carré, lui aussi sans toiture, le tout juché sur une colline crayeuse – comme incrustée de neige froide. Si le château semblait lugubre, le pays exhalait une maussaderie sans fin. Les mugissements d'une trompe assemblèrent quelques malandrins sur les aleoirs (1). Des chapels de fer jouèrent à cache-cache entre les merlons.

— On contourne cette forteresse ? demanda Paindorge.

— Non, dit Tiercelet. Si nous le faisions pour trouver des lieux plus accueillants, ces démons sauraient combien nous sommes... Et nous assailliraient.

— Tu dis vrai, approuva Tristan. D'ailleurs voyez : les quelques gens du roi qui nous attendaient viennent à notre rencontre... Sacquenville nous a devancés auprès d'eux.

Ils étaient une trentaine. D'où sortaient-ils ?

— D'une caverne, là-bas, dans la roche, dit Sacquenville. *Ils* ne l'ont point découverte... Je ne puis vous proposer de nous y rejoindre : nous y sommes à l'étroit.

Tristan se détourna et désigna les cent hommes d'armes, immobiles et indécis, dont il avait assuré la conduite :

— J'ai la charge de ces guerriers. Nous allons nous hâter de bâtir les bastillons de merrain qui condamneront cette enceinte et de réunir les barques, les hourques, les chalands et les barges qui couperont le cours de la Seine.

Sacquenville eut le même sourire, sans doute, qu'il eût adressé à un malade :

— Je conçois votre hâte et vous en congratule. Au-dessus, à quelques lieues, la Seine fait une boucle immense – comme celle que domine le Château-Gaillard. Il faudrait occuper la portion de terre qu'elle ceinture et barrer le fleuve en aval de Vernon. Exercer une surveillance avec des milliers d'hommes pour couper le passage des fourrageurs et des brebis que les malandrins ramènent des roberies auxquelles ils se livrent encore à l'entour de Rolleboise... Annihiler là-bas et où nous sommes tout ce qui vogue pour eux... Rendre toutes les communications impossibles. Mais voilà : nous sommes trop peu !

(1) Le chemin de ronde.

224

— C'est vrai… Et plutôt que d'avoir de grosses nefs bien accastillées, bien pavesées pour ce barrage sur la Seine, nous aurons, j'en suis sûr, des coquilles de noix !

— Hélas !… soupira Sacquenville. Il est trop tard pour que mes gens vous apportent leur aide, mais demain, ils seront avec vous.

Le chevalier s'éloigna. Ses soudoyers hésitèrent à le suivre.

— Ils doivent avoir des amis parmi les nôtres, dit Tiercelet. Hé quoi, compère… As-tu froid ?

Tristan acquiesça. Il frémissait. Une fraîcheur pénétrante montait de la Seine désormais embrumée ainsi que de la terre gorgée d'eau, tandis que des marais voisins, des rainettes et des grenouilles jabotaient sans presque s'interrompre. La même lune que la veille, blafarde et transie, s'élevait dans un ciel vidé de ses nuages pour y rayonner avec la même âpreté que la nuit précédente.

— Je suis hodé (1), avoua Tristan.

Un rire fripa le visage de Paindorge occupé à défardeler Carbonelle :

— Que Tiercelet et moi aient prêté nos chevaux à des gars souffrant des pieds, tant mieux pour eux. Mais vous !

— Je ne regrette pas ce que j'ai fait, même si ma compassion envers ce jouvenceau a provoqué çà et là du mépris, de la gaieté ou de l'irrévérence. J'ai demandé à ce Matthieu de rester avec nous.

— Bonne idée, dit Tiercelet. Où est-il ?

— Il patauge dans la Seine pour éteindre les feux de ses orteils et de ses talons.

Deux ombres passèrent.

— Holà ! Bohémond et Milot.

— Messire ?

— N'atermoyez point pour faire de bonnes flambées… Multipliez les foyers même s'il n'y a personne autour : il importe que ces malandrins nous croient moult plus nombreux que nous ne sommes.

Le lendemain, en provenance de Poissy, cinq chalands vinrent s'amarrer à la berge. Ils avaient été tirés par des chevaux et des hommes sur un chemin de halage dont personne, depuis les incursions anglaises et navarraises, n'assurait plus l'entretien. Ces barges, foncets et bachières (2), apportaient du bois de charpente et des vivres. Sacquenville, qui semblait informé de tout, accueillit les bateliers et leur enjoignit de demeurer sur place : leurs coques seraient les premières employées au barrage de la Seine. Les maîtres chalandeaux se regimbèrent. Des menaces les contraignirent à accepter leur sort. Le merrain apporté ne pouvant suffire à l'érection

(1) Fourbu.
(2) Bateaux de charge.

des bastides, il fallut bûcheronner aux environs. D'autres chalands apparurent, et cette batellerie, vidée de son contenu, commença d'encombrer la Seine. Il y avait là des coques de toute forme et de toute taille : des hourques, des barges de pêcheurs, des baleniers et balinghières (1), une grande nef bretéchée venue tellement quellement de Rouen ; des voirolles (2) et même un bateau de selle (3), don des lavandières de Poissy qui s'en iraient, désormais, battre leur linge à même la berge du fleuve. Toute cette flotte solidement ancrée se maintenait flanc contre flanc, sur deux rangs, et pour qu'elle fût intransperçable, on n'avait ménagé ni les cordes ni les chableaux (4). A l'avant de trois flettes et deux gabarres, les gattes – où l'on rangeait, d'ordinaire, les chaînes et les câbles à mesure de leur rentrée dans le bâtiment –, avaient été pourvues de gerbes de sagettes et carreaux d'arbalète. Vingt hommes veillaient là jour et nuit. Sacquenville ne cachait pas son émoi :

— Ce devait être ainsi à l'Écluse, mais cette fois, nous vaincrons ces démons s'ils veulent nous assaillir par eau.

A terre, les bastides de bois s'élevaient, et pour vaincre le froid, on comblait de terre et de paille jusqu'à la moindre entre-bâillure. On voyait quelquefois, au sommet du donjon, quelques hommes de Rolleboise. Ils observaient et disparaissaient.

— A leur place, disait Tristan, je ferais une sortie.

— Pourquoi ? s'étonnait Tiercelet. Ils nous croient un millier sans doute. Toute perte, chez eux, serait un grand préjudice... Ils ont certainement de la nourriture en abondance...

— Nous aussi, répétait Sacquenville. Nous sommes riches de pourvéances : biscuits, farines, viande, pains, vin, cervoise, cidre ; moyeux (5) moult battus, en tonneaux... J'ai donné commandement que l'on pêche à la verge sur tous les bateaux... Il y a de gros poissons, des anguilles...

— C'est vrai... Mais le froid les tient pour la plupart au fond.

Un matin, Tristan demanda :

— Yvain, avez-vous prévu que nous pouvons passer tout un hiver à Rolleboise ?

— J'ai prévu la brelée (6) et les trosses (7).

— Et le fourrage pour les chevaux ? En avons-nous en suffisance ?

— Oui... Mais quand je vois le temps qu'il fait, je vais en demander davantage.

(1) Grands bateaux.
(2) Barques normandes.
(3) Bateau immobile et enchaîné qui servait aux lavandières sur un cours d'eau.
(4) Câbles pour tirer les bateaux.
(5) Jaunes d'œufs. On les transportait, battus, dans des tonneaux.
(6) Fourrage d'hiver pour les moutons.
(7) Bottes de foin.

— Il nous faut aussi des flassardes (1) et des peaux de mouton. Tous nos hommes flairent un hiver détestable.

— Il sera plus détestable encore pour ceux que nous assiégeons !

Sacquenville paraissait toujours sûr de lui. On eût dit qu'il commandait aux événements plutôt que d'en être, comme tous, tributaire.

Les bastides poussaient autour de Rolleboise. Tristan se demandait de plus en plus souvent si quelque souterrain partant du donjon pour aboutir quelque part en aval du barrage de bateaux et au-delà des beffrois, ne permettait pas aux Anglais et Brabançons de Wauter Strael, d'aller quiétement se procurer tout ce dont ils avaient besoin.

— Nous devrions les assaillir, dit un soir Matthieu tout en frottant ses mains au-dessus d'un grand feu sur lequel rôtissait un quartier de bœuf.

— C'est vrai, dit Tiercelet. Mais n'aie point hâte, blanc-bec, d'exposer ton corps aux sagettes anglaises. Les Goddons, – et surtout les Gallois – sont meilleurs que nous en archerie.

— Il a raison, dit Paindorge... Et cependant, Matthieu, tu as raison toi aussi... Que l'hiver se durcisse, qu'il neige et qu'il gèle, et nous regretterons d'avoir atermoyé... Pas vrai, messire ?

Tristan était le seul qui fût resté debout. Il regarda, autour de lui, les boiseries auxquelles adhéraient encore, çà et là, des mousses et des fragments d'écorce, puis les chevaux séparés par quelques planches, paisibles et comme endormis.

— C'est vrai qu'il faudrait mener l'assaut maintenant. Nous attendons un commandement qui tarde à nous être donné. Pourquoi ? Il faudrait le demander au dauphin qui, peut-être, se réfugierait dans d'interminables tergiversations, au lieu de nous fournir une réponse. Et voilà bien le pire ennemi des armées : l'ajournement des chefs, la mollesse du suzerain, la nonchalance du prince... Et pendant ce temps-là, l'ennemi renforce ses défenses, aiguise soigneusement ses armes et même reçoit un supplément d'hommes adurés (2) dont peut-être dépendra le sort de la bataille... N'oubliez point cela en ce qui nous concerne : le roi n'est plus qu'un fantôme de roi et son fils un valétudinaire. Les Goddons sont fiers de leur roi et de leur prince. Pas nous. C'est ce qui fait la différence. Nous sommes malades de notre royauté.

Il faisait bon dans ce beffroi édifié en hâte, mais solide, rassurant. Et qu'importait qu'il se révélât inutile ! Sa nécessité s'imposait déjà non point comme un fait de guerre mais comme une exigence due à la saison.

(1) Couvertures.
(2) Endurcis à la fatigue.

— Tout ce que nous faisons ne servira qu'à nous humilier une fois de plus devant les suppôts d'Edouard III.

— C'est mon avis, dit Paindorge... Je me demande s'il fait aussi froid à Gratot.

— N'en parle pas, compère, exigea Tiercelet.

— Bah ! fit Tristan. Je souhaite qu'ils soient heureux.

Jamais il ne parviendrait à les oublier. Jamais.

Il y avait, auprès d'Alcazar, maintes épaisseurs de paille. Il alla s'y allonger. Quelque chose lui manquait. Ou quelqu'un dont il se refusait à formuler le nom.

* *
*

La froidure s'aggrava. Quelques chalands destinés à couper le cours de la Seine arrivaient encore – sans hâte. Dans leurs flancs rebondis on avait entassé des poutres, des madriers, des vivres – sacs de lentilles, de noix et noisettes, de vesces et de bettes – des sagettes et des couvertures. Chaque matin et chaque soir, des pontonniers allaient vérifier les liens de fer et de chanvre qui assujettissaient les bastions petits et grands de la muraille flottante.

On avait dû guérir quelques cas de cachexie, de fièvre palustre, mais dans l'ensemble, la santé des hommes restait parfaite. Du haut de leur donjon, les Goddons et les Brabançons sonnaient parfois du cor. L'on ignorait si c'était une nargue destinée aux assiégeants ou un signal lancé à des compères hors de l'enceinte. Et puisque les bastides existaient maintenant, on y attendait midi et soir la pitance en soignant les chevaux ou fourbissant les armes. Le feu, le plaisir d'en partager les bienfaits avec ses compagnons et de se délecter d'un vin chauffé aux braises semblaient à Tristan des rites d'autant plus délicieux entre tous que le temps se montrait de plus en plus acerbe : sec, venteux, froid. Point besoin de parler : les flammes et le bois qu'elles vermillonnaient accaparaient les regards et les esprits. Il eût été incongru d'interrompre leurs murmures et craquements.

En compagnie de Sacquenville, de moins en moins disert, il accomplissait parfois une visite aux hommes de guet. Leur vigilance semblait sans faille. Ils redoutaient moins l'ennemi qu'un soudain assaut de l'hiver.

A chaque aube, ils interrogeaient anxieusement le ciel. Lors de l'approche de la froidure, il s'était montré souventefois noir et gris, tumultueux. Désormais, il semblait vide, d'une limpidité d'eau de source ; un soleil splendide y régnait et ses rayons lançaient sur la contrée une pluie d'or glacé. On eût dit que les oiseaux pressentaient un hiver exécrable : plutôt que d'ambitionner d'invisibles sommets, ils volaient à quelques toises du sol et de la Seine et s'abstenaient de saluer l'aurore. L'on sortait de l'oppression d'une nuit de froid et de silence pour entrer dans un jour de silence et de froid. Et tout en marchant pour se réchauffer après avoir bu deux ou trois gobelets de vin chaud, Tristan songeait mélancoliquement à Gratot quand ce n'était à Castelreng. Là-bas, au châtelet familial, dès le petit matin, on était imprégné de tiédeur, impatient de piéter ou de galoper dans la lumière réapparue, de prendre un bain de fraîcheur sous la voûte des arbres qui, depuis une éternité, assiégeaient la vieille demeure. Les oiseaux chantaient, pépiaient ; c'était un pétillement joyeux, annonciateur d'une journée dont on serait marri d'atteindre les limites. Ici, à Rolleboise, la rigueur s'intrônisait, le froid prenait ses aises et le vent, son allié, semblait forcir sans trêve.

* *
*

Octobre s'écoula, de plus en plus frileux. Point de bataille : de part et d'autre on s'observait.

Les bastides avaient été aménagées, renforcées, quelques-unes même, agrandies. Désormais tous les chevaux y étaient au chaud. Des provisions arrivaient de loin en loin de Paris – sur des chalands occupés par quelques archers. Certaines venaient également de Rouen. On les avait entassées sur des voirolles, ces bateaux non pontés de la côte normande, gréant une voile au tiers.

De part et d'autre on fourbissait les armes. Et c'était tout.

Novembre vint, plus froid encore, poudré d'une neige qui disparut sous le vent. On attendait toujours.

— Si nous ne les assaillons pas, il nous faudra passer l'hiver, redoutait Tristan.

— On croirait, disait Paindorge, que le dauphin ne sait plus que faire.

— Nous sommes coupés du monde, grommelait Tiercelet. Nous ne savons plus rien de ce qui s'y passe. Je commence à regretter Avignon... Et toi, Matthieu, regrettes-tu Châteaudun ?

— Nullement. Avec vous, je me sens en famille.

— Et toi, Tristan, à quoi penses-tu ? A Gratot ?

— Non. A des hommes que je n'aime pas : Audrehem et l'Archiprêtre. Je voudrais connaître leurs menées. Savoir s'ils ont aussi froid que nous.

— J'ai appris, messire, que l'Archiprêtre était en Aussay (1) et qu'il y faisait la guerre pour protéger la noblesse.

(1) Ou *Ausay* : Alsace. En réalité Arnaud de Cervole dévastait la Lorraine.

— Protéger !... Par ma foi c'est un mot qu'il ignore.

— C'est sa femme, Jeanne de Châteauvilain qui l'y a poussé (1).

— Tu le connais mal. Jamais il n'acceptera que quiconque le pousse ! S'il va de l'avant... à la façon du serpent, c'est par cupidité ! Cet homme est un vautour qui se repaît d'argent !

On attendait sans trop savoir qui ou quoi. Le froid, lui, n'attendait pas pour affermir sa saisine sur le pays de Rolleboise. Il semblait que l'air et le sol s'asséchaient sous son intangible contrainte. Le ciel de cristal s'enténébra, devint pesant, menaçant : il neigea encore, cette fois pendant deux jours. Agriffés sur les hautes branches des arbres décharnés, des freux vinrent coasser toute une matinée leur inquiétude, puis s'envolèrent vers le sud.

Les bastides en partie couvertes d'un suaire pétrifié avaient pris l'aspect de ruines crayeuses d'où pendaient, tombant des toits de bardeaux pentus, des morves grises, verglacées, pareilles à des poignards ou à des dents gigantesques. On s'aperçut que le pain pouvait geler. Parfois, du pommeau de son épée, Tristan cassait quelque croûton pour aller en jeter les miettes aux oiseaux de plus en plus nombreux, de moins en moins craintifs.

On changeait fréquemment les regards (2). On marchait en claquant la semelle afin que le sang circulât dans les pieds, mais on relevait déjà quelques cas d'engelures. Dans cette blancheur mate, grisâtre par endroits, et cette immobilité des choses à l'entour des bastides – arbres, roncières, herbes hautes, taillis comme frappés d'un néfaste enchantement –, les hommes quels qu'ils fussent semblaient étrangement solennels. Le dos voûté, le geste rare, ils se saluaient d'un mot enfumé par leur haleine, un seul mot comme si d'autres eussent pu geler au sortir de leur bouche ou demeurer collés à leurs lèvres. Tristan, les yeux endoloris par la blancheur des jours, lisait sur le peu qu'il voyait des visages entortillés dans des linges, une sorte d'angoisse ou de résignation.

Certains soudoyers semblaient passer leur temps à piétiner la neige glacée de leurs heuses emmitouflées d'étoffes laineuses et se battaient les flancs de leurs mains fourrées de moufles ou de mitaines

(1) Les hostilités avaient éclaté entre le comte de Vaudémont et le duc de Lorraine, dès Pâques 1363. Le premier s'allia à l'Archiprêtre qui venait de dévaster Metz à la tête d'une troupe d'aventuriers bretons, anglais, normands et gascons. Cervole comptait sur l'appui des seigneurs lorrains, mais le duc entra dans Vaudémont et y exerça de terribles représailles. A Saint-Blin, le comte remporta la victoire sur les Lorrains qui disposaient pourtant d'une artillerie... dont ils se servaient pour la première fois. Le duc de Lorraine dut traiter avec Arnaud de Cervole. Ce fut cette année-là que Jean II, le 27 juin, confia le gouvernement de la Bourgogne à son fils, le duc de Touraine, surnommé Philippe le Hardi depuis ses prouesses à la bataille de Poitiers, alors que le dauphin Charles prenait la fuite. Hélas ! le duc de Touraine prit à son service Seguin de Badefol, le roi des Compagnies, et l'Archiprêtre. La royauté française pouvait se flatter d'avoir du beau monde (!) à son service.

(2) Les gardes, les sentinelles.

découpées et cousues par eux-mêmes dans des peaux de mouton encore tavelées du sang de la victime. D'autres, tout aussi chaudement vêtus, couraient du mieux qu'ils le pouvaient jusqu'à la Seine pour encourager leurs compères de service sur les bateaux, puis revenaient vers ceux dont la tâche était d'observer le donjon ennemi. On eût dit des monolithes noirs, exhaussés sur un socle de glace et comme soudés à un vouge ou une guisarme. Ils formaient une ligne de colonnes incertaines sur le linceul mouvementé dont le dernier pli touchait aux murailles détestées.

« Ont-ils tant de vivres ? » se demandait Tristan. « Y a-t-il un souterrain qui leur permet d'aller s'approvender quand bon leur semble ? »

On allait de plus en plus loin bûcheronner pour l'entretien des feux. Plutôt que d'en accabler les Goddons, on passait désormais sa fureur sur les arbres.

Et le froid s'accrut encore, ivre de cruauté, de vigueur et d'audace. Il fallut calfeutrer les baies, jointoyer, une fois dedans, la nuit venue, les portes des bastides avec des lanières de peaux de mouton, des tripailles encore chaudes et des linges.

Un jour que Tristan, à l'invitation de Sacquenville, était allé piéter sur la berge de la Seine, son attention fut attirée par quelques épaves blanchâtres au milieu du fleuve.

— Agar ! (1) s'exclama le compagnon de Boucicaut. Des glaçons !

— C'est ce que je me disais, fit Tristan tout frissonnant de cette découverte. Il doit faire à Paris plus froid qu'à Rolleboise... Et voyez : ces glaçons se collent aux bateaux.

— Bah ! fit Sacquenville, ils finiront bien par se dégager.

Le fleuve, pourtant large en ces lieux, parut se rétrécir de nuit en nuit et ses eaux blêmes se figer dans des corselets de glace. Et l'on avait beau casser maintes fois par jour l'écorce de plus en plus épaisse qui se formait à l'arrière des barges et des petites nefs attroupées sur la Seine, elle réapparaissait la nuit, de plus en plus tenace, de plus en plus épaisse, de plus en plus menaçante.

— Si la Seine cesse son cours, elle deviendra glace. Une glace dont l'étreinte finira par broyer notre flotte !

— C'est vrai, Tristan, approuvait Tiercelet. Pour protéger toutes ces nacelles, il faut casser la glace la nuit aussi, aux flambeaux.

— Sacquenville ne croit pas que la Seine sera prise entièrement. Moi, si.

Il neiga une semaine entière, juste de quoi provoquer un adoucissement lors duquel on sortit les chevaux dans une neige épaisse où toute glissade était impossible, puis le froid revint changer la neige resplendissante en marbre.

(1) L'on dirait, maintenant : « Zyeute ! ».

Fin décembre, un gel terrifiant pétrifia Rolleboise et par-delà, semblait-il, tout le royaume de France (1). A coups de cinglons forcenés, le vent s'acharna deux jours et deux nuits sur les bastides, les dépouillant d'une partie de leurs bardeaux pourtant cloués à la charpente et revêtus d'une épaisse couche de neige. Quand ses mugissements et son souffle cessèrent, il fallut s'empresser de réparer les toits car la neige recommençait à tomber.

Elle chut tellement drue et durcie par le froid des hauteurs qu'on eût dit des grêlons s'abattant sur la terre.

— Il semble que Dieu nous haïsse ! enragea Tiercelet, de plus en plus renfrogné. Si nous n'étions pas un petit ost du roi de France mais une compagnie comme j'en ai connu certaines, Rolleboise tout entière serait nôtre !... Plus on atermoie, plus on fait tort à la victoire en amenuisant la confiance et la santé des hommes.

— La France, approuvait Tristan, est un pays de capiteux (2) de grand courage. Il nous faut surquérir (3) ces Goddons. Le froid deviendrait notre allié car ils sont sans doute plus déforcis que nous. Les pernions (4) qu'ils ont aux mains préjudicieraient leurs archers. Si je nous commandais, ce donjon serait nôtre.

Prise sur toute l'étendue de son cours, la Seine n'était plus un fleuve mais un vaste chemin blanc, et qui çà et là miroitait entre deux talus tachetés de noir. Les écailles des glaçons s'étaient peu à peu rejointes, agglutinées, épaissies. Voulait-on traverser cette couche de glace qu'une longueur d'épée n'y suffisait pas. Sous son étreinte, des barques et des acons (5) craquèrent. On craignit de voir toutes les coques écrasées une à une, et même toutes ensemble si le gel persistait.

Trois hommes moururent de congestion, le cerveau et les poumons subitement engourdis par la froidure alors qu'ils étaient apostés en plein jour, l'un sur une barge au milieu de la Seine, les deux autres sur une motte, à moins de cent toises des Anglais. Il fallut rassurer les autres, ce à quoi Sacquenville et Tristan s'employèrent sans grande réussite. Tous regardaient le donjon maudit, désormais imprenable, et sachant que l'hiver serait long et terrible, ils enrageaient de ne pas revenir à Paris, à Vincennes ou dans leur logis qu'ils appelaient désormais leur foyer sur un ton à la fois rude et mélancolique. Tristan s'émouvait de voir ces visages amaigris, rougeâtres sous l'indispensable calette (6) dont la double retombée protégeait insuffisamment les oreilles. Ils exprimaient une incertitude sans fond.

(1) Lire en annexe : le terrible hiver 1363-1364.
(2) Obstinés.
(3) Attaquer.
(4) Engelures.
(5) Chalands à fond plat.
(6) Sorte de coiffe de tissu comparable aux bonnets de bain d'autrefois.

Comment vaincre les emmurés de Rolleboise ? Ils avaient du bois : l'on voyait fumer leurs cheminées. Ils avaient à manger : aucune sortie n'avait été tentée. Ils semblaient gais : leur cor meuglait cinq à six fois par jour, et même certaines nuits pour prouver leur vigilance. Rolleboise apparaissait comme un sanctuaire inviolable où il faisait bon vivre : le gel ne pouvait traverser des murailles épaisses d'une toise quand ce n'était davantage.

Le froid rapetissait les courages, raréfiait les mouvements, propageait des rhumes, indisposait des viscères, et il était impossible d'aller tomber ses braies au-dehors : c'eût été encourir la male mort.

On vivait mal. De petites confréries se formaient d'âmes saines, solides, et qui réconfortaient les défaillances. Il fallait tenir. Mais tenir pour quoi et pour qui ? Par ce temps, aucun messager ne se fût risqué à galoper de Paris à Rolleboise et inversement. Était-ce ainsi dans tout le royaume ? Au-delà ? Ne pas couvrir son nez si l'on était à l'air, c'était le perdre. D'ailleurs, il faisait si atrocement froid que les barges avaient été abandonnées. Les Anglais les eussent pu embraser aisément, mais ils ne s'en souciaient. La preuve en fût donnée aux Français un matin où ils assistèrent à ce qu'ils n'attendaient pas :

La porte ferrée de Rolleboise béa. Une trentaine de Goddons la franchirent sur des chevaux houssés de peaux de bêtes et ferrés à glace.

— Vont-ils nous assaillir ? demanda Matthieu.

— Ils ne sont pas en nombre, dit Sacquenville que l'audace des hommes de Wauter Strael suffoquait.

— Laissons-les s'éloigner et assaillons le reste de la garnison, proposa Tristan.

C'était certainement sagesse. On avait un bélier, on défonçait le grand huis qui maintenant se refermait et l'on faisait irruption dans la cour...

— Nous ne sommes ni en nombre ni en état de les assaillir, dit Sacquenville.

— Notre vaillance suppléera, j'en suis sûr, à tout ce que vous pouvez nous reprocher !... Regardez, Yvain : ils traversent la Seine... Nous pouvons tout au moins les empêcher de revenir dans les murs !

— La glace va s'ouvrir et les engloutira.

Tristan sentit la fureur lui réchauffer les sangs.

— La glace est plus épaisse que les parois du Château-Gaillard !... Faisons en sorte d'anéantir ces trente hommes !

Il se reprocha aussitôt d'avoir pris un ton presque suppliant. Mais quoi : trente démons de moins, c'étaient des vies préservées du côté de la France. Il ne comprenait pas que Sacquenville hésitât. Pis, même : qu'il ne voulût point se battre. Il éprouvait, au-delà de sa déception, un mépris grandissant pour ce prud'homme trop frileux dont la mollesse et l'indécision ressemblaient à de la couardise.

— Où vont-ils ainsi ?

— Quérir, Yvain, de la nourriture dont nous pourrions les priver. Ils ne peuvent faire que cela... ce qui signifie qu'ils peuvent être à nous pour peu que nous le voulions.

Tiercelet, Matthieu et Bohémond qui s'étaient approchés des roseaux de la berge afin de voir de plus près ces aventureux, revinrent leurs visages animés d'une espèce de joie.

— On assaille le reste ? proposa le brèche-dent.

— Non, dit Sacquenville.

— Eh bien, dit Paindorge, attendons ceux qui sont partis. Quand ils reviendront, perçons-les de nos traits d'arc et d'arbalète ! Aucun ne regagnera son gîte !

— Voulez-vous, écuyer, me dicter ma conduite ?

A travers la brume de son souffle, Sacquenville offrait un visage rouge dont le nez vermillonné, un instant révélé sous sa capuce de fourrure, semblait la honte et l'ornement. « Est-ce un couard ? » se redemanda Tristan. Une quinzaine d'hommes étaient présents, tapant des pieds, les bras ramenés sur leur poitrine. Sans doute eux aussi se posaient-ils cette question et y répondaient-ils par l'affirmative. Il percevait, intense et naïve, leur volonté de guerroyer et leur certitude de vaincre pourvu qu'on leur en fournît l'occasion. Leur courage, leur hardiesse, leur vigueur contrariés tout à coup par quelques mots malheureux donnaient à leur haleine cette puissance et cette vapeur qui se répandait sur les poils de leurs longs manteaux en minuscules gouttes lumineuses.

— Je ne veux rien vous dicter, messire, grogna Paindorge. Moi, si j'étais le maître, c'est ainsi que j'agirais. Faudrait savoir un peu si nous faisons la guerre ou si notre devoir est de nous geler le cul pour donner de la plaisance à ces malandrins qui nous sonnent du cor cinq ou six fois par jour afin de nous prouver qu'ils existent.

Sans attendre une réponse, Paindorge s'en alla, entraînant Matthieu et Tiercelet vers cette bastide qu'ils commençaient à prendre en détestation tout comme les vingt hommes qui la partageaient avec eux.

— Vous l'approuvez, Castelreng ?

La question, sèche et attendue, ne celait, semblait-il, aucune malignité.

— Il me paraît qu'il a raison ; or, la raison, Yvain, est de votre côté. Je m'y range à contrecœur mais n'enfreindrai pas vos instructions.

Tristan tourna les talons. Les hommes s'éparpillèrent. Sacquenville resta seul, battant des pieds, remuant les bras comme de grosses ailes poilues, et ruminant sa déconvenue.

« J'aurais dû lui proposer de défier Strael ! »

Tristan se ravisa aussitôt :

« Non… Il aurait refusé. D'ailleurs, un tel défi est inutile : je suis sûr que Sacquenville a reçu pour mandement de rester devant Rolleboise sans l'assaillir. Il attend moins des injonctions nouvelles que quelqu'un de plus **haut** que lui à qui reviendra le mérite de vaincre ces malandrins (1). »

Deux jours après, quelques hommes d'armes arrivèrent. La plupart étaient des arbalétriers. Manants et jeunes bourgeois natifs de Caen, ils revenaient de Mantes. C'étaient les trente survivants d'une petite armée qui avait assailli un moutier où des Anglais s'étaient repliés. Ils en avaient occis un grand nombre, mais les Goddons étaient revenus. Pour les déloger une seconde fois, il avait fallu grossir les rangs des assaillants.

— Les seigneurs d'Ivry, de Blaru, messires Carbonnier et Ligier d'Auricy nous ont menés à la victoire ! s'écria un jeune arbalétrier dont cette bataille était certainement la première.

Tristan, du coin de l'œil, surveillait Sacquenville. En fait de victoire, il n'existait à Rolleboise que celle du froid sur les hommes. Cinq étaient déjà morts, d'autres crachaient leurs poumons. Quiconque posait sa main sur un morceau de fer laissé une nuit sur la glace ou la neige, voyait sa peau y demeurer collée. La plupart des chevaux refusaient de sortir. Les bastides sentaient le crottin, le pissat et le faguenas des hommes.

Le moustachu aux formes opulentes, à la voix triste et sirupeuse qui commandait les jouvenceaux, put fournir quelques renseignements sur les combats que les guerriers du royaume livraient aux Anglais et Navarrais : Guesclin, son cousin Olivier de Mauny et leurs troupes avaient libéré Beaumont-le-Richard, Quesnay et le Molay-Bacon. Les bourgeois et les manants de Caen les avaient pourvus en vin, viande et artillerie.

— Où sont-ils maintenant ? demanda Sacquenville.

— Comment pourrait-on savoir, messire, où sont ces gens?… Ils vont là où ils peuvent grossir leur fortune… On dit qu'Olivier est plus avide encore que Bertrand… Mais vous ?… Pourquoi n'avez-vous point donné l'assaut à cette forteresse ? Sont-ils si nombreux dedans ?

Tristan sourit au moustachu et se garda de regarder Sacquenville.

— Nous attendons d'être en force.

— Ah ! bien, messire… Alors, vous allez l'être. On nous a dit qu'une armée se formait pour venir en Vexin…

(1) Wauter ou Gautier Strael (que Froissard nomme Wautre Obstrate et la *Chronique des IV premiers Valois* Gaultier Strot) ne fut pas châtié pour ses crimes. Charles V, en octobre 1368, lui accorda bien volontiers des lettres de rémission.

— Sais-tu, l'homme, qui la conduira ? demanda Paindorge.

Il avait sciemment devancé Saquenville. Peu lui importait qu'il l'eût rendu furieux. « On se bat ou on part », disait-il fréquemment. Tristan, tout comme lui, songeait à quitter Rolleboise. Mais encore fallait-il qu'il fournît un prétexte ou qu'une occasion se présentât.

— Oui, je sais qui viendra, dit le moustachu. Nos barons s'en sont entretenus... Monseigneur le duc de Normandie a désigné Raoul de Reneval, monseigneur Mouton de Blainville, l'amiral de France...

« Ogier d'Argouges a exécré le parent de cet homme », songea Tristan. Mais qu'allait-il penser à ce baron qui, sans doute, le détestait !

— Il y aura aussi monseigneur d'Aubigny et moult autres nobles hommes...

— Point de Bertrand Guesclin ? demanda Sacquenville.

— Non, messire, pas que je sache.

Sacquenville baissa le front.

— Nous ne serons pas en suffisance, dit-il. Nous ignorons combien ils sont dans Rolleboise. L'enceinte est vaste et les logis nombreux... Il nous faudrait Guesclin et quelques autres.

Et soudain tourné vers Tristan :

— Voulez-vous aller trouver de ma part le duc de Normandie ? Oh ! je sais, Castelreng : le froid peut être une objection recevable... Mais tout comme vous, j'en ai assez de me geler les... tripes !... Nombreux, nous emporterons cette place d'un seul coup... Il faut que ce soit avant le printemps car si nous tardions, ce n'est pas dans la neige et le verglas que nous patouillerions, mais dans la boue... Alors, voulez-vous informer monseigneur le dauphin et messire Boucicaut de la vie que nous menons céans et des difficultés qui sont nôtres ?

— Je le ferai, dit Tristan.

— Quand partez-vous ?

Tristan consulta Paindorge et Tiercelet du regard.

— Maintenant, répondit-il. Après avoir vidé une écuelle de vin (1).

Tandis qu'ils s'employaient à seller leurs chevaux sous les regards attentifs et inquiets de Matthieu-le-Piéton, Tiercelet fournit enfin son opinion :

— Il espère, en nous envoyant à Paris, que nous crèverons tous en chemin afin de ne point parler de sa nullité.

— Moi, dit Matthieu, je sais pourquoi il a toujours refusé d'assaillir cette forteresse.

Paindorge, qui n'avait pu s'empêcher de rire, siffla d'admiration.

— Ah ! oui...

(1) Lire, en annexe : *L'hiver 1363-1364 et l'affaire de Rolleboise.* Le vin avait cessé d'être à l'état liquide.

D'un geste, Tristan interrompit l'écuyer.

— Parle... Il est vrai qu'à aller et venir d'une bastide à l'autre, tu as pu apprendre des choses que nous ignorons.

— Le cousin de messire Yvain, Pierre de Sacquenville, est un des principaux capitaines du parti navarrais dans la comté d'Evreux... Et Bohémond, cette pourriture, prétend qu'il est dans les murs et que messire Yvain le sait (1).

— Voilà, dit Tiercelet, qui nous donne à comprendre... Pour te récompenser, nous monterons l'un après l'autre sur mon cheval... A quoi songes-tu, Tristan ?

La réponse était aisée :

— Combattre l'Angleterre, soit... Mais les prétentions de Navarre sont justifiées quand bien même il soit un coquin... Je n'aime pas que des parents s'entre-tuent pour des causes qui, foncièrement, sont bonnes...

— Et tu aurais aimé tout autant Luciane si elle avait été du parti navarrais...

Ce n'était pas une question. Ni d'ailleurs une affirmation.

— Oui, dit simplement Tristan. Mais si je l'aurais volontiers embrassée, elle, ce n'est pas pour autant que j'aurais embrassé la cause des Navarrais !

On rit autour de lui. Il ne s'en sentit pas l'envie, bien que l'ulcère de cette méchante séparation eût cessé d'aigrir son sang. Tout comme ses compères, il était soulagé. Ce lent retour vers Paris valait mieux que l'inaction. Valait mieux que l'attente dans les inhospitalières bastides. Valait mieux qu'une espèce de mort lente, le ventre à demi plein, la chair transie. Oui, tout valait mieux. Même les périls du chemin, l'avance dans le jour bleuâtre et l'incertitude des nuits de plomb percées par les hurlements des loups.

Ils allaient affronter les mystères de l'avent ; un avent en robe d'hermine et de verglas, et la bise glacée les poignarderait en tous sens. Mais Paris et Vincennes valaient présentement mieux que Rolleboise. Et peut-être, après tout, y faisait-il plus chaud.

— Heureusement, dit-il, que notre oisiveté nous a permis de coudre des houssements de mouton pour nos chevaux. Couvrons-les chaudement, les poils en-dessous. Et partons !

(1) Le ralliement armé de Pierre de Sacquenville aux Navarrais méritait une explication que Matthieu ne pouvait fournir. La voici :
Dans la dernière semaine d'octobre 1360, le Bègue de Villaines, *sur commandemant du dauphin*, avait pris le château de Pacy-sur-Eure et capturé l'épouse de Pierre de Sacquenville et sa fille alors qu'aucun conflit n'était en cours. En effet, Philippe de Navarre, dont Sacquenville était l'allié, avait fait hommage à Jean le Bon à Calais, le 26 du même mois, en présence du roi de France et du roi d'Angleterre. Cette trêve avait été contresignée par Robert de Picquigny et Jean Ramirez pour le roi de Navarre ; l'évêque de Thérouanne, Arnoul d'Audrehem et Jean le Meingre (Boucicaut) pour le roi de France ; le duc de Lancastre et Gauthier de Masny pour Edouard III. Les *Grandes chroniques* qui rapportent le rapt de Pacy sont muettes sur le sort que subirent la dame de Sacquenville et sa fille. Un fait est sûr : le dauphin, comme toujours, avait transgressé la volonté paternelle.

V

Les murailles du Louvre acceptaient la froidure : le gel sévissait dans les vrilles des escaliers, sous les voûtes des corridors, et l'on ne faisait que croiser des gens enfouis dans des pelisses de fourrure à col épais, relevé, enchaperonnés bien au-delà des oreilles. Les sergents qui veillaient çà et là tenaient leur guisarme dans leur dextre gantée d'ours, de renard, de lynx et de mouton. Tous battaient la semelle, et les figures de pierre que l'on commençait à disposer çà et là semblaient, elles aussi, dans leur lividité complète, victimes de ce que les clercs, fort occupés à l'enterrement des victimes, appelaient la nouvelle calamité.

— Monseigneur le Dauphin ?

— Par là.

— Monseigneur le Dauphin ?

— Tout droit.

Tristan se trouva tout à coup en présence de l'héritier du trône. Il semblait s'être reclus depuis des jours dans une petite pièce enfumée, mais tiède. Assis face à une cheminée qui eût contenu cinq ou six hommes, les bras et les jambes tendus vers les flammes hautes et ronflantes, le dauphin, engoncé dans une houppelande doublée de petit-gris, semblait soucieux d'une seule chose : s'imprégner autant que cela fût possible, de la chaleur dégagée par l'âtre dans lequel brûlaient, sur un épais lit de braises, deux troncs de chêne superposés.

— Ah ! Castelreng... Quel bon ou mauvais vent ?... Vous connaissez Jean Maillart, je présume...

S'il le connaissait ! C'était un homme à corpulence de boucher, au regard caliborgne, à la tête grosse et rougeaude de buveur impénitent. On disait qu'il avait été un des plus chauds zélateurs d'Étienne Marcel, et cela, jusqu'au dernier moment de la vie du prévôt des marchands. Le cri opportun de « *Montjoie-Saint-Denis* », alors qu'on appréhendait ses compères, ne lui avait pas sauvé que la vie : il lui avait permis d'accéder aux honneurs. Le dauphin quelquefois lui demandait conseil.

— Eh bien, messire Jean, dit-il, notre entretien est clos. Il me faut m'informer de ce qui se passe à Rolleboise... Depuis quand, Castelreng, êtes-vous à Paris ?

— Ce matin, monseigneur.

La grosse tête et le dos de Maillard s'inclinèrent dans une révérence tellement lourde de respect sinon de bassesse qu'elle se propagea jusqu'aux genoux. Libéré de sa génuflexion par un geste bénisseur, il pivota sans un mot. La porte se referma sur lui. Le dauphin frotta sa lourde main contre le revers de la plus petite, lentement, cependant qu'un sourire tremblait sur sa grosse bouche :

— Où en sommes-nous, Castelreng ? Cette forteresse assise (1) est-elle à nous désormais ? Est-ce pour me l'annoncer que vous êtes au Louvre ?

A quoi bon s'embrouiller dans des circonlocutions indignes.

— Non, monseigneur. Wauter Strael et ses hommes tiennent bon.

Tristan s'était exprimé d'une façon tellement équivoque – à voix basse, lentement – qu'on eût pu imaginer quelques assauts vains et sanglants. Charles de France dit simplement : « Ah ! » mais cette exclamation ne le satisfit point. Alors qu'un long frisson le parcourait, il tint à formuler sa pensée d'une voix plus « souveraine », épicée d'une sorte de raillerie – mais envers qui ? Ceux de Rolleboise ou lui-même ?

— Il est vrai que ce maudit temps peut apoltronir les plus vaillants d'entre nous.

Ainsi, le fuyard de Poitiers s'intégrait-il sans vergogne parmi les preux et les guerriers confirmés !

— L'eau gèle. Le vin, la cervoise, le cidre également. Il paraît qu'on assaille les étuves afin de s'y imprégner d'un tantinet de chaleur. On dit aussi que la mer est gelée... Le roi, cependant, est parti pour Boulogne...

— Il revient à Londres ?

— Oui, Castelreng. Il n'a guère obtenu de subsides du Pape et je crains que cette bienheureuse croisade ne demeure qu'un grand dessein. Mon frère Anjou est cause de ce départ hâtif. On ne rompt point un serment. Le roi doit négocier l'élargissement de son frère Philippe, duc d'Orléans, de mon mains-né Jean, duc de Berry et de plusieurs ducs et bannerets retenus, depuis Poitiers, dans une otagerie qui lui donne moult inquiétude (2).

(1) Assiégée.
(2) Jean II s'embarqua à Boulogne le mercredi 3 janvier 1364. Après un bref séjour à Eltham, il fut à Londres le dimanche 25 février. Edouard III, la reine et leurs familiers le reçurent « *à grand'révérence* ».

Philippe, duc d'Orléans, comte de Valois et de Beaumont, cinquième fils de Philippe IV avait combattu à Poitiers. Il fut libéré en 1365, par Edouard III, alors qu'il entrait dans sa 29ᵉ année, « *à cause de l'amour montré à notre cher fils Thomas* », (le futur Thomas de Woodstock, duc de Gloucester, mort en 1397). Philippe décéda en 1373.

Un long soupir dégonfla une poitrine étique :

— Hélas ! oui, Castelreng, mon père s'en va...

Ce regret était-il sincère ? Le dauphin n'eût point dit autrement : « *Mon père se meurt.* » La grosse main pendit le long de l'accoudoir.

— Peut-être aurais-je dû envoyer Jean Maillard à Rolleboise...

Un rire. Inattendu. Était-il de nature positive ou bien le dauphin tournait-il Maillard en dérision ?

— Je lui aurais adjoint Pépin des Essarts et Jean de Neuville. Ils ont fait merveille à Wincelsée, n'est-ce pas ?

« Merveille », songea Tristan. « Non seulement ils s'y sont conduits comme des routiers en jetant feu et mort sur leur passage, mais ils ont amené le roi Edouard furieux aux portes de Paris. Il s'en est fallu d'un rien qu'il n'usurpe le trône (1) ! »

Mais le dauphin, soudain, recouvra son sérieux :

— Bertrand Guesclin est indisponible. Il guerroie en Normandie. Il ne ferait qu'une bouchée de Rolleboise.

« Voire », songea Tristan.

— Le savez-vous ? Un Anglais, Felton, a lancé un défi à ce Breton qui n'est, je vous l'accorde, qu'une sorte de collibert (2) anobli. Mais j'ai fort bonne opinion de lui... Que vous en semble ?

— Vous êtes le régent et vous serez le roi.

C'était une réponse vague, agréable à entendre : les joues exsangues de l'héritier d'un royaume se teintèrent.

— Il ne peut nous apporter une aide efficace, du fait de cette calomnie de Felton qui prétend qu'au Pas d'Evran, il a fait un serment qu'il a rompu après un mois de captivité chez ce truand de Robert Knolles. Il va comparaître devant nous avec son accusateur...

Le dauphin employait-il, déjà, le pluriel de majesté ?

— Vous serez près de moi, Castelreng... J'ai besoin de... protection... Mon père n'est point en bonne santé. Je l'ai dissuadé de retourner à Londres...

Cela devait être un mensonge : le dauphin ne se considérait plus comme le substitut de son père. Il régnait. C'était lui qui avait

(1) Pour Jean Maillard et Pépin des Essarts qui, le 31 juillet 1358, participèrent au meurtre d'Étienne Marcel, voir *les Amants de Brignais*.

Partie du Crotoy au début de mars 1360, la flotte française menaça Southampton, Portsmouth, Sandwich. Les vents contraires retardèrent le débarquement décidé par le dauphin jusqu'au 14 mars où la mini-invasion commença : 1200 hommes et 800 arbalétriers anéantirent Winchelsea, cité et population. Edouard III fut informé alors qu'il se trouvait en Bourgogne (il tenait à se faire sacrer roi de France à Reims). Sa riposte fut terrible. Décidé à se rendre à Paris, il occupait Chanteloup le 31 mars. Son armée incendia Orly, Longjumeau, Montlhéry, Châtillon, Montrouge, Gentilly, Cachan, Issy, Vaugirard. Le peuple de Paris veillait sur ses murailles. Comprenant qu'un assaut eût été vain et meurtrier, Edouard III, le 10 avril, se dirigea sur Chartres. Le 13, un orage d'une fureur sans précédent éclata. Des grêlons tombèrent, si gros qu'ils tuèrent des chevaux et des hommes. Ce fut alors que le roi d'Angleterre décida de négocier une paix qui n'allait être qu'une trêve.

(2) Ou *culvert*. Paysan d'une condition meilleure que le serf.

commandé l'expédition de Winchelsea, c'était lui qui avait décidé l'encerclement de Rolleboise. Et moult autres choses encore.

— Je crains, Castelreng, qu'il n'y meure plus vélocement qu'il ne le mérite car...

Le dauphin reprit son souffle. Venait-il de s'apercevoir qu'il avait lâché une énormité ? Il était avéré qu'il détestait son père. Mais à ce point ?

— ... car, disais-je, il se passe à Londres des choses pour le moins étranges... Nos otages y meurent en quantité... anormale (1). Le comte de Saint-Pol, trépassé ; monseigneur de la Roche, trépassé ; monseigneur des Préaux, trépassé... D'autres encore, tel Rogues de Hangest, mort, lui, en septembre dernier... Tous des nobles hommes dont le nom m'échappe... et des bourgeois qui eux aussi, depuis ce désastreux traité de Brétigny-les-Chartres, étaient otages pour mon père !... Je ne crois pas à une épidémie. Je crois que sciemment on les... supprime en les enherbant... Oui, Castelreng, je crains pour mon père ! Je vais envoyer Boucicaut... Le Meingre me dira vraiment ce qui se passe...

Un silence s'ensuivit, empli des crépitements de l'âtre. Le dauphin regardait attentivement le feu comme pour y réchauffer son esprit tout autant que son corps. Tristan se dit que c'était un privilège insigne de se trouver seul en présence du futur roi de France. D'autres que lui en eussent apprécié les délices et se fussent vus, sans doute, à l'issue de cet entretien, projetés vers des sommets. Il ne ressentait rien qu'un ennui infini et songeait par à-coups à ceux de Rolleboise. Aux morts pour rien, à la fainvalle qui commençait à se faire sentir alors que les

(1) Il est assez singulier que nos historiens de profession, dans leurs élucubrations sur la mort du roi Jean, n'aient point mentionné ce détail d'importance : ces morts en série pour le moins suspectes. Jean II, au cours d'une altercation avec un Anglais, lors d'une partie d'échecs, aurait-il été poignardé par celui-ci ? C'est peu probable. C'est pourtant ce qu'affirment Zantfliet et P. Cochon. Le continuateur de Nangis plaide, lui, pour la dissipation de deux mois passés en récréations, en dîners, soupers, *et en aultres manières* (!) selon Froissart, qui insiste : Jean, logé à l'Hôtel de Savoie, y vivait gaiement et amoureusement dans un luxe effréné. Le Dr Brachet plaide pour l'*érythème noueux des rhumatisants* ou *érythème indure scrofuleux* et le Dr Cabanès pour le coup de dague, mais avec certaines réserves.

Il y avait, selon l'auteur de la *Chronique des IV premiers Valois*, une épidémie en Angleterre, mais cela n'explique pas tout. Il écrit :

« *En icelle mortalité, mourust tres grant quantité de gens et des hostages grant foison, c'est assavoir monseigneur le conte de Saint-Pol, monseigneur de La Roche, monseigneur de Preaux de qui monseigneur Jehan de la Rivière espousa sa fille heresse de la terre de Preaux, laquelle, après le trépassement d'icellui monseigneur Jehan de la Rivière fut mariée à monseigneur Jacques de Bourbon. Et des bourgeois des bonnes villes de France moururent d'icelle mortalité grant partie des hostages. Et par especial y moururent les bourgoiz de Paris et ceulx de Rouen, sire Amaury Filleul et sire Jehan Mustel, qui estoient pour le roi de France en hostage.* »

L'auteur de la Chronique rapporte ces faits *avant* le retour du roi Jean II à Londres... lequel roi, lorsqu'il se vit « *amaladi, comme vray catholique*, (il) *requist les sains sacrements, lesquels il reçeust comme bon crestien et fist son testament* » etc.

L'on ne prend pas le temps de faire son testament lorsque l'on est victime d'une mort brutale... Il n'empêche que le roi s'y prenait bien tard !

assiégés semblaient à l'aise aussi bien dans la froidure que devant une table.

— Je n'attends rien de bon de Charles de Navarre.

— De lui, monseigneur, il ne faut attendre que la guerre.

— J'avais pensé, Castelreng, que le roi de Chypre, dont j'espère le retour, pourrait... l'assagir... Lui faire comprendre qu'ils devaient se réserver, lui et ses hommes, pour cette Croisière à laquelle je songe fréquemment !... Une réconciliation devant le tombeau du Christ... Anglais, Navarrais, Français et même routiers redevenant des hommes de bon sens et de fraternité... Les Mores ne sont pas les guerriers que nous sommes... Les lieux saints doivent nous revenir... Mais je crains que cette belle et grande idée ne soit qu'une chimère, et que le Mauvais ne songe qu'à reprendre la guerre contre nous avec l'assentiment et l'aide d'Edouard...

Tristan acquiesça. Cette croisade ne se ferait pas. Jamais un routier ne consentirait à partir pour Jérusalem. Jamais Edouard III ne s'aventurerait si loin de l'Angleterre.

— J'ai peur.

C'était inattendu. Tristan sourcilla. Était-il possible qu'il fût le témoin d'une défaillance de cette espèce ? Le dauphin devait se sentir bien seul ou bien découragé pour lui ouvrir son cœur.

— Les desseins du Mauvais seraient grandement simplifiés si, mon père étant retenu sur la Grande Ile par son complice, il m'advenait de trépasser. Je n'ai point de fils.

Était-ce un cri ? Un sanglot ? Était-ce le départ du roi Jean qui rendait le prince Charles mélancolique ? L'état précaire de sa santé ? Son incapacité à engendrer un mâle ? Tristan imagina ce malade fourgonnant sa femme autant qu'il le pouvait dans l'espérance qu'elle enfanterait cet héritier sans lequel la Couronne des Valois, qui l'avaient usurpée aux Capétiens, *pour une raison analogue*, reviendrait à ses justes possesseurs soit dans la paix, soit par la guerre.

— Il en a, lui, des fils ! Il en est bien pourvu (1) !

— Certes, monseigneur.

(1) Charles VI naquit en 1366 et succéda à son père le 16 septembre 1380. Il ne fut jamais rien d'autre qu'un malade (esprit et corps).

Charles V eut 9 enfants dont 3 seulement lui survécurent : Charles, futur Charles VI, dit l'Insensé ; Louis, duc d'Orléans ; Catherine, née le 4 février 1377, mariée en août 1386 au duc de Berry.

Charles d'Evreux, roi de Navarre, était fils de Jeanne, fille de Louis X le Hutin, exclue du trône au profit de Philippe V le Long, frère du Hutin (2 février 1317). La mère du Hutin, Jeanne de Navarre, était morte le 2 avril 1305. Il lui avait succédé au royaume de Navarre. Il avait 17 ans quand il fut sacré le 27 juin 1350, à Pampelune. De son mariage avec Jeanne de France, il eut Dom Carlos, qui lui succéda, Philippe, mort jeune, Pierre, comte de Mortain, qui épousa Catherine d'Alençon et mourut sans postérité ; Marie qui épousa Alphonse d'Aragon ; Jeanne qui épousa Jean, duc de Bretagne, puis Henri IV d'Angleterre ; Blanche, morte à 14 ans, et Bonne. Il eut également un bâtard, Lionel, qui fonda la Maison des maréchaux de Navarre.

— ... fécond comme le chiendent !

Que dire ? « Hélas ! » ou acquiescer ? Le dauphin se leva et se mit à marcher. Par l'ouverture de sa houppelande, Tristan put voir qu'il portait une robe de tartare, cette riche étoffe d'or et de soie azurée qu'il n'eût dû revêtir que lors des cérémonies. Pour un homme qui passait pour avaricieux et de goûts simples, c'était presque une espèce de provocation qu'il s'adressait à lui-même. A moins que ce vêtement n'eût appartenu à son père et que, comme certains chiens esseulés, il aimât à en respirer l'odeur.

— Ce que je crains, Castelreng, c'est que le Mauvais ne perpètre quelque abomination à mon égard... Il en a coutume... Vous en souvenez-vous ? C'est lui qui arma le bras de Perrin Marc contre mon bon ami Baillet !... C'est lui qui commanda à Phelipot de Repenti de m'occire (1)... J'ai... Ah ! je ne trouve pas le mot... J'ai ce qu'on appelait jadis une *premonicion*... Je suis certain que dans l'ombre, il trame un meurtre, *mon* meurtre !

« Et dire », songea Tristan, « qu'ils ont été comme cul et chemise !... Mais le Mauvais veut cette couronne qui branle sur cette tête pâle aux cheveux déjà clairsemés. »

— Je vous veux à mon service.

— Monseigneur, j'aime à penser que j'y suis déjà.

— Je vous y veux davantage... Je veux vous voir céans du matin jusqu'au soir. Je vous trouverai un hôtel...

— Monseigneur, je ne suis pas seul. J'ai trois compagnons avec moi.

— Eh bien, vous vous hôtèlerez ensemble sans souci de payer le gîte et le couvert.

Il fallait s'incliner même si l'on éprouvait la sensation de s'enchaîner.

« Jamais un Castelreng ne prendra les façons béates d'un homme curial ! »

Comment se soustraire à cette servitude ? Le prince souriait, lui, comme en proie à un sentiment délicieux fait d'un indéfinissable mélange de sécurité, d'incertitude et d'attente, le regard levé sur le linteau de la cheminée. Une couronne d'or y brillait entre deux chandeliers de cuivre. Ce n'était certes pas celle du sacre. Elle était de hauteur plus petite et sans aucun joyau, mais les petites fleurs de lis dont le joaillier l'avait pourvue semblaient prêtes à s'épanouir.

* *
*

(1) Jean Baillet, trésorier du duc de Normandie, avait été agressé et tué par Perrin Marc, le mercredi 23 janvier 1358. Phelipot de Repenti, écuyer, avait, lui, essayé de capturer le prince Charles à Saint-Ouen. Pris le 17 mars 1358 au soir, à Saint-Cloud, il fut décapité aux Halles de Paris deux jours après.

243

Le mardi de la mi-carême, 27 février 1364, Charles, duc de Normandie, lieutenant du roi en l'absence de son père, convoqua le Parlement en séance solennelle. Il le présida pendant trois jours afin de juger si le défi de messire Felton, sénéchal du Poitou, contre Bertrand Guesclin était ou non recevable. Trois jours pour parvenir à ce syllogisme :

La loi ne permet les duels qu'à défaut de preuve testimoniale. Or, au Pas d'Evran, Guesclin a déclaré, en présence de deux cents chevaliers et écuyers, qu'il ne resterait otage que pendant un mois. Au bout de ce laps de temps, ayant tenu sa promesse, il a mis fin à son otagerie.

Donques, messire Felton n'est pas recevable à appeler Guesclin en champ clos pour manquement à sa parole, puisqu'il avait pris à témoin deux cents prud'hommes.

Les deux premiers jours, le roi de Chypre avait fait acte de présence. Le troisième, tout aussi las de ses voyages que des parlures auxquelles on l'avait convié, nul ne le vit ni dans les appartements ni dans les galeries que Tristan avait mission de surveiller, assisté en cela de Paindorge, Tiercelet, Matthieu et quelque trente hommes d'armes porteurs de la livrée royale dont le prince Charles, déjà, faisait un usage que d'aucuns trouvaient immodéré (1).

Lorsque le Parlement eut rendu sa sentence, Tristan et Tiercelet virent sortir Felton, livide et comme outragé, entouré de ses gens vêtus de fer et l'épée cliquetante.

— Il s'en tire à bon compte, dit Tristan.

— Crois-tu ? C'est peut-être le Breton qui vient de sauver sa vie.

Et Tiercelet, qui avait écouté aux portes, d'ajouter :

— Le grand perdant, c'est Guesclin. L'arrêt qui vient d'être rendu dispense le Goddon de payer les cent mille francs de dommages et intérêts que le Breton lui réclamait.

— Bah ! l'un et l'autre se revancheront par des pillages.

Le dauphin passa, entouré de ses adulateurs, l'œil droit, sa main valide repliée sur un sceptre imaginaire, l'autre formant à elle seule le globe souverain, – un globe rouge, gercé de froid, où brillait, sur un anneau d'or, une gemme de couleur bleue, assortie à la huque fourrée dont le prince s'était vêtu.

— Il semble réjoui de l'issue des débats.

Tristan acquiesça d'un mouvement du cou : il regardait les grands hommes liges, vêtus de velours et de soie, d'écarlate et de camalin blanc, tous enjoués comme si, ayant assisté au Jugement dernier, ils y avaient appris le pardon de leurs fautes.

(1) Pour ce qui concerne le roi Pierre Iᵉʳ de Chypre, voir Annexe V.

— Qui sont-ils ?

— Il n'y a pas que des gens du Parlement. Il y a ceux qui sont venus voir, d'autres se faire voir ne serait-ce que dans la galerie où nous sommes... Maillard, bien sûr, qui s'efforce de nettoyer sa conscience et ne parvient qu'à l'assombrir. C'est cet homme en garnache noire, là-bas... Tiens, Tancarville... Et là, cette calette en velours purpurin : Geoffroy le Meingre, frère du maréchal Boucicaut. Il est évêque de Laon, élu à la place de Robert le Coq, l'âme damnée du Mauvais qui a fui en Espagne.

— Pur... purin ?

— Pas lui... Hugues de Châlon, le Vert Chevalier (1)... Monseigneur d'Etampes et Yves Derain, notaire et secrétaire du prince Charles qui l'a anobli l'an passé. Regarde : il avait tout du corbeau, le voilà désormais qui se prend pour un paon... Simon de Roucy, comte de Braisne (2). Je le croyais otage en Angleterre : il y a peu qu'il en est revenu... Pépin des Essarts...

— Qui m'est suspect, dit Tiercelet.

Tristan acquiesça et reprit :

— Louis, vicomte de Beaumont, maître d'hôtel de monseigneur Charles (3)... Et voilà le plus beau... Ah ! il s'est mis en frais...

C'était Guesclin, chaperonné de vermillon, près duquel marchait Olivier de Mauny tout aussi indigné que le cousin Bertrand. Ils se ressemblaient : têtes rondes, faces larges. « Si la lune était rouge, elle paraîtrait leur mère ! » Grosses bouches, mentons courts ; des cous de taurillons. Ils avaient revêtu leurs habits du dimanche. On les y sentait engoncés. Leur paletoc à col fourré leur tombait aux chevilles. Ils n'avaient pas cru bon de ceindre leur épée.

— Tiens, te voilà, toi... Ca... Ca...

C'était une indécision volontaire. Et vulnérante. Tristan fit en sorte d'en rire.

— Castelreng... Comment vas-tu ? Es-tu satisfait ?

— Non... Lui, qui c'est ? Ton écuyer ? L'autre est mort ?

— Mon ami Tiercelet de Chambly.

— Chambly !... Les mailles de Chambly !... On en fait de meilleures en Bretagne...

Tiercelet ne broncha pas. Son métier de mailleur était loin derrière lui.

(1) C'est à tort qu'il fut nommé Louis par certains. Il était le second fils de Jean III de Châlon, comte d'Auxerre et de Tonnerre, et de Marie Crespin. Son frère aîné, Jean de Châlon, allait combattre à Cocherel. Il prenait, du vivant de son père tombé en enfance, le titre d'administrateur du comte d'Auxerre.

(2) Troisième fils de Jean V, comte de Roucy ; comte de Roucy lui-même après la mort de sa nièce, Isabelle, héritière de son frère aîné, Robert II de Roucy. Il fut l'un des principaux conseillers de Charles V et mourut le 19 février 1392.

(3) Il l'était depuis 1356. Marié à Lyon, le 13 novembre 1362, à Isabelle de Bourbon, fille de Jean de Bourbon, comte de la Marche, tué à Brignais.

— Avez-vous vu ?... Felton a été déboutonné de sa requête !

— Débouté, dit Mauny, fâché de cette erreur.

— Soit, cousin, débouté... Nous ne nous devons rien. J'aurais voulu l'occire... Que fais-tu, Castelreng, dans cette livrée ?

— Service de monseigneur le dauphin.

Guesclin eut un rire éraillé, « supérieur » et comme menaçant dans sa superbe. Si sa faconde s'était tarie, il riait avec une fougue terrible, endiablée, tout en grommelant un jargon où quelques mots bretons parsemaient le français.

— N'aimerais-tu pas plutôt guerroyer avec moi ?

— Guerroyer, si... Je ne vois donc pas ce que je ferais avec toi !

Guesclin grimaça. Il devait avoir, en toute chose, une sorte de féroce passion de l'essentiel – et l'essentiel, pour lui, c'était d'occire. Sa grimace révélait, sans ambiguïté, qu'il s'indignait. Il détestait qu'on lui résistât, même en usant de mots ordinaires – les seuls qu'il pût comprendre.

— J'ai été le témoin de ta façon de batailler.

— Je gagne mes batailles !

— C'est pourquoi le dauphin te considère comme la nouvelle incarnation du dieu Mars... Pour moi, tu... nous ne sommes qu'en février.

Guesclin se mit à rire. Le son se répercuta d'une façon sinistre sous la voûte de la galerie dépeuplée.

— Près de moi, tu irais de victoire en victoire. Loin de moi tu n'es rien qu'un manant en livrée !

Sur cette pique acérée, le Breton entraîna son cousin et ses hommes – une douzaine ceints de leur seule épée. Tous allaient *pede presto* comme au-devant d'une nouvelle embuscade.

Soudain, Bertrand s'arrêta pour le plaisir de faire front et de brandir son poing. Il l'avait gros et noir comme un frappe-devant.

* *
*

Le mois de mars fut tout aussi rigoureux que les précédents. Après une journée morose, soit au Louvre, soit à Vincennes – dans l'immuable sillage du duc de Normandie –, Tristan, le soir, retrouvait ses amis autour d'une table, près de l'âtre illuminé de *la Main d'argent*, une hôtellerie des plus convenable. Les chambres étaient petitement chauffées, la nourriture bonne et substantielle, le vin avait du corps ; les deux servantes aussi. Point trop laides, elles étaient filles d'un couple d'aubergistes qui, après le sac de Gentilly par les Anglais, s'étaient installés à Paris. Ils y avaient aisément réussi : la proximité du Louvre en construction y était pour quelque chose.

246

Quelles que fussent les qualités de ces gens accueillants, Tiercelet s'ennuyait et sa morosité déteignait sur Paindorge. Matthieu, lui, s'en allait chaque jour piéter dans Paris. Il advenait qu'il rapportât quelques nouvelles dignes d'intérêt, mais la plupart restaient décevantes. Le froid ne cessait de faire des victimes. Le bois de chauffage manquait et les hommes du guet surveillaient les arbres. Quiconque pris à casser une branche eût encouru un châtiment sévère – la mort disaient certains sans référence aucune. A la disette des vivres commençait à se substituer la famine chez les vieillards qui ne pouvaient quitter Paris pour aller, loin de l'enceinte, se procurer une nourriture dont le prix ne cessait d'augmenter. Quand les Anglais, pour la seconde fois, avaient menacé la cité, on s'y était serré les coudes. A cette accointance succédait soit l'indifférence, soit une hostilité pareille à celle qu'on avait connue seize ans plus tôt : les malheurs enfantés par la peste blanche subrogeaient ceux de la peste noire toujours précis dans la mémoire des survivants. Seuls les bourgeois fafelus et retors, aux escarcelles rondelettes, parvenaient à se chauffer et à manger décemment. Or, si la froidure ne les inquiétait point, sans doute s'effrayaient-ils de penser que Paris pouvait souffrir d'un long siège. Ce n'était un secret pour personne que Charles de Navarre allait recevoir des renforts d'Angleterre en hommes et en armements, et que le captal de Buch, ce redoutable guerrier, était attendu en Normandie.

A la fin de la seconde semaine de mars, un gros rhume contraignit Tristan à s'aliter quelques jours. Il apprit, par Tiercelet, que Guesclin venait de réapparaître à Paris et qu'il allait, avec ses hommes, partir pour Rolleboise. Le dauphin Charles avait mandé aux principaux seigneurs de Normandie et Picardie de rejoindre le Breton à Mantes qui, comme Meulan, appartenait au roi de Navarre. Ensuite, le brèche-dent rapporta que si les bourgeois et les manants de Mantes avaient accordé l'hospitalité aux nobles hommes, ils avaient refusé d'ouvrir leurs portes à une piétaille réputée pour sa malfaisance. Les Bretons, qui n'étaient point avares d'excès de toutes sortes, s'étaient trouvés offensés bien que leurs capitaines eussent été acceptés en ville. Le 24, l'entente était si complète entre les Mantais et les seigneurs français, qu'ils avaient célébré Pâques ensemble, dans la cathédrale...

— ... bourrée comme un œuf, dit Tiercelet qui, avec Matthieu, avait parcouru le Louvre afin d'y glaner quelques nouvelles.

Paindorge, au lendemain de cette information, apparut le sourire aux lèvres dans la chambre où Tristan buvait une jatte de lait chaud :

— Messire, l'assaut que Guesclin donnait à Rolleboise a échoué.

— Qui t'a dit cela ?

— Bohémond, que Sacquenville a envoyé au dauphin.

— Quoi d'autre, – car tu m'as l'air bien réjoui ?

— Strael et ses hommes, lors d'une sortie, ont saisi tout un convoi de vitailles destinées aux Bretons.

— Malheur à ceux qui tomberont dans leurs griffes !

— Sans doute… Guesclin a demandé des bombardes. C'est pourquoi Bohémond est venu à Paris.

— Fort bien. Continue à tendre l'oreille… Et vous deux également.

Tiercelet et Matthieu acquiescèrent. Bientôt Tristan fut seul.

Il se leva. Il se sentait, depuis la veille, en état de convalescence et répugnait à revenir au Louvre. Il s'y morfondait par trop. Il s'ennuyait aussi dans cette chambre tiède où, de la fenêtre, il ne voyait qu'une courette et des toits revêtus d'une neige tenace parce que gelée à outrance. S'il en fondait un peu autour des cheminées, elle formait, plus loin sur la pente, un bourrelet qui s'irisait aux feux d'un soleil languissant. Souvent, dame Catherine, l'hôtelière, toquait à la porte pour « savoir si tout allait bien ». Elle entrait, rougissante, et repartait confuse. Son époux, Gabriel, qui n'avait rien d'un archange – trapu et rubicond, disert mais bourru – montait quatre fois par jour les bûches nécessaires à l'entretien du foyer, – ce que Tiercelet s'était proposé de faire. Vainement.

Jamais Yolande et Bérengère, les filles, n'accédaient à l'étage. C'était Paindorge ou Matthieu qui montait les repas.

Il semblait que le dauphin, prévenu de son empêchement, l'eût oublié. Il s'en félicitait. Il apprit, par Tiercelet, que Boucicaut était parti pour Rolleboise porteur d'un message destiné à Guesclin.

— Hé oui, dit le brèche-dent qui s'était assis sur le lit, face à Tristan rencogné dans un faudesteuil et couvert d'une houppelande fourrée de mouton prêtée par maître Gabriel. Le nouveau Fierabras n'a pas pris Rolleboise (1).

— Quel coup prépare le dauphin ?

— Il paraît qu'il veut avant tout prendre Mantes.

— Mais, si j'ai bien compris, les gens de la cité avaient ouvert leurs portes à la noblesse. Cela signifie qu'ils ne veulent pas engager les hostilités contre Charles et ses guerriers (2).

— Va y démêler quelque chose : on dit que deux lieutenants du Mauvais, Guillaume de la Haye et Jean de Tilly ont prêté main forte aux gens d'armes du duc de Normandie lors du siège du Molay… On dit aussi que les pourparlers entre Charles de Blois et Jean de Montfort ont échoué (3). On dit encore que le captal de Buch, Jean de

(1) Héros sarrasin d'une chanson de geste du XIIe siècle.
(2) Les Mantais s'étaient montrés on ne peut plus « ouverts » en permettant aux capitaines du dauphin d'entrer dans leur cité sans la moindre contrainte, à la seule restriction que le reste de l'armée resterait hors des murs. Le futur Charles V que l'on nous dit si sage n'avait aucune raison de trouver un *casus belli* à de pacifiques sujets du roi de Navarre pour avoir refusé d'héberger toute une armée, – particulièrement les Bretons – dont ils savaient les méfaits.
(3) Poitiers, 27 février.

Grailly, – qui est le cousin germain du Mauvais – est arrivé en Poitou avec trente mille hommes, et que le cousin de Sacquenville, Pierre, est déjà passé aux actes dans le comté d'Évreux. Charles a donc réuni son Conseil.

— Eh qu'ont-ils décidé, ces gens de sens rassis ?

— Que le Mauvais est un rebelle (1).

— Tiens !… Ils semblent seulement s'en apercevoir !

— Il paraît que nos hommes d'armes vont assaillir Mantes et Meulan.

— Sans déclaration de guerre préalable ?

— Oui. Il paraît qu'il leur faut occuper ces cités dès que possible. Et qu'ils y fassent le ménage.

— Monseigneur Charles ne vaut pas mieux que Guesclin. C'est l'alliance de la maladie et de l'intempérance. Je sais bon gré à Dieu d'avoir été malade. Et je sens que je vais le rester quelque temps.

* *
*

Le dimanche 7 avril, en sortant de *la Main d'argent* pour entendre la messe à Saint-Germain l'Auxerrois, Tristan aperçut Bohémond.

— Holà ! je ne te savais pas à Paris… Que viens-tu y faire ? Cherches-tu un soudoyer qui ait mal aux pieds ?

Le trait ne perça pas la cuirie du sergent. Les narines rouges, gonflées, les poings serrés, il mit pied à terre et, caressant l'encolure de son cheval dont la robe noire fumait :

— Non, messire. Je dois remettre une lettre à monseigneur le duc de Normandie. J'arrive de Mantes.

— Mantes ? Cela signifie-t-il que Rolleboise est prise ?

— Non, messire. Guesclin y a renoncé… Boucicaut est venu lui porter commandement de prendre Mantes et Meulan.

— Prendre ?… Peut-être suffisait-il de demander aux manants d'ouvrir leurs portes.

— *Prendre*, messire. Depuis hier, les Bretons sont devant Mantes. Ils ont parmi eux des vassaux du roi de Navarre : Guillaume Carbonnel, Ligier d'Orgessin, Regnaut de Bracquemont, le vicomte d'Equennes. Je les ai vus… Après Mantes, Meulan tombera, puis Vertheuil et Rosny.

(1) Le roi de Navarre, comte d'Évreux, était l'homme lige, le vassal et le sujet du roi de France contre lequel ses manœuvres hostiles en avaient fait un rebelle. En droit féodal, ce simple fait, sans qu'il y eût guerre ouverte, autorisait le dauphin – au nom du roi, son père – à mettre en sa main les châteaux et terres du rebelle. Ce châtiment, qui eût dû être accompli depuis longtemps, allait s'exercer non pas sur « le coupable » alors à Pampelune, mais sur des innocents. C'est la justice de deux pervers, Charles et Guesclin, qui s'abattit sur Mantes et Meulan.

— On dirait que tu t'en réjouis.

— Non, messire ! protesta Bohémond une main sur le cœur. Mais Guesclin, oui !

Le surlendemain, les Parisiens surent que Mantes était conquise. La prise de la cité avait donné lieu à des excès dignes des routiers. Les mieux informés ajoutaient, baissant la voix, que le régent du royaume avait souhaité qu'il en fut ainsi. Tristan, morose, reprit auprès de lui son service. Dans un Louvre glacial, il se remit à veiller sur certaines portes par lesquelles monseigneur Charles pouvait insinuer sa blafarde personne. Il entendit des commentaires contradictoires sur Guesclin et la façon dont il pratiquait la guerre. Aucuns s'en merveillaient, d'autres disaient que le Breton n'était qu'un malandrin et condamnaient l'émoi du dauphin lorsqu'on parlait de lui en sa présence : « *Qu'est-ce que ce sera lorsqu'il deviendra roi !* » Les plus dépourvus de bon sens imaginaient déjà que le Breton connaîtrait le sort enviable de Charles d'Espagne qui, passant par la couche du roi Jean, était devenu connétable.

* *
*

Le 13 avril, on apprit la reddition de la dernière tour de Meulan (1). Tout danger disparu, – car il eût pu mourir transpercé par une sagette comme Richard Cœur de Lion à Châlus –, le dauphin décida de se rendre sur les lieux où ses hommes d'armes avaient vaincu, on le savait désormais, des manants et des bourgeois mal armés, sans aucune expérience de la guerre. Laissant Tiercelet, Paindorge et Matthieu à *la Main d'argent*, Tristan dut accompagner l'héritier du trône et quelques antrustions sans savoir quels chemins ils avaient décidé d'emprunter.

— Monseigneur Charles va complimenter les Bretons, dit Bohémond, un des rares soudoyers admis parmi les prud'hommes. Car il n'y a pas que Guesclin !

Toujours imprévisible, le dauphin décida d'une visite au château de Vernon. Là, vivait la reine Blanche. Fille de Philippe d'Évreux, frère

(1) Mantes tomba le 8 avril 1364. Parmi les vainqueurs on trouve Olivier de Mauny, cousin de Bertrand, Olivier de Porcon, Jean le Bouteiller, Lucas de Maillechat, Roland de la Chesnaie, Lyon du Val (une crapule), Even Charruel. D'autres « héros », La Houssaye et ses hommes prirent Vetheuil et Rosny et occirent tout ce qui y vivait. Pendant ces hauts faits d'armes, le captal de Buch était en Poitou – ou en Touraine. Il se rendit à Valognes, puis à Évreux (26 avril) et y rassembla ses gens : vassaux normand des comtes d'Évreux, capitaines des hommes gardant les forts du Mauvais, routiers anglais de Bretagne, Normandie, Perche, Maine, Chartrain. Il y eut même des guerriers d'Auvergne comme le Bascot de Mauléon, capitaine gascon du Bec d'Allier (Cher) qui avait parcouru maintes lieues en hâte pour être exact au rendez-vous.

du Mauvais, veuve de Philippe VI, elle tenait compagnie à Jeanne de Navarre dont Tristan ignorait de laquelle il s'agissait : il y avait tant de Jeannes à l'entour de la Couronne que les plus proches courtisans du dauphin s'y perdaient. Cependant, à ouïr quelques propos, il comprit que monseigneur Charles avait décidé de visiter sa sœur, épouse de Charles II, son ennemi.

D'emblée, il ne sut rien de ce qui s'était dit, mais lorsque le régent remonta difficilement sur son palefroi docile comme une haquenée, il devina qu'il y avait de la déception dans l'air : l'héritier du trône avait le visage d'un joueur ayant perdu toutes ses mises.

— Tudieu ! dit-il simplement sans oser, de sa main valide, ébaucher un signe de croix qui lui eût fait lâcher les rênes.

Quand il eut parcouru une demi-lieue, le régent brisa enfin son silence et sa voix chevrota non de froid mais de rage :

— Avez-vous ouï, Boucicaut, ce qu'elles m'ont dit ?

— Oui, monseigneur.

— Que c'était l'honneur des dames de s'indigner contre les actes des malandrins à la solde du royaume et d'accabler de leur mépris la bestialité placée au service de la rapine... Qu'elles haïssent la force assez répugnante pour écraser la faiblesse innocente... C'est bien ce que m'a dit ma sœur ?

— Oui, monseigneur.

— J'ai pris acte de ces propos... Elles vont l'une et l'autre savoir qui je suis !... Il me déplaît qu'elles contestent mon autorité et fassent référence au roi mon père (1) !

— Oui, monseigneur.

Boucicaut semblait las des chevauchées qu'il avait accomplies entre Rolleboise, Mantes et Paris ; las également des propos d'un prince qui préférait un rustique coureur d'aventures à tous ceux qui composaient la Fleur de la Chevalerie du royaume.

— Où allons-nous, monseigneur. N'avez-vous point trop froid ?

On piéta lentement jusqu'aux abords de Meulan. Les assaillants en étaient partis. Du haut de leurs murailles, quelques manants lancèrent des pierres en direction de ces nobles hommes de France qui ressemblaient aux meurtriers de leurs parents. La vue de la bannière du prince Charles provoqua des huées. Des poings menaçants s'élevèrent. Le dauphin sourit aigrement :

— *Veni, vidi, vici*, dit-il.

Tristan trouva qu'il eût dû inverser les mots : *vici, vidi, veni*. Il avait vaincu, certes, il avait vu, certes, mais il n'avait pas assisté aux

(1) Certains historiens commettent l'erreur de voir en Blanche la fille de Charles II de Navarre. Le 22 avril, la veuve de Philippe VI fut contrainte de signer un traité par lequel elle acceptait de confier ses domaines à des hommes agréés par le roi. Ce furent d'anciens Navarrais repentis : Jean de Fricamps et Renaud de Bracquement.

meurtres dont on parlait ouvertement à Paris. Enfin, s'il était venu, c'était avec l'intention d'accomplir ce détour par Vernon d'où il était reparti vergogneux et peut-être infecté de haine : deux femmes, et non des moindres, lui avaient donné la leçon.

Une pierre lancée par un frondeur vrombit aux oreilles du prince. Une autre atteignit le poitrail de son palefroi qui se cabra. Le bras de Boucicaut évita une chute malencontreuse pour la réputation d'un homme qui n'était même point à l'aise lorsqu'il se prétendait à cheval sur les principes. Il fut pris tout à coup d'un courage bizarre :

— Nous allons entrer, messires, et ils vont voir !... Ah ! ils demeurent fidèles au comte de Mantes !... Ah ! Ah ! ils vont savoir qui je suis...

Boucicaut se tourna vers Tristan :

— Demeurez à la surveillance des portes... Aucun manant ne doit s'enfuir.

Tristan accepta. Quelque chose allait se passer (1).

« Rien n'est pire », songea-t-il, « que la fureur d'un malade ! »

* *
*

Le soir tombait quand Boucicaut réapparut. Seul :

— *Il* va sévir... Vingt hommes... Châtiments inutiles... Trop, c'est trop... Les victoires de Guesclin furent abominables... Mantes, Meulan, Vetheuil... Ces Bretons sont immondes... Guesclin conçoit la guerre comme un Tard-Venu. Il ne jouit point de gagner des batailles mais de ce qu'elles lui apportent ensuite. Des gens m'ont parlé furtivement... Ils ont vu des femmes qui suppliaient avoir leurs mains tranchées avant même que leurs maris fussent décollés. Ils ont vu des enfançons morts cloués dans leur lit... Des vieillards égorgés... Et ces énormités provoquaient de gros rires.

— Cessez, messire : j'ai vu Guesclin à l'ouvrage...

— Cela m'aurait fait moins mal, voyez-vous, si ces gens n'avaient pas accueilli nos chevaliers et nos écuyers courtoisement.

— Nos bourreaux, voulez-vous dire. Leur exemple est Guesclin.

Le vieux maréchal se pencha et à voix basse :

— Charles jouit autant d'avoir ce culvert à sa dévotion que s'il s'agissait d'une belle dame... Bon sang, Dieu me pardonne : il ne va

(1) Le dauphin fit arrêter 20 bourgeois mantais qui s'étaient réfugiés à Meulan. Il les fit conduire à Paris et décapiter devant lui en place de Grève.
Charles était baron de Montpellier. Plus tard, Louis d'Anjou, le parjure, voulut la ville. Avec l'aide de Guesclin, il l'obtint. Après leur victoire, ils firent pendre sans jugement 24 bourgeois montpelliérains hostiles, ce qui eut une sanglante conséquence : les consuls de la cité firent massacrer les officiers du prince nouvellement installés dans la place.

pas avoir pour Guesclin la passion que son père eût pour Charles d'Espagne !

— On dit : tel père tel fils.

— Guesclin a tout d'un sorgueur (1). Hélas ! nous devons nous en accommoder !

Et Boucicaut, soudain, haussa le ton :

— Où allons-nous, monseigneur ?

Le dauphin ne se retourna pas, mais sa voix retentit, imprégnée de colère :

— Au Goulet.

Ce château était situé au milieu du cours de la Seine, dans l'Ile aux Bœufs (2) proche de Notre-Dame-de-l'Isle, en face du hameau du même nom. Autrefois, Philippe-Auguste avait fait démanteler cette forteresse construite quatre ans auparavant par Richard Cœur de Lion. Charles de Normandie en avait fait réemployer les pierres pour ériger un asile destiné à son épouse, la pieuse Jeanne de Bourbon : elle s'y trouvait à proximité des sanctuaires vénérés des Andelys et de Notre-Dame de Montfort ainsi que dans le voisinage des reines Blanche et Jeanne.

— Soit, dit Boucicaut. Rendons-nous au Goulet.

Il ne devait guère aimer cet endroit. Penché derechef, mais souriant cette fois, il admira Alcazar :

— Blanc comme neige et point frileux... On vous l'envie, savez-vous ?

Tristan caressa l'encolure de son coursier :

— Qui le voudrait devrait dégainer son épée. Je me sentirais, pour lui, aussi vaillant et bataillard que pour une gentilfame !

Boucicaut se détourna :

— Venez près de nous, Yvain !... Bon sang, que craignez-vous ? Qu'on vous prenne pour un espie parce que votre cousin sert Navarre ?... Vous savez bien que nous vous faisons confiance.

Sacquenville s'approcha, le visage glacé. Il avait houssé son destrier afin qu'il eût moins froid. Ainsi, lui dans un jaseran de mailles sur lequel il avait passé un paletoc en peau d'ours, et son cheval couvert d'un houssement de velours grenat, il semblait qu'ils allassent jouter chez les païens.

— Saleté que Rolleboise, Castelreng.

— Il fallait les assaillir et ne point laisser cette gloire au Breton.

— *Mais il n'a rien pris !...* Il n'a pas osé malgré ses bombardes. Il a préféré saigner et dévaster Mantes et Meulan sachant bien qu'il n'y avait aucun guerrier digne de ce nom dans ces villes.

(1) Voleur de nuit.
(2) Dépendant de Notre-Dame-de-l'Isle (Eure, près des Andelys). En 1202, Philippe-Auguste avait fait raser cette place forte.

— Hé oui, dit Boucicaut… Mais qu'est-ce donc ?

Derrière eux, un hurlement se renouvelait :

— *Monseigneur ! Monseigneur !… Attendez, je vous prie !*

C'était Paindorge. Il montait Tachebrun. Il semblait qu'il ne l'eût pas ménagé, ce qui rendit Tristan furieux.

— Monseigneur !

— Qu'est-ce donc ? demanda le dauphin courroucé d'être dérangé dans ses pensées.

Il ne se détournait pas. Il éleva sa grosse main à hauteur de ses épaules et la branla comme un battant de cloche :

— Je déteste qu'on m'interpelle de la sorte. Il faudra châtier ce malappris !

— C'est mon écuyer, monseigneur, dit Tristan, et je ne sache pas qu'il soit impertinent. S'il galope depuis le Louvre, c'est par ma foi qu'il a une bonne raison.

— Il arrive à franc-étrier, en effet, dit Boucicaut. Son cheval a le spume !

Paindorge enfin fut là et ne prit pas de gants :

— Monseigneur, le roi Jean est mort (1) !

Les compagnons du prince se taisaient. Ils avaient arrêté leurs chevaux. Monseigneur Charles poussa le sien en avant sans donner un coup d'éperon, sans dire le moindre mot, sans fournir à tous ces hommes indécis, respectueux de son silence, l'image d'un homme accablé de chagrin. Tous avaient deviné sa joie, son soulagement et sa fierté.

— Regardez-le, messire, murmura Paindorge. On dirait un cheval qu'on vient de débiller (2).

C'était vrai. Monseigneur Charles, devenu subitement Charles V, se sentait tout à coup franc du collier. La royauté l'investissait avant même qu'il eût fait par Reims le détour nécessaire à son sacre. Il avait été un homme terne ? Il resplendissait. Il avait carteyé sur les sentiers du pouvoir ? Il voyait devant lui des chemins sans ornières. Une moue qui était un sourire rentré figeait sa grosse bouche gercée de froid. Il sentait les racines de sa suzeraineté toute neuve s'enfoncer, par-delà les sabots de son cheval houssé de bleu, à travers ce sol maculé de blanc dont les lointains uniformes semblaient couverts d'hermine. A travers les épaisseurs de velours et de laine de son chaperon, il entendait un invisible Chapitre psalmodier les litanies majestueuses, et se voyait assis sur la chaise curule devant un parterre de sujets dont la vénération, déjà, lui était acquise. Hissé de bas en haut du pouvoir

(1) La nouvelle de la mort du roi dans la nuit du 8 au 9 avril parvint à Paris le 16. Dès le lendemain, au château du Goulet, Charles prit pour la première fois, dans ses actes publics, le titre de roi de France.

(2) *Débiller* : dételer un cheval qui a tiré un bateau de halage.

dans l'indifférence et régnant bon gré mal gré, il allait désormais, lui, l'esseulé, dominer une multitude. Au moins ne fuirait-il pas ses responsabilités !

Il porta sa main saine sur son front et sa nuque comme pour y assujettir une invisible couronne. Depuis le temps qu'il l'attendait ! Depuis le temps que, lieutenant du roi, il n'était que l'adjuvant d'une royauté dont on se riait à Londres comme dans toutes les cités de l'Empire!

Quand il se tourna vers Boucicaut, ses yeux larmoyaient : il s'était exposé trop longtemps au vent froid du nord.

— Pauvre père, dit-il. Dieu reçoive son âme en son bleu Paradis.

C'était un peu trop court comme oraison funèbre. D'où la nécessité d'une péroraison :

— J'espère que mon cousin nous enverra vélocement son corps. Il nous le doit... J'espère également qu'il nous restituera sa vaisselle d'argent, ses vêtements, ses parures... Nous lui avions dit de les laisser à Paris et de ne profiter que des bienfaits d'Edouard... Mais il aimait la frisqueté, l'éclat de l'or et des gemmes...

Et tourné vers Paindorge occupé à battre la semelle auprès d'un Tachebrun qui reprenait son souffle :

— Savez-vous, écuyer, quand les Anglais nous renverront le corps du défunt roi ?

— L'homme qui vous portait la funeste nouvelle a pris peur quand des sergents ont cherché à le retenir. Je l'ai voulu rassurer ainsi que ses quatre compères...

L'écuyer farfouilla dans son manteau :

— Il m'a remis ce bref, monseigneur.

— *Sire*, mon ami. *Sire* à compter de ce jour !

— Soit, sire... Il était porteur de ce bref... Je n'ai pas voulu vous le remettre tout de suite, vous laissant à votre chagrin...

Paindorge tendit une lettre au nouveau roi qui s'était approché sans hâte. Il en fit sauter le sceau, déplia le parchemin et en commenta la teneur en l'offrant à Boucicaut :

— Les comtes de Dammartin et de Tancarville ont assisté à ses derniers moments. Ils nous rapporteront toute la vérité, car je suppose que le trépas de mon père met fin à leur otagerie.

— Le chevaucheur a dit, reprit Paindorge, qu'on a embaumé le corps. Le roi Edouard et toute sa chevalerie lui ont rendu les plus grands honneurs. Vous recevrez le chercus (1), sire, dans une semaine.

Monseigneur, pâle comme un cierge, s'avisa de toute sa suite, sergents à cheval compris :

— Cela nous laisse du temps.

(1) Cercueil.

255

— Oui, sire, dit Boucicaut, en enfouissant le parchemin replié dans quelque poche de son manteau.

— Chevaucher vers Reims en cette saison !

Le virtuel souverain du royaume de France eut un vaste soupir. La satisfaction s'y mêlait inégalement au déplaisir :

— Mon épouse souffre d'engelures… J'imagine son visage quand je l'informerai de tout ce qui l'attend !

Tristan toussota. Boucicaut regarda vers l'avant :

— Tiens, voilà Guesclin, dit-il sans dissimuler sa contrariété.

Le Breton chevauchait, fervêtu, devant une cinquantaine d'hommes d'armes à cheval. Pour lui la guerre était un état permanent. Une journée sans mort, une journée perdue.

L'on vit alors cette chose incroyable : Charles, fils du roi-chevalier, galoper au-devant d'un Barbare en agitant sa grosse main gantée de noir :

— Bertrand me voilà roi à partir de ce jour !

Le Breton, incrédule, arrêta son cheval. Il le fit agenouiller sur ses antérieurs tandis qu'un murmure s'élevait chez les Bretons et les Français unis dans une même admiration.

— Sire, l'on vous remire !

La génuflexion, le cheval l'avait faite. Pas lui, Bertrand. Il n'appartenait point à ces encharbottés qui s'inclinaient devant des malades. Mais il était heureux – ô combien ! Cette royauté toute neuve et ce roi follement entiché de sa personne allaient lui frayer la voie. Jusqu'où ? Jusques à quand ? Déjà, le sourcil oblique et la bouche pincée, il se posait ces questions.

* *
*

Sans attendre d'être revenu à Paris, le nouveau roi tint à manifester sa suzeraineté. Le 17 avril, au Goulet, pour gratifier son ardeur dans la tuerie de Mantes, Charles V offrit à un écuyer, Jean le Bouteiller, une portion des biens de Jacques Pestrel, satellite du roi de Navarre. Ensuite, il décida de revenir au Louvre par Pontoise. Là, il retrouva Guesclin toujours en quête de quelque querelle ou rapine.

— Bertrand, vous serez…

— Quoi, sire ?

— A partir de ce jour vous êtes chambellan !

— Bah ! sire Charles… Mes hommes et mon cheval vont s'ébaudir !

— C'est un titre envié, mon bon ami !… Vous en obtiendrez d'autres si vous aplatissez l'engeance navarraise et boutez les Anglais au-delà de la mer !

On fit halte à Pontoise. La plupart des contrevents restèrent clos, bien que des sergents eussent fait office de hérauts pour publier l'avènement d'un nouveau roi. Si des femmes et des enfants apparurent çà et là sur les seuils, aucun manant ne se montra. Il semblait que les Pontoisiens eussent éventé de loin la venue des Bretons ou que leur funèbre réputation les eût précédés de quelques jours.

Deux compagnons de Guesclin, Even Charruel et Hervé de Just sollicitèrent et obtinrent la grâce d'un Navarrais, Guillaume Bérout l'aîné, chez lequel ils avaient logé à Mantes. D'autres donations furent faites car le nouveau suzerain s'enivrait de son titre. Le 22, il récompensa un Breton, Olivier de Porcien, en lui faisant don de tout l'avoir d'un Navarrais, le seigneur de la Rochelle.

— Qu'a donc fait ce Porcien à la peau de porcelet ? demanda Tristan à Jean Le Meingre.

— Il a participé à la décapitation des bourgeois de Mantes.

Le 23, ce fut le tour de Lyon du Val, un malandrin des plus vils, ancien routier renommé, criminel notoire mais qui s'était *réhabilité* dans la prise de Mantes en ajoutant quelques dizaines de meurtres à ceux commis par les Bretons. Lucas de Maillechat, écuyer, fut loué et gratifié pour les mêmes raisons.

La nouvelle royauté semblait plus encline à honorer le mal qu'à louer le plus humble bienfait. La bénignité de sire Charles puait la mort.

Guesclin, toujours présent et toujours empressé, reçut, le 24, les biens d'un certain nombre de bourgeois de Mantes que sans doute il avait occis.

On revint à Paris lentement. Du seuil de chaque village à sa sortie, les sergents derechef se muaient en hérauts :

— *Voyez le nouveau roi Charles le Cinquième ! Voyez, bonne gent, votre suzerain !*

Quand le Louvre apparut, on se mit au galop. Il était temps : le cercueil de Jean II venait d'y arriver.

« Ouf ! » soupira Tristan. « Pourvu désormais qu'on m'oublie. »

* *
*

Il retrouva joyeusement ses compères tandis que *la Main d'argent* lui paraissait plus accueillante encore que lors de son installation.

— Je suis hodé (1), dit-il en portant, un gobelet de cervoise à la main, la santé à Tiercelet, Paindorge et Matthieu.

(1) Fatigué.

— Va te coucher, lui conseilla le brèche-dent.

A peine dévêtu, il sentit le sommeil le prendre.

Il faisait bon dans sa chambre. Le silence y était parfait. A peine entendait-il, sous les lames disjointes du plancher, quelques tintements d'objets de cuisine.

Lentement, il s'enfonça dans un pays de grand soleil et d'ombres émaillées de flammes inextinguibles qui n'était pas la Langue d'Oc. Autant il avait souffert du froid lors du funèbre hiver passé à Rolleboise, autant il endurait mal la chaleur de cette contrée sans nom. Il avait traversé des villes mortes, des villages bourdonnant des brasiers que des boute-feux y avaient allumés, une torche succédant immédiatement à sa devancière. Il allait il ne savait où sous la conduite de deux hommes dont il n'apercevait que le timbre du bassinet parmi tous ceux des seigneurs de leur armée. Il était contraint de suivre cette foule en guerre. Il se refusait à modifier le train de ses paisibles habitudes, à se dévoyer par sanglante plaisance. L'axe de ses sentiments, lui, restait inchangé. Plutôt que de subjuguer une province, il souhaitait conquérir une fée…

Mais où l'attendait-elle ? Quel était son visage ? La couleur de ses cheveux ? Il évitait de fréquenter les chevaliers aux incartades turbulentes. Ses idées s'étaient séparées des leurs. Il avait même conscience qu'entre leurs conduiseurs et lui, une opposition dangereuse s'élevait. Tiercelet était-il à son côté ? Rien n'était moins sûr. Paindroge ? Matthieu ? Mystère.

L'inconnue occupait toutes ses pensées. S'étaient-ils aimés ? Allaient-ils renouer la chaîne de leurs amours perdues ?… *Pourquoi, soudainement, chevauchaient-ils côte à côte ?* Était-ce lui qui les guidait ou elle ? Vers quoi ?

Quelle physionomie ? Elle lui apparaissait tout ensemble simple et secrète, naïve même et d'une clairvoyance qui, justement, semblait le don de cette naïveté. Il éprouvait pour elle, au fond de son cœur demi-sec, une infinité de nuances dont, jusqu'à cette chevauchée dans et vers l'inconnu, il avait ignoré l'existence.

Brusquement, vu l'étroitesse du vallon pierreux dans lequel elle s'était aventurée, l'armée progressait deux hommes par deux hommes et les chevaux devenaient craintifs. Non ! Il n'y aurait point d'embûche. Ils se laissaient entraîner, sa compagne et lui, à travers des mamelons de rocaille. Un vent lourd, parfois, labourait les sombres murailles, et des rochettes en tombaient pour s'abîmer sur le sol, en contrebas, avec des *plocs* de grosses pierres jetées dans l'eau. La damoiselle, oppressée, baissait son invisible profil.

— *J'ai peur*, disait-elle. *Et mon frère aussi.*

Qui était ce frère ? Où était-il… Quoi ? Que disait-elle ?… Elle ajoutait :

— Il est jeune... Il ne faut pas qu'on nous prenne.

Pourquoi ?

— Je vous sauverai !... Je l'ai juré.

L'ost recru et guenilleux alentissait son avancée. Une clairière apparaissait. On dressait les pavillons. Il s'en voyait obtenir un. Celui tout près du sien appartenait... Un prince. Un barbu... Il y avait un coffre ouvert sur le seuil. Dedans, une couronne scintillait sur un monceau de pièces d'or et d'argent.

— Prends-la, disait une voix. *Prends-la, coiffe-la... Tu vois bien qu'il n'y a personne, sauf elle qui capte les regards de celui que tu hais.*

Qui ? Il prenait la couronne et lentement s'en coiffait. Elle était légère. Elle scintillait. Sa crainte d'être vu se transmutait en une sorte de jubilation capiteuse, presque sensuelle, dont il n'avait pas encore éprouvé l'impression.

— Comme vous êtes beau ! Comme vous la mériteriez, disait la jouvencelle.

Elle s'était exprimée vivement, à voix basse. Il ne voyait toujours pas son visage mais il savait qu'elle n'était ni Oriabel ni Aliénor ni Luciane.

Alors qui ?

Il se sentit secoué par une main vigoureuse. Quelle folie que d'échapper à ce trouble inexplicable parce qu'une main s'acharnait sur son épaule !

— Alors, merdaille, tonna une voix profonde, une voix issue des ombres de l'abîme ; une voix terrienne où l'affection le disputait au déplaisir.

Il ouvrit les yeux sur une autre nuit. Il n'y avait ni couronne ni tente ni damoiselle ni rochers à l'entour. Il y avait Tiercelet dont la ténèbre gigantesque envahissait la chambre.

— Qu'est-ce que tu as dormi ! dit-il. Il fait nuit et nous allons nous mettre à table.

Puis, tandis que Tristan bâillait :

— Toi, tu as busné (1) !

— Oui.

— D'où sors-tu ?

— Je ne sais... Une terre chaude... une armée... Ce n'était pas mon pays.

— C'était peut-être l'Espagne.

— Peut-être.

— Tu y étais seul ?

— Une jouvencelle... Pas une de celles que j'ai connues.

(1) Rêvé.

Tristan se leva et bâilla encore.

— Elle avait un frère... Elle était menacée... Je la protégeais... Et puis, j'étais mis en présence d'une couronne et m'en ceignais...

— Une couronne !

Les yeux de Tiercelet luisaient dans l'ombre comme deux pièces de monnaie.

— Alors, dit-il sans rire, cette couronne, c'était peut-être celle du Trastamare.

— Ou de sire Charles, cinquième du nom.

— Cela, dit le brèche-dent, tu le sauras un jour.

VI

Le royaume de France était pauvre. Éprise de munificence et d'ostentation, la monarchie des Valois l'était aussi. Cependant, si l'humble manant et le culvert des campagnes savaient restreindre leurs besoins selon l'état de leur déconfiture, la royauté, confite dans le culte d'un faste exorbitant, s'obérait avec une allégresse impudente et sans frein.

Comme il fallait que les obsèques du roi-chevalier fussent grandioses, même s'il avait perdu toutes ses batailles, on emprunta une fois de plus sans vergogne, sans discernement et sans retenue (1). Les Juifs et les Lombards furent mis à contribution. Ils ne pouvaient qu'ouvrir leurs coffres : leurs réticences ou leurs refus leur eussent ouvert des cercueils. Plus on les méprisait, plus on les sollicitait ; plus on extirpait et violentait leur fortune, plus ils semblaient fortunés.

Aposté sous une voûte de Saint-Denis et surveillant une foule frileuse d'où pouvait surgir un sicaire d'Edouard III ou du Mauvais, Tristan vit les apprêts de la cérémonie funèbre, puis la venue et la dispersion de la procession (2). Il lui plut de se dire que l'affliction de tous les endeuillés présents à cet ultime hommage semblait trop vraie pour être sincère : depuis la défaite de Poitiers, le roi Jean était un vaincu aussi dérisoire qu'impardonnable. Qui donc eût-il pu le pleurer ?

Le surlendemain des obsèques, Tristan se vit congédié. L'ex-dauphin lui avait délégué Sacquenville :

— Sire Charles m'a signifié qu'à compter de ce mois de mai, je vous remplacerai à son service. Il veut me tenir à l'œil bien que je n'aie plus d'accointance avec mon cousin Pierre, ce traître... Il vous faut revenir à Vincennes et y attendre la prochaine bataille.

(1) On dépensa pour ces obsèques, du 27 au 29 avril, 17 761 livres de cire qui, à 23 francs les 100 livres, coûtèrent au Trésor 4805 francs 7 deniers parisis.

(2) Le corps embaumé, ramené en France par le comte d'Eu et quelques barons, avait tout d'abord été déposé à l'Abbaye Saint-Antoine, à Paris.

— Quels sont les desseins de notre suzerain ?

— Frapper un grand coup avant son sacre.

— Un grand coup de quel poing ? Le gros ou le petit ?

Tristan ne se sentait point dépité. Au contraire : il était délivré d'une servitude honorable dont les rites n'avaient jamais cessé de lui coûter. Il recouvrait ses aises et, afférente à cette liberté, la possibilité de mourir lors de la bataille décidée par le nouveau roi. A vouloir redorer la couronne de France, Charles pouvait la maculer de sang.

Comme tous les hommes d'armes réunis à Vincennes, Tristan et ses compagnons apprirent, dans les premiers jours de mai, que Jean Jouel, l'ancien maître de Rolleboise, avait pris le titre de duc de Normandie sitôt après que Wauter Strael eut été fait prisonnier. Il était occupé à réunir sous sa bannière une multitude de malandrins et tous les déserteurs de l'armée d'Angleterre. Ils surent également que le captal de Buch venait de débarquer à Cherbourg. On l'avait cru en Poitou. Peut-être y était-il allé pour accroître ses compagnies. Fils de Jean de Grailly, second du nom, et de Blanche de Foix, cousin germain, par sa mère, de Gaston Phoebus, comte de Foix, Jean III de Grailly (1), vicomte de Benauge (2) et de Castillon, incarnait la Fleur de la Chevalerie de Gascogne. Les Grailly et les Albret, qui se partageaient la contrée jusqu'aux portes de Bordeaux, se disputaient les faveurs d'Edouard III, maître de la Guyenne, mais c'était aux Grailly que le roi accordait tout à la fois sa confiance et son amitié. Après Poitiers, le captal avait guerroyé en Prusse en compagnie, disait-on, des chevaliers teutoniques. Il en était revenu entouré d'une renommée qui sans doute avait consterné le feu roi Jean II, captif à Londres. C'était aussi un chasseur. En cela, il faisait beaucoup d'ombre à Phoebus. Il ne devait aucun impôt à Edouard de Woodstock : le prince de Galles, l'en exemptait pouvu qu'il lui fournît des faucons et des veautres – particulièrement des lévriers. On rapportait aussi que Grailly était le seul feudataire de Guyenne à se sentir à l'aise parmi les capitaines anglais. Tandis que certains barons de Saintonge et de Gascogne avaient abandonné le parti des Goddons pour se rallier à la France, – les seigneurs de Pommiers, de Mussidan et de la Trau (3) –, c'était vers le captal de Buch que le fils d'Edouard III, régent d'Aquitaine, s'était tourné lorsque Charles de Navarre s'était enquis du guerrier le plus capable de recommencer avec succès la guerre contre la France. D'après les rumeurs qui circulaient à Vincennes, non seulement le

(1) Les Grailly étaient seigneurs de la Teste-de-Buch (Gironde) et c'est de *cap*, équivalent de *teste* ou *tête*, qu'ils prenaient le titre de captal.

(2) La vicomté de Benauge constituait un fief considérable, symbolisé par la forteresse de ce nom, située dans la commune d'Arbis. *Voir annexe VI.*

(3) Prononcer *Traou* (Préhac, Gironde). Le seigneur de Préhac s'intitulait tantôt *soudic*, tantôt *soudan*. Or, *soudan* signifiait *sultan*.

captal avait trouvé en Normandie des partisans du Mauvais plus acharnés contre les Français que partout ailleurs, mais encore, l'évêque d'Avranches avait envoyé des messagers en Bretagne afin d'y recruter tous les hommes d'armes susceptibles de grossir les rangs navarrais (1).

— Voilà, dit Tristan, qui empunaise la guerre.

— Ne craignez-vous rien pour ceux de Gratot ? s'inquiéta Paindorge, un soir au souper.

— Non. Ogier d'Argouges est respecté des Navarrais. Il connaît le Mauvais. Il l'a rencontré chez Godefroy d'Harcourt. Les lieutenants du roi de Pampelune le laisseront en paix.

— Je ne m'y fierais pas, dit Matthieu. Ces Navarrais ne sont que d'infâmes routiers. Et si je puis vous interrompre davantage, eh bien, je viens d'apprendre, alors que j'étrillais Alcazar à l'écurie, que le Bascon de Mareuil doit commander plusieurs compagnies. Je l'ai vu insulter Bertrand à Melun. Ces deux hommes se haïssent. Si Guesclin le tient, il périra dans des tourments que je n'ose imaginer (2).

(1) Le 11 mai 1364, Robert, évêque d'Avranches, conseiller du roi de Navarre et lieutenant du captal de Buch, manda d'allouer ès comptes de Henri de Mantes, vicomte d'Avranches, 10 francs d'or, prix d'un cheval acheté pour Perrot de la Fontaine « *pour aller en Bretaigne pour querre genz d'armes au besoing de nostre dit seigneur, lequel cheval fut mors en chemin.* »

Cette mobilisation contre la France s'accomplissait sur deux fronts, et il semble qu'aucun historien ne l'ait remarqué. En effet, les 26, 27 et 28 avril, en Languedoc, au retour de la belle saison, Arnoul d'Audrehem était informé que les routiers occupant le territoire dont il avait la surveillance, *recevaient des subsides du roi de Navarre* (via, sans doute, les Pyrénées). Charles V qui avait toujours maintenu Audrehem dans sa charge, lui envoya un messager le priant de poursuivre *activement* les Compagnies, ce qu'évidemment, il ne fit pas. Il laissa même Peyriac, occupé par les routiers depuis le début de novembre, aux Tard-Venus. Lorsque, le 16 juin, un bourgeois de Montpellier, Jean Colombier et sa milice délivrèrent la cité, ils hissèrent leur bannière sur le clocher afin qu'elle dominât celles d'Audrehem, des vicomtes de Carmaing et d'Ambres.

Quand Arnoul arriva enfin, le 18, ce fut pour ordonner le massacre des routiers prisonniers, sauf 7, qui furent emmenés à Trèbes.

Ce siège avait donc duré six semaines sans qu'Arnoul y eut pris part. Poussés par des inquisiteurs en mal de procès, les Carcassonnais décidèrent que les 7 prisonniers étaient hérétiques. Le château de Trèbes où ils étaient enfermés fut assiégé. On emmena les captifs dans la cité. Une émeute y eut lieu parce qu'on avait répandu le bruit que, plutôt que de les brûler, on s'apprêtait à les libérer !... Lors de cette sanglante émeute, Audrehem, qui était présent, ne bougea pas. Le plus fort de sa mission, c'était d'accorder de profitables lettres de rémission.

(2) C'était une espèce d'Hercule aussi mal embouché que son rival breton. L'un des plus hardis chefs de bande de son temps. Il avait commencé sa terrible carrière par un coup de maître. En 1350, il s'était emparé, par escalade, du château de Comborn, en Limousin. Il avait capturé Archambaud, vicomte de Comborn, et l'avait rançonné à 24 000 écus. Le 17 février 1358, la veille de la Quadragésime qu'on appelait alors la fête des Brandons, ce vaillant aigrefin mit le feu aux abords immédiats de Pontorson, menaçant la cité ordinairement défendue par Guesclin, absent. En 1359, il régnait, avec Martin Enriquez, sur la forteresse de Melun dont trois reines avaient fait leur résidence : Jeanne d'Évreux, veuve de Charles le Bel, Blanche de Navarre, veuve de Philippe VI, – la première, tante, la seconde nièce de Charles de Navarre –, et Jeanne de France, sœur du duc de Normandie (futur Charles V). Ce fut lors du siège de Melun que Guesclin retint l'attention du prince Charles.

— Melun, Meulan... Partout où le sang coule notre Breton se trouve à son aise.

— Je connais certains de ces Navarrais, dit Tiercelet. J'aimerais pas les avoir en face dans une bataille. Le grand ami de Mareuil est un Espagnol : Sanche Lopez. Mais il doit bien y avoir aussi, prêts à fournir des coups de lame, Baudouin de Banloz, Jean Gansel, Aigremont, Lopez de Saint-Julien, les capitaines d'Anet, de Livarot, du Bois-du-Maine et de Saint-Sever.

Tristan leva très haut son gobelet de vin :

— Je leur porte la santé !... On les reconnaîtra car on dit qu'ils sont tous grands. D'ailleurs, la croix rouge de saint Georges est brodée sur leur cotte d'armes et sur leurs bannières... Il y a aussi Jouel, Robert Chesnel dont le passe-temps était de faire couper les mains des gens d'Alençon qu'il trouvait sur son chemin. Il y a aussi Robert Sercot, un Goddon qui règne sur le Perche... Mais celui qui les domine tous en férocité, c'est Jacques Plantin. Il passe son temps à galoper sur les marchés du Perche, du Maine, de l'Anjou : couper des mains, des pieds, des... bourses est pour lui un plaisir suprême... Je suis sûr, mes compères, que le captal de Buch est désolé de se trouver en pareille accointance !

— Qu'allons-nous faire ? demanda Matthieu dont l'appétit semblait soudain coupé.

— Nous l'allons savoir, dit Tiercelet.

Yvain de Sacquenville venait d'apparaître.

— Castelreng, dit-il de loin, mais sans cesser d'avancer, il vous faut vous préparer.

Tristan se leva. « Quelles sont ces mauvaises nouvelles ? » Une bataille en vue ? Peut-être était-ce pire.

— Le roi vous mande auprès de lui.

— Il m'avait rejeté.

— Disons qu'il se livre à une récupération qui vous honore... par nécessité grandissime... Hâtons-nous... Vous – Tiercelet, Paindorge et Matthieu – apprêtez-vous aussi. Il nous faut aller au Louvre sans délai... Prenez vos armes, votre sommier... tout !

Il n'y avait qu'à obéir. Tiercelet se permit d'exprimer sa pensée :

— Je flaire un grand dessein... tortueux et mortel.

Sacquenville n'en disconvint pas.

* *
*

Le nouveau roi parut avoir trouvé ce qu'il avait longtemps cherché :

— Castelreng ! Votre présence m'est précieuse !

264

— Sire, vous m'en voyez heureux.

Le sire n'était point de trop : Charles, l'ex-dauphin, prenait désormais des poses royales, même si sa houppelande en peau de bièvre lui donnait plutôt l'aspect d'un bourgeois.

— Je m'apprête à partir pour Reims...

Sobre, le menton pour une fois volontaire, l'œil soudain familier des cimes éternelles, il dominait son leude du haut de sa chaire préférée, qu'il avait fait surélever en la plaçant au milieu d'un socle couvert d'un velours bleu tendre.

— Pour Reims !... Il paraît que le captal de Buch veut faire en sorte d'empêcher mon couronnement !

« Comment ce Gascon pourrait-il s'opposer à ce long cheminement ? » songea Tristan. « On le dit en Normandie, loin de Paris et de Reims. »

Le nouveau roi reprit de l'altitude pour redescendre inopinément des contrées azurées où il avait gonflé son souffle, l'œil pétillant d'une sorte de malice :

— Mais je déjouerai toutes les embûches dont Grailly veut parsemer mon chemin !... Et pour que nous mettions fin aux manœuvres de l'engeance anglaise, navarraise, gasconne, j'ai besoin de vous, Castelreng. Mon père vous faisait confiance... Cette confiance, je la double.

Tristan, perplexe, estima que son nouveau suzerain exagérait. Il semblait d'ailleurs que ce roi en herbe regrettait de s'être montré insuffisamment éloquent devant un vassal auquel – le doute n'était plus permis vu la chaleur du compliment –, il allait assigner une mission certainement meurtrière.

— Je vais vous envoyer dans la gueule du loup.

Que dire ? Rien. Il fallait se résigner en attendant d'apprendre le nom du loup et où se trouvait son gîte.

— Je viens d'apprendre que le captal de Buch est à Vernon... ou qu'il va y séjourner... Je sais que, malgré leurs promesses, les reines Blanche et Jeanne souhaitent ardemment le triomphe de leur nieps (1) bien-aimé. Ce sont... des...

Le mot resta sur les lèvres du nouveau roi. Il ajouta en levant assez haut son gros poing :

— En recevant Jean de Grailly et certainement quelques-uns de ses capitaines, elles manifestent leurs sentiments...

Charles se redressa comme pour vouloir incarner le courage, la lucidité, la fermeté dans la vigueur, la volonté dans le ressentiment. Il tenait à incarner une sorte d'antidote humain contre le poison que Navarre et les siens instillaient dans la France. Cependant, au-delà de

(1) Neveu.

cette attitude énergique, Tristan le sentit éperdument impatient d'éprouver sur la tête le poids d'une couronne qui la ferait pencher.

— Il me faut savoir tout ce que l'on dira.

Tristan ne put que s'incliner. Il avait compris. Il imagina les contrées qu'il avait déjà traversées par un froid terrifiant, inondées d'une blancheur tenace. Le dégel les avait sûrement embourbées. Il songea non sans trouble aux précautions qu'il allait devoir prendre, à ces excès d'audace qu'il ne pourrait contraindre, à ces moments d'incertitude et de vérité où se mêleraient en lui les plus hautes doses de frayeur et d'émoi... Pour quoi ? Mourir sans doute. Pour qui ? Pour complaire à ce roi avide d'être sacré ; ce sacré roi malade de peur à l'idée de tomber dans une embûche sur le chemin de Reims et qui ne voyait qu'un sauveur à la France : Guesclin. Pourquoi ne l'avait-il pas mandé ?

— Je vous confie, c'est vrai, une œuvre difficile... Je ne puis assaillir le château de Vernon... Ce serait incivil.

Quel mot ! Ressortissait-il au langage royal ?

— Je veux savoir et par vous... Oh ! je sais : il sera malaisé que vous y entriez... L'on vous donnera quelques livrées pour vous et vos compagnons qui vous feront passer le seuil...

Le roi s'exprimait vélocement. Soudain debout, il se mit à marcher d'un pas pesant autour de sa chaire, reprenant son souffle lorsqu'il disparaissait derrière le haut dossier, cherchant visiblement à échapper aux craintes qui dissolvaient le peu de forces qu'il possédait. « *Reims* », disait-il parfois en se frottant les reins comme s'il revenait d'une épuisante chevauchée. ·

— Que le captal couche et mange à Vernon est inadmissible !

Et, sitôt déglutie une salive amère :

— Cet homme est détestable. On le dit paillard, ce qui ne saurait messeoir à cette...

Il y eut un silence. Plutôt que de se sentir fier d'être admis dans l'intimité et les confidences du nouveau roi, Tristan considérait qu'il s'ennuyait plus que naguère, lorsqu'il avait affaire au même homme promis à un incalculable avènement. L'allusion interrompue s'adressait-elle à la reine Blanche ? Sans doute. Elle incarnait pour lui, ce peine-à-jouir blafard, la volupté triomphante, la royale indécence et la salacité. Pour elle, coucher n'était pas un devoir mais un plaisir. Oui, l'égrotant Charles songeait à Blanche d'Évreux, dite Belle Sagesse par antiphrase et dont la lubricité n'était un secret pour personne. Elle n'avait que dix-sept printemps lorsqu'elle avait épousé le roi de France lesté, lui, de cinquante-sept automnes. Il l'avait tellement chevauchée qu'un an après ces randons amoureux, il était descendu d'une alcôve brûlante à un caveau glacé de Saint-Denis.

— Rapportez-moi tous les faits… Je veux connaître les intentions de ces dames et s'il est question d'un mariage de l'une ou de l'autre avec le captal… Sans doute apprendrez-vous aussi à combien d'hommes il commande… Je veux tout savoir… Tout !

— Où vous rejoindrai-je, sire ?

— Sur le chemin de Reims ou dans cette cité.

Le prince engloba d'un coup d'œil apparemment dédaigneux les voûtes ombreuses, les flambeaux dont l'or s'échevelait sous des afflux d'air frais, la cheminée où crépitaient des sarments, et les mornes confins de cette salle austère dont il avait fait son refuge. Nul doute qu'il lui substituait les hautes croisées d'ogives de la cathédrale rémoise au tréfonds de laquelle, en quelque coffret pour ainsi dire inaccessible, reposait, dans un velours d'azur semé de lis, la Sainte Ampoule pansue dont le bouchon avait la forme d'une couronne. Et tandis que son attitude exprimait une sorte d'émancipation superbe et définitive, Charles, cinquième du nom, désigna d'un geste bref la porte derrière laquelle deux guisarmiers, quelques moments plus tôt, avaient décroisé leurs armes.

— Allez, mon ami… Allez !… Si vous ne pouviez me rejoindre, confiez ce que vous aurez appris à Guesclin… Vous saurez, j'en suis sûr, comment nos ennemis se préparent et en quels lieux leurs batailles se réuniront… Mon sacre est pour le dimanche 19, nous sommes le jeudi 9… Vous avez du temps de reste… Sacquenville, qui m'est plus loyal et dévoué que son affreux cousin, vous fournira quelques cottes armoriées aux armes du captal ou de ses compères. Vous les revêtirez si besoin est…

D'une chiquenaude renouvelée, le roi fit sauter deux grains de plâtre ou de mortier qu'il venait d'apercevoir sur son épaule. Allons, il avait encore de la force et savait promptement éloigner les gêneurs.

— Partez, dit-il, et que Dieu vous assiste !

* *
*

— Je ne comprends rien à toute cette histoire, dit Matthieu en caressant l'encolure de Carbonelle qu'il montait comme il eût monté un palefroi.

— C'est pourtant simple, dit Tristan. Puisque nous approchons de Vernon, j'ai le temps de t'ouvrir l'esprit.

— Tu fais bien, ricana Tiercelet qui eût certainement voulu être ailleurs – en Avignon peut-être.

Tristan se laissa rejoindre par les deux hommes.

— Voilà, dit-il. Quand le duc de Bourgogne est mort à quinze ans (1), le roi Jean prétendit être son plus proche parent : il avait épousé la mère du défunt et administrait le duché selon la coutume de Bourgogne. Charles de Navarre représentait, lui, sa grand-mère Marguerite, aînée des filles du duc Robert II de Bourgogne. Il a, lui aussi, de justes prétentions sur ce duché (2).

— Et le captal ?

— Il a fait partie de l'ambassaderie que Charles avait envoyée au roi de France pour régler ce sujet (3), mais il savait qu'il échouerait. Alors, le Mauvais s'est allié au roi de Castille, au roi d'Aragon (4) voire à Henri de Trastamare pour guerroyer au mois d'août d'il y a deux ans. Or, le captal tomba malade. Les compagnies qu'il avait réunies ont été dispersées (5). On a dit que le Mauvais s'était rendu en Avignon lorsque Jean II y était pour faire valoir ses droits au Pape. Je ne l'ai pas vu lorsque j'y séjournais.

— Et le captal, messire ? insista Paindorge dont le cheval semblait se regimber à force de trop piéter dans la boue des chemins. Qui est-il vraiment ?

— Par sa grand-mère, Jeanne de Foix, il descend de Robert d'Artois, frère de Saint-Louis. Il est donc apparenté à la famille royale et cousin, issu de germains, de Charles de Navarre. Il est aussi le cousin de Gaston Fébus, comte de Foix. Enfin, par son mariage avec Rose d'Albret, il est le beau-frère d'Arnaud Amanieu dont l'influence, en Langue d'Oc et ailleurs, est importante.

— Est-il vaillant ?

— Certes. A Poitiers, il a fait merveille contre nous. L'année suivante, au retour d'une guerre en Prusse où il avait accompagné son cousin, le comte de Foix, il appartenait à cette flote (6) qui a délivré la reine de France dans Meaux assiégé par les Jacques. Il était procureur du roi Edouard III au traité de Brétigny-les-Chartres. C'est avec la permission du roi d'Angleterre qu'il a servi le roi d'Aragon, il y a six ans, puis le roi de Navarre (7)…

(1) Le 21 novembre 1361.

(2) Le roi de Navarre était fils de Jeanne de France, femme de Philippe d'Évreux-Navarre, laquelle était fille de Marguerite de Bourgogne, femme de Louis le Hutin, laquelle était fille de Robert II possesseur du duché de Bourgogne. La distance était exactement la même entre Robert II et le duc de Bar qui avait quelques prétentions sur la Bourgogne, mais n'avait pas tardé à s'en désister.

Même après Cocherel, Charles II de Navarre ne renonça pas complètement aux droits qu'il invoquait. Dans le traité qu'il conclut, en 1365, avec le roi de France, il stipula que l'objet de ce litige serait soumis au Pape et définitivement tranché par lui.

(3) Mai 1362.

(4) 22 mai 1362.

(5) Charles II entretenait aussi des intelligences en Franche-Comté : Jean de Neufchâtel et Jean de Quingey étaient à ses gages.

(6) Petite armée.

(7) En 1363, Jean de Grailly était l'homme lige de Charles II et en recevait une rente annuelle de 1000 écus d'or. L'année suivante (donc à l'époque des événements décrits ci-dessus), il reçut les terres des vicomtés de Tartas en Basse-Navarre. Charles II lui aurait même promis la main de sa jeune sœur, Jeanne, qu'on disait fort belle.

— Ce Grailly est-il bon capitaine ?

Toujours Paindorge. Allait-il craindre cet homme qui sans doute, en cas d'affrontement, commanderait les Navarrais et les Anglais ?

— Point trop, mais, je me répète : il a moult courage. Il doit regretter que la paix existe entre l'Angleterre et la France et que cette bataille qui me paraît inévitable n'appartienne pas à la guerre entre les deux pays. Il a essayé de séduire certains des nôtres. En vain, du moins en apparence (1).

Les chevaux continuaient de piéter dans la boue. Le ciel n'était qu'un épais couvercle gris-noir transpercé quelquefois par une épée de lumière qui s'émoussait avant même d'atteindre la terre. Les arbres malmenés par l'hiver hésitaient à épaissir leur feuillage. Tout était morose, frileux, incertain. En opposition à cette mélancolie, Tristan sentait sourdre en lui un beosin d'activité autre que celle de la guerre. Ce n'était ni par le courage ni par la vigueur et l'habileté aux armes qu'il lui fallait se distinguer. Alors par quoi ? L'amour ? Il rejeta l'image de Luciane, celle d'Oriabel et des autres, et se demanda s'il rencontrerait un jour la jouvencelle dont il avait rêvé. Baissant la tête et tapotant l'encolure d'Alcazar, il refusa de subir la mélancolie de ce pays montueux, verdoyant et tacheté de mares lumineuses où se reflétaient des nuées déchues de leurs coutumières lueurs.

— Voilà Vernon, dit tout à coup Matthieu. Qu'est-ce qu'on fait ?

— Ce qu'on doit faire, on le sait, dit Tiercelet.

— Cette bastille doit être fort pourvue en hommes.

Gris, trapu, bien planté sur sa motte, le châtelet, déjà, leur lançait un défi.

— Pied à terre, dit Tristan. Aucune erreur, compères. Soyons prudents.

Lentement, ils s'approchèrent. A travers les feuillages rares d'une roncière dont l'épaisseur suppléait les haillons, ils virent de mieux en mieux les tours cylindriques, leur base talutée par un revêtement de pierre bien appareillé, les courtines brèves et sans doute exiguës et le donjon courtaud que Tristan imagina voûté d'ogives à chacun des étages.

« Rien à dire », songea-t-il. « Une bastille comme une autre, moins rébarbative que celle que j'avais bâtie dans ma tête... Reste à y entrer... Ce sera impossible, mais cela, je l'ai toujours su. »

(1) Jean de Grailly avait obtenu l'aide de Guichard d'Angle, bien connu des lecteurs du *Cycle d'Ogier d'Argouges*, contre 200 florins, et celle de Henri Hay, chevalier d'Angleterre contre 800 florins (6 février 1363). Il essaya d'obtenir la retenue du sénéchal d'Anjou, Jean de Saintré, de Enguerrand de Hesdin, etc.

Il reçut lui-même 6 000 florins pour ses services.

Il quitta la Gascogne fin mars après avoir assisté, le 20 février, à une « montre » à Echarri en Navarre : 17 hommes à cheval, 64 piétons. Il disposa ensuite de 26 cavaliers, 26 arbalétriers, et 103 piétons navarrais, *mais ils ne furent point à Cocherel*.

— Nous allons perdre notre temps, dit Matthieu.

— Je m'en doutais dès notre départ.

— Va falloir trouver autre chose, dit Paindorge. Voyez, entre les merlons, ces deux femmes en blanc... Elles s'arrêtent... Regardent... Elles attendent...

— Jeanne, la sœur du roi, sans doute, et Blanche, l'ancienne reine.

— Pourquoi monseigneur Charles leur en veut-il autant ? demanda Matthieu.

C'était une question naïve et pertinente.

— Parce qu'elles savent vivre... aimer. Bonnes pour le plaisir et sachant le répandre. C'est ce que notre roi dévot leur reproche. Crois-moi, Matthieu : après avoir écrémé leurs amours, elles pensent moins aux absents qu'aux jouissances qu'ils leur ont fournies.

— A tout prendre, dit Tiercelet, mieux vaut aimer la vie pour le plaisir et jusqu'à la satiété que de s'imposer des abstinences qui sont, en fait, des péchés contre les sens. Vivre comme un saint en imaginant des coucheries plus vicieuses les unes que les autres, c'est plus répugnant que de forniquer vraiment.

— C'est sûrement Blanche la plus chaude, dit Tristan tout en s'appuyant contre le flanc d'Alcazar.

— Une chaudière, enchérit Paindorge, où le feu roi Philippe s'est consumé.

— Jeanne, la dernière veuve de Charles le Bel, dit Tristan, avait aussi le feu au potron... Moins que Blanche de Bourgogne mais davantage que Marie de Luxembourg. Jeanne doit avoir atteint la cinquantaine (1).

— Ce n'est pas une raison, insista le brèche-dent tout en étouffant sa voix. Jeanne était chaude ? Elle est tiède, mais toujours prête à s'échauffer, j'en jurerais. Il ne faut pas longtemps pour tisonner les braises et donner aux brandons les flammes qui couvaient... En outre, on dit qu'elle est amourée du captal et que le roi de Navarre, à la demande du prince de Galles, a promis sa taye (2) au-dit captal... Sans doute ont-ils déjà partagé la même couche...

— Peu me chaut !... Le jour tombe et il nous faut entrer là-dedans.

— On doit accéder au donjon par un pont-levis.

— Sans doute.

(1) Fille de Louis, comte d'Évreux, et de Marguerite de Valois, Jeanne avait épousé Charles IV le Bel en 1324.

Pendant cet arrêt de Vernon, Guesclin et ses troupes étaient en marche. Ils allaient cantonner chez les Cordeliers de Pont-de-l'Arche pour y prier et « nettoyer leur conscience ». Ensuite, cette armée allait faire mouvement vers l'abbaye bénédictine de la Croix-Saint-Leufroy, assise sur la rivière l'Eure.

(2) Tante.

— Il y a un peu trop de fumées dans l'enceinte... Même si elles y ont le feu, toutes ne peuvent sortir du cul de ces dames.

— Nous sommes dimanche, Tiercelet (1). Il ne serait pas étonnant que le captal, s'il vient, arrive à Vernon ce soir. On lui prépare son repas et celui de ses capitaines.

— Si les hommes d'armes passent la nuit à l'entour de Vernon, il nous sera malaisé d'entrer... mais on peut toujours essayer.

— Nous mettrons les cottes que Sacquenville nous a fournies.

Tristan s'attendait à une approbation. Tiercelet parut mécontent :

— Je n'ai guère confiance en ce baron. Il aurait dû mener l'assaut de Rolleboise. Il n'a jamais cessé d'atermoyer : il se pouvait que son cousin ait été dans les murs... Nous allons devoir nous aider avec notre tête et nos jambes. Et je ne suis pas sûr que nous réussissions... Laissons à Paindorge et à Matthieu ce qui fait de nous des hommes d'armes. Ne conservons que nos tranchelards et joignons-nous en hâte à ces charrois !

Deux charriots bâchés, tirés l'un par un cheval, l'autre par des bœufs, venaient d'apparaître sur le chemin du château. Trois femmes rieuses suivaient le premier, cinq hommes entouraient le second.

— Des trouvères, dit Tiercelet. Du service du roi, nous tombons au tinage (2). J'ai grand-peur qu'ils ne nous acceptent pas, Tristan, même si tu sais chanter et moi faire des tours.

C'étaient bien des trouvères et des jongleurs. Comme Tiercelet l'avait prévu en se portant à leur rencontre, ils refusèrent d'admettre deux hommes en peine dans leur compagnie. Ils venaient de Mantes. On les avait mandés pour célébrer au château de Vernon, le lundi 13, les féeries de la Pentecôte et dans les arrangements antérieurs à leur venue, ils avaient précisé leur nombre.

— Ne crois-tu pas qu'ils vont parler de nous ?

— Non, Tristan. Ils l'auraient fait si j'avais insisté. Je leur ai dit que nous étions de Meulan... Ils m'ont conseillé de rejoindre le captal...

— Nullement au château, mais pour guerroyer avec lui !

— Tout juste.

Tiercelet sourit, regarda les murailles et les trouva infranchissables.

— Alors ? demanda Tristan.

Le brèche-dent se pinça le nez tout en méditant, sans doute, sur la façon de pénétrer à l'intérieur de l'enceinte. Avant même qu'il eût parlé, Tristan comprit qu'il s'était résigné.

— Nous ne pourrons entrer. Vois, là, sur la courtine, il y a deux

(1) Dimanche 12 mai 1364.
(2) Corvée d'un homme, de deux bœufs et d'une charrette.

regards (1). Les femmes qui vivent là peuvent tout craindre du nouveau roi. Le mieux, c'est d'attendre et d'espérer… Si Dieu est avec nous, nous saurons ce que nous voulons savoir hors des murailles… Restons où nous sommes. Au besoin passons-y la nuit… Demain, nous nous rapprocherons des tours portières… Si la Jeanne est amourée du captal, eh bien, elle l'accompagnera hors des murs… Si elle est baveuse (2), ils paroleront et il est bien rare qu'au moment de se séparer, les gens de cette espèce ne répètent pas ce qu'ils se sont dit… Et puis quoi ? Tu ne vas pas risquer ta vie ou ta santé pour un roi malade ! Tu lui raconteras des sornes et je suis sûr qu'il les prendra pour vraies !

Cette philosophie, c'était tout Tiercelet. Tristan y souscrivit sans hésitation.

* *
*

Le captal arriva lorsque la nuit tombait. Il était précédé de quatre capitaines, suivi de sept autres parmi lesquels un homme aiguillonna l'intérêt de Tristan. Dissimulé dans une roncière auprès de Tiercelet endormi pour de bon, il réveilla son compère d'un coup de coude :

— Les voilà !… Ils sont une douzaine. Il y a parmi eux quelqu'un que je connais, mais il fait trop sombre pour que je lui donne un nom.

— Tu le sauras lorsqu'il repartira.

Le brèche-dent s'agenouilla puis, écartant quelques branchettes :

— Oh ! Oh !… Ils étaient attendus et l'on désespérait de les voir !

Le pont s'était abaissé, la sarrazine relevée. Deux formes claires partaient au-devant des visiteurs, empêchant ceux-ci de mener leurs chevaux jusqu'au seuil de la forteresse.

— Quelle liesse ! grommela Tiercelet.

Les propos et les mouvements des deux dames révélaient une joie, une ferveur qui laissaient augurer une nuit agitée. Elles riaient et battaient des mains. La plus jeune, Blanche, tapotait la senestre d'un homme qui semblait hésiter à descendre de son cheval, cependant que celui que Tristan connaissait riait soudain fort et sans raison.

— J'y suis !… Je reconnais sa façon de s'ébaudir. C'est l'Archiprêtre.

— Si tu en es si sûr, c'est qu'il a changé de maître.

— C'est un traître avéré. On le disait en Lorraine, en Bourgogne…

— Le voilà en Normandie.

(1) Guetteurs, gardiens.
(2) Bavarde.

272

— Tu ne peux deviner combien je hais cet homme !... Agar (1) ! Il a l'apparence d'un prince (2). Je jurerais qu'il a des rubis cousus sur ses vêtements.

— Ces joyaux, vus de près, ressemblent à du sang.

— Peut-être a-t-il été contraint de batailler avant de venir voir ces belles.

— Sa présence à Vernon ne saurait m'étonner. A Poitiers, à Brignais, il a trahi la France. Il s'apprête à recommencer. Tu le verras bientôt dans une de nos batailles et tout d'un coup, il en disparaîtra... J'aimerais que le royaume ait une grande armée. Si grande que ce félon ne puisse s'en dépêtrer pour aller se musser quelque part, voire chez nos ennemis.

— Quand nous étions à Paris, on disait – t'en souviens-tu ? – que Philippe le Hardi allait venir épauler son frère Charles... Y crois-tu ? Le jeune prince est trop occupé en Bourgogne (3).

— Regarde plutôt, Tiercelet, la reine Jeanne au bras du captal.

— Doit mouiller comme une jeunette !

— Jeannette !

Ils rirent. On entendait roucouler Jeanne. Elle était heureuse au bras de Jean de Grailly dont un homme menait le cheval par la bride.

— Il a comme Edouard III une barbe à deux pointes.

— Plus courte... Jeanne le baise sur la bouche.

— Il ne se défend point contre cet assaut-là.

(1) Zyeute !
(2) Les coffres d'Arnaud de Cervole étaient pleins à craquer. Le chiffre de ses créances atteignait, en décembre 1363, 3 000 florins, et Philippe le Hardi auquel était échue la Bourgogne ne pouvait plus se passer de la présence de ce routier. L'union de ce coquin avec Jeanne de Châteauvilain, issue de Mahaut de Noyers, et par conséquent nièce du sire de Grancey, l'avait apparenté aux plus hautes et respectées familles.
Les compagnies gasconnes et bretonnes réunies à la Charité, en octobre 1363, attendaient que le roi de Navarre ou le captal de Buch les appelât à la guerre, ce qui ne les empêchait pas de dévaster les bourgs et les villages autour de leur quartier général (Châtillon-sur-Seine, vers le 15 février 1364 ; Chitry, le 20 février ; Argilly, investi par Guillampot ; Saint-Gagoul par le Bâtard d'Albret, etc.), sans qu'Arnaud de Cervole, alors dans ces parages, eût réagi pour le roi de France ou Philippe le Hardi.
On ne sait trop comment il rejoignit l'armée française, avant la bataille de Cocherel et quels furent ses rapports avec Guesclin. Tout donne à penser que ces deux aventuriers se détestèrent. Certains hagiographes comme Guyard de Berville et Masselin ne mentionnent pas la présence de l'Archiprêtre à Cocherel ; d'autres, tels qu'Aimé Chérest justifient les mouvements dévastateurs de sa bataille. Il ne fait aucun doute qu'il s'y comporta d'une façon pire qu'à Poitiers et Brignais.
(3) Le 7 février 1364, le duc de Bourgogne avait été informé que les « ennemis d'oultre-Saonne » avaient repris le bourg de Saint-Aubin et se préparaient à de grandes actions. Toutes les villes de la Bresse chalonnaise étaient tellement exposées à la racaille qu'aucune d'elles n'osait envoyer des messagers demander des secours. Le 15 avril, le duc ordonna à Jean de Saint-Ryot, Yvon de Lacoué, Ernauton de Paul, capitaines de Pontailler « d'accourir senz aucun deslais vers mon dit seigneur ». On ne sait si des renforts vinrent assurer la protection des habitants de ces contrées ravagées par des guérillas incessantes, mais ce qui est sûr – et paradoxal – c'est que Philippe le Hardi se préparait à quitter la Bourgogne et à emmener avec lui l'élite de ses guerriers pour assister son frère Charles... et que Yvon de Lacoué était ce gentilhomme breton dans la tente duquel allait être assassiné Pierre le Cruel.

273

C'était bien là une étreinte d'amoureux. Une étreinte qui merveillait les capitaines et particulièrement ce grand maufaiteur d'Archiprêtre. Il venait de s'arrêter. Du haut de son cheval il assistait à cet acompte – ou plutôt cette avance amoureuse qui laissait espérer à son compagnon des prodigalités et largesses que peut-être il désespérait d'obtenir.

— A l'automne de la vie, les baisers ont beau être donnés par des lèvres royales, ils ne sauraient forcer une victoire en grand champ. L'épée supplante le braquemart, si j'ose dire... Après le grand lit clos, le grand lit de justice !

— Si le captal meurt, il aura au moins passé une bonne nuit peu avant d'expirer.

— Si elle a jeûné longtemps, elle doit avoir un appétit terrible. Or çà, plutôt que de l'envier, je me sens prêt à plaindre le captal.

Sur le devant du château, il ne restait qu'un chien qui en franchit vivement le seuil.

— Il n'a pas flairé notre présence.

Le pont remontait, la herse retomba dans un fracas qui fit tressaillir Tristan.

— Rejoins nos compagnons, dit-il à Tiercelet. Il ne me reste qu'à attendre le départ de ces malandrins. Peut-être l'un d'entre eux vendra-t-il quelque mèche...

— Il est vrai, dit le brèche-dent, que je n'ai rien à faire auprès de toi. Tiens, prends ma pelisse... N'oublie pas de franchir assez tôt ce pré qui te sépare des murailles. Si l'Archiprêtre te voyait, tu serais un homme mort... Tu peux dormir sans crainte cette nuit. L'aube te réveillera. Cours, approche-toi de cette tour portière... Nous t'attendrons le temps qu'il faudra dans ce boqueteau où nous sommes...

Tiercelet se courba pour sortir du fourré. La nuit l'engloutit. Audedans de l'enceinte, une citole égrena ses perles sonores. Tristan bâilla et attendit, immobile, que le sommeil le prît.

* *
*

Il avait en courant traversé l'étroit champ jonché d'orties qui séparait son refuge de l'enceinte du château. Une tour lui offrit, dans l'angle du ressaut avec le mur d'enceinte, un asile précieux. Il y reprit son souffle, longea une brève courtine et atteignit un autre cylindre de pierre – le dernier avant l'une des tours portières. Il s'adossa à la muraille dans l'ombre, cette fois, de l'échauguette des latrines en veillant que rien n'en tombât.

Il pouvait entendre, en provenance d'invisibles bâtiments dont une baie devait être ouverte, des murmures de voix, souvent occultées par le chant des violes et citoles ponctué par un tambourin. Des rires, en s'y instillant, complétèrent cette musique aimable, moelleuse, et qui eût pu, le soir, endormir des enfants. Mais le jour n'en était qu'à son premier quartier. Et si l'on jouait quelque aubade, c'était que l'on s'était tôt levé afin de dîner dès que possible et permettre ainsi aux invités de partir bien avant la remontée (1). Nul doute qu'en ce lundi des Féeries de la Pentecôte (2), la reine Blanche offrirait un festin « royal » aux frais duquel, sans doute, la reine Jeanne participerait. Son captal en valait la peine !

Courbé dans l'ombre épaisse de la paroi, de sorte qu'aucun garde ne l'eût pu voir du faîte du chemin de ronde, Tristan atteignit la tour portière. Il se rencogna puis s'accroupit dans l'angle qu'elle formait avec le mur rectiligne dont le fruit retenait des mousses et des lierres (3). Il attendit.

Peu avant midi, il sut que la fête était commencée. Les ménestriers jouaient plus fort, les convives parlaient et riaient dru ; quelques chiens aboyaient, en quête d'os à ronger. Il se plut à imaginer la grand-salle où se donnait le régal. La blancheur des draps et les replis de la longière, sur la table en fer à cheval ; les étincellements des ors et des argents, la présence des jongleurs, trouvères, cracheurs de feu, les oscillations des danseuses, le va-et-vient continuel des serveurs subjugués par la rumeur soudain pailletée du rire d'une frisque dame titillée par quelque propos frivole ou se défendant mal contre une privauté des plus hardie. Il imaginait aussi les odeurs : chairs tièdes, viandes chaudes, sauces, vins de couleurs et provenances diverses, tout aussi excitants que des philtres magiques.

Il fallait attendre. Le pont-levis bâillait comme s'il s'ennuyait. La herse devait être à demi levée. Parfois un garde riait, comme contaminé par la gaieté des hôtes de Vernon.

« Je perds sans doute mon temps. »

La bonne chance aidant, Jean de Grailly et ses capitaines ne sortiraient pas seuls de l'enceinte. Toute la damerie de Vernon les accompagnerait. Leurs ultimes propos pouvaient être importants. Il n'aurait pas la candeur de dire à sire Charles qu'il les avait ouïs au-delà des murailles.

Il attendit longtemps. Quand le soleil tomba, le pont s'abaissa. Il vit apparaître le captal, Jeanne de Navarre à son bras. Puis Blanche se montra, tendrement appuyée sur l'épaule d'un capitaine. Suivaient les guerriers parmi lesquels coquetaient et caquetaient deux jouvencelles.

(1) Le coucher du soleil.
(2) Lundi 13 mai 1364.
(3) Inclinaison de la paroi extérieure d'un mur. Elle en renforce la base et la rend impropre à la sape. Pente en forme de talus.

Ils ne pouvaient se sentir observés, ni même soupçonner une présence étrangère. Allongé dans les herbes, enseveli dans les ténèbres de la tour, Tristan, cependant, haletait de crainte et d'expectative. Tous ces convives repus et demi-saouls parlaient haut. Quand le captal fut pris d'un rire glapissant, il entraîna dans son hilarité la plupart de ses hommes liges.

— Boudious, m'amie, comme vous y allez !... Cessez de vous soucier de tout ce qui peut m'advenir ces jours-ci. N'est-ce pas, Jean ?

Aucun doute, c'était Jean Jouel.

— En vérité, messire ! Nous aurons même, si l'ost de sire Charles est à proximité, l'avantage du nombre et de la stupeur... Retenez bien ceci, dame Jeanne, et vous aussi, Blanche : alors que Guesclin à grand mal et moult cris cherche à réunir ses malandrins, nous sommes sept cents lances, trois cents archers et cinq cents soudoyers... Et j'ai, hier soir, amené mes Anglais !... N'est-ce pas, Grailly ?

— Si fait.

Ils étaient tous les deux grands, bruns et barbus. Ils usaient de gestes pompeux, et dans le long manteau qu'ils avaient endossé, on eût pu les prendre pour des tribuns de Rome.

— Nous reviendrons dîner à Vernon, dame Jeanne, avant la fin de la semaine.

— Nous fêterons notre victoire.

— Dieu vous garde ! dit Blanche à son compagnon.

Elle avait ceint ses cheveux blonds d'un petit touret (1) d'or clair. La lumière quoique douce y palpitait. Un gros paletoc de fourrure – ours ou loup – pesait sur ses épaules qu'elle haussait parfois comme pour se dégager de son poids. Toute proche et couverte d'un vêtement semblable, Jeanne de Navarre jouait des yeux, des hanches et parfois de la croupe sans que le froid de la vesprée en fût cause. Quelques joyaux scintillaient à son cou. Jean de Grailly posait souventefois son regard sur ces merveilles plutôt que sur ce corps aux charmes assoupis.

Tristan dut s'avouer qu'il n'apprenait rien. Il sourit quand le captal déclara :

— Dans deux jours nous serons revenus à Vernon.

C'était une gasconnade, en vérité, que cette certitude. Charles V se fût sans doute irrité de l'entendre. Il eût souffert de se voir trahi par deux femmes pour lesquelles, enfant puis damoiseau – et peut-être jeune homme –, il avait pu éprouver de l'amour ou de l'admiration. Mais un homme bougea parmi les capitaines. Un homme qui s'était longuement entretenu avec une jouvencelle en robe pourpre, et qui semblait, elle, ne rien craindre du froid.

(1) Sorte de diadème à bourrelets et à rehauts d'orfèvrerie.

« Arnaud de Cervole… Hautain, toujours quointoyé (1) comme un prince ; toujours aussi losengier (2) avec les dames et sûr de plaire sans peine… Dans quelle armée sera-t-il ?… Sans doute a-t-il passé la nuit à foutre cette fille qui s'accroche à son bras. »

— Avez-vous ouï, m'amie, ce que Jean de Grailly vient de dire ? Dans deux jours nous serons de retour à Vernon. Je romprai définitivement avec Charles et pourrai me consacrer à vous…

Ce ne pouvait être Jeanne de Châteauvilain, mais une nouvelle conquête. Aucun doute non plus pour le plus important : comme à Poitiers, comme à Brignais, comme *toujours*, l'Archiprêtre trahissait.

Tristan porta la main à son poignard. L'envie de bondir, de se précipiter sur cet homme et de l'occire était si forte qu'il gémit. Mais nul ne l'entendit tant on parolait et riait.

— Je prendrai ce Guesclin à visage de dogue ! affirma le captal. Et si vous y tenez, je vous l'amènerai pieds et poings liés.

— Holà ! intervint l'Archiprêtre. Quoiqu'un Breton ne soit pas si vif et si alerte qu'un Gascon, croyez-moi : celui-là n'est pas si aisé à saisir que vous l'imaginez. Vous en jugerez par vous-même, et vous aurez besoin de tout votre courage et de toute votre apperteté (3) pour vous défendre de lui ou pour l'attaquer !

— Il vous fait de l'ombre, dirait-on !

— Si vous ne le meurtrissez pas ces jours-ci, défiez-vous-en pour jusqu'à la fin de vos jours… car cette fin, il pourrait bien vous la donner !

— Je le prendrai, vous dis-je !… Je l'essorillerai et autre chose en plus !

— En moins, voulez-vous dire ! fit un des capitaines.

— En moins, Robin Scot, tu l'as dit. Et je le renverrai à sa belle Tiphaine.

— On la dit fort belle, en effet… et d'esprit avisé.

— Vous le savez, Jeanne, les femmes trop belles et de grand esprit n'aiment point trop qu'on les mignotte. C'est un mariage blanc que celui de Guesclin… Quand il a bien contemplé sa dame, il s'en va trousser les servantes, et s'il n'y en a pas, il use de sa dextre à moins qu'il ne trouve une chèvre.

Quelques gloussements faussement indignés retentirent, puis il n'y eut plus rien, plus un mot, plus un geste, et Tristan se demanda quels étaient ces capitaines qui, maintenant, paraissaient vouloir s'en aller. La tête penchée, attentive et fervente, la reine Jeanne écoutait les chuchotements du captal en faisant avec lenteur, dans des mains demi-

(1) Paré.
(2) Flatteur.
(3) Habileté.

closes, glisser les gros anneaux de son pentacol orfévré. Était-ce parce qu'elle aimait passionnément le captal qu'elle tremblait et courbait soudainement son cou pour lui cacher ses pleurs ?

— Il est temps, m'amie, que nous partions... Sacquenville, Scot, Rosiaux, occupez-vous des chevaux... Vous, Mortemer et Mareuil, voyez si nous n'avons rien oublié... Nul ne sait que nous sommes à Vernon, mais je crains les embûches comme celle que nous a tendue Guillaume du Merle (1).

Un palefrenier apparut, tenant deux coursiers au frein. Un homme lui en prit un et sauta en selle. Cervole donna un baiser bref mais appuyé à la jouvencelle en robe pourpre.

— Je vous regrâcie, messire l'Archiprêtre, dit Jeanne, d'avoir tenu votre promesse d'être aux côtés de Jean...

— Nous sommes du même pays ou presque, dame. Pour ainsi dire : de la même famille. Comment voudriez-vous que nous nous détestions ?

Et, tourné vers la jouvencelle qu'il avait baisée si ardemment :

— Je songerai à vous, ma belle... J'emporte avec moi – esprit et cœur – le regard de vos yeux et l'éclat de vos lèvres.

Tristan ne pouvait voir le visage de Jeanne tourné vers la jeune fille. Il pensa qu'elle souriait comme une mère eût souri à sa pucelle en présence du fiancé qu'elle lui destinait. Qui était-elle ? Une bannerette ou quelque servante endimanchée ?

Il y eut un galop, des lèvements de mains. L'Archiprêtre disparut sans qu'on eût pu prédire quels chemins il emprunterait pour se placer hypocritement au service de la France. Peut-être Paindorge, Tiercelet et Matthieu assisteraient-ils à son passage et remédieraient-ils à cette carence dont leur compère se trouvait tout à coup affecté.

— Et vous ? Où partez-vous ? demanda la reine Blanche à Jean Jouel.

— Avec Jean de Grailly.

— Mais encore ?

— Entre Pacy et Évreux.

— Tout près de mon château, dit Sacquenville. Nous nous y réunirons tous.

(1) On ignore l'identité des hommes qui accompagnèrent le captal à Vernon. On peut logiquement supposer qu'il y avait Pierre de Sacquenville, Jean Jouel, Robin Scot, Jean Rosiaux, Guy de Mortemer, le Basque de Mareuil et peut-être même Robert Knolles.
Quant à Guillaume du Merle, ou Marle, apprenant l'arrivée du captal de Buch à Évreux, il assembla 200 combattants, selon la *Chronique normande,* et s'en alla dommager les terres du roi de Navarre. 1 200 Anglais l'apprirent et partirent à leur rencontre. Ils les trouvèrent à Escauville mais furent déconfits, ce qui aggrava leur fureur. Pendant ce temps, Guesclin rassemblait ses guerriers et s'alliait au comte d'Auxerre, au vicomte de Beaumont, au sire d'Ennequin, maître des arbalétriers, à Mouton de Blainville, Hugues de Châlon, Oudart de Renty, Baudrain de la Heuse. Guesclin – au moment de cette scène – s'approchait de la Croix-Saint-Leufroy. Il allait y loger une nuit.

— Ce sera donc plus près d'Évreux que de Pacy !

— Soyez prudents, recommanda la reine de Navarre.

— Nous le serons, dit le captal de Buch. Nous savons, Jeanne, que depuis le commencement de mai, Guesclin a reçu des renforts à Rouen, d'où les Français doivent partir en campagne. Nous allons avancer vers Pont-de-l'Arche afin de leur empêcher le passage de la Seine. Et ce que je puis ajouter, c'est que j'ai grand-hâte d'entamer cette bataille. J'en ai supporté les retardements avec une impatience qui n'a d'égale que celle que j'eus de hausser à nouveau mes regards vers les vôtres... Or, vous savez de quelle espérance j'oserai m'encourager en me battant pour la victoire... et à quelle récompense j'aspire de tout mon être. Tiens, il m'a semblé ouïr...

— Quoi ? demanda la reine de Navarre.

Il y eut un silence. Tristan gémit sous la morsure de la ronce dans laquelle son genou s'était empêtré. Il en avait assez de l'immobilité, assez de ces roucoulements dignes des amours de deux jouvenceaux et non point de deux êtres qui avaient déjà partagé la même couche.

— Si j'échoue, ma dame, je n'aurai plus le goût, l'espérance de vivre, mais j'aurai au moins le mérite d'avoir essayé de vous plaire.

— Vous vaincrez et serez moult récompensé. Je serai vôtre pour la vie.

— Ah ! ma dame, ce que vous m'avez dit un jour, et qui est la raison de ma conduite, est demeuré gravé dans mon esprit... Nos cœurs seront unis, et nos corps et nos âmes...

Ce discours enflammé dut déplaire à Jouel et à Sacquenville.

— En selle, dirent-ils en même temps. Et vous aussi, messires !

Une rumeur de satisfaction dut étouffer le soupir des deux amants. Ils s'étaient délicieusement bercés de promesses éloquentes sans se soucier qu'on les entendît. Ils s'étreignirent. Jeanne, la tête renversée en arrière, offrit son cou, ses lèvres, ses joues aux baisers du captal. Quand elle se dégagea, une expression de bonheur serein, profond, ineffable, éclairait tous ses traits et donnait à son visage cette souveraineté et cette jeunesse qu'elle avait à jamais perdues. Elle se croyait derechef digne d'un trône, et tant pis s'il ne s'agissait que d'une grande cathèdre dans le tinel peu fréquenté d'un château d'Aquitaine (1) !

(1) « *Et au départir baisa madame Jehenne, car le roy de Navarre, à la requeste et prière du prince de Galles, lui avoit accordé qu'il l'auroit à femme. Moult plut celui baisier au captal, car madame Jehenne estoit une des plus belles dames de la crestienté* » (*Chronique des quatre premiers Valois*, p. 145). Cette madame Jehenne était bien la veuve de Charles le Bel. Ce fut elle qui, après la prise du captal, lui fit obtenir quelques jours de liberté afin qu'il pût venir la voir (!) à Château-Thierry, d'où furent datés certains de ses actes. Ce fut elle aussi qui obtint que la détention du vaincu de Cocherel s'effectuât, au lieu du Marché de Meaux, à Paris. Elle habitait une partie de l'année l'hôtel de Navarre, magnifique demeure sise entre la porte Saint-Germain et l'hôtel des archevêques de Rouen. Son époux la lui avait donnée. Jean de Grailly y fut logé quelque temps.

— Soyez prudent, Jean... Gagnez et nous nous marierons à Bordeaux.

Un rire. Le captal de Buch se frappa la poitrine :

— Je porte présentement une brigantine dont les écailles sont impénétrables.

— Est-ce suffisant contre Guesclin ?

— Votre inquiétude et votre affection me préservent déjà de moult funestes atteintes, mais n'ayez crainte : je porterai ma fidèle armure.

Le captal sauta sur un destrier noir qui semblait porter son deuil.

Tout à coup, Tristan vit dame Jeanne chanceler et s'accrocher à la dextre du captal qui, d'un mouvement du menton, invitait ses compagnons à le précéder.

— Assez, Jeanne où je vais fondre en pleurs.

Il dégagea sa main avec une sorte de férocité qui révélait son caractère, mais cette femme amoureuse n'y prit garde. Ce fut elle qui fondit en larmes et se détourna pour ne pas assister au départ de son amant. Lorsqu'il se fut éloigné, elle alla s'asseoir sur un rocher qui, à l'avant du pont-levis, servait de montoir aux cavaliers, sans souci d'une attitude où la détresse l'emportait sur la résignation.

— Non, dit-elle à Blanche et aux autres femmes. Laissez-moi.

Encore qu'il fût tout près d'elle, Tristan pouvait à peine voir son visage tourné vers le chemin privé de son amant. Il pouvait distinguer, cependant, sur la diaphanéité d'une chair apparemment peu flétrie, la lueur mouillée du regard, et sur le velours vert tendre de la robe, dans l'ébréchure du manteau, la pâleur de deux mains assemblées en prière.

« Elle a peur !... Elle devine que rien ne sera aisé à cet homme qui ne la mérite pas, quoi qu'elle pense. »

Il croyait respirer son odeur. Il était presque émerveillé qu'elle n'entendît pas les frappements de son cœur, qu'elle ne sentît pas combien la fureur craquait dans ses membres immobiles.

« Le captal, soit : elle en est amourée. Mais l'autre vautour : l'Archiprêtre ! »

Non, il ne compatirait point à cette détresse de princesse inquiète et affligée. Il y avait entre eux, non pas la félonie – puisqu'elle était tout naturellement du parti de Navarre – mais quelque chose de pire : l'intérêt qu'elle portait aux infâmes desseins de Cervole, ses vœux pour que la trahison de cet immonde réussît, ses encouragements aux capitaines de Jean de Grailly. Bien qu'il la comprît en partie, il ne pouvait que condamner cette complicité tenace et passionnée.

Il l'entendit soupirer. Elle remua enfin et désunit ses paumes. Dans l'ombre, il ne put maîtriser un mouvement de violence telle qu'une des manches de sa pelisse se décousit.

— Qui est là ? demanda Jeanne.

Elle était trop craintive pour avancer. Elle recula, au contraire, puis marcha lentement sur le pont. Elle était à peine entrée dans l'enceinte que le lourd tablier remontait et s'encastrait dans son logement sans heurt ni grincement.

Tristan attendit. Longtemps. Jusqu'à ce qu'il eût faim et froid. Alors, sans s'inquiéter d'être vu, il descendit le chemin pris par le captal et ses hommes. Il se mit à siffler sans raison. A moins que ce fût pour se réconforter. La bataille était proche, inévitable. Il se pouvait qu'il y mourût.

« Non », se dit-il. « Non ! Nous gagnerons ! »

Et comme il s'interrogeait sur cette certitude et se remémorait les adieux de la princesse Jeanne et de Jean de Grailly, une phrase lui revint en mémoire. Il l'avait lue dans *Raoul de Cambrai*. Longtemps après qu'elle l'eut étonné, elle avait hanté ses songeries.

« C'était... C'était... Ah ! j'y suis : *Malheur à l'homme qui vient prendre, au moment de combattre, l'avis des femmes. C'est un sot et un couard.* »

Couard, le captal de Buch ne l'était point, mais sot, peut-être. Et s'il péchait par excès de confiance en lui et en sa bien-aimée, sans doute connaîtrait-il le goût amer de la déconfiture.

TROISIÈME PARTIE

Le Champ de Cocherel

I

— Mardi 14 mai, dit Paindorge après un soupir d'ennui ou de lassitude. Je suis né un quatorze mai.

— Eh bien, quand ce sera fini, dit Matthieu, nous fêterons ton anniversaire.

Ils étaient armés de toutes pièces : jaseran de mailles renforcé de cubitières, les jambes garnies de genouillères et de trumelières et la barbute en tête. L'écuyer s'était ceint d'une épée de passot, le soudoyer arborait une hache au fer large que seul le manche court différenciait d'une cognée. Son regard s'était assombri. L'idée de bûcheronner des membres ou des cous lui déplaisait. Certes, il ne l'exprimait pas, mais ses fréquents soupirs entre deux crachats exprimant sa malerage valaient un long discours sur la peur qui l'opprimait.

Tiercelet s'était refusé de participer au combat. Il en attendrait l'issue dans le bosquet de Vernon : les Navarrais n'étaient pas plus ses ennemis que le nouveau roi de France était son ami. Pourquoi eût-il engagé ses forces et sa vie dans une mêlée qui ne le concernait pas ? Il garderait Alcazar, et s'il avait confié Carbonelle à Matthieu, c'était après lui avoir fait jurer de la ramener saine et sauve. « Combattez tous à pied, compères. Avant que l'estourmie (1) commence, attachez Malaquin, Tachebrun et la mule à un arbre… Ce sera, croyez-moi, un combat de piétons comme Guesclin les aime. Ne lui sacrifiez pas nos bêtes ! » On l'avait écouté mais, pour le moment, il fallait chevaucher apparemment sans but.

Ils ignoraient encore où se trouvait Guesclin. Certains le disaient en prière dans toutes les chapelles et jusque devant chaque croix ou mont-joie des chemins. Tristan savait que la petite armée de quelques

(1) La mêlée.

285

milliers d'hommes qu'il avait rejointe était partie de Rouen pour Pont-de-l'Arche, et que ceux de Rouen, justement, les avaient convoyés, fêtés et recommandés à Dieu car il y avait aussi, parmi ces guerriers, maints bourgeois et arbalétriers de la cité. C'était à Pont-de-l'Arche, une riche et solide forteresse, qu'il s'était, avec ses deux compères, incorporé à tous ces bataillards. On y faisait des distributions d'armes, surtout de haches bretonnes ; on y referrait les chevaux qui, sans doute, étaient plus de deux mille. Des coureurs dépêchés en avant dès l'aurore étaient revenus en toute hâte : le captal avait commandé à ses troupes d'avancer en direction de Reims pour empêcher de toutes ses forces – c'était évident – le sacre de Charles V (1). On avait cru qu'il marcherait vers Pont-de-l'Arche pour couper le passage de la Seine aux Français et les attendre en rase campagne. Une nuit avait suffi pour qu'il changeât ses desseins.

Quand les troupes du nouveau roi passèrent la Seine à Pont-de-l'Arche, la rumeur courut que Guesclin chevauchait à l'arrière avec l'Archiprêtre, Jean de Châlon, comte d'Auxerre et son puîné, Hugues : *le vert chevalier*, le vicomte de Beaumont, le sire de Beaujeu, Baudouin d'Annequin, maître des arbalétriers, Oudart de Renty, Mouton de Blainville, Baudrain de la Heuse et quelques autres grands seigneurs. Il y avait aussi, disait-on, des renforts inattendus appartenant à la Gascogne et qui avaient *lâché* les Anglais : les gens du seigneur d'Albret, Petiton de Curton, Perducas d'Albret, Amanieu de Pommiers – ce dont Tristan ne fut guère surpris – et le soudic de la Trau.

— Je me demande encore, dit Paindorge, comment nous avons fait pour ne pas nous perdre en chevauchant de nuit.

— La bonne chance, dit Tristan. Elle nous a permis de ne pas nous heurter aux Anglais et aux Navarrais... Il me semble en flairer partout... Je me demande, puisqu'Amanieu de Pommiers est parmi nous, où peut bien se trouver Fouquant d'Archiac !

— Où allons-nous vraiment ? demanda Paindorge.

— Peut-être à Reims, dit Matthieu.

Il eût aimé assister au sacre.

— Holà ! fit-il, regardez cet homme qui s'éloigne de nous.

— Je n'ai fait que l'entrevoir, dit Tristan, pourtant je jurerais qu'il était à Vernon avec le captal de Buch.

— Si j'ai toujours de bons yeux, dit Paindorge, c'est un Goddon.

(1) Ce n'était un secret pour personne que Charles V devait être sacré à Reims le 19 mai, jour de la Fête de la Trinité. D'après Christine de Pisan (*le Livre des faits et bonnes mœurs de Charles V*) et Cuvelier, chantre de Guesclin, le captal se dirigeait vers Reims lorsque les manœuvres du Breton le contraignirent à faire halte à Cocherel.

Un espie du roi d'Angleterre... et je crois par ma foi que son nom est Faucon (1).

— Voyez comme il s'envole !... Nous avons eu ce serpent dans notre sein, et nul ne s'en est aperçu !

L'homme galopait. Son départ, sens contraire à la marche de l'armée, avait supris des hommes ; cependant, ils étaient trop inquiets de leur sort pour s'élancer à sa poursuite. Un carreau l'eût peut-être atteint si quelque arbalète avait été armée. Nul ne s'était précautionné pour une contingence pareille.

— Si c'est un espie, dit un guisarmier à cheval, Dieu le châtiera bientôt. Mais voyez : un autre s'en va à sa ressuite !

— Non, dit Tristan. Ce n'est pas un pourchas. Il va le rejoindre. Ce sont deux compères qui ont eu la courante auprès de nous (2).

— Ils l'auront plus encore demain ! ricana Paindorge, sans conviction.

— Je connais cet homme, dit le guisarmier. C'est messire Pirie, un écuyer de l'Archiprêtre (3).

Les chevaux avançaient lentement. Tristan, de loin en loin, se promettait de ne pas se retourner : même hors de sa vue, Guesclin et l'Archiprêtre lui donnaient du mésaise. Se pouvait-il que ces deux-là fussent unis par le même désir de vaincre les Gascons, les Navarrais et les Goddons ? La fuite des deux hérauts signifiait qu'il y avait dans l'air de la traîtrise ou quelque défection en germe. Or, Guesclin tenait fermement pour le roi de France. Il l'avait prouvé. C'était d'ailleurs le seul moyen dont il disposait pour développer sa fortune.

— Nous devrions piéter sur le chemin de Reims, dit Paindorge d'un ton de reproche où Tristan crut discerner de la peur.

(1) Cet homme, Faucon, était un héraut d'Edouard III. Il rapporta au captal de Buch tout ce qu'il savait des Français : « *Ils vous cherchent et ont grand désir de vous trouver. Ils sont quinze cents. Ils ont passé Pont-de-l'Arche.* » Le captal fut stupéfait et indigné d'entendre les noms des Gascons qui s'étaient ralliés à Guesclin. « *Eh bien* », s'écria-t-il, « *Gascons contre Gascons s'éprouveront. Par le cap de Saint Antoine* », ajouta-t-il en se prenant la tête à deux mains, « *où est donc le sire d'Albret ?* » – « *A Paris, auprès du nouveau roi qui s'apprête à se rendre à Reims pour s'y faire couronner.* » – « *Faucon, si Dieu et Saint Georges nous voulaient aider, je pourrais bien prendre les devants sur son couronnement.* »

(2) Un autre héraut nommé Prie, *qui venait de la part de l'Archiprêtre*, voulut informer le captal de toutes les dispositions des Français. Connaissant la duplicité d'Arnaud de Cervole, Jean de Grailly refusa de le recevoir, ce qui indigna Jean Jouel. « *Pourquoi refusez-vous d'entendre cet homme ?* » s'écria-t-il excédé. La réponse tomba, éloquente : « *Jean ! Jean ! L'Archiprêtre est tellement traître que s'il nous envoie un héraut, c'est qu'il veut se rendre compte de nos forces, et cela pourrait nous porter un grave préjudice. Je ne me soucie en rien de ses messages.* »

Selon Froissart, le roi (d'armes) Faucon aurait voulu présenter Pirie au captal. La réponse de celui-ci est pire que celle, édulcorée, de Siméon Luce : « *L'Archiprêtre est si barretière* (rusé) *que, s'il venoit jusqu'à nous en nous contant jangles et bourdes* (plaisanteries, menteries) *il aviseroit et imagineroit notre force et nos gens ; si nous pourroit tourner à grand domage et à grand contraire : si n'ai cure de ses grands parlements.* »

(3) Il appartenait à la famille nivernaise et berrichonne des de Pirie avec laquelle, comme seigneur de Levroux, et pendant qu'il était lieutenant royal, Arnaud de Cervole avait noué des relations.

Il s'encoléra sans pouvoir mettre un frein à la mélancolie qui l'accablait :

— A quoi servirait-il que j'aille informer le roi d'une bataille imminente ? Il saura bien assez tôt si nous l'avons gagnée ou perdue. Son père et son grand-père auraient chevauché parmi nous...

— Ah ! oui, parut regretter Matthieu comme si ces deux présences eussent garanti la victoire.

— Charles ne s'attache point aux traditions. Il est baratière, circonspect. Il préférera les chicanes et la politique aux grosses passes d'armes. Je l'ai vu quand il eut la cacade à Poitiers... Il a eu sous ses yeux, quand Marcel régnait sur Paris, la vision d'un peuple ameuté tuant ses maréchaux : nouvelle cacade... Il a vu son père dépenser avec une largesse folle l'argent soutiré aux humbles... et je ne parle pas de l'immense rançon !... Si le roi s'est entiché de Guesclin, c'est qu'il pense que la guerre doit changer de figure.

— Eh bien, il est servi ! ricana Paindorge.

— Plus de grosses batailles incertaines, poursuivit Tristan, mais des embûches fructueuses... Plus de jactance de la part des maréchaux, mais du bon sens et un vrai courage où les piétons sont au même niveau que les chefs... Il m'est advenu de me rire de lui, mais peut-être un jour n'en rirai-je plus. Roi à vingt-neuf ans, c'est le bel âge. Il a eu le temps de se former à sa tâche. Il ne commettra pas les fautes de ses devanciers ni celles qu'il aurait faites à vingt ou quarante ans... s'il avait dû régner à ces âges. Et je ne pense pas que d'autres femmes que la sienne modifieront ses décisions.

Un pré se présenta, immense et plat. Des cors sonnèrent. La petite armée s'arrêta tandis qu'un commandement circulait, répété sur tous les tons de bouche en bouche :

— Rangez-vous en bataille ! Montrez-vous en bataille !

Or, rien n'avait été décidé pour la formation des batailles. Il suffit donc aux guerriers d'accomplir un quart de tour à dextre, soit à pied, soit à cheval. Alors on vit apparaître Guesclin.

Il montait un cheval noir à chanfrein orfévré sans houssement ni lormeries de clinquant. Il s'était coiffé du bassinet à bec de passereau et adoubé d'une armure si fraîchement fourbie qu'elle resplendissait comme un soleil d'hiver. Il était suivi d'un pennoncier portant sa bannière : *d'argent à l'aigle éployée de sable, becquée et membrée de gueules, à la cotice de même brochant sur le tout.* Sa devise était brodée en grosses lettres rouges sous le rapace noir : *Dat virtus quod forma negat* (1).

(1) Cette devise, que l'analphabète breton doit à un prêtre, peut se traduire ainsi : *le courage donne ce que la beauté refuse* ou, plus littérairement : *les disgrâces de la nature ne sont rien devant la vertu.*

Derrière, à quatre ou cinq toises, venaient les seigneurs et leurs écuyers porteurs de leurs gonfanons ou pennons, tous en harnois plain (1) et tous atteints dans leur fierté d'être tributaires d'un chef qui n'était, en fait, qu'un rustique vêtu à leur façon, – mais un rustique dont le hardement terrible pouvait être un suprême gage de victoire.

L'Archiprêtre suivait, morose dans l'ovale de fer du bassinet déclos, surmonté d'andouillers passés à la dorure et suffisamment hauts pour que ses amis les vissent de loin afin de l'épargner dans la mêlée. Un varlet tenait sa bannière au cerf rampant.

Mais Tristan n'avait d'intérêt que pour Guesclin. Bien qu'il le détestât, il ne pouvait se départir d'un sentiment de respect pour la façon dont il se présentait aux hommes. Ce n'était plus la jactance des maréchaux de Poitiers et de Brignais, non. C'était une sorte de familiarité bourrue qui distinguait ce bataillard de tous ceux qui, jusqu'à ce jour, avaient conduit les guerriers aux lis à leur perte. Et les chevaliers béaient, confondus par le silence que le marmouset (2) du roi avait répandu dès son apparition. Héritiers d'une tradition guerrière dont les sources de vitalité s'étaient taries de défaite en défaite, ils assistaient à la ruine des idées les mieux établies sur la façon de concevoir la guerre, au bouleversement des coutumes les plus fermement enracinées sur les champs de bataille, à la création d'une nouvelle conception du commandement. Cette montre inattendue, exigée sans doute par le Breton, leur répugnait. Ils se sentaient distancés, repoussés au même rôle de combattants que leurs propres soudoyers. Et Bertrand allait toujours l'amble, passant très près des hommes à cheval, baissant son regard charbonneux vers la piétaille tandis que le peu que l'on pouvait voir de son visage reflétait une quiétude dont la solidité ne pouvait que merveiller les plus hardis et rassurer les plus couards.

Il gagna au galop le milieu du champ, ôta son bassinet qu'il ferma et maintint contre sa hanche et donna aussitôt de la voix :

— Mes enfants, ayez en vous souvenance d'acquérir la gloire des saints cieux. Cette gloire resplendit sur celui qui prend la mort en bataille pour son seigneur, et Dieu a pitié de lui, car on doit combattre pour défendre sa terre. Caton (3) nous l'apprend. Si quelques uns d'entre vous se sentent en état de péché mortel, qu'ils aillent se confesser promptement aux cordeliers qui nous suivent ou aux clercs de la Croix-Saint-Lieufroy où nous ferons halte. Car, selon un écrit, Dieu a dit que, à cause d'un pécheur, cent hommes pouvaient mourir.

(1) Armure complète.
(2) Fou, mais aussi favori.
(3) Ce Caton n'avait rien de commun avec le censeur romain. C'était l'auteur des *Distiques moraux* qui eurent une très longue vogue pendant tout le Moyen Age et qui étaient comme un manuel d'éducation de ce temps-là.

Il n'était pas certain que Dieu se fût exprimé ainsi, mais sur un signe du Breton, des cavaliers et des piétons s'en allèrent vers les cordeliers groupés sous un chêne.

— J'y vais, dit Matthieu en laissant Carbonelle aux bons soins de Paindorge.

Et dès qu'il se fut éloigné :

— Il a peur, messire, dit l'écuyer.

— Que crois-tu ? Que je n'ai pas la suée à la pensée de ce qui nous attend ?

— J'ai confiance en ce rioteux (1).

— Moi de même... Ne me regarde pas ainsi : tu sais comme moi ce que valent son cœur et son âme. J'ai confiance en lui ce jour d'hui, et je lui garderai ma sujétion demain et après-demain. Contre les Navarrais, les Goddons et Gascons, il nous faut un conduiseur de sa trempe. Ce sera une bataille horrible : à sa convenance... Je crois que pour les grandes, il ne sera pas plus miraculeux que les maréchaux que j'ai connus. Il y a un fossé entre conduire quinze cents ou deux mille hommes et commander à dix mille. Les Anglais seuls sont capables de gagner de telles batailles parce qu'ils ont une vertu que nous tournons, nous, en dérision.

— Laquelle ?

— L'obéissance. Et je pourrais même ajouter : la circonspection. C'est comme s'ils avaient deux cordes à leur arc. Suivons Bertrand. S'il n'était pas dans cette bataille, comme je m'y ennuierais !

On se remit en chemin. Matthieu arriva tout essoufflé. Il souriait. Il semblait qu'il eût entrevu Dieu au-delà des ramures des chênes. Il sauta plutôt qu'il ne monta sur Carbonelle. Paindorge haussa insensiblement les épaules et Tristan regarda les fourrageurs qui s'éloignaient en tous sens pour trouver de la nourriture aussi bien pour les chevaux que pour les hommes.

— Nous n'avons guère à manger dans nos sacs. Si les vitailles n'arrivent pas, nous serons affaiblis avant deux jours et incapables d'ostoier (2) comme à l'ordinaire.

— Le Très-Haut suppléera nos forces, dit Matthieu.

Plutôt que de le rasséréner, la confession et la prière l'avaient rendu confiant, et même plus : il avait désormais une âme de vainqueur.

Un Breton que Guesclin avait envoyé en avant passa au galop en hurlant : « Place ! Place ! » Tristan s'écarta de ses compagnons :

— J'ai besoin de savoir ce qu'il va raconter.

Il rejoignit le coureur alors qu'il mettait pied à terre devant Guesclin et les nobles hommes qui l'entouraient.

(1) Faiseur de riotes (querelles).
(2) Combattre dans l'ost.

— Ils sont sortis d'Evreux. J'ai fait, Bertrand, selon ton mandement : je les ai suivis mais trois d'entre eux m'ont vu et pourchassé. Ils ont des gars partout.

— Hénaff, tu seras fouetté : jamais ils n'auraient dû soupçonner ta présence. Savent-ils où nous sommes ?

— Je peux te jurer que non. Ils ont abandonné ma ressuite (1) au bout d'une demi-lieue, craignant peut-être de tomber sur nous.

Guesclin était demeuré désheaumé. Sur sa cotte d'armes de lin plus gris que blanc, l'aigle noire à deux têtes, aux ailes éployées, semblait prête à s'essorer, toutes griffes dehors. A l'entour du Breton, il n'était pas un chevalier, pas un écuyer qui ne parût gêné, agacé par sa présence et sa familiarité feinte. Cependant, les cruelles leçons de Poitiers, Brignais et antérieurement Crécy les contraignaient, pour une fois, à une espèce d'obéissance dont **ils** devaient se plaindre sitôt hors de sa présence. Il dit, précisément, en les dévisageant avec une brièveté qui attestait de leur insignifiance auprès de lui :

— J'ai envoyé dix coureurs. Hénaff est le premier de retour.

— Il faudrait… commença le comte d'Auxerre.

Bertrand, d'un geste sec, le réduisit au silence.

— Messire, cette guerre est mienne de par la volonté du nouveau roi de France. Laissez-moi l'entreprendre à la façon que j'aime. Certains d'entre vous n'ont fait qu'en perdre. Je vous dis, moi, que nous allons gagner celle-ci avec notre cœur, nos poings et notre foi en Dieu ! Vous êtes jeune, messire Auxerre. Adoncques, gardez-vous bien !

Sa laideur resplendissait d'une sorte d'abjection dont il était fier. Tristan ne pouvait se retenir d'observer attentivement cette face camuse et basanée par les intempéries, ce front bossué, ces yeux saillants, ces lèvres épaisses où se maintenait une espèce de bouderie permanente, ces oreilles en anse de cruche. L'imagier qu'il se choisirait un jour n'aurait pas grand mal à tailler son visage, fût-ce dans le granit de son pays natal.

« Allons, le disgracié est en état de grâce ! »

— Tiens, tu es là, toi aussi !

— Oui, dit Tristan avec une placidité feinte. Le nouveau roi, comme tu dis, m'a chargé d'une mission que je complète auprès de toi.

« Nulle mauvaiseté dans ce : « *Tu es là !* » mais plutôt du plaisir, tout au moins de la satisfaction. Ils avaient déjà combattu ensemble. Tristan s'approcha et, baissant la voix :

— Si tu veux bien, Bertrand, me permettre un conseil : défie-toi de l'Archiprêtre. Je profite de son absence pour…

— Tu t'en défies aussi !… Sais-tu que je te croyais plus sot ?

(1) Poursuite.

Pour la première fois quelque chose les unissait : leur méfiance envers un homme dont ils savaient l'un et l'autre qu'il était capable des pires bassesses pour se hausser dans la faveur de ses maîtres, fussent-ils successivement ou simultanément ennemis.

— Je l'ai à l'œil, Castel... reng... Fais-en autant...

Et à voix haute, s'adressant aux prud'hommes indécis ou mécontents :

— Nous vaincrons... J'ai quelques hérauts, rois d'armes et poursuivants de plusieurs seigneurs parmi les miens. Ils sauront énarrer la bataille. Je les veux au plus près de nos ennemis afin qu'ils mettent tout en mémoire : bannières et gonfanons, seigneurs, écuyers avec leur pennon, ceinture, collier, haubergeon... Je veux que tout soit dit !

— Pour ta gloire, ironisa Jean de Châlon.

— Ma victoire, comte d'Auxerre, sera la tienne aussi, et je pressens qu'à tes veillées, tu t'en vanteras grossement devant tes hoirs et béniras tes ancesseurs d'être fait comme tu l'es (1) !

On rit, le comte aussi pour sauver sa prud'homie fortement endommagée.

— Et si tu meurs, les clercs qui me sont attachés béniront ta mémoire et diront moult messes pour le salut de ton âme (2) !

C'était forcer la dose, mais tel était l'ascendant du Breton sur ces guerriers qu'aucun d'eux ne broncha.

— Messires, tous autant que vous êtes, je ne doute point de votre hardement (3). Employez-le à votre bon escient !

Le visage durci de Guesclin, ses yeux aux lueurs glauques et glacées, sa bouche vorace étirée par un sourire où ses dents n'apparaissaient pas, confirmaient à tous, s'il en était besoin, une malice et un orgueil sans pareils, une volonté soutenue d'accomplir des prodiges et d'obtenir des victoires impossibles à souhaiter différentes. Les chevaliers s'étaient quelque peu écartés. L'influence du Breton sur ces hommes pourtant aguerris s'affirmait toujours, comme lors de la montre, profonde, incontestable. Eût-il frappé du pied qu'ils eussent tressailli et se fussent crus en faute. Tristan dut s'avouer qu'il se sentait conquis sans pourtant aliéner quoi que ce fût

(1) Jean de Châlon, comte d'Auxerre, que les chroniques disent jeune, était le petit-fils de Guillaume de Châlon et d'Éléonor de Savoie. *Hoirs* : héritiers. *Ancesseurs* : ancêtres.

(2) Maintes gens d'église suivaient le Breton comme un dieu : André Thibaud, son aumônier et commensal, chanoine de Vannes ; Raoul Sébile, prêtre, son neveu du diocèse de Rennes ; Geoffroi Loncle, clerc, son secrétaire et conseiller, chanoine du diocèse de Rennes ; Pierre de la Roche, son cousin, pourvu de l'église de Trans, au diocèse de Rennes ; Guillaume de la Roche, son cousin, pourvu de l'église de Bréal au diocèse de Saint-Malo et de la chapellenie perpétuelle de Saint-Jean-de-Guéméné au diocèse de Nantes ; Pierre Goures, clerc du diocèse de Saint-Brieuc, son cousin ; Guillaume Guillois, son conseiller, chanoine et écolâtre de Rennes. Tous Bretons. Il est vrai qu'avec tous les morts qu'il eut sur la conscience, le futur connétable avait grand besoin d'être fréquemment confessé et absous.

(3) Hardiesse.

de lui-même. Après que le Breton l'eut écœuré par sa façon de vaincre les Anglais au Pas-du-Beuil, il était malgré lui pénétré par cette force, ce tempérament, cette certitude. Non point subjugué mais converti. Ce n'était pas d'un charme qu'il se sentait atteint, mais d'un pouvoir qui régénérait l'énergie affaiblie en lui depuis quelques jours. En vérité depuis Rolleboise. Il discernait chez cet homme à la face, aux gestes et à l'outrecuidance exécrables quelque chose *de plus* – et non pas seulement quelque chose *d'autre* – que chez les maréchaux et capitaines auxquels il avait quelquefois obéi. D'ailleurs, Guesclin ne se prenait pas pour l'un d'entre eux et l'on ignorerait toujours, sans doute, de quel titre il se parait lui-même.

— Une grosse haatie (1) se prépare, Castelreng. Mais nous vaincrons ces sacs-à-vin, ces sacs-à-merde... et surtout ce captal de malheur ! Il regrettera, crois-moi, d'avoir quitté sa merdasse Aquitaine !

Tristan reconnut là ces faciles méchancetés et brocards dont le Breton aimait à passementer ses discours.

— Nous allons satisfaire Charles. Il le mérite. Et puis quoi : mon cousin Olivier de Mauny et moi-même avons été payés d'avance... Tiens, te voilà ? Où étais-tu passé ?

Arnaud de Cervole s'approchait, suivi du pennoncier qui l'avait accompagné peu avant la bataille de Brignais et qui, lui aussi, avait disparu dans la mêlée. Tristan avait oublié son nom, pas son visage de chérubin pervers.

— Castelreng !

Pour un coup, Arnaud de Cervole avait blêmi.

— Hé oui.

Point de messire.

— Quelles nouvelles depuis Montaigny ?

— Aucune.

— Mathilde vous a laissé partir ?

— Mathilde est trépassée.

— Ah ! je vois...

Que voyait-il ? N'avait-il pas appris la mort de cette folle ?

— Que faites-vous là, parmi nous ?

— J'observe comme à Poitiers et Brignais.

L'allusion suffisait-elle ? Peut-être, mais le trigaud (2) jouait au sourdaud.

— Je suis ici de par la volonté du nouveau roi.

L'Archiprêtre sentit-il une menace ? Il redressa son torse de fer et releva le viaire (3) de son bassinet, qui tombait un peu.

_____

(1) Débat, querelle, bataille.
(2) Qui n'agit pas franchement.
(3) Visière, mais aussi visage.

— Ah ! bien. C'est aussi par le vouloir de monseigneur Charles que je suis venu prêter main-forte à Bertrand. Je compte bien que nous mènerons nos gens à la victoire.

Guesclin émit un ricanement gras et prolongé dont Tristan, s'il le lui avait adressé, se fut senti offensé :

— Mon compère, dit-il, le commandement me revient, tu le sais. Ce n'est pas le vouloir *mais l'exigence* du roi. Ne t'avise point de transgresser mes volontés.

S'il songeait plus que tous à la bataille et aux possibilités de victoire avec la conscience d'un serviteur des lis et la forcennerie d'un malandrin, son cœur n'entraînait pas ses méditations. Sa puissance, sa certitude de vaincre, il les tirait de son sang lourd et de ses muscles de bûcheron.

— Tiens-toi-le pour dit, Cervole. J'espère te trouver tout près de moi, et sache que...

L'arrivée de deux autres coureurs interrompit l'avertissement du Breton. Il alla les rejoindre. Ils parlèrent, mais Tristan ne sut rien de ce qu'ils s'étaient dit.

* *
*

On repartit, les compagnies espacées de quelques toises sous la conduite d'un capitaine ou d'un chevalier. On atteignit ainsi la Croix-Saint-Lieufroy. Il y avait en ce lieu une abbaye bénédictine du diocèse d'Évreux qui, si l'on passait la nuit, fournirait un excellent gîte aux nobles hommes. On serait protégé quelque peu sur la dextre par l'Eure, en ces lieux calme et peu profonde (1). On se hâta d'abreuver les chevaux.

Les chefs entrèrent dans l'abbaye, s'y désaltérèrent et rafraîchirent. Ils en ressortaient quand un coureur parut, à la recherche de Guesclin.

— Sire chevalier, par le Dieu sauveur ! nous ne pouvons trouver manant, loudier (2), laboureur qui sache nous dire où est le captal... Mais ce qui est sûr, c'est qu'il est sorti d'Évreux, menant avec lui bien treize cents Anglais bons jouteurs... Je vais revenir chercher par le pays et les chemins mais présentement, je ne saurais vous dire où ils se sont mis !

(1) Affluent de la rive gauche de l'Eure, l'Iton prend sa source à Tourouvre (Orne), baigne Évreux et se jette dans l'Eure aux Planches, à 2 km - sud d'Arquigny. Guesclin, qui se dirigeait vers Pacy, ne franchit pas cette rivière, comme certains historiens le prétendent, pour se trouver entre l'Iton et l'Eure. Il demeura sur la rive droite de cette dernière, laquelle formait une défense naturelle à la Croix-Saint-Lieufroy. C'est de ce lieu qu'il allait apercevoir ses adversaires sur les contreforts de la rive opposée, en direction d'Évreux.

(2) Paysan.

— Va, Cloarec, et cette fois, trouve-les !

Puis, s'adressant au comte d'Auxerre :

— Par ma foi, je suis sûr que ces males gens sont mussés près d'ici, en quelque détour. Ils nous pensent surprendre ainsi que des pasteurs, mais nous leur jouerons quelques tours... Or, tôt, Quéméré : trouve Couzic, Hénaff, Quintric et partez... Soyez prompts. Allez courir les bois et prenez par devers Cocherel **qui** est situé sous Évreux : c'est un hameau chétif. Vous nous y retrouverez et nous rapporterez, s'il vous plaît, de quel côté sont le captal et ses hommes. Il nous faut le voir, les combattre et les mettre en déroute. Même s'il nous faut les affronter à trois contre un, nous en viendrons à bout !

Bertrand fit sonner les cors, et comme il avait avec lui cinq ménestrels dont trois jouaient de la cornemuse, il les fit placer au centre d'un pré, tandis que sur son commandement, l'armée se présentait une nouvelle fois à lui. Quand les cornemuseurs cessèrent leurs miaulements, deux tambours battirent et sur un geste interrompirent leurs roulements.

A pied, cette fois, Guesclin passa devant les hommes tandis que les seigneurs, derechef, se trouvaient relégués dans un angle du terrain, à l'ombre d'un bouquet d'arbres.

— Prud'hommes, leur dit-il, n'ayez point cœurs d'agneaux. S'il y a parmi vous des compères qui craignent pour leur peau, je leur donne congé d'aller en leur hôtel, car je le sais : nous allons avoir bataille et s'il y a tel, vieil ou jouvenceau qui se mette à fuir – holà ! entends-tu, Cervole ? –, je le ferai accrocher par le cou... Et ce que je dis là, je le dis également à vous tous : archers, arbalétriers, guisarmiers, vougiers à pied ou à cheval !

— Nenni ! répondit un soudoyer. Je parle au nom de mes compagnons : nous n'avons point cœurs de veaux. Nous te le prouverons sur le pré !

On cheminera encore et Chambray apparut. L'Eure courait toute proche et miroitait comme une cuirasse. Les Français renoncèrent à passer la rivière et descendirent parmi les prés fleuris pour se rafraîchir et se reposer car la chaleur devenait lourde, lassante. Alors que l'on vidait le reste des bouteilles, chopines et calebasses, les dix coureurs dépêchés en avant revinrent ensemble.

— A toi, Couzic.

— Rien... Je n'ai où j'ai erré, trouvé homme qui soit en vie.

— Cloarec ?

— Par ma foi, Bertrand, je n'ai rien vu.

Cessant d'observer le coureur à face apoplectique sous une cervelière terne et bosselée, Tristan épia Guesclin. La déception du grand hutin eût pu dégénérer en fureur. Il rit, au contraire, sans la moindre intention de se moquer d'un homme inquiet et dépité tout autant que lui.

— Cloarec ! Cloarec !... Il aurait fallu que tu courres plus loin que tu ne l'as fait pour t'aviser du captal ! Tu sais mieux découvrir une huche pleine ou un coffre bien clos pour y rober les joyaux qu'ils contiennent que de trouver quelques milliers de Goddons !

Et tourné tout à coup vers les autres coureurs dont certains étaient demeurés en selle :

— Il me suffit de voir vos goules pour deviner votre échec... Eh bien, mes gars, il vous faut retourner... Je ne partirai pas sans avoir ouï de bonnes nouvelles, car j'en suis certain : nous sommes sur la voie de la partie adverse !

Il se mit à marcher parmi ses guerriers, les rassurant sur l'imminence de la bataille et les invitant à ne point lâcher leurs armes. Il claudiquait un peu sous le poids de ses fers, et l'on eût dit qu'il avançait dans les sillons de sa terre. Ce n'était ni du roi ni du royaume qu'il se réclamait présentement ; c'était de la haine sinon de la bestialité. Il promettait au captal et à ses gens les pires tourments, et à cette idée-là, il s'enivrait lui-même. Dans l'attente d'accomplir les mêmes gestes meurtriers, les mêmes fonctions destructrices, de pratiquer la même célébration sanglante qu'à Mantes, Meulan et ailleurs, son cœur devait cogner au rythme d'un galop.

Il allait revenir vers les prud'hommes quand l'Archiprêtre s'avança :

— Que faisons-nous ?

— Rien. On attend... Or, compère, dis-moi : tu parais inquiet !

— Tu confonds l'inquiétude et l'impatience. Ce grand soleil me semble aveugler tes coureurs... J'ai envie de partir en avant, moi aussi.

Tristan sourit en entendant cela. Décidément, ce trigaud ne changeait jamais rien à ses façons de faire. Une fois en avant, il irait droit au captal et le renseignerait sur tout.

— Mieux vaut que tu demeures, dit doucement Bertrand. Ne va pas risquer ta vie ou ta... réputation dans une course pareille.

Le ton restait courtois mais l'Archiprêtre eût été bien sot s'il n'y avait pas décelé la menace que Tristan, lui, avait sentie.

— Il y a, Bertrand, un val tout près. Je puis y conduire mes gens. Si je vois les Anglais, je t'envoie un coureur.

Cette proposition tomba dans l'oreille d'un sourd. Guesclin regarda les grands seigneurs qui venaient à pied vers lui dans un miroitement de fers, d'aciers, un déploiement de couleurs franches.

— Ils sont tout comme toi, Cervole : ils attendent. Tout autant que nos piétons, ils n'ont même pas envie d'aller enconner les deux cents ribaudes qui nous suivent à un quart de lieue et qui, par ma foi, ne sont point laides, mais bien replètes et nues – je les ai vues – par cette chaleur de tous les diables.

— Tu peux rire en cette occurrence ?

— Pourquoi non ? Et si je pouvais aller m'accoler à une ou deux de ces dames, j'y prendrais du bon temps... Elles doivent se languir de ne contenter personne... Mais revenons sur terre : nous sommes deux ou trois mille. Je déteste compter avant une bataille. Comme ça, je ne crains rien... Je veux donner au nouveau roi qui m'aime bien et qui chevauche vers Reims, un présage de bonheur pour ses années à venir... Est-ce ton avis, Castelreng ? Dis-moi : tu n'as cessé de tendre l'oreille... Crois-tu que l'Archiprêtre allait nous planter là ?

Une fureur inattendue s'empara de Cervole. Il allait saisir Bertrand par son colletin quand un cri retentit :

— Voilà Cloarec !

Le coureur que le Breton avait admonesté venait de surgir en haut d'une colline que dominait une montagnette. Sans abrocher son cheval, il dévalait aussi vélocement que le pouvait sa monture écumante et anhélante. Il la remit au pas à cent toises du pré.

— Holà ! beaux seigneurs, cria-t-il, tenez vos compagnies en ordre car voici les Anglais à bannières levées. Vous les verrez bientôt !

Ignorant l'Archiprêtre dont le dépit n'avait cessé de croître, Bertrand tourna sur lui-même cependant que ses talons et ses éperons tonsuraient les herbes à son emplacement.

— Beaux seigneurs, oyez donc ce que nous dit mon homme ! Ils sont là !

Quintric et Couzic apparurent. Le second devança son compère.

— J'ai meurtri, cria-t-il, un coureur navarrais...

— Cent-vingt autres d'Évreux sont venus grossir leurs troupes !

Thomas l'Alemant, l'huissier d'armes de Charles V que Tristan voyait enfin sortir des rangs où il s'était mussé, s'approcha :

— Que va faire le captal selon vous ?

Guesclin tendit son index ferré vers la montagnette :

— Ses hommes et lui vont occuper le faîte de cette grosse motte pour nous dominer juste du regard... Elle est rude, escarpée. De là-haut, on doit dominer le village de Cocherel, à la dextre de l'Eure, près du pont qui relie les chemins d'Évreux et de Vernon. De là-haut, Grailly pourrait défendre ces deux cités et leurs châtelets, et même Pacy, qui est plus loin. Il peut même, par l'autre versant, recevoir des secours.

— Eh bien, que faisons-nous ? demanda l'Archiprêtre.

Son inquiétude semblait devenir de l'angoisse. Comme le soleil « tapait » très fort, il enleva son bassinet. Tristan vit que sous ses cheveux précocement dégarnis, son visage avait la pâleur d'un cierge. Sous sa grosse moustache, il mordillait ses lèvres.

— Holà ! Holà, Cervole. J'aime tout comme toi galoper vers l'ennemi quand il ne m'attend pas. Or, ce jour d'hui, il y a de la réception dans l'air. Partirions-nous maintenant devers eux, à pied ou à cheval, que nous serions tout hérissonnés de sagettes avant d'avoir atteint le quart de la montée...

— Alors, Bertrand ? dit le comte d'Auxerre.

— Alors, messire, j'avance doucettement. Je m'arrête et j'attends. La patience n'est point ma vertu cardinale, mais je m'en sens soudainement pourvu au point de jeter un acompte au captal.

Il lâcha un pet bruyant qui ne fit rire que lui-même et décida l'Archiprêtre à s'éloigner. Il n'alla pas bien loin et revint vers Auxerre :

— Combien sommes-nous, messire ?

— Douze cents hommes d'armes, trois à quatre mille piétons, deux mille chevaux sans doute. Nous ferons une montre quand le moment sera venu.

« Encore ! » songea Tristan. « Il faudrait entamer la guerre et délaisser les montres ! »

— Dis donc, Cervole, fit Guesclin avec une familiarité perfide, pourquoi veux-tu savoir combien nous sommes ? Est-ce pour l'aller dire au captal ?

L'Archiprêtre fut sur le point de protester. Il se ravisa. Tristan se demanda quelles ténébreuses pensées venaient d'envahir sa tête. Le bel Arnaud qui avait conquis sans mal Mathilde de Montaigny avait l'aspect d'un homme insolvable qui vient de retrouver ses créanciers. Auxerre semblait avoir compris, lui aussi, ses desseins. Il interrogea Guesclin du regard pour obtenir, sans doute, la confirmation de ses soupçons. Le Breton croisa les bras sans qu'on eût entendu jouer les fers de ses cubitières tellement il les avait graissées.

— Je fais confiance à mes coureurs. Ils voient juste et parlent vrai, à l'inverse de ceux de Poitiers et Brignais... Or donc, j'attends... J'attendrai le temps qu'il faudra... Nous n'avons pas mangé ? Nous mangerons de l'herbe. Nous ne sommes plus, Cervole, à Poitiers et Brignais, et même si je n'y étais point – ce dont j'ai regret –, j'en ai retenu la suprême leçon.

Tristan se délectait : l'Archiprêtre, en ces deux terribles occasions, avait prié les maréchaux de l'envoyer en avant afin de les informer sur le convenant (1) et les apprêts des ennemis. Or, il avait trahi, c'était un fait avéré. Guesclin en était persuadé : il avait le flair d'un baud (2).

_____

(1) La disposition des batailles.
(2) Race de chiens courants provenant de Barbarie et appelés chiens muets.

— Attendons, dit-il.

Et derechef, il harangua les hommes :

— Beaux seigneurs et vous, les piétons, ne montrez point d'effroi. Nous aurons, s'il plaît à Dieu, une bonne journée. On verra, meshuy (1) les bons avoir renommée. On tiendra bien l'épée et la lance en arrêt, on en sera récompensé pour toujours !

A ce moment, tous virent la bannière du captal levée sur la montagne, près d'un petit bois où, sans doute, l'armée anglo-gasco-navarraise prenait ses aises. Guesclin en fut joyeux :

— Nous serons tous à pied, mes compères. Nous allons nous mettre en ordre serré, et vous aussi, beaux seigneurs, franches gens honorés ! Je vous dis, moi, Bertrand, que ces malandrins seront nôtres avant ce soir s'ils commettent une erreur...

Le vicomte de Beaumont s'approcha en hâte, dépité peut-être de ne point guerroyer à cheval :

— Tenons-nous dans ce val, sire Bertrand. Mal nous pourrait venir de monter cette butte.

— Une butte, messire ? Une montagne, en vérité. Nous n'y monterons point, mais nous les attendrons à pied, sans nos chevaux, et nos mortels ennemis seront tous à nous. Je donnerai au roi le noble captal de Buch comme présent d'avènement !

Puis avec un soupir qui révélait sans doute une irritation croissante :

— Nous allons franchir l'Eure au pas d'Hardencourt-Cocherel, un peu plus loin qu'où nous sommes. Le pont en est large et solide. Ainsi, nous serons sur un terrain propice... Nous ne traverserons que quand je le dirai.

Bientôt, l'annonce du départ circula. Les hommes furent debout, les chevaux prêts. On piéta jusqu'au pas de Cocherel qu'on trouva entre quelques maisons aux contrevents et portes closes. L'Eure miroitait au soleil. Sur l'autre rive s'étendait un vaste champ d'herbes hautes qui, insensiblement, montait jusqu'à la butte ennemie (2).

— Que fait-on ? demanda le sire de Beaujeu. Traversons-nous ce pont ?

— Pas encore, messire. Ce passage, nous le tenons. Ils n'y descendront pas.

— Mais, Bertrand, le champ, de l'autre côté est propice à...

— Nous irons, messire, quand le moment sera venu. Celui où nous

---

(1) Aujourd'hui, maintenant.

(2) Guesclin et ses guerriers ne franchirent pas immédiatement l'Eure pour s'installer sur la rive opposée de la rivière. Le Breton savait que les Anglo-Navarrais hésiteraient à prendre l'initiative de la bataille, compte tenu de leur situation avantageuse.

Le captal et ses troupes étaient descendus des villages de Cresne et de la Ronce, au-dessus de Jouy-sur-Eure. Ils s'avancèrent sur la hauteur moins élevée de Hardencourt dont le terrain, par une pente douce, s'étendait en une plaine assez vaste jusqu'à la rivière. La possession du pas de Cocherel ne les intéressait point.

sommes est un lieu convenable, plus ombreux que celui de devant...
N'ayez crainte : nous passerons sur l'autre bord. Rien ne presse.

— Soit, dit le sire de Beaujeu, résigné. Mais à part cela, que fait-on ?

— Rien, dit Guesclin en sautant de son cheval. Voyez, messire, si vous avez bonne vue : ils déploient tout en haut pennons et estranières (1). Signe de guerre. La bannière de Grailly doit être plantée sur...

— La Butte-Olivet, dit un archer au passage. Je la connais, étant de Chambray. Il y a fort buisson d'épines, puis une sorte de muret fort épais (2) et derrière une cuvette où l'on peut faire les feux de mangeaille.

— Eh bien, c'est moi, Bertrand, qui le dis : ils ne pourront manger que la terre de leur tombe... si nous prenons le temps de les ensépulturer !

Couzic apparut, suant sous sa barbute autant que son cheval sous son chanfrein de fer.

— Ont-ils une arrière-garde ? s'enquit le vicomte de Beaumont tout aussi inquiet que ses pairs.

« Si ces prud'hommes commandaient », songea Tristan, « nous franchirions ce pont et serions déjà sur la pente, à galoper comme nos anciens à Crécy, face aux sagettes d'une archerie infaillible et mortelle. »

— Il y a une arrière-garde au hameau de Cresne.

Guesclin rejeta cette information par-dessus ses épaules.

— Elle ne m'inquiète pas. La sagesse est d'attendre de ce côté du pont que nous traverserons, le moment venu, pour gagner la bataille. Croyez-moi : ils se demandent pourquoi nous n'avançons plus et se rient de notre hésitation.

Puis, s'adressant aux siens qui s'étaient approchés :

— Vous triboulez point, mes amis : on gagnera. Vous serez soldés. Vous connaissez les gages. Trente sous pour un banneret, quinze pour un bachelier, cinq pour un écuyer...

— C'est maigre, releva un gros prud'homme : Berthelot d'Angoulevent.

— Tâche de vivre et de conserver ton arme. On en discutera quand viendra la soudée (3) !

— Et les chevaliers ? demanda innocemment Matthieu.

Guesclin lui sourit comme il l'eût fait à un malade :

— Cela dépendra de sire Charles et de l'aspect de leur cheval... Je

(1) Drapeaux.
(2) Le captal y plaça son bagage et 100 hommes pour le défendre.
(3) *Soudée, souldre, souldée* : solde.

les ai regardés. On m'a parlé de ton coursier, Castelreng. Je dois te conseiller : « *Ménage-le* », car d'après ce qu'on m'en a dit, il ne peut que me faire envie.

— Pense à la guerre, Bertrand. Rien qu'à elle... Entre Alcazar et toi, il y a mon épée... D'ailleurs, il n'est point là. Un ami l'a en garde.

C'était net. Le Breton feignit de n'avoir rien entendu.

— Bon sang ! maugréa Tristan tourné vers Paindorge, il lui faut tout. Serais-je marié qu'il guignerait ma femme.

Guesclin, déjà, revenait à la guerre :

— S'ils ne nous surquérissent (1) point ce jourd'hui, ce sera pour demain. Nous attendrons qu'ils s'y décident. Il nous faut souffrir tous (2) pour en venir à bout. S'ils atermoient, nous saurons sur-attendre.

Paindorge et Matthieu s'en étaient allés. Tristan les rejoignit.

— J'ai idée, dit l'écuyer, que nous allons dormir céans.

— L'herbe était drue, épaisse, et la voilà déjà moult aplatie. Mangeons d'abord pour avoir du nerf si ces malfaisants nous assaillent. Ensuite, nous nous occuperons de nos bêtes.

Ils partagèrent des restes de pain et de fromage et vidèrent une bouteille de vin, présent de Tiercelet. Alors, ils dessellèrent Malaquin, Tachebrun et Carbonelle afin qu'ils allassent brouter, plutôt que l'herbe foulée par les sabots, les tendres feuilles des arbres.

— On ne dirait point, fit Matthieu, que nous sommes prêts à férir ceux qui, de là-haut, nous attendent avec leurs *long bow*.

C'était vrai. Une espèce de bénignité semblait assoupir l'esprit hargneux de tous ces hommes d'armes dont la plupart s'étaient assis ou allongés dans l'attente d'un nouveau commandement. Les Bretons de Guesclin, les plus sales et les plus haineux, souriaient, les yeux levés vers la nue comme pour y rassurer les anges tandis que sur la Butte-Olivet, plus près du ciel, les Anglais déployaient leurs bannières de cendal et dressaient leurs enseignes, leurs écus et leurs lances.

— Ils se replieront dans le bois... Leurs archers nous perceront comme des cerfs en forêt.

— Oui, Matthieu. C'est pourquoi Guesclin a raison d'attendre.

— Ils mènent grand train ! enragea Paindorge. Voyez leurs lances et leurs épieux... Ils doivent savoir qu'ils n'auront de bataille que s'ils descendent jusqu'à nous... Ils savent aussi que ce mont est rude à dévaler et qu'en regardant où ils mettront les pieds, nos archers et nos arbalétriers pourront les percer... Ils s'accorderont à rester deux ou trois jours sur ces hauteurs. C'est comme un gros donjon qu'ils ont sous leurs semelles.

(1) *Surquérir* : attaquer.
(2) *Souffrir* : patienter.

La nuit vint. En haut, des feux s'allumèrent : le bois ne manquait pas. En bas, on rassembla les branches mortes et l'on fit trois foyers, dont un pour les prud'hommes. Thibaut du Pont, un écuyer de Guesclin, s'en vint quérir Tristan qui venait d'ôter son armure :

— Messire, on tient conseil et Guesclin vous y mande.

Le Breton, lui aussi, avait quitté ses fers. Il tournait autour du feu dont les lueurs vaguement soufrées attiraient quantité de cousins, de moucherons et hannetons dont certains périssaient dans les flammes. Des ratepennades (1) venaient dansoter là et certains y voyaient quelque mauvais présage. Tristan, d'un coup d'œil, remarqua l'absence de l'Archiprêtre.

— Sires, disait Guesclin, oyez mon avis. Ces gens d'en-haut ont certainement deviné que nous n'avons plus de vivres. Ils nous veulent sans doute affamer. Ils ne descendront point et si nous montons, nous serons dolents...

— Qu'espérez-vous faire ? demanda Baudouin d'Annequin, le maître des arbalétriers. Il est vrai que la faim tourmente certains hommes et que demain, toute l'armée en souffrira.

Guesclin acquiesça. Il s'était arrêté ; il reprit sa marche, éloignant parfois de son visage un hanneton ou un moustique.

— Demain, messire, je manderai à ces gens, si vous me l'accordez, de leur livrer la place après le soleil levant.

Il y eut des grommellements de rage. Guesclin y mit un terme d'un seul geste du bras :

— Il faut leur touiller (2) l'esprit et c'est le meilleur moyen.

Il avait raison. Il ne pécherait point, lui, par imprévoyance. Il voulait une bataille dont l'heureuse issue lui reviendrait quel que fût le prix qu'il en devrait acquitter. Ah ! certes, il serait le premier à frapper, ouvrant la voie à des vassaux d'un jour pour lesquels sa pusillanimité apparente semblait contraire à des préceptes qu'il tenait en mépris. Tristan, attentif, observait les hommes assemblés dans les lueurs des feux au-dessus et à l'entour desquels, maintenant, des papillons enivrés de clarté venaient se brûler les ailes. Il y avait là Thomas l'Alemant, truchement de Charles V, la face bourrue et dubitative ; Thibaut de la Rivière, un des fidèles du Breton, court sur pattes et qui semblait ne pas vouloir se séparer de son armure ; deux clercs maigres en bure élimée dont les tonsures, aux clartés des foyers, prenaient la teinte des pommes blettes ; Bertrand Goyon, le pennoncier de Guesclin, haut par la taille, étriqué d'épaules, grand aussi par sa hautaineté mais certainement petit d'esprit. Près de lui, Pierre de Louesmes, le pennoncier de Beaujeu, côtoyant son maître

(1) Ancien nom des chauves-souris.
(2) Troubler.

vêtu comme pour une réception de Cour ; le vicomte de Beaumont, barbu, échevelé, nerveux comme un marié d'âge mûr dont la jeune épousée tarde à paraître ; Oudart de Renty, moustachu comme un Wandre (1), dépoitraillé, disant qu'il était soucieux pour son cheval qui peut-être était farcineux et qui, alors que Guesclin cherchait ses mots, lançait :

— Nous les aurons !... Faut point se festardir (2) !

Il y avait aussi Petiton de Courton, rieur et comme heureux d'offrir une gasconnade sanglante à ses anciens compères ; Amanieu de Pommiers que Tristan vit lui sourire et auquel il répondit d'un geste léger pour cette marque d'intérêt. Il y avait aussi, à la dextre du Breton, un chevalier gros et pansu au point que son flotternel relevé par le volume de sa pimélose (3) laissait voir son nombril pareil à un œil noir circonscrit de cils fauves.

— Qui est cet ours ?

Tristan se tourna vers le voisin qui l'avait questionné : le soudich de l'Estrade dont la voix chantait comme celle des gens de la Langue d'Oc.

— Berthelot d'Angoulevent.

— D'Angouleventre, ricana le soudich. Et lui, le goguelu, là-bas ? Est-ce le sire de Hangest dont on m'a dit du bien ?... Son père était otage pour le roi Jean en Angleterre (4).

— Il se peut que ce soit lui, mais je ne saurais l'affirmer.

— Et ces trois-là qui semblent voir un dieu quand ils tournent leurs yeux sur Guesclin ?

— Olivier de Mauny, Hervé de Mauny et monseigneur Eon de Mauny, frères et neveu de Bertrand... C'est ce que je me suis laissé dire.

Guesclin se mit à contourner le feu, les mains au dos, le regard tourné vers les hommes aux faces rouges – couleur qui faisait ses délices.

— Je vous connais tous et vous dis, moi, qu'il nous faut avoir confiance. Oui, messire Geoffroy Feiron ; oui, messire Alain de Saint-Pol ; oui, Robin de Guite, oui, Eustache et Alain de la Houssaye ; oui, Robert de Saint-Père qui n'êtes pas Pape... Oui, oui, Jean de Boyer, Guillaume Bodin, Olivier de Quoiquen, Lucas de Maillechat... et vous aussi, Louis de Haveskerques et Jean de Vienne !

Prompt, accort ou sévère, il les montrait aux autres d'un doigt ferme comme il eût désigné des condamnés. Ils ne seraient astreints

(1) Vandale.
(2) S'amollir.
(3) Obésité.
(4) Jean, sire de Hangest et d'Avenescourt, était le fils de Rogues de Hangest, otage pour le roi Jean, mort en captivité en septembre 1363.

qu'à son obéissance, mais à voir le Breton parler à ces prud'hommes, on eût pu penser qu'au-delà de leur nom, il connaissait la vie de chacun d'eux, sa fortune, son épouse et jusqu'à ses maîtresses et qu'il avait fait sauter leurs enfants sur ses genoux.

Il poursuivit sa ronde, toujours attentif à l'expression de ces faces d'hommes soucieux de ses propos et dont certains se fussent regimbés sans doute s'il avait oublié de mentionner leur présence.

— Oui, messires, je connais votre hardement. Le tien, Geoffroy de Quedillac, le tien, Geoffroy de Palen, le vôtre, Guillaume de Hallay, Jean de Parigny ; le tien aussi, Sevestre Budes ; le tien, Berthelot d'Angoulevent que tes rondeurs ne gênent point lorsqu'il s'agit de férir du Goddon ; le vôtre également, Olivier Féron et Jean, votre puîné… et vous, Guy de Trelay… qui êtes beau !

Et soudain s'immobilisant :

— Toi, Pierre… Tu es bien l'un des hérauts de l'Archiprêtre ?

— Oui, messire Bertrand.

— Où, est-il ?

— Il dort.

Le Breton poursuivit sa marche circulaire et s'arrêta une fois de plus :

— Ha, Castelreng !… Tu seras près de moi, j'en suis sûr, dans la presse.

Tristan acquiesça de la tête. Il avancerait. Il verrait les hommes d'en face osciller et se tordre, s'effacer, reparaître dans l'incohérence des gestes mortels et des clameurs conquérantes. Il serait fasciné lui aussi par la haine – cette haine qu'il ne portait pas dans son cœur mais qui ne pourrait qu'y germer dès les premières passes d'armes. Point d'écu. Il tiendrait sa Floberge à deux mains. Point de cotte d'armes. Il faudrait monter cette butte garnie d'hommes aussi valeureux que lui. Souhaiter que l'acier de son épée n'eût aucune défaillance. Se sentir veule et hardi. Accepter d'aller de l'avant quand la raison lui crierait : « *Recule !* » Insérer dans la gesticulation suscitée par les coups imprévus de l'adversaire les bribes des leçons cent fois apprises et cent fois répétées. N'être point meilleur mais pire. Consciencieux. Plaire et complaire à Guesclin !

— Je serai près de toi.

Guesclin se retourna et s'adressant à tous :

— J'ai grand-faim de bataille !

Il y eut un remous chez les prud'hommes que le mot *faim* parut contrarier. Les clercs eux-mêmes touchotèrent leur cordelière à l'emplacement de leur ventre.

Un homme fit deux pas en avant vers Guesclin. Il avait conservé son haubergeon de mailles et portait sa cervelière contre sa hanche.

C'était Jean de Béthencourt qui ne semblait guère à court d'orgueil :

— Vous avez raison, Bertrand. Moi aussi, j'ai moult faim de bataille. Je veux voir Grailly contraint de nous remettre son épée (1).

— Et moi aussi !

L'homme qui avait hurlé comme pour se faire ouïr du captal était le seigneur de Villequier, capitaine de Caudebec (2).

— Bien ! Bien ! dit Guesclin. Ah ! qu'il est bon, messires, de vous savoir tant de bachelerie (3) !

Se moquait-il ? C'était possible. Tristan s'éloigna, jugeant sa présence désormais inutile. Le Breton le rejoignit et d'une voix de feutre :

— Viens me trouver à l'aube… Adoube-toi. Je te dirai demain ce que j'attends de toi… Dors bien… Ah ! j'oubliais : viens à cheval.

Tristan partit s'allonger dans l'herbe entre Matthieu et Paindorge.

— Comment tout ça finira-t-il ? interrogea l'écuyer.

— Comme à l'accoutumée : dans le sang et les larmes.

Tristan ferma les yeux. Tout proche, Malaquin broyait encore quelques feuilles.

« Demain… Pourquoi m'a-t-il préféré à un de ses Bretons ? Veut-il me montrer qu'il m'a en estime ou veut-il, s'il m'envoie sur le mont Cocherel, se débarrasser de moi ?… Et où était passé l'Archiprêtre ? Dormait-il vraiment comme l'a dit son héraut ? »

Comment dormir en cette occurrence ? A qui penser ? Oriabel ? Non. Luciane ? Non. Aliénor ? Il faudrait bien qu'il se vengeât un jour du trépas d'Oriabel… Quand ?… On avait doublé le nombre des guetteurs. Il entendait leurs pas, leurs chuchotis ; les craquements doux des branches à demi consumées. Une lune apeurée hasardait parfois sa face pâle entre deux couettes brunes…

*   *
*

Un soleil cramoisi enflamma la campagne. Tout y fut rouge un moment. Tristan se leva et vit en haut du mont Cocherel les fumées et les bannières, les scintillements d'armes et de chapeaux de fer de l'armée navarraise.

— Ils sont toujours présents, dit Paindorge en bâillant.

— Ils pensent de nous la même chose.

— Selle Malaquin, Robert… Aide-moi, Matthieu à passer mon armure.

(1) Chevalier, marié à Isabelle de Saint-Martin, Béthencourt allait être mortellement atteint. Il trépassa à Honfleur.
(2) La bataille lui fut fatale.
(3) Vaillance.

— Où allez-vous, messire ? s'inquiéta le jouvenceau.

— Je ne saurais te le dire. Bertrand seul le sait.

Il trouva le Breton occupé à étriller son cheval.

— Ah ! te voilà… Sais-tu ce que tu vas faire ?

— Non…

— Ton armure est belle et tu es beau garçon…

Tristan, de la main, éloigna tous ces compliments.

— Je ne suis pas venu pour ouïr des louanges. Que veux-tu de moi ?

Jetant son étrille, le Breton s'approcha et retint Malaquin, nerveux, par son frein.

— Tu étais à Poitiers. Cette montagne que l'Eure contourne au Ponant, est-elle pareille à celle de Maupertuis ?

— C'est ma foi vrai… L'Eure ici, en effet, ressemble au Miausson, la rivière qui coule là-bas. Ce jour-là, le prince de Galles, comme le captal maintenant, a fait éloigner les chevaux, le charroi et les fourrageurs dans un petit bois comme celui qui verdit en haut du mont Cocherel… Qu'attends-tu de moi ?

Le Breton sourit sans malice. Il était inquiet. Il avait la roupie au nez, signe qu'il avait pris froid en allant peut-être, la nuit, observer l'ennemi d'aussi près que possible afin, faute de mieux, de se repaître la vue de ses feux et les oreilles de ses chants. Car on avait chanté, là-haut, presque jusqu'à l'aurore.

— Tu vas prendre ma bannière et aller seul jusqu'au captal.

— Soit… Qu'espères-tu ? Que l'on m'occira bien avant que j'aie rejoint Grailly ? Car tu pourrais envoyer des Bretons à ma place…

— Nenni !… Tu as l'œil vif… Si par ma foi il a rejoint ces gens, tu sauras déceler… flairer s'il se peut, la présence de l'Archiprêtre.

— Il a disparu ?

— Oui… Mais je ne pense pas qu'il les ait rejoints… Oh! certes, il en a l'intention… Pour le moment, je le suppose avec les ribaudes… Vois comment le captal a disposé ses hommes… enfin tout !… Je veux gagner cette petite guerre. Propose-lui une joute pour l'octroi du champ de bataille. Moi, bien sûr, contre le captal ou Jouel ou Sacquenville… Fais au mieux en mon nom !

Tristan sentit qu'il avait devant lui un capitaine exposé à toutes les animosités, à toutes les légendes. Rien ne lui avait été plus facile que de le mépriser. Chargé de défauts énormes, Guesclin n'était pas dépouillé des vertus que l'on était en droit d'espérer d'un meneur d'hommes. Quels que fussent son tempérament et son humeur, il était contraint, pour rester fidèle à sa nature, de se réfugier dans les attitudes extrêmes de la domination, de la confiance, de l'approbation *de lui-même* ; d'affliger par sa hautaineté bienveillante les grands qui l'entouraient. Honni et blâmé secrètement par eux, condamné au succès, toujours à l'affût de la fortune et de la réussite, glorieux un jour, vilipendé un autre, il tenait, pour l'immédiat et pour l'avenir, à remporter un succès violent et manifeste.

Un jeune Breton apporta la bannière. Tristan la saisit au mitan de sa hampe et la posa sur le bout de son soleret.

— Je garde mon épée ?

— Oui… Le captal est loyal. Que tu en sois ceint ne sera pas pour lui une preuve d'outrecuidance… Mais défie-toi de Jouel s'il est là-haut.

Tristan franchit le pont et partit au galop. Lorsqu'il fut au pied de la montagnette, il remua la bannière de haut en bas. D'ailleurs, seul, qui eût pu l'accuser d'intentions homicides ?

* *
*

Des levées occupées par des archers. Des taillis utilisés comme réserves de vivres et de sagettes. Il y avait des guisarmiers et des vougiers en petit nombre et, dans la verdure, des armures de fer. Une centaine. Où étaient les autres.

«Ils se sont enfoncés dans ce bois pour que je ne puisse savoir quel est leur nombre… C'est de bonne guerre… Ils m'accueillent avec le sourire. »

Le captal s'approcha, débonnaire. Il avait tout d'un futur vainqueur : pas de fer sur son pourpoint rouge vif et ses chausses grises. Des heuses de cuir cordouan lui montaient aux genoux, noires avec un rabat couleur noisette. Il offrait, sous son chaperon, le même visage jovial que lorsqu'il avait quitté Jeanne de Navarre. D'un doigt il sépara les pointes de sa barbe.

— Je connais, messire, cette bannière. C'est Bertrand de Claiquin qui vous envoie !… N'avez-vous point de nobles hommes en bas pour vous humilier à servir un malandrin ?

— Dès le moment, messire, où nous faisons la guerre, nous sommes tous des malandrins.

Tristan posa sur le sol l'arestuel de la bannière et ne voulut pas perdre son temps :

— Sire, dit-il à Grailly, non seulement Bertrand Guesclin, mais le bon comte d'Auxerre et tous mes compagnons vous demandent par moi si vous voulez avoir bataille. Si vous le voulez, ils vous livreront place à trois traits d'arc au-delà de la rivière, ou en deçà selon votre bon gré… Et si vous ne le voulez, Bertrand vous mande encore d'aller contre lui, votre écu au col, vous, Jouel ou Sacquenville pour courir trois lances. Qui abattra l'autre sur le sol choisira telle place qui lui conviendra pour livrer bataille ou retournera, lui et ses gens, dans son pays.

« *Bon sang, cet homme, derrière une branche à peine feuillue... N'était-ce pas Thierry Champartel ?* »

Il fallait écouter le captal. Réfuter cette illusion. Thierry ne pouvait être à Cocherel. Il n'était point partisan de Navarre. Il avait combattu les Anglais et les Gascons !

— Gentil héraut, disait le captal, je connais bien Bertrand et tous ses grands vouloirs. Quand le jour en sera propice, je descendrai sans qu'il m'invite... D'ici, je le domine déjà... Il n'est pas temps de croiser nos armes. J'attends quelques secours pour épaissir mes troupes... Alors, nous vous courrons sus !

— Messire, ne pourrions-nous éviter cet estour (1) ? De part et d'autre des hommes vont mourir pour quelques toises de terre, et ceux qui devraient s'affronter sont loin : mon roi sans doute à Reims, le vôtre à Pampelune, car jamais il ne s'est présenté à la tête d'une armée.

— Il est vrai, mais la bannière de Navarre m'accompagne.

De l'index, le captal eut plaisir à la désigner : *Écartelé, aux premier et quatrième de gueules à la chaîne d'or posée en triple orle en croix et en sautoir ; aux deuxième et troisième d'azur semé de fleurs de lis d'or à la cotice componée d'argent et de gueules de huit pièces brochant sur le tout.*

— Vous voyez, chevalier, la mienne est toute proche.

Tristan lut pour lui-même : « *D'or à la croix de sable chargée de cinq coquilles d'argent.* » Il tendit l'index :

— Et celle-ci ?

— La bannière d'Angleterre.

— Messire ! Messire !... Me prendriez-vous pour un sot ? Je vous ai montré l'autre : *D'hermines à l'aigle de gueules armée et becquée d'azur...* Ne serait-ce pas celle de Pierre de Sacquenville ?

— Si fait.

— Alors, prévenez-le que s'il tombe en notre pouvoir, il sera un homme mort.

Un rire. Il s'y était attendu. Le captal était certain de vaincre Guesclin. Quelle présomption chez cet homme ! Dame Jeanne porterait son deuil !

Thierry ne réapparaissait pas : sans doute éprouvait-il une grosse vergogne d'avoir été découvert. Il ne pouvait exister, parmi les chevaliers et les soudoyers du captal, un homme qui lui ressemblât autant.

Malaquin se penchait vers l'herbe tendre dont parfois il arrachait quelques brins. Tristan essayait d'embrasser d'un regard apparemment

(1) Combat.

distrait le convenant (1) de ces ennemis dont l'accueil des plus courtois le changeait des familiarités grossières de Guesclin et de ses Bretons. Car à n'en pas douter, c'était Jean Jouel et Sacquenville qui, souriants, s'approchaient et le saluaient en s'inclinant autant que le leur permettait leur armure. La gaieté leur faisait des visages aimables et bien avisés eussent été ceux qui auraient distingué, chez ces guerriers, des intentions combatives. Dans un moment tel que celui-ci, Tristan éprouva un regret si violent de devoir les affronter qu'il leur rendit leur sourire jusqu'à ce qu'il se représentât Sacquenville haranguant ses hommes et les lançant *sur lui*, Castelreng, et le perçant de son épée, puis Jouel acclamé et porté en triomphe, et le captal de Buch galopant vers Vernon pour s'y adonner à l'amour.

Il n'osa demander qui était Sacquenville et qui était Jouel, bien qu'un des deux capitaines ressemblât un peu à cet Yvain que Boucicaut semblait avoir pris sous sa protection, – sans doute parce qu'il le sentait menacé.

— Messire, dit le captal, j'ai parcouru des centaines de lieues. Vous direz à Guesclin et aux autres nobles hommes qui l'entourent, que Cocherel est pour moi un aboutissement qui sera victorieux.

— Je le lui rapporterai.

— Vous lui direz aussi, messire, que comme Sacquenville n'a plus rien d'autre à perdre que sa tête, il vaudra au combat dix Bretons sinon vingt !

Cette face pâle, aux yeux noirs, en amande, c'était donc Sacquenville. Il avait peur, et cette peur, effectivement, décuplerait son courage et ses forces.

— Vous lui rapporterez, messire, que Jouel, – c'est moi – s'apprête à l'occire. C'est un truand. Ce qu'il a commis à Mantes...

— Messire, trancha Tristan, vous lui direz vous-même vos griefs... si toutefois vous êtes vainqueur... Descendez si vous acceptez la bataille !... Ce dont je suis marri, c'est de ne pas voir parmi vous celui que certains hommes appellent le Mauvais... Moi, je pense surtout que la guerre est mauvaise (2). Peut-être, ce soir ou demain, nous retrouverons-nous dans le bleu Paradis...

(1) Ou *convent, convine, convinement* : les dispositions qui sont prises, l'ordre, l'arrangement.
(2) Dans son ouvrage impartial : *Charles le Mauvais* (*Publication de la Société libre de l'Eure*, 1972), André Plaisse cite la thèse de Mme Honoré-Duvergé, qui mentionne qu'aucune chronique française ou navarraise contemporaine des événements ne donne le surnom de *Mauvais* à Charles de Navarre. « *Le père de ce sobriquet* », écrit-elle, « *est connu. C'est un nommé Pisciña qui, plein de ressentiment contre le roi de Navarre, coupable à ses yeux d'avoir châtié, en 1378, ses parents et ancêtres, s'avisa, en 1534, dans une chronique demeurée inédite, de l'appeler* el Malo *parce qu'il réprima férocement, selon lui, une sédition lors de sa première venue à Pampelune, en 1350.* » Certes, le mot n'apparaît pas dans les chroniques, mais c'est un qualificatif si banal, si usuel que celui de *Mauvais* qu'il est à peu près certain que ses ennemis l'employèrent comme une sorte de révulsif. Après tout, le *Bon* annexé au roi Jean II, le *Sage* au roi Charles V, etc. ne sont pas plus représentatifs des caractères de ces personnages en vérité décevants.

A quoi bon prolonger cet entretien stérile. Tristan salua et fit demi-tour, suivi, il le sentait, par d'autres regards que ceux des trois chevaliers qu'il imagina hilares. Un ou deux autres regards qui, eux, n'étaient en rien moqueurs.

« *C'était bien Thierry Champartel... Pourquoi ?... Pourquoi ?* »

* *
*

— Je me doutais qu'il agirait comme il l'a fait. Quand il sera vaincu, il ne pourra se plaindre qu'à lui-même... Quel dommage, cependant, qu'il ait refusé cette joute !

Tous les nobles étaient présents dans un angle du grand champ dont les hautes roncières les soustrayaient aux regards ennemis : Auxerre, Beaumont, Beaujeu, le soudich de l'Estrade, Jean de Vienne, l'Archiprêtre réapparu sans qu'on sût d'où il revenait ; Amanieu de Pommiers avec lequel Tristan avait échangé quelques mots, d'autres encore, tous fervêtus malgré la chaleur, armés, prêts au combat.

— Eh bien, dit Arnaud de Cervole, que faisons-nous ? Le captal a-t-il divisé son armée ?

— Il ne m'a pas, moi, invité à entrer dans son camp, dit Tristan qui, tant bien que mal, s'efforçait d'ignorer cet auditeur hypocrite. Mais j'ai bonne vue. Je puis donc vous annoncer, messires, que Jean de Grailly a divisé ses hommes en trois batailles.

Le souvenir de ce qu'il avait vu *là-haut* lui revenait, plus précis et sans difficulté : les dispositions du captal étaient conformes à celles que la plupart des armées prenaient avant de courir à l'ennemi.

— Est-ce tout, compère ? demanda familièrement Thomas l'Alemant.

— A en juger par une bannière chargée de léopards, je pense que Jean Jouel commande à une compagnie de soudoyers et d'archers anglais. Le captal s'est réservé la seconde où se trouvent les chevaliers et les guerriers de Normandie...

— Les partisans du Mauvais, dit Guesclin. Pierre de Sacquenville et Guillaume de Gauville... D'autres encore... Continue !

— La tierce bataille doit être entièrement navarraise...

— Eh oui, dit le Breton qui suait à grosses gouttes. Elle a pour chefs, j'en jurerais, le Bascon de Mareuil, Bertrand du Franc et Sanche Lopez... Et moi, je vous le dis, mes bons sires : ils croient en demeurant là-haut, se faire craindre et nous affamer... nous contraindre à galoper vers eux bannières au vent pour que leurs archers nous accablent... Nous ne leur donnerons pas cette joie ! Si nous avons le ventre creux, notre cœur est plein de foi et notre tête déborde de bons sens. Nous souffrons de male faim ? Pas un cheval ne sera occis, sauf celui que j'ai condamné ce matin parce qu'il s'est brisé une jambe… Il doit être mort maintenant et servira de nourriture à tous…

Puis, tourné vers Tristan :

— Quoi d'autre ?

— Je crois que ces trois batailles se tiendront de front sur la hauteur. La forêt les empêche de s'ordonner en profondeur. Le captal a planté sa bannière à l'endroit le plus en vue, au milieu d'un gros buisson d'épines…

C'était en épiant les hommes immobiles derrière ce buisson que son regard était tombé sur Thierry. Il devait y avoir une raison grandissime pour qu'il se commît avec des Navarrais.

— Cette bannière, dit Guesclin, serait un point de ralliement pour ses gens si nous avions l'intention de les enfoncer et de les disperser.

— Sans doute, approuva Tristan. Il y a bien cinquante ou soixante armures de fer à l'entour.

— Merdaille ! s'exclama Perducas d'Albret. Il faut conquérir le pennon du captal. Je propose que trente des nôtres s'en chargent. Pas vrai ?

Auxerre, interpellé, répondit par un geste d'ignorance.

— Et vous, messire ?

Beaujeu, d'un mouvement des bras, révéla sa résignation à l'obéissance.

— Il faut, dit l'Archiprêtre, monter une nouvelle fois. Leur proposer une bataille loyale…

— Loyale ? pouffa Guesclin. Ne nous égarons pas en parlures !

Tristan observa Olivier de Mauny. Il souriait comme son cousin. Peut-être ne valait-il guère mieux que l'Archiprêtre, mais il demeurait fidèle aux lis de France et, pour ces indécises journées, c'était l'essentiel.

— Il nous faut un chef, déclara Arnaud de Cervole, sans quoi nous ne ferons rien de bon.

Nul doute qu'il tenait à l'éviction de Bertrand d'un commandement que le Breton méritait en cette occurrence. Depuis que l'armée se trouvait à Cocherel, il avait veillé à tout et pris judicieusement toutes les décisions qu'imposaient les événements. On ne pouvait lui reprocher quoi que ce fût. Pourtant, le sire de Beaujeu, le vicomte de Beaumont et quelques autres dirent spontanément :

— Vous, messire Jean de Châlon !

Le comte d'Auxerre se défendit d'être le meilleur. Baudouin d'Annequin s'écria :

— Si, messire, en vérité !… Notre cri sera : « *Notre-Dame, Auxerre !* » C'est vous qui tenez le plus grand état. C'est vous qui êtes le plus riche en terres ! C'est à vous que revient la plus haute naissance. Vous avez bien le droit d'être le chef.

— La richesse ne fournit pas nécessairement le courage et l'intelligence, murmura une voix dans le dos de Tristan.

C'était celle d'Amanieu de Pommiers. D'un clin d'œil, il se sentirent complices.

Cependant, Jean de Châlon secouait sa tête glabre dont la sueur avait terni le lourd camail. Il avait des traits mous, un regard un peu torve. Tristan se demanda comment il pouvait inspirer confiance au maître des arbalétriers. Il avait fait une allusion pesante à la richesse. Espérait-il une récompense si le comte était élu ?

— Non, dit Auxerre. Je suis trop jeune. J'en vois moult d'entre vous approuver Annequin. C'est pure courtoisie qui me touche. Je serai votre compain… Je mourrai, vivrai et attendrai l'aventure à vos côtés, mais de souveraineté je ne veux point avoir !

— Ah ! fit Guesclin, soulagé.

Ses doigts bougeaient de part et d'autre de la boucle de sa ceinture d'armes.

Auxerre lui sourit. Il était déchargé d'un fardeau de responsabilités qui l'eût écrasé si, par male chance, on perdait la bataille.

Les seigneurs s'entre-observaient. Quel était parmi eux le preux le plus méritant ? Le vicomte de Beaumont ? Olivier de Mauny qui serrait les lèvres comme pour étouffer un « *Moi !* » chauffé à blanc ? Amanieu de Pommiers, du regard, invitait Guesclin à s'élire lui-même. Le soudich de l'Estrade eût proposé Bertrand s'il n'avait craint de déplaire à Perducas d'Albret, partisan de l'Archiprêtre. Jean de Vienne, en vieux cheval de bataille, rongeait son mors. Guy de Trelay et Angoulevent regardaient l'Archiprêtre comme ils eussent regardé le Saint-Sacrement. « Saint Mécréant », songea Tristan, tandis que le seigneur de Villequier, plus très jeune, chevrotait tout à coup :

— Merdaille, nous atermoyons !… Faut-il balancer quand on a Bertrand avec nous ?

— Je ne vois que lui, approuva, résigné, Hugues de Châlon-Arlay sans un regard pour son frère Jean auquel il reprochait sans doute son désistement en faveur de Guesclin.

Pour être fidèle à son image, il portait, sur son corps nu, une chemise de satanin vert.

— Pourquoi pas vous, Archiprêtre ? demanda Guy de Baveux, un petit seigneur qui demeurait fidèle aux mailles et portait un haubert déchiré par endroits. Vous êtes accoutumé aux grandes batailles !

— A les perdre. Or, nous sommes céans pour gagner ou périr.

On se détourna. C'était Bertrand Goyon, le pennoncier de Guesclin qui s'était exprimé. Bien que jeune, il savait à qui se fier.

L'Archiprêtre montra son poing à l'insolent. Tristan qui, en cette occurrence, avait forcé son rire, redevint tout à coup sérieux :

— Pour ma part, dit-il, j'ai d'abominables remembrances des batailles où nos maréchaux et capitaines ont voulu se passer d'un chef unique auxquels ils obéiraient, de sorte que faisant chacun à leur guise, nous perdîmes l'honneur, ce qui est regrettable, mais aussi, mais surtout des milliers de bons gars, ce dont je suis toujours affligé...

— Des maréchaux sont morts, reprocha Jean de Châlon.

— Certes, messire le comte d'Auxerre. La mort peut-être belle au seuil d'une victoire. Elle est laide, à mon sens, dans la déconfiture.

Il sentit des murmures appréciateurs et s'en réjouit.

— Il a raison, dit Guesclin.

— Oui, approuva Auxerre. Castelreng – c'est bien votre nom ? – a raison. Nous devons voir les choses telles qu'elles sont et choisir le meilleur d'entre nous... Et je ne vois que vous, Bertrand, pour nous mener à la victoire de quelque façon que vous vous y prendrez.

Il y eut derechef des murmures. De soulagement. L'Archiprêtre ne disait mot. Il eût voulut commander. Non seulement la plupart des prud'hommes l'avaient ignoré, mais la suspicion dans laquelle il était tenu par certains lui mordait le cœur. Il regardait ces chevaliers qui lui robaient une renommée frauduleuse et semblait n'en reconnaître aucun.

« Il nous lâchera bientôt », se dit Tristan. « Il a déjà, et depuis longtemps, décidé d'agir comme à Maupertuis et Brignais... Il ira même, s'il le peut, se ranger à côté des Gascons du captal... A condition qu'ils veuillent de lui (1). »

— Notre cri, dit Jean de Châlon, sera le vôtre, Bertrand : « *Notre-Dame, Guesclin !* » Et sachez-le, messire Arnaud, il a dès maintenant le droit de se faire obéir de tous et de prendre toutes les dispositions qu'il voudra pour nous offrir la victoire.

— Soit, dit Bertrand.

Il jouissait du privilège des conquérants dignes de ce nom et se sentait capable d'approvisionner de sa propre énergie tous ces hommes dont certains, sans l'avouer, doutaient de ses mérites. Son visage s'était altéré. Ses froncements de sourcils dénonçaient des humeurs, ses pincements de lèvres des sérénités, et ses mains nues, brunes et poilues ne se laveraient jamais dans la cuvette de Ponce Pilate : il prendrait des décisions dont il subirait les conséquences. Il tendit l'index vers Bertrand Goyon :

(1) Voir, en page 287, la note sur l'opinion que le captal avait d'Arnaud de Cervole. Il semble que ce soit au moment où le commandement lui échappait que l'Archiprêtre décida de partir. Nul ne sait dans quelle direction, mais en tout cas loin de la bataille.

— Toi, compère, tu porteras ma bannière.

Et aux autres :

— C'est le fils du seigneur de Matignon.

— Pourquoi lui ? demanda Olivier de Mauny.

— Parce que, beau cousin, je te préfère une hache à la main.

Tristan ne connaissait pas ce chevalier de Matignon auquel le Breton venait de faire référence, ni d'ailleurs maints barons présents à ce conseil. Le sire de Beaujeu désigna un jeune homme :

— Ma bannière sera portée par Pierre de Louesmes, que voilà.

C'étaient là de petits soucis. Perducas d'Albret, tout nouveau qu'il fût dans un ost français, se permit une remarque :

— Il ne faut point trop tarder à les assaillir. Ils doivent renforcer leurs défenses… En plus, je l'avoue : j'ai grand-faim. Mes hommes ont faim…

Guesclin remua une main menaçante :

— Pensez-vous, messire, que mes Bretons sont repus ?… Or, qu'est-ce que la faim ?… Rien quand on veut que ce ne soit rien ! Je me suis passé de pain et de fromage pendant des jours et des jours. Je ne m'en porte pas plus mal… Le jeûne nous purifie !… Et je suis plus soucieux du fourrage de nos chevaux que de notre mangeaille. Nous festinerons après la victoire. Pas avant !

Oudart de Renty parut contrit d'émettre une question au moment même où il semblait que tout eût été dit :

— Comment allez-vous disposer nos batailles ?

— Ah ! messire, dit Bertrand, je ne recommencerai point les funestes erreurs auxquelles nous songeons tous… Tiens ! où est donc passé l'Archiprêtre ?

— Il est revenu auprès de ses gens, dit Bertrand Goyon.

— Lesquels ? demanda malicieusement Tristan en jetant un regard sur la montagne de Cocherel.

Seul Bertrand Guesclin comprit cette allusion. Il rit, croisa les bras et se mit à marcher. Il suait abondamment. Il n'était pas le seul. Ce mois de mai semblait arraché à l'été.

— Trois batailles, messires, comme la plupart du temps. Trois batailles accolées, non en profondeur, mais en ligne… Nous les prendrons en tenailles s'ils commettent la faute de s'élancer les uns après les autres sur notre centre, et nous les férirons à mort aisément.

— Certes, dit Auxerre. Donnez-nous-en les dispositions.

Guesclin s'inclina sans la moindre cérémonie. La promptitude de sa réponse prouva qu'il avait depuis longtemps pourpensé tout ce qui, à Cocherel, concernait l'attaque et la défense.

— La première bataille sera mienne. Mes Bretons et moi. La seconde ? Messires Auxerre, Beaumont, Baudouin d'Annequin, les

Français, Normands et Picards : Oudart de Renty, Enguerrand de Hesdin, Louis de Haveskerques et leurs compains. La troisième devait avoir l'Archiprêtre et ses Bourguignons. J'y veux voir Hugues de Châlon, messire de Beaujeu, Jean de Vienne et ses bons archers, le Bâtard de Mareuil, Guy de Trelay...

— Et les autres ? s'enquit Tristan alors que le Breton soufflait.

— Les Gascons se maintiendront derrière nous : Pommiers, le soudich de l'Estrade, Perducas d'Albret, Petiton de Courton... Comme je vous l'ai dit : nous ne bougerons point car ce serait marmouserie de les assaillir. Nous avons faim ? Je veux savoir ce que ces gens ont dans le ventre !

— Et moi et mes deux hommes ? Où devons-nous aller ?

— Nous avons déjà féri ces démons ensemble au Pas-du-Breuil, Castelreng. Or, donc, par ma foi, vous trois serez embretonnés.

On se sépara. Chacun revint dans son coin. Tristan retrouva Paindorge et Matthieu quasiment nus, à l'ombre, tant la chaleur devenait insoutenable. L'eau de la rivière était claire, mais certains, en s'y trempant, l'avaient troublée, rendue pour un temps imbuvable. Il fallut interdire l'accès de la berge aux hommes et aux chevaux. Et l'on attendit.

— Cette maudite fournaise, dit Paindorge, commence à me donner regret de Rolleboise. On y suçait du vin, à défaut d'en boire ; on cassait la viande à la hache pour se faire des bouillons chauds... Bientôt, mes coups de soleil vont me faire déplorer cette froidure où j'ai souffert de moult engelures... Je pelais des orteils et des doigts...

— Maintenant, tu pèles du nez !

— Il est vrai, Matthieu, dit Tristan. Et il semble que les saisons ne sont plus ce qu'elles étaient. Des gens sont morts de froid à Rolleboise. Si ce soleil d'enfer continue de sévir, il y aura des morts, chez nous, par congestion et popolésie.

La faim continuait de tourmenter les hommes. On savait qu'à l'ordinaire, des marchands passaient par Cocherel. Prévenus d'une bataille imminente, ils s'en étaient allés ailleurs. Quant aux manants qui vivaient là, dans leurs maisons verrouillées, tous devaient prier pour soulager leur angoisse.

Avec la permission de Guesclin, une cinquantaine de Bretons partirent au fourrage. C'était un prétexte pour forcer les portes de la petite cité et des fermes à l'entour. Ils y firent une moisson de haches de toute espèce, et l'on sut que les bûcherons qui s'étaient opposés à ce qu'on prît leur outil – leur gagne-pain – avaient été occis, de même que ceux qui voulaient défendre leur paille et leur foin. Nul ne plaignit ces victimes.

— Et pourtant, ragea Tristan lorsqu'il apprit ces meurtres, Cocherel n'est pas navarraise !... Et même si elle l'était, la bassesse de ces actions m'indignerait peut-être davantage !... On ne tue pas de bonnes gens qui peut-être, invitées à nous aider, l'eussent fait d'un cœur léger.

— Vous parlez de cœur, dit Matthieu. Vous savez bien que les Bretons en sont dépourvus...

— Quel que soit le parti auquel ils appartiennent... Je sais.

— Avez-vous vu, messire, dit Paindorge, comment Bertrand a accueilli ses compères ? Il les a congratulés !

— Ce tas de grosses haches devant lui, on eût dit que c'était la manne... le trésor qu'il attendait... Il veut que nous nous battions corps à corps, et plus ça saignera, plus il sera content !

S'il avait un moment apprécié le Breton, Tristan lui retirait à nouveau son estime, quelque mince qu'elle eût été. Occire des ennemis lors d'une bataille : soit. Il fallait en passer par là, et il lui était adevenu, lorsque sa peur était grosse, d'y prendre un plaisir certain. Dès ses enfances, la guerre avait tenu dans les élans de son esprit une place importante, – irréductible. Adolescent, il avait imaginé avec passion les actes bons à détruire. Les mouvements d'attaque et de défense auxquels il s'astreignait, l'épée ou la lance en main, l'écu de l'autre, se nourrissaient chaque jour de quelque lecture ou des songeries agitées qui lui succédaient. Ogier le Danois, Raoul de Cambrai, Fier-à-Bras, Huon de Bordeaux avaient instillé dans son sang cette ardeur qui, dans la mêlée, lui avait garanti jusqu'à ce jour la vie sauve ; et l'idée même de destruction s'était développée en lui comme une sorte de nécessité grâce à laquelle il atteindrait son épanouissement – puisqu'il fallait qu'il fût vivant pour l'obtenir. Il serait un homme et un chevalier accompli, ni plus ni moins pareil à ceux de ses lectures – chair, sang, viscères, muscles –, mais également une somme de vertus, d'intentions, de connaissances et d'énergie ; la combinaison idéale du pouvoir et du savoir au service, toujours, d'une juste cause. Le Temps qui fortifie et ronge tout ensemble, lui avait prouvé qu'il était malaisé, sinon impossible de survivre à ses rêves et surtout d'échapper aux mésaventures dans lesquelles il s'était laissé entraîner sans pouvoir – quelque astucieux qu'il se crût – en modifier le cours parfois torrentueux. Maintenant, ce mercredi 15 mai, avant même que les meurtriers échanges eussent commencé, le goût du sang lui revenait à la bouche et ses narines en flairaient l'odeur.

— J'ai faim, dit Matthieu.

— On peut jeûner une semaine, dit Paindorge sans conviction.

Il suait comme s'il venait de fournir une longue course.

— Vivre dangereusement, les gars, c'est aussi souffrir de malefaim.

Bien que son estomac fût vide, Tristan se sentait plus pesant que la veille, dominé par le soleil mais aussi par ces guerriers d'en-haut certainement occupés à aiguiser les armes d'une victoire à laquelle ils avaient bien le droit d'aspirer. Aucun qui ne songeât aux prochaines horreurs.

« Et moi ? »

Se lever. S'émouvoir de tirer son épée du fourreau. Voir ses lueurs d'argent trébucher sur les herbes, les taupinières, et rebondir sur les feuilles immobiles, certaines déjà flétries.

Il marcha jusqu'à Malaquin et prit plaisir à le caresser, à lui parler tout en tapotant sa croupe où la poussière, soudain, semblait s'évaporer sous sa paume. Puis ce fut Tachebrun et Carbonelle.

— Voulez-vous, messire, quelques tranches de cheval ? demanda un Breton en déposant, devant lui, une hotte pleine de viandes au-dessus desquelles des mouches et des taons tournoyaient.

— Non.

— Devez manger, messire... Il y a un feu là-bas pour la cuisson... Des hommes ont chu en pâmoison...

— Alors, va leur porter cette indigne pitance !

Tristan s'allongea sur l'herbe.

— Qui dort dîne, dit-il à ses compagnons.

Il songeait à Thomas l'Alemant depuis longtemps invisible quand une ombre remua sur son visage. Il se dressa sur un coude.

— Que me veux-tu ?

— Prends cent hommes où tu voudras, dit Guesclin, et va occuper le pont de Cocherel. Nous allons piéter de la rive dextre de l'Eure à la rive senestre. Tu assureras le mouvement.

L'ost passa d'une berge à l'autre, d'un pré à l'autre, d'une ombre à l'autre. Le captal, lui, ne bougeait pas de son aire. Une fois de plus, on tua le temps dans l'attente de tuer des hommes.

— Voulez-vous que je vous révèle, moi, Bertrand, les parlures des seigneurs d'en haut ? Eh bien, les uns disent : « *Les Français vont monter* », les autres : « *Il nous faut descendre* », et le captal fait difficilement la loi. Nous allons passer la nuit et je me suis avisé comment nous ferons ensuite... Demain, nous monterons à cheval. Nous mettrons devant les varlets, palefreniers, sommiers, charrois et ferons mine de repasser cette eau en feignant de nous enfuir. Et je vous le prédis, messires : les Goddons et les Navarrais descendront par grande peur que nous nous en allions sans prendre des coups... Alors, nous nous retournerons à eux, à force de chevaux, bannières déployées. Je crois fermement que nous les déconfirons !

II

Quand, au matin du jeudi 16 mai, du sommet de leur retranchement, les Anglais virent leurs adversaires endosser leur harnois de guerre et s'assembler derrière les chariots prêts, semblait-il, à se mouvoir vers Pacy ou Vernon, des hurlements retentirent dont le flot dévala dans la plaine. Des chants furent entonnés en chœur, pareils à de victorieux cantiques.

— Ça y est, dit Guesclin. Ils croient que nous partons. Je vois les têtes de Sacquenville et de Mancion Bemborough auquel j'ai occis deux cousins en Bretagne. Ils courent jusqu'au captal et lui demandent ce qu'il va faire. Et ce grand hutin de Jouel, je le vois aussi. Il veut sans plus attendre nous courir sus !

— Ils s'ébaudissent et s'égosillent, dit le vicomte de Beaumont. Oyez cette frainte (1) !

— C'est, dit Baudouin d'Annequin, le chant des archers gallois. Je suis sûr qu'ils le clameront s'ils descendent vers nous.

Ces considérations glissèrent sur Guesclin. Il s'éloigna, fit sonner les trompes afin de réunir autour de lui la chevalerie et l'écuyerie qu'il avait décidé de garder en réserve.

— Vous allez voir, dit-il lorsqu'il fut ceint d'un triple rang de guerriers, ah ! oui, messires, vous allez voir nos ennemis descendre. Le captal se croirait déshonoré s'il ne nous livrait pas bataille. Ah ! messires, messires... Il se peut que Sacquenville hésite parce qu'il sera pendu ou décollé si nous mettons la main dessus : sujet du roi, il est passé aux Navarrais... Il se peut qu'on se querelle sur la façon de nous anéantir. Tenez, que vous avais-je dit ? Ils dévalent... Avançons. Quand ils seront si proches de nous qu'ils ne pourront tourner bride sans être percés de nos sagettes et de nos carreaux, ils ne voudront et ne pourront remonter sachant bien que sans mal nous leur courrons

(1) Bruit, vacarme.

318

après… Alors, nous aviserons… Mais je vous le dis tout net, vélocement : nos chevaux seront inutiles. Ce sera une mêlée d'une horribleté dont nous nous souviendrons toute notre vie. Les haches, mes bons sires, suppléeront l'épée.

— Ce sera, dit Tristan à Paindorge et Matthieu, une bataille comme Bertrand les aime et s'en délecte. Les Goddons appellent ça *bludgeon work* : un travail de boucher. Puissions-nous y survivre et que nous restions entiers !

Il tremblait. Il songea tout à coup à Thierry. Tout au long du jour précédent et durant la nuit, il s'était refusé de croire à sa présence. Pourtant, aucun doute : Champartel se trouvait là-haut. Il descendait avec les Navarrais !

On avança encore en direction du pont. On s'arrêta comme si l'on attendait quelques attardés : des Bretons, évidemment. Guesclin hurla : « Thibaut ! Thibaut ! » et Thibaut du Pont apparut, enfardelé dans une armure qui paraissait trop lourde et trop grande.

— As-tu peur ?… Non ?… Tant mieux. Nous avons tendu les rets. Voici les oiseaux pris : ils avolent tout droit.

Il se jucha sur son cheval, un barbe tout aussi laid que lui, jugea de la situation, puis invita son corneur à souffler dans sa trompe :

— Sonne, Loïc !… Et nous, messires, faisons visage (1) et disposons-nous en batailles. La mienne à senestre ; vous, messire Auxerre, à ma dextre et vous, messire Châlon à l'autre bout… Mais… où est passé l'Archiprêtre ? Holà ! les Bourguignons où donc est votre maître ?

« Il leur parle », se dit Tristan, « comme à des chiens. »

Un homme se détacha de la troupe d'Arnaud de Cervole. Un chevalier ? Un écuyer ? Il portait la bannière de l'Archiprêtre : le cerf rampant où les fils d'or se craquelaient, et qui semblait ainsi atteint d'une pelade.

— Messire l'Archiprêtre s'est bouté hors des routes (2), messire Guesclin, et il m'a dit à moi : « *Je vous ordonne et commande, sur quant que vous pouvez mesfaire envers moi, que vous demeurez et attendez la fin de la journée. Je me pars sans me retourner, car je ne puis, huys (3), combattre ni être armé contre aucuns des chevaliers qui sont par de là. Et si l'on vous demande de moi, vous répondrez ainsi à ceux qui en parleront.* » Il est parti avec son écuyer.

Guesclin sourit plutôt que de s'enfelonner. Le courroux, il le réservait pour la bataille. Toutes les ressources d'une énergie passionnée, il en avait besoin. On le sentait pris déjà – et lui seul – par

(1) Faisons face.
(2) Hors des compagnies.
(3) Aujourd'hui.

la clameur émouvante des ennemis, par le chaos des armes, des hennissements, des cris et des gémissements. Tristan sentait monter, lui, du fond de son être, une révolte, une protestation : aucun homme, dans cette armée, n'avait fait en sorte que l'Archiprêtre y demeurât. Et Guesclin souriait toujours comme si la vue de la bannière délaissée lui procurait du plaisir.

— Tu ferais mieux, dit-il au pennoncier de Cervole, de la laisser choir maintenant... à moins que tu ne veuilles la porter au captal... Ce sera bien la seule qu'il pourra saisir ce jour d'hui !

— Mais...

— Je ne la veux plus parmi les nôtres !

— Il nous a dit, messire, qu'il avait des amis chez les Gascons...

— Il n'a pas dit aussi : chez les Goddons ?

Certains Bourguignons protestèrent. Ils connaissaient Cervole et le croyaient incapable d'une félonie.

— Bah ! fit Guesclin, il ne nous manquera pas. Je préfère qu'il nous fasse défaut maintenant que lors de la presse. Mais j'aimerais bien savoir où il s'est enfui... A Vernon, sans doute.

Il rit. Tristan joignit son rire à celui du Breton. D'autres ébaudissements permirent de dissiper le mésaise dû à la fuite de l'Archiprêtre. Cette acerbe gaieté réconforta Matthieu, un peu pâle, et Paindorge qui commençait à subir la male peur. Bien que l'on fût arrêté, – ou peut-être à cause de cela –, il ne pouvait assagir Tachebrun qui commençait, lui aussi, à flairer la mort.

— Il est temps, dit Guesclin, de tourner notre cul. Faisons visage à mon commandement... Allez : hop !

L'armée tout entière effectua un demi-tour bruyant. Les Navarrais et leurs alliés furent saisis, ébahis par la grande huée qui montait des rangs de l'armée française. Ils eussent volontiers remonté vers leur aire, mais ils ne le pouvaient.

— Voyez le captal, dit Guesclin. Il passe devant eux et les rassure. Il doit leur raconter que nous avons jeûné et que c'est par jactance que nous nous sommes retournés en pleine fuite... Regardez : ils mettent pied à terre. Faisons comme eux !

Des chaudrons circulèrent dans les rangs ennemis. Tristan devina qu'ils étaient pleins de cette soupe au vin qu'il détestait, mais dont les Anglais et les Gascons disaient qu'elle leur donnait du nerf. Les Bretons allèrent s'abreuver à leur content dans l'Eure, et l'on vit arriver les ribaudes.

— Est-ce Guesclin qui le a mandées ?

— Je ne sais, Paindorge, mais vois : la plupart sont nues !

Elles circulaient dans les rangs, obscènes, jetant sur leurs pas, comme des fleurs pourries, des rires abjects, et tendant leurs poings aux Anglais, montrant leurs fesses aux Gascons et invitant les Navarrais à venir toucher leur sexe. Puis elles burent du vin d'une futaille dissimulée dans un chariot et qu'elles venaient de mettre en perce. Et du vin fut servi aux hommes dans des bassines où peut-être, la nuit, elles se lavaient. Puis elles dansèrent la cordace en s'approchant des ennemis, en les excitant, faisant de ces préliminaires guerriers une espèce d'orgie dont Tristan fut écœuré.

— En avant, mes bachelettes (1) ! criait Bertrand. La plus pauvre de vous est riche de vaillance !

Cependant, ses regards allaient très au-dessus de ces nudités vulgaires. Il prenait garde que tous les hommes du captal fussent bien descendus.

— Ils sont à nous, dit-il enfin.

Une clameur souligna l'apparition d'un héraut venu d'en face. Il était jeune – seize ans –, de bonne mine, vêtu d'une armure solide. Ses yeux noirs pétillaient d'une haine insensée.

— Seigneurs, dit-il quand les prud'hommes furent rassemblés autour de lui, le captal de Buch, le Bâtard de Mareuil, Jean Jouel et tous les chevaliers m'envoient vous dire que par très grand amour, sans pourchasser nul mal, ils vous donneront du vin tout à votre désir. Vous n'avez pas ici grandement à boire et à manger ; d'autre part aussi, vous n'avez nul besoin de livrer bataille ni de vous maltraiter. S'il vous plaît, par répit, de retourner en arrière, volontiers, ils vous laisseront aller et retirer en une autre contrée où vous pourriez gagner davantage. Beaux seigneurs, veuillez vous consulter sur ce fait, car vous pouvez ici plus perdre que gagner.

— Des nèfles ! dit Guesclin.

Puis, tout sourire ou tout grimaçant :

— Gentil héraut, vous savez bien prêcher. Pour ces nouvelles-ci, je vous donnerai un coursier meilleur que le vôtre, pommelé comme un ciel d'hiver. Oui, je vous donnerai un coursier et cent florins.

— Non, messire.

— Soit... Vous direz à ces gens que nous irons à eux s'ils ne viennent premiers, car je crois, s'il plaît à Dieu, et si je puis accomplir un exploit, que je mangerai un quartier du captal de Buch (2), mais je pense, en vérité, avaler quelque autre chair avant la nuit.

On avait amené une bourse et un coursier blanc. « Moins beau qu'Alcazar », selon Tristan. Le héraut refusa de la main, mais Guesclin tira son épée :

— Tu n'es qu'un bachelier de petite importance. Quand on te commande quelque chose, tu dois obéir. Je ne te baille plus cette

(1) Mes *bachelières* (féminin de bachelier). La bachelerie, c'est aussi la vaillance.
(2) C'était un calembour : Buch avait à peu près le même son que *Buef*, bœuf.

bourse et ce cheval : je te somme de les accepter. Sinon, si je te vois au cours de la bataille, je te couperai en morceaux !

Le jouvenceau s'inclina autant que le lui permettait son armure. Il accrocha la bourse au pommeau de sa selle et saisit les rênes du cheval que le Breton lui offrait.

— Bon, dit Bertrand, va-t'en et que Dieu te garde.

Le héraut s'éloigna au galop. Tristan le vit trotter quand il eut parcouru vingt ou trente toises. Le captal de Buch s'avança seul vers lui, prit la bourse et les rênes du blanc coursier.

— Il se les approprie ! grommela Guesclin.

— Ils s'ordonnent en batailles, commenta le comte d'Auxerre qui ne cessait d'observer les remuements de l'ennemi.

— Avant que nous reculions, dit Guesclin, j'ai envoyé des fourrageurs dans ce champ, là-bas, qui se creuse un peu, de sorte qu'on ne voit rien… rien, sinon quelques têtes qui remuent trop fort… C'est bien ça : on les assaille ! Oyez ces cris soudains et ces hennissements !

— Allons-y ! proposa un chevalier.

— Non, Bouestel !… C'est sûrement ce que le captal espère. D'ailleurs, nos bons amis sont hommes à se défendre.

Il devait être midi. Le soleil écrasait la campagne. Les fourrageurs avaient dû être encerclés et attaqués alors qu'ils faisaient leurs trousses pour retourner, satisfaits, parmi leurs compères. Et comme ils reculaient vers l'armée de Guesclin, on vit surgir les combattants, tous à pied, les chevaux s'étant dispersés vers l'Eure.

— Holà ! dit Guesclin, il paraîtrait que mes gars ont le dessous.

On se saignait à la dague, au hansart, au couteau. Certains Navarrais et Anglais étaient armés de vouges et d'épées. Dans les rangs du captal personne ne bougeait : l'on s'ébaudissait à voir tailler, pourfendre, occire du Breton.

— Vengez-les, mes gars ! cria Guesclin.

Une trentaine de Bretons fondirent sur les ennemis avec une ardeur qui laissait bien augurer de la prochaine bataille. Penchés sur leur cheval et criant des blasphèmes, ils occirent une dizaine d'hommes, mirent les autres en fuite et ramenèrent, avec les fourrageurs qui avaient survécu à l'embûche, la plupart des chevaux que la peur avait éparpillés. Guesclin parut insouciant de leur retour dans les rangs. Quel qu'eût été leur courage, c'étaient des perdants. Il cria aux soudoyers :

— Bougez pas !

Et aux prud'hommes, plus bas, mais tout aussi formel :

— Il convient, messeigneurs, que nous restions impassibles.

Tristan soupira. Outre que la chaleur l'incommodait, il s'inquiétait de la quasi léthargie de ses futurs adversaires et, faute de mieux, interrogeant les faits auxquels il avait assisté depuis qu'il s'était joint à l'armée de Guesclin, il se préoccupait moins de leur sanglant épilogue que de l'état d'excitation et d'anxiété dans lequel ils l'avaient mis. Ses compères et, au-delà, ses voisins emplumés comme pour un tournoi, semblaient livrés à une nervosité malsaine qui pouvait, en les préjudiciant eux-mêmes, devenir à tous funeste si l'un d'entre eux commettait l'erreur de se jeter en avant malgré l'injonction de Guesclin. C'eût été la répétition de la faute qui avait déshonoré la France lors des batailles qu'elle aurait dû gagner sans peine. L'interruption de la fausse retraite, la stupeur de l'ennemi, et maintenant cette attente contribueraient-elles, pour une fois, à une victoire aussi nette que l'avaient été les précédentes défaites ? Il le savait : leur esprit à tous, même celui de Guesclin, se nourrissait de choses impondérables : « Quand ? Comment ? Survivrai-je ? Serai-je navré ? De quelle façon ? » Le moindre mouvement d'homme, en face, amorçait une nouvelle menace, un copeau arraché à cet avenir incertain, inimaginable et pervers qui, bientôt, les engloutirait dans de grosses mailles de fer et d'acier. Quant à lui, Castelreng, ces préparatifs auxquels le Breton présidait lui apparaissaient comme des dispositions sans précédent et sans exemple d'où toute émulation prématurée serait mortellement sanctionnée : les archers de Bretagne avaient armé leur arc, et Bertrand s'écriait, menaçant :

— Qu'aucun d'entre vous ne bouge, ni seigneur ni soudoyer.

« Et Thierry, en face ? Thierry méconnaissable ? »

Ils ne pouvaient agir à la façon de l'Archiprêtre. Se retirer en affirmant qu'ils s'appréciaient l'un l'autre avec autant de force que de sincérité eût été se condamner.

« Que se passe-t-il à Gratot ? »

— Par saint Denis, messires, voyez qui nous arrive !

Un chevalier anglais était sorti des rangs. Quand il fut à portée de voix, il secoua sa lance de haut en bas si fort que son cheval, effrayé, commit une bronchade.

— Holà ! messires… Qui oserait courir une ou deux lances contre moi ?

Guesclin se détourna – point trop – et décida :

— Roland, va lui montrer ce que nous savons faire.

Après qu'il eut coiffé un vieil heaume robé, sans doute, dans l'armerie de son père, on fournit une lance à Roland. Droit sur son cheval noir, il partit au petit trop et l'on eût dit ainsi une statue en marche.

— Roland du Bois est un parfait écuyer, dit Baudouin d'Annequin aux seigneurs qui l'entouraient. Mais pas du bois dont on fait les flûtes.

— Il n'a qu'un haubergeon de grosses mailles et un petit écu…

— Oui, messire Auxerre, mais il est si fort, si habile, qu'il pourrait être nu et vaincre ce falourdeur.

Déjà le damoiseau saluait son Anglais. Le silence succédait aux haros qui s'étaient échangés de l'un à l'autre camp, et les poings menaçants retombaient par centaines.

Quand les deux adversaires eurent pris leurs distances, l'Anglais talonna son coursier. Du Bois coucha sa lance et partit au galop.

La collision fut ce qu'elle devait être : terrible.

Roland du Bois revint vers les Français. L'Anglais gisait au sol : la lance de son vainqueur lui avait percé la poitrine. Trois hommes du captal coururent jusqu'au trépassé. Il fallut qu'ils se missent à deux pour extraire le fer et le bois meurtrier. Tirant le corps par les pieds, ils revinrent à l'endroit d'où le présomptueux était parti tandis que le troisième homme emmenait le cheval du défunt qui semblait hennir de tristesse.

— Que faisons-nous ? demanda le comte d'Auxerre.

— Soyons courtois, messire, dit Guesclin. Voyez donc ce qui se prépare !

Des piétons en livrée apportaient des tréteaux, des plateaux. D'autres des linges blancs, des écuelles, hanaps, tonnelets et même, dans un ciboire, quelques poignées de fleurs des champs mêlées à des branchettes de cerisier en fleur.

— Merdaille ! On va dresser la table du captal.

Paindorge avait raison. Jean de Grailly et quelques capitaines, devant leurs hommes et devant leurs ennemis, allaient festiner comme jadis le roi Artus. Et on leur apportait porcelets et chapons !

— N'y a-t-il pas parmi nous quelque hanouard (1) qui puisse leur porter le sel ?

C'était la voix d'Amanieu de Pommiers. On rit tant la question paraissait pertinente. Les chevaux fermement tenus en main commençaient à montrer les dents. Certains ruaient, provoquant les cris et les protestations des piétons – guisarmiers, arbalétriers, archers –, qui, derrière, semblaient préférer un coup d'épée à une ruade.

— Les archers anglais sont peu nombreux, dit Guesclin. Ils sont accoutumés à voir venir l'envaye (2). Or, nous ne les prendrons pas de front. Nous partirons du milieu et nous éparpillerons. Vous suivrez. Tout homme qui est ici suivra sans arroi… Point de batailles accolées, en profondeur. Et messires chevaliers, barons et autres : pied à terre

_____

(1) Porteur de sel (et de poisson de mer). Les *hanouards* avaient le privilège de porter le corps du défunt roi jusqu'à la première croix de la route entre Paris et Saint-Denis.

(2) Ou *envahie* : attaque.

quand vous serez à la hauteur de cette table !… Battez-vous alors à la hache, à l'épée… Laissez nos piétons employer leurs guisarmes et faux de guerre…

— Tu parles ! Tu parles ! reprocha Perducas d'Albret. Nous sommes à haute nonne (1). Nous n'allons tout de même pas assister à ce repas et, avant qu'ils ne nous affrontent, leur apporter des touailles pour se sécher les mains !

Tristan vit Bertrand Goyon lever la bannière à l'aigle noire, aux becs et avillons (2) vermeils. Pierre de Louesme, le jeune pennoncier du sire de Beaujeu, en fit autant. Olivier de Mauny se tourna vers son cousin et leva sa hache de guerre :

— Alors quoi, Bertrand ? Attends-tu qu'ils aient tout mangé ?

— Non, cousin, par ma foi, c'est trop me demander.

On rabattit les visières des bassinets et tout à coup, sans qu'on se fût concerté, les chevaux galopèrent.

Tristan dégaina son épée ; Matthieu brandit la sienne ; Paindorge fit tournoyer sa doloire au-dessus de sa tête en criant : « *Notre-Dame, Guesclin !* » ce qui suscita d'autres cris, presque indistincts dans la bruyante ruée des coursiers, destriers, roncins de toute espèce. Songeant à Carbonelle, Tristan compara la mule à quelque damoiselle ou noble dame engagée dans une orgie réservée à des mâles. C'était maintenant la sueur de la peur qui lui moitissait la chair. Devant, l'ennemi n'apparaissait pas parce qu'il s'était trouvé distancé sans qu'il l'eût cherché. S'il ne pouvait entendre le frissement des sagettes, il en voyait certaines s'abattre sur des têtes et des épaules de fer. Cependant, l'attaque était si prompte, si inattendue que les archers s'étaient laissés surprendre. La mortelle grêle se désépaississait.

Était-ce Guesclin qui hurlait ainsi ? Le Breton devait être à son affaire. A son aise. La chevalerie et l'écuyerie se déployaient comme il le leur avait demandé, décontenançant les Navarrais et leurs alliés trop assemblés, de sorte que leur mise en défense s'effectuait dans une cohue contre laquelle le captal ne s'était point prémuni. Des trompettes sonnèrent. On criait maintenant et « *Guesclin* » et « *Beaumont* ».

Malaquin trébucha sur une tête coupée. Olivier de Mauny et ses Bretons se portèrent sur la droite, là où les archers s'étaient ressaisis. Menacé, leur bataillon se repliait par échelons, mais s'ils purent tirer une volée nouvelle, ils furent impétueusement repoussés. Comme son cheval venait d'être blessé sous lui, Olivier de Mauny hurla :

— Tous à pied !

Les compères qui le suivaient arrivèrent dans ce désordre et, sautant

(1) Le milieu de l'après-midi.
(2) Doigts d'un oiseau de proie.

à terre, commencèrent à besogner de leur hache contre des hommes qui, gênés par leur arc, n'avaient pas eu le temps de tirer leur épée ou leur couteau de brèche.

Guesclin, que suivait Tristan, se rendit compte de l'impossibilité où il se trouvait d'enfoncer avec sa cavalerie une position fortement tenue, et pour cause : le captal y commandait. Il décida de la tourner. Dans ce dessein, il prescrivit à Tristan d'amorcer le mouvement. Or, c'était impossible : les archers refluaient. Mêlée inextricable. Toute la cavalerie, maintenant, avait déferlé sur les épées et les armes d'hast ennemies, mais ce magnifique effort commençait à se briser sur des corps d'hommes et de chevaux. L'armée du captal, entamée dans ses forces vives, résistait avec acharnement.

— Pied à terre.

On obéit à ce commandement venu d'on ne savait où. L'effroyable commença. Des têtes, des bras se rompirent sous les tranchants des haches, doloires, cochoirs et francisques. Tristan vit Thibaut du Pont qui, d'une épée à deux mains, se frayait une brèche chez les Anglais. Sa lame se rompit ; un servant de Bretagne lui donna une cognée. Un chevalier ennemi, malgré la protection de sa gorgière, fut à demi décollé d'un seul coup.

— *Saint Georges ! Navarre !*

— *Notre-Dame, Guesclin !*

Bertrand, lui aussi, avançait, furieux de sentir devant lui et sa hache une résistance plus drue, plus féroce qu'il ne l'avait imaginée. Car des Bretons mouraient dans son sillage.

— Or, en avant mes amis !... Cette journée doit être nôtre ! Souvenez-vous par Dieu que nous avons un roi ! Il nous faut dignement étrenner sa couronne !

« Il est nu-tête ! »

Tristan ne pouvait s'empêcher d'admirer cette hardiesse. Tête nue, alors que quelques unes tombaient.

Des pierres se mirent à pleuvoir. C'étaient les ribaudes qui les jetaient. Ces projections plus ou moins violentes ne grevaient guère les ennemis. Quant aux Français qui s'en trouvaient atteints à l'arrière du bassinet, du chapel de fer ou de la dossière, ils maudissaient ces carognes dont la nudité n'excitait plus personne.

— *Notre-Dame, Guesclin !*

Hurlant cela, Robert de Bournouville se précipita si avant dans la mêlée qu'il fut entouré, puis meurtri. Tristan, qui s'était jeté à son secours, heurta du pied son corps et vit tout proche Jean de Sénarpont, qu'il avait vu rire aux conseils champêtres de Guesclin. Ses bras battirent comme des ailes et il tomba mort, percé d'une sagette qui, pénétrant par la ventaille de son bassinet, ressortait par la nuque. « *Où est Paindorge ? Matthieu ?* » Comment le savoir ? On voyait devant soi des éclairs d'acier. Il fallait les parer, les rejeter tant bien que mal à coups d'épée, hurler, visière déclose, reprendre souffle, hurler encore et encore, mais point Guesclin, non : *Notre-Dame.*

Encore deux : Pierre de l'Épine et Guillaume Tranchant. Dérision du nom : c'était d'un taillant d'épée que Guillaume mourait.

— A moi, Bertrand ! cria un homme.

— J'arrive, Mareuil, j'arrive !

« Le Bascot de Mareuil ! »

C'était une espèce d'Hercule. D'une main nue, il élevait bien haut le pennon du captal ; de l'autre il brandissait une épée longue et fine. On le disait d'une habileté diabolique et d'une hardiesse sans égale.

Guesclin s'était retourné pour voir l'audacieux qui l'interpellait. Reconnaissant le Basque détesté, il fondit sur lui sa hache levée, grognant comme un lion prêt à bondir. Or, le comte d'Auxerre et le sire de Beaujeu surgirent. Frappèrent. Mareuil défaillit et chut lentement, le bassinet et la spallière éclaboussés de vermillon. Criant « *Notre-Dame !* » Guesclin l'allait décapiter lorsque des Anglais accoururent et tirèrent Mareuil par les pieds.

La mêlée devint terrible. Le vicomte de Beaumont succomba sous le nombre. Le Bascot de Mareuil, sanglant, ressuscité, fendit d'une hache trouvée à terre, la tête de Baudouin d'Annequin. Hugues de Châlon surgit et plongea sa lame entre la gorgière et la dossière du Basque. Cette fois, il parût qu'il tombait pour toujours (1).

— C'est moi, Jouel ! hurla un Anglais en pénétrant dans la mêlée. *Saint Georges ! Navarre !* Montre-toi, Guesclin que je voie ta goule !

Deux épieux bretons lui percèrent les flancs. Il chancela et disparut. On le crut mort. Les écuyers qui l'avaient percé l'abandonnèrent. Tristan l'enjamba sans se soucier qu'il remuât ou non.

— Guesclin ! Guesclin ! cria un homme. Je suis Plantin. Où es-tu que je t'occise ! Tu pensais, ce matin, avoir affaire à des poules mouillées. Or, nous sommes là ! Viens si tu l'oses !

— Je suis là et j'accours ! cria l'interpellé.

Il fut là, en effet. Sa hache tournoya. Plantin recula, éludant vainement de sa longue épée le croissant d'acier mortel. Il s'écroula entre deux ceps feuillus car l'affronterie se poursuivait à la lisière d'une vigne.

Une voix. A qui ? Une armure. Méconnaissable : épaulière tordue, cubitière arrachée.

— Les gens de monseigneur... de la... Ferté (2) et un Breton de

(1) Il avait à sa solde huit hommes d'armes et recevait, de Charles de Navarre, une pension annuelle de 1 000 écus.

(2) Il était maréchal de Normandie.

la... compagnie d'O... d'Olivier de Mauny... se disputent... Jean... Jouel...

— Qui vient de tomber ? hurla Guesclin.

— J'en sais rien.

— Mollissons pas !... Où es-tu Grailly ? T'es-tu allé foutre ta princesse ?

L'essentiel de la Chevalerie anglaise qui, jusque-là, semblait avoir hésité à combattre, pénétra en force dans la mêlée. Le captal de Buch la conduisait, fournissant des coups d'épée énormes tout en hurlant : « *Saint Georges !* » puis en proférant des menaces et des injures dans son patois. Tristan et des Gascons appartenant à Pommiers l'assaillirent. Ils furent repoussés. Des Bretons survinrent. Deux moururent d'avoir voulu abattre Grailly d'un coup de hache. Devant cet homme-là, on faisait de la place : il frayait à ses alliés anglais une voie large, sanglante, tellement redoutable et inattendue qu'il y eut un moment une espèce de trêve.

— Hé Dieu ! hurla Guesclin à ses gars. Laissez-moi passer. Ce captal m'aigrit le sang... Veuillez nous conforter, bonne Vierge Marie, et que le jeune roi, à son avènement, puisse avoir de bonnes nouvelles de nous.

La lugubre besogne recommença tandis que Guesclin se dirigeait vers le captal en manœuvrant sa hache d'une main avec autant d'aisance que s'il s'était agi d'un ustensile de cuisine.

— Il nous vient du secours ! cria un jeune Breton qui suivait Guesclin comme un chien son maître.

Cette annonce réjouit ceux de France. Puis les Anglo-navarrais. Car ces gens annoncés comme des sauveurs n'étaient autres qu'une cohorte de Goddons que le captal avait tenue en réserve.

— Nous n'en sortirons pas vivants !

Tristan se parlait haut et fort à lui-même. Les guerriers de Grailly non seulement résistaient, mais ils commençaient à affirmer leur domination.

Des cors et des trompettes sonnèrent sans qu'on sût qui les embouchait. Guesclin maniait toujours sa hache sans parvenir au captal. Olivier de Mauny et Paindorge suivaient. Les armes cliquetaient. On entendait parfois un « *Han !* » accompagnant un coup. Un cri. Le « *Non !* » d'un homme menacé. On commençait à respirer la mort à travers les trous des ventailles. Odeur de sang et de tripailles sur lesquelles, parfois, on glissait. On ne savait plus où étaient ses compères. On s'interrogeait : « *Il est contre nous ou avec nous ?* » On ne savait rien d'autre que ceci : il fallait se préserver pour vivre. Il fallait éloigner ces démons d'Anglais, de Navarrais et de Gascons.

— Bon Dieu ! hurla Guesclin. Où est Eustache ?

— Va venir ! Va venir ! dit Olivier de Mauny. Il l'a juré (1).

On s'entre-égorgeait. S'entre-assommait. S'entre-insultait. Tous les chevaux avaient disparu. Un hurlement jaillit tel un brandon dans les ténèbres : « *Le pennon du captal est pris !* » bientôt suivi d'un bruit de galopade.

— Houssaye et ses barbutes (2) ! cria Guesclin dont la voix s'enrouait.

A la lance, à l'épée, au fléau, à l'épieu, les centaures se jetèrent sur les gens du captal, perçant hauberts, haubergeons et dossières, cependant que devant, au cœur de la presse, on continuait à s'occire férocement.

Tristan maniait sa Floberge avec peine : elle commençait à peser, à lui glisser des mains. Ses poignets, sous les rebras (3) des gantelets, ainsi que ses coudes alourdis par les cubitières d'une armure pourtant seyante, devenaient des fardeaux, des gênes, presque des ennemis de sa sécurité. Avait-il meurtri des hommes ? Certes ! La plupart de ses assaillants étaient tombés après qu'il les eut chargés à la désespérade. Il accomplissait les mouvements indispensables à sa sauvegarde, percevant la violence dangereuse de certains gestes, trouvant d'un regard l'endroit où porter le tranchant de son arme et foulant d'un pied quelquefois incertain des corps, des haches, des épées. Il dissipait ses forces parce qu'une telle bataille ne pourrait se prolonger jusqu'à la nuit ; parce que la foule des combattants commençait à se raréfier. Il cherchait et trouvait fortuitement les moyens d'utiliser sa lame, de ressusciter les plus efficaces et les plus purs états de lui-même. Il s'efforçait aussi de conserver sa foi, sa sagacité, sa confiance en ses moyens et en l'issue de la bataille, et la certitude que Matthieu et Paindorge vivaient toujours.

« Et Thierry ? »

Il ne l'avait pas vu. Était-il mort ? Il percevait sa présence comme il avait perçu parfois dans ses sommeils l'éclosion d'une personne dont il savait qui elle était sans pourtant discerner son corps et son visage. Il cherchait une cotte sur laquelle eût figuré un marteau, puisque c'était le *meuble* cher à Champartel. En vain. Il ne pouvait

---

(1) Eustache de la Houssaye avait été chargé, par le Breton, peu avant le combat, de se tenir à l'écart avec 200 lances, de faire le tour d'un petit bois et de vignes en friche, à la droite de l'ennemi, et de « *charger en queue* ». Cette manœuvre se fit tardivement ; néanmoins, elle décida de la journée, « *car pendant que Duguesclin occupait les Anglais par-devant et leur donnait assez d'affaires, la Houssaye et ses gens, par-derrière, les tuaient sans qu'ils osassent seulement tourner la tête.* » (*Duguesclin*, par Guyard de Berville et Masselin, 1822).

(2) On désignait ainsi (du nom de la coiffe de fer en grand usage chez les routiers d'Italie) les hommes à cheval – particulièrement en Provence. Il n'était pas rare de voir deux barbutes sur un même cheval.

(3) Crispins, manchettes.

savoir de quel heaume ou quel bassinet l'oncle de Luciane s'était coiffé. Si la male chance les opposait, Dieu les ferait se reconnaître.

Et tout en espérant rencontrer cet homme, il essayait d'échapper à ceux – hardis, vigoureux, inlassables – qui cherchaient à se merveiller l'un l'autre en tuant le Gascon, le Breton, le Picard qu'il n'était pas. En tout cas un suppôt du nouveau roi de France.

Il s'accommodait de ces assauts parce que d'autres, destinés à ses voisins, en rompaient le cours. Il s'était exercé à des combats d'une autre espèce. Ici, la valeur des appels, la miséricorde ou la magnanimité, le bon usage des mouvements capables d'éviter un coup méconnu ou de déjouer, voire punir une perfidie destinée à un compère, ne correspondaient plus à rien. C'était plus un combat de bêtes armées qu'un combat d'hommes. Il vivait par les yeux et les narines en enfer, et par l'ouïe dans l'immense univers du vacarme. De leur ensemble naissait la nausée. Il bavait dans son bassinet dont les parois humides commençaient à goutter. Donner des coups, en repousser, effacer son épaule un instant menacée ; l'autre ; déployer un taillant, fournir une flanconade. Sentir quelque tranchant riper sur son colletin. Reculer. Avancer. Voir tomber dans son sang quelqu'un avec lequel on aurait pu s'entendre… Quelque chose d'autre que son regard lui prescrivait ces mouvements vifs, jamais identiques mais salvateurs grâce auxquels il se maintenait en vie, bien qu'il sentît en son tréfonds que sa force s'étiolait et que son sang pâlissait.

« Encore un ! »

Devant lui, un bassinet surmonté d'une touffe de houx arrachée à quelque arbrisseau du mont Cocherel. Une épée. Rouge. Rire au-dedans de la tête de fer dont la ventaille en coupole avait la plupart de ses trous obstrués de bave.

« Comment fait-il pour respirer ? Moi, mes trous sont ouverts : je les vois ! »

— *Saint Georges ! Navarre !*

— *Notre Dame ! Guesclin !*

Aucun doute : ils étaient ennemis. L'un d'eux devait mourir. Premier taillant de la Floberge. Manqué. Second ! Manqué ! Était-il Anglais ? Navarrais ? Était-ce un Gascon du captal de Buch ? S'il n'osait attaquer, il savait se défendre. Récidive. Manqué.

« Il me repousse !… Quelle lame !… Bon sang, que la mienne est lourde ! Mais je vais te houssepigner, tu vas voir ! »

Non, on ne verrait rien. C'était maintenant au mufle de fer d'attaquer. A lui, Tristan, de subir une averse d'acier. A lui de se défendre. Ah ! le drôle était fort !

« *Macarel ! Afano-té, Tristan* (1). *Boudious !* Non ! Non!… Tu es tombé sur un bec ! »

_____
(1) Dépêche-toi, fais-vite.

Il fallait s'employer davantage. « *Prends ça ! Et ça ! Et ça !* » Vivre en tuant l'autre. Quelle contention dans ce désir de meurtre ! Comme son corps – ce corps qu'il avait déprécié – acceptait maintenant sa volonté d'occire !

Et voilà, c'était fait : l'homme au houx tombait à la renverse. Du sang sur son colletin. Mort ?... Paindorge survenait et levait sa hache...

« Dieu, pitié pour lui... Dieu que ce combat cesse ! »

Allait-il échapper bientôt à cette abominable mixture humaine? Entrevoir quelque part une sombre clarté différente de celle de ces aciers et de ces fers maculés de sang, de sueur, de merde ?

Soudain, le captal fut devant lui. Ils allaient s'assener le premier coup lorsque Thibaut du Pont parut, la face découverte, vermillonnée par la haine et les efforts, l'armure par celle du sang de ses victimes. Le sang, toujours. Le sang qui fortifie les vainqueurs en les aspergeant.

Lâchant sa hache, le Français étreignit Jean de Grailly, serrant ses bras contre son corps et cherchant à le déraciner pour le renverser. Le captal parvint à saisir son poignard, mais l'arme tomba : un jeune Breton venait de tordre le bras de cet homme qui l'avant-veille, à Vernon, paraissait si sûr de lui.

— Rendez-vous ! Je suis Roland Bodin et mon maître est Guesclin !

Tristan sourit avec une commisération d'où le mépris était exclu :

— Elles ne roucouleraient pas, les dames de Vernon, en vous voyant ainsi.

— Maraud, tue-moi ! Rends-moi mon honneur !

— Vous en avez besoin... Vous resterez vivant si vous acceptez de vous rendre.

— Vivant ! s'écria Bertrand Guesclin qui arrivait. S'il ne se rend tout de suite, j'ai Dieu pour garant que je lui mettrai mon épée au corps !

On lâcha le captal. Vergogneux et dolent, il chancelait de lassitude.

— Ha ! Bertrand Guesclin, dit-il, voyez clairement ce qui arrive souvent à de folles pensées. Je voulais demeurer sur la montagne de Cocherel. Jouel s'est hâté vers vous. J'aurais dû le laisser seul galoper à votre rencontre et rappeler ses piétons... Je me rends, puisqu'il en va ainsi.

Un homme apparut, jeta son épée aux pieds du Breton et se desheauma :

— Je suis Pierre de Sacquenville.

— Je sais.

— Je me rends.

331

— Je vois.

On se battait toujours. Les hommes des deux partis ignoraient que les principaux chefs anglais et navarrais avaient été pris. Tristan revint au combat. Deux Navarrais l'assaillirent. Paindorge apparut. Ils les occirent. Ce fut alors qu'un cavalier survint, hurlant à tue-tête :

— Seigneurs gardez-vous ! Seigneurs gardez-vous saufs ! Une centaine de lances au moins arrivent à la rescousse (1).

Bertrand Guesclin sourit :

— S'il avait été là, je dirais que c'est Audrehem : il a soin d'arriver après toute bataille... Et ça ne peut-être l'Archiprêtre qui nous a laidement tourné le dos.

— Sire, dit un Bourguignon dont l'épaulière pendait sur des chairs entaillées, je suis à l'Archiprêtre. Il prétendait en ma présence que vous seriez déconfit ainsi que tous vos gens.

— Je ne le suis pas et j'en rends grâces à Dieu. Pourquoi n'es-tu pas demeuré avec Cervole ?

— Il s'est enfui avec son écuyer. Certains de mes compères ont pris part à la bataille...

— Je vous en sais bon gré... Va falloir qu'on te soigne. Descends vers nos ribaudes. Elles sont bonnes en toute chose.

Le Breton tapota l'épaule valide du Bourguignon. Il s'éloigna d'un pas incertain vers l'Eure où les femmes en chemise s'occupaient des blessés.

— Ce sont des Goddons ! hurla une voix.

« Matthieu... Il est vivant ! »

Des Goddons. Il fallait reprendre la bataille. A grands coups de coudes, Guesclin fendit le reste des combattants acharnés à s'entre-détruire, et quand il aperçut au loin la cavalerie et ses pennons abhorrés, l'ordre jaillit :

— Olivier, à cheval !... Mes Bretons, à cheval !

Suivant leur capitaine, les hommes coururent aux chevaux et enfourchèrent n'importe lequel d'entre eux pour courir au-devant des ennemis. Ceux-ci avaient le choix : fuir ou combattre. Si peu qu'ils eussent atermoyé, ils furent cernés par une meute acharnée à les occire. A cheval, cette fois, un autre combat commença, tout aussi meurtrier que le précédent. Quand il cessa, la bataille de Cocherel était achevée. Alors Guesclin n'exprima pas sa joie mais une colère sourde lorsque ses fidèles commencèrent à lui annoncer lesquels d'entre eux ne reverraient plus la Bretagne. Montant sur son cheval, il étendit son bras dextre : César en ce jeudi succédait au routier.

— Maudits soient ces Goddons, Gascons et Navarrais ! Si je vis

(1) Alors que s'achevait la bataille, 120 chevaliers s'élancèrent au secours des Navarrais par le vallon de Jouy.

332

longuement, la France en sera délivrée... As-tu vu, Castelreng ? Lors du dernier assaut de leur escadre, j'ai épargné un écuyer. Il est parti, c'est sûr, à Vernon. Ce soir même on saura que je suis invincible !

On rit, chez les Bretons de cette présomption. Tristan, lui, se demandait si la boucherie était vraiment terminée. Il réintégrait difficilement sa peau d'homme, et son armure de fer pesait le triple de son poids. Ainsi, c'était fini. Vraiment ? Il n'osait trop y croire. Quelque chose s'était extirpé de son cœur, de son esprit. La haine ? Avait-il subi son joug ? Il ne le lui semblait pas.

Guesclin, droit sur sa selle, se pourléchait. Il s'approcha du captal et de ses compagnons.

— Votre épée, Grailly.

Comme le captal hésitait, Tristan le désarma et tendit sa lame au Breton :

— Tiens, Bertrand, tu l'as bien méritée.

Guesclin prit l'arme et l'offrit à son pennoncier. Puis sa voix s'enroua de plaisir.

— Alignez-vous, messires. Otez vos bassinets.

Quand ce fut fait, le Breton mit pied à terre. L'œil enflammé, la bouche dure, il questionna :

— Qui es-tu ?

— Pierre d'Aigremont (1).

— Qui es-tu ?

— Baudouin de Bauloz.

— Et toi ?

— Jean Gansel.

— Toi ?

— Lopez de Saint-Julien.

— Tu vas regretter l'Espagne ou Pampelune.

Deux pas. Un nouveau « Toi », et la réponse :

— Jacques Froissart, secrétaire du roi de Navarre.

— Ton nom me dit quelque chose. Quant à ton roi, c'est une vipère, un malandrin et un couard.

Olivier de Mauny rejoignit son cousin :

— Guillaume de Gauville s'est rendu à Gui le Baveux (2) qui ne veut point le lâcher. Ils sont là-bas.

— C'est la première prise du Baveux... Je comprends qu'il reste auprès de son homme... et qu'il se taise !

Guesclin restait serein devant ces hommes qui, ne l'eussent pas été, sans doute, s'il était tombé en leur pouvoir. Tristan ne compatissait

---

(1) Ce Pierre d'Aigremont, capitaine du Bois-de-Maine, avait été fait prisonnier par un écuyer du diocèse de Quimper qui déposa, plus tard, dans l'enquête pour la canonisation de Charles de Blois.
(2) Gui le Bavard.

pas davantage. Pour la même raison. Chacun avait fait de son mieux, si l'on pouvait dire ! Il savait ce que c'était qu'être *pris*, épuisé, sanglant, humilié dans son honneur et dans sa chair. Guesclin qui connaissait certains de ces vaincus prenait un plaisir sournois à ce qu'ils se nommassent.

— Ah ! Messires ! Messires ! Que n'êtes-vous demeurés sur cette montagne !

Et légèrement tourné vers son cousin :

— Combien de morts chez nous ?

— Peut-être une centaine.

— Chez eux ?

— Quatre ou cinq fois plus.

— J'entrevois Robert Chesnel assis sur son cul... A qui s'est-il rendu ?

— A Gaudry de Ballore... Il y avait aussi l'Anglais Sercot. Il est parvenu à s'enfuir.

— Le vicomte de Beaumont ?

— Il est mort l'armure moult desroute. Plutôt que de crier « *Notre Dame, Guesclin* », il criait « *Beaumont !* (1) »

— En voilà un auquel l'orgueil aura coûté cher.

— Baudouin d'Annequin est mort, lui aussi... Jean de Béthencourt vit encore mais il n'en a pas pour longtemps (2). Regnault de Bournouville est mort...

Ils continuaient de marcher devant les vaincus. Cette fois sans les voir.

— Le seigneur de Villequier ?

— Un de nos premiers trépassés (3).

— Joffroi de Roussillon s'est rendu à Amanieu de Pommiers.

Tristan se demanda si Paindorge et Matthieu ne s'étaient point fait occire vers la fin de la bataille. Il fallait qu'il les vît, debout ou étendus comme ces corps qu'il enjambait sans trop oser les regarder.

(1) Louis, vicomte de Beaumont, avait épousé à Lyon, le 13 novembre 1362, Isabelle de Bourbon, fille de Jacques de Bourbon, Ier du nom, comte de la Marche et de Ponthieu, et de Jeanne de Châtillon. Il fut pleuré par Charles de Blois qui était à Dinan lorsqu'il apprit la victoire de Cocherel et la mort de son cousin. *Desroute :* rompue.
(2) Jean de Béthencourt, chevalier, marié à Isabelle de Saint-Martin, trépassa à Honfleur, des suites de ses blessures.
(3) Le seigneur de Villequier était capitaine de Caudebec.
Les Anglo-Gascons-Navarrais dominaient les Français, et ce fut le mouvement tournant décidé par Guesclin qui changea le cours de la bataille. S'il ne le conduisit pas lui-même, c'était qu'il était fort occupé à se dépêtrer d'une masse de combattants qui voulaient l'occire. Ce furent des « *Bretons tous fraiz* » – 200 bonnes lances commandées par Eustache de la Houssaye, inséparable compagnon d'armes du Breton, qui, attaquant les Anglais à revers, créèrent une confusion profitable à la France.
Charles V offrit vers 1366, les châteaux et la seigneurie de Tillières (Tillières-sur-Avre, proche d'Évreux) à Gui le Baveux, seigneur de Longueville, « *en récompense de ce qu'il avoit fait prisonnier en la bataille proche Cocherel, Guillaume de Gauville, ennemi du roi.* »

— Il a beau être avenant, je me défie de cet Amanieu, dit Guesclin à son cousin. D'ailleurs, je me défie aussi de tous les Gascons qui nous ont aidés ce jeudi. Ce sont des girouettes. Tantôt pour l'un, tantôt pour l'autre... Perducas, le soudic de la Trau, Mussidan... Joffroi de Roussillon et Pommiers, c'est les mêmes fruits (1) !

On s'était arrêté. On repartit, enjambant toujours des corps dont certains remuaient, gémissaient sans qu'apparemment Guesclin et son parent fussent pris de compassion, même s'il s'agissait des leurs.

— Je suis heureux que Gaudry de Ballore ait pris Robert Chesnel. On dit ce Goddon très riche.

— J'étais là, Bertrand, quand il a offert une fortune à Ballore (2).

— Faudra qu'il nous en baille un peu.

Guesclin s'arrêta de nouveau et sourit :

— Ah ! vous, Jean de Grailly, captal de Buch, vous vous êtes rendu au plus petit de mes écuyers : Roland Bodin. Moi, à votre place, j'en éprouverais quelque vergogne !

— Qui sait, Bertrand, si vous ne subirez pas ce sort là bientôt... Une défaite appelle une revanche.

— Jamais ! grogna le Breton (3) !

Le captal ne baissait pas les yeux. Il avait fait de son mieux mais ce n'était pas son jour. On l'eût pu croire en grand état d'ébriété tellement il chancelait. Or, s'il tenait debout, c'était par orgueil. C'était un homme blessé de toutes parts, au bord du découragement. Tristan voyait de lui, sous des cheveux collés de sueur, une face malade, exsangue, dont la bouche tremblait sans cesse. Qu'eût dit la reine de Navarre en le voyant ainsi ?

— Nous avons fait notre devoir. Dieu m'a manqué.

« Bêtise », songea Tristan, « de ce qu'on prétend du devoir... Qu'il est le maître des destinées... Qu'il grandit l'homme et le console ! »

— Mon devoir à moi, dit Guesclin, c'est qu'on vous soigne... Holà, vous deux...

C'étaient, vivants, Paindorge et Matthieu.

(1) En effet. Le 2 octobre 1364, le soudic de la Trau, chevalier et sire de Didonne (aujourd'hui Saint-Georges-de-Didonne) faisait hommage du château de Beauvoir, sis en la sénéchaussée de Toulouse, à Charles V. Le roi, en reconnaissance des services rendus à Cocherel venait de le lui donner, assorti de 500 livres de rente. Deux ans plus tard, le 10 juin 1366, le soudic faisait hommage, à Bordeaux, au prince de Galles pour sa seigneurie de Didonne. Pommiers, Mussidan et d'autres étaient repassés au service de l'Angleterre.

(2) Chesnel s'était formidablement enrichi aux dépens de la campagne du Perche. Il proposa à Ballore : 12 000 florins, un coursier de 300 florins, une haquenée d'une valeur de 60 francs, une épée, un couteau dit « dague » et un fer de lance d'une fabrique bordelaise – les armuriers de Bordeaux étaient réputés. Le tout livrable en deux fois : la première moitié à Noël 1364, l'autre en février 1365.

Les rançons exigées par les vainqueurs de Cocherel étaient si fortes que Robert Knolles pensa que tous les combattants s'étaient enrichis. Mettant la main sur l'écuyer du diocèse de Quimper qui avait capturé Pierre d'Aigrement, il le retint deux ans dans son château de Derval dans l'espoir d'obtenir une rançon que le malheureux était incapable d'acquitter.

(3) Le 29 septembre de cette année 1364, Jean de Montfort et les Anglais gagnaient la bataille d'Auray, une des plus acharnées de la Guerre de Cent Ans. Charles de Blois y était tué, Bertrand prisonnier. Charles V acquitta le montant de sa rançon.

— Soutenez le captal… Emmenez-le aux femmes.

Les deux compères, obéirent, et Tristan laissa Guesclin digérer son triomphe.

Il hâta le pas devant les prisonniers, cherchant parmi eux un visage. Quand Thierry fut devant lui, il l'étreignit à pleins bras :

— Champartel !… Je t'avais entrevu, là-haut…

— Je savais aussi que tu étais là… J'ai redouté d'être devant toi.

— Et moi donc !… Mais bon sang que fais-tu parmi ces gens ?

— J'ai été contraint de me joindre à eux.

— Moi aussi, à Brignais, j'ai dû me battre avec les routiers contre les gens de France. Je te l'ai dit. Je ne connais rien de pire.

Champartel était blessé. Certaines mailles dessoudées de son gantelet s'imprimaient dans la chair sanglante et tuméfiée de sa dextre, au-dessus des doigts. C'était apparemment la seule navrure qu'il eût reçue. Il se tenait droit et grimaçait parfois de souffrance. Il avait conservé son épée au côté et s'était refusé à se défaire de son bassinet, guère différent de celui que Tristan maintenait contre la prise de sa Floberge.

— J'ai cru cent fois perdre la vie !

Champartel soupira. Son visage où se découvraient naguère l'inséparable éclat d'une chair forte, saine, et d'un esprit clair, loyal, avenant, avait perdu ses couleurs, et son regard sa clarté si franche. A l'intelligence et à la mansuétude que Tristan avait découvertes d'emblée chez cet homme ; à sa tristesse, presque à sa désespérance lors de son départ de Gratot, succédait maintenant quelque chose de sombre et d'endeuillé.

— Je suis heureux de te revoir, même si tu me fais l'effet d'un vainqueur.

Il dominait son déplaisir et sa vergogne, bien qu'il n'eût dû rien éprouver de cela.

— Je ne suis pas ton vainqueur. Dieu a voulu que je sois à Cocherel parce que tu y avais été entraîné. Cette défaite n'est pas tienne ; cette victoire ne m'appartient pas.

Thierry détourna son visage. Vers quelles personnes où quel pays adressait-il ses pensées ?

— Nous nous sommes fait subjuguer. Il faut que je te raconte. Il me faut quitter Cocherel au plus tôt.

Tristan se sentit pris d'une sorte de pitié qu'il refoula dans un sourire :

— N'aie crainte…

Il cligna de l'œil sans pouvoir entraîner Thierry dans sa confiance.

— Les Navarrais nous ont obligés à nous joindre à eux.

— Je m'en étais douté sitôt que je t'ai vu… J'ai même cherché Ogier d'Argouges auprès de toi…

— Il aurait pu y être.

— Comment ont-ils fait. Sont-ils venus vous… convaincre d'être des leurs à Gratot ?

Un soupir ; des yeux qui se ferment. Des images nombreuses et décevantes sous des paupières bleuies de lassitude.

— Hélas ! oui… A Gratot.

Tristan sentit son cœur se dilater d'angoisse.

— Parle !… Ton silence me fait peur.

Thierry prit une grosse inspiration, regarda Paindorge et Matthieu qui revenaient, menant par la bride Malaquin, Tachebrun et Carbonelle.

— Les Navarrais sont venus un soir. Ogier connaissait leur capitaine : Pierre de Sacquenville et son lieutenant Herbaut…

— Je connais Yvain, son cousin, qui est au roi. Continue.

— Ogier les a moult bien conjouis.

— Sans défiance, des Navarrais !… Alors qu'il s'est défié de moi !

Il fallait bien, songea Tristan, qu'il exprimât sa rancœur, même ici, sur ce champ de mort, à Cocherel !

— Au cours du souper, Sacquenville a voulu savoir pour qui nous tenions alors que nous savions, nous, que cet homme était un renié (1), traître au royaume de France. Ogier s'est refusé à faire un choix. Ils étaient douze, nous étions trois : mon beau-frère, Raymond et moi, car il faut que je te dise que nos soudoyers sont passés, d'un coup, auprès des Navarrais.

Tristan imagina la stupeur des gens de Gratot, leur indignation, leur frayeur.

— Je me doutais de l'hypocrisie de ces hommes d'armes. Les uns trop mielleux, l'autre, ce Goz, plus venimeux qu'un aspic… Mais que veux-tu : aurais-je mis ton beau-frère en garde qu'il se serait regimbé contre moi.

Thierry approuva de la tête.

— Sacquenville nous a donné le choix : le suivre en prévision de cette bataille ou mourir entre nos murs. Pour nous décider, il a pris Luciane et Guillemette comme garantes de notre accointance, promettant de nous les restituer après la victoire… Or, point de victoire. Les Navarrais qui les gardent vont se venger de leur déception. Nous avions redouté le pire : le viol de Luciane. Je le crains maintenant davantage… s'il n'est commis. Goz l'épiait depuis longtemps.

Tristan fut sur le point de se courroucer :

— Il ne fallait pas engager cet homme. J'ai compris, moi, qu'il avait des vues sur Luciane. Ton beau-frère est un…

A quoi bon dire un mot énorme. D'ailleurs, Guesclin s'approchait.

(1) Renégat.

— Sacquenville est un de nos prisonniers. Veux-tu, Thierry, passer sur lui ton courroux ?

— Non. Il se voyait gagnant. Il est perdant... Qu'il paye pour sa défaite et pour ce qu'il nous a fait (1) !

Guesclin fut là, hilare, frottant ses grosses mains privées de gantelets.

— Ha ! Castelreng. On s'accorde avec l'ennemi !

Il fallait faire front sans colère :

— Ce chevalier de mes amis a été contraint par Sacquenville de s'accorder, lui, avec les Navarrais sous peine de voir occire sa famille et... ma fiancée...

— Ah !

— Je le veux.

— Prends-le. Tu m'as bien servi et je t'en sais bon gré... Je t'ai vu pendant la bataille. Dieu m'en est témoin !

Le Breton devait être sincère. Pour qu'il fût sorti indemne de la mêlée c'était moins parce que Dieu veillait sur sa vie que parce qu'il avait l'œil partout.

— Je te laisse, mais ne t'en va pas... J'ai quelques commandements à donner. La bataille n'est pas finie. Je vais envoyer cent ou deux cents hommes à la ressuite de ces hutins... car il y a au moins trois cents fuyards (2) !

(1) Une fois encore, au risque d'une répétition, une remarque en défaveur du nouveau roi s'impose :

Le Bègue de Villaines avait conquis le château de Pacy-sur-Eure par surprise, capturant ainsi l'épouse et les deux filles de Pierre de Sacquenville (ou Sacquainville), absent, alors qu'un traité signé le 26 octobre 1360 instituait une trêve entre les Anglais, les Navarrais et les Français représentés par le futur Charles V. On le voit : en attaquant Sacquenville nullement de front, mais en s'emparant par la force de sa famille, Pierre de Villaines, dit le Bègue, ne pouvait que renforcer l'allégeance du seigneur normand au roi de Navarre. Une fois de plus, les hommes liges du dauphin, agissant sur son ordre, avaient manqué à la fois jurée. Il n'est donc pas étonnant que Sacquenville se soit battu, à Cocherel, dans les rangs des Navarrais, d'autant plus que sa demeure avoisinait le champ de bataille : il existe encore, à 5 km de Cocherel, une petite cité portant son nom.

Pour avoir respecté ses engagements, Pierre de Sacquenville fut mortellement puni par un roi « tout neuf » qui, tout au long de sa vie, ne respecta point les siens. Il fut exécuté à Rouen, entre le 27 mai et le 13 juin, sur la place du Vieux-Marché. Un obscur Jean David le fut aussi. Guillaume de Gauville, très attaché, lui aussi, au roi de Navarre, fut près de subir le même sort. Son fils proclama qu'il userait de représailles envers ses prisonniers, notamment Braimond de Laval. Les deux captifs sauvèrent ainsi leur tête. Baudouin de Bauloz, Jean Gansel, Pierre d'Aigremont, Lopez de Saint-Julien et le captal de Buch (après qu'il eut été soigné à... Vernon) furent emprisonnés à Paris.

(2) L'action s'était engagée, on l'a vu, sur le seuil du village et aux abords du pont de Cocherel. Elle s'était développée dans les prairies attenantes. Cependant, son dénouement eut lieu entre les villages de Jouy et Hardencourt, sur la rive gauche de l'Eure, face aux collines d'où l'expédient de Duguesclin fit descendre les Anglo-Gascons-Navarrais. Quand ils sentirent venir la défaite, ils tentèrent de s'échapper par leur aile gauche et de gagner Pacy, mais les Bretons poursuivirent les fuyards. C'est pourquoi le grand vainqueur, Bertrand, dans un de ses actes en date du 27 mai, appelle l'affrontement de Cocherel « la bataille près de Pacy ». Les Bretons perdirent une quarantaine d'hommes, ce qui paraît bien peu. On a évalué à 800 le nombre des Anglo-Gascons-Navarrais tués ou tombés aux mains des vainqueurs, ce qui semble exact puisque le souci de les garder préjudicia à la poursuite et empêcha les Français de tirer tout le parti possible de leur victoire (voir dernière annexe).

Jean Jouel, qui avait tout déclenché, mourut le vendredi 17 au château de Vernon : la reine Blanche de Navarre n'avait pu refuser d'ouvrir sa demeure aux vainqueurs.

Il riait. Cette journée était certainement de celles où il montrait ses qualités de meneur d'hommes. Il venait de gagner à peu de frais une bataille qui, menée sans clairvoyance, eût coûté très cher à la France. Le nouveau roi sans doute en eût été marri.

Guesclin s'éloigna, entouré d'une douzaine de chevaliers et d'autant d'hommes d'armes. Il se hâtait. Tristan put enfin poser une des questions qui brûlaient ses lèvres :

— Où est Ogier d'Argouges ? Hâte-toi, Thierry : il faut qu'on te soigne !

Champartel eut un geste évasif :

— J'aimerais pouvoir te répondre... Alors que nous cheminions vers Cocherel, il s'est jeté avec son cheval dans un fourré... Il avait bien pourpensé son coup : Sacquenville a lâché cinq hommes à sa ressuite. Ils ne l'ont pas rejoint... J'ai réprouvé – faussement – sa conduite.

— Mais on t'a surveillé davantage.

— Évidemment.

— Et Raymond ?

L'expression soucieuse de Champartel s'aggrava :

— Il était avec moi... Je l'ai entrevu dans la mêlée. Il n'est pas revenu : je crains qu'il ne soit mort.

— Il l'est, dit Paindorge en s'approchant. Je viens de le voir. Un coup de hache sur le dessus du bassinet qui s'est fendu comme une vieille écorce... Les gars de Gratot : Goz, Nedelec et Carbonnel, sont morts aussi...

— Il nous faut voir Raymond et l'enterrer... Robert et Matthieu, vous vous en chargerez. Thierry et moi allons descendre vers le pont et demander à quelque femme de le soigner...

Il n'osait se pencher vers la main de Thierry.

— C'est de fort peu que tu n'aies eu les doigts coupés !

— Où est Raymond ?

— Là bas, messire Champartel... Près de ce cheval qui semble avoir été le sien et qui, lui, est bien vivant...

— Pauvre compagnon ! Nous nous connaissions depuis plus de vingt années... Ah ! je maudis ce Sacquenville et l'envie me démange d'aller l'occire !

Tristan retint Champartel par sa cubitière :

— Sacquenville est un mort en sursis. Le roi Charles le déteste... Son cousin, Yvain, m'est suspect... Mais ce serait trop long à te raconter... Le voilà.

Raymond gisait sur l'herbe rouge de son sang. La hache avait tranché le timbre du bassinet et ouvert jusqu'aux oreilles une brèche dans le crâne.

— Un coup terrible, dit Tristan.

— De la façon dont je le vois, messires, dit Paindorge, il me paraît qu'il a été frappé par derrière.

— C'est vrai. Goz n'est pas loin et ils se détestaient.

— A quoi bon, dit Tristan, toutes ces conjectures. Raymond est trépassé et j'en ai de la peine. Goz ne touchera pas à Luciane, mais Raymond n'est plus.

Il n'osait trop regarder le gisant. S'il l'avait osé, il eût clos son bassinet dont la ventaille, sous le heurt mortel, s'était relevée. Pour lui, ce trépassé vivait encore. Son immobilité se mouvait dans sa mémoire. Le sentiment du passage des jours se mêlait confusément à la douleur de savoir Luciane en danger. Il espérait que le pire n'était pas arrivé. Un écœurement le gagnait. Il mesurait la vanité de tant de haines et de combats, d'audaces et de lâchetés, de victoires et de défaites devant cet homme de fer dont il avait apprécié la courtoisie bourrue et le dévouement aux Argouges.

— Il faut l'ensépulturer. Matthieu, Robert, il y a là-bas une église. Mettez Raymond en travers de Carbonelle et emportez-le… Prenez aussi son cheval. C'est, par Dieu, une part vivante de lui-même.

Des cordeliers erraient sur le terrain, donnant l'absolution aux mourants et exhortant la patience aux blessés dont certains ne hanteraient plus d'autre nuit que celle de leur sépulture.

— Matthieu, tu lui ôteras son armure.

— Conserve-la, dit Thierry.

Et se désintéressant des deux hommes :

— Je voudrais retrouver Taillefer. Crois-tu qu'il soit mort ? Peu de chevaux ont été occis. Je ne le vois pas parmi eux.

Il s'angoissait pour son destrier et ne songeait qu'à se lancer en avant pour délivrer sa nièce et Guillemette. Tristan modéra son courroux :

— Tout doux… Sais-tu où ils les ont emmenées ?

— Oui, au château Ganne.

— Connais pas.

— C'est en Normandie, près d'Athis-de-l'Orne et d'un hameau du nom de Saint-Christophe, au lieu-dit La Pommeraye… Ces démons en parolaient parfois. Comme les sicaires de Sacquenville sont morts, je pense que leurs compères, qui sont à Ganne, n'en seront pas prévenus avant longtemps. Ils ne se méfient pas de ce qui les attend… Je les veux occire… Bon sang, la hâte me démange et j'aimerais revoir Taillefer vivant !

— Je conçois ta fureur parce que je l'éprouve… As-tu vu ? Paindorge est content de te revoir, mais il n'a pas su te le dire parce qu'il se demande ce que tu faisais contre nous. Il faudra le lui expliquer plus tard.

— Nous le ferons.

— Il admire Luciane. Sans oser me le dire, il me reproche d'avoir quitté Gratot mauvaisement.

— Y serais-tu resté sans cette querelle ? Épouserais-tu ma nièce si elle le souhaitait ?

— Il nous faut tout d'abord la sauver... Tiens, voilà Guesclin qui m'appelle... Sais-tu qu'avant toute chose, il me faut voir le roi ?

— Puisque tu me le dis... Où est le nouveau roi ?

— A Reims... ou sur le chemin qui y mène... Et il me faut le voir sans tarder. C'est seulement *après* que je puis songer à délivrer Luciane... Viens.

Guesclin se frottait les mains. Quelle victoire ! Il la savourait d'autant plus délicieusement qu'il avait dû quelquefois en douter.

— Le roi, disait-il à son cousin Olivier de Mauny, va célébrer cela en même temps que son sacre. Je ne connais point Reims, ni l'église cathédrale, mais j'en imagine la majesté !

Dans cette immense châsse de pierre, Cocherel et son triomphe, bien qu'invisibles, allaient avoir des lueurs d'ostensoir. Et lui, Guesclin, même absent, jouirait d'une vénération exceptionnelle, d'une renommée mystique.

— Holà ! Castelreng. J'envoie deux messages (1) à monseigneur Charles : Thibaut de la Rivière et Thomas l'Alemant. Puisque tu dois le voir aussi, mieux vaut te joindre à eux : le pays n'est pas sûr (2).

— C'est ce que je ferai volontiers.

Guesclin se retourna pour interpeller un homme : « Ho ! Messire l'Alemant. » Puis, tapant sur la cubitière de celui qu'il considérait comme son subalterne :

— Il prétend, Castelreng, que vous vous connaissez.

— Nous nous sommes entrevus à Vincennes...

L'Alemant s'était approché pour un salut bref et condescendant.

(1) Messagers.

(2) Thibaut de la Rivière était un homme d'armes de la compagnie de Guesclin. Thomas l'Alemant ou Lalemant, un huissier d'armes du roi. Charles V avait quitté Paris et logeait, le jour de la bataille, à l'abbaye de Saint-Mard de Soissons. Il reçut les messagers le samedi 18, la veille de son sacre, au moment où il arrivait aux portes de Reims. Cette nouvelle fit la fortune de ces hommes. Charles assigna immédiatement deux rentes, l'une, de 200 livres parisis à Thomas l'Alemant (confirmée par un acte daté de Paris en juin 1364), l'autre, de 500 livres tournois, à Thibaut de la Rivière (confirmée par un acte daté de Soissons, le 22 mai). Quant à Guesclin, il allait recevoir le comté de Longueville qui avait appartenu à Philippe de Navarre. Le Breton en fut investi à Saint-Denis, le 27 mai, après le retour du sacre. Cependant, après Cocherel, il partit se loger à Gaillon, dévasta le pays de Caux et partit assiéger Valognes cependant que le comte d'Auxerre, Jean de la Rivière et Mouton de Blainville mettaient le siège devant Évreux.

Les chevaucheurs délégués par le Breton auprès de Charles V accomplirent, pour cette mission, une performance peut-être sans précédent pour l'époque. Entre Cocherel et Reims, il y avait quelques 250 km de mauvais chemins. Certes, il existait des relais ; il convenait de pousser les chevaux sans les crever. En outre, après la bataille, les émissaires ne devaient pas être dans une « forme » parfaite !

Tristan se dit que s'ils étaient du même âge, leurs caractères devaient différer autant que l'hiver différait de l'été. L'huissier d'armes de Charles V avait tout d'un homme curial : un visage de clerc, grave, rébarbatif, des yeux noirs, soupçonneux, un sourire réduit à une espèce de cicatrice un peu rose dans une face ronde et glabre. Il s'était déjà délivré de son armure et aborait un pourpoint de brussequin (1) d'azur sur lequel figurait un lis, un seul, mais de belle taille, des chausses noires pourfilées de fils d'or et des heuses de daim sans éperons. Il portait à sa hanche une épée de passot.

— Une rude chevauchée, dit-il. Il paraîtrait que vous en serez, Castelreng ?

— J'en serai, évidemment, *messire*.

— Il nous faut partir sans détri (2).

L'Alemant jeta un reard bref sur Champartel. Le mépris s'y teintait d'un soupçon de moquerie.

— Combien de lieues ?

L'Alemant se renfrogna. Il doutait de réussir cette prouesse : Cocherel-Reims en deux jours.

— J'ai compté, Castelreng. Environ soixante lieues.

— Croyez-vous possible de les accomplir ? Les chevaux…

— Je sais, Castelreng. Je connais les endroits où nous ferons halte en ne prenant que le temps de poser notre selle sur les chevaux de remplacement.

L'Alemant tapota l'escarcelle accrochée à sa ceinture :

— J'ai dans cette tasse (3) de quoi payer. Nous laisserons les bêtes hodées à nos vendeurs… Ne vous souciez de rien. Avant que je rejoigne Bertrand, monseigneur Charles s'était informé des lieux où nous pourvoir en bons coursiers. Nous irons à Pacy sur les meilleurs chevaux et nous en changerons. Sur des coursiers sains et véloces, nous courrons à Meulan… Changement… Oui, oui : je vous vois douter : Meulan. Les manants y sont désormais assagis et il y a, proche l'église, une grosse écurie où nous serons conjouis à bras ouverts… Ensuite : Pontoise, Saint-Denis… Puis Meaux. Changement. Dix lieues. Puis Château-Thierry. Dix lieues. Changement toujours. Châtillon-sur-Marne, puis Epernay et enfin Reims. Nous chevaucherons sans trêve. Juste le temps de pisser et autre chose. Point de mangeaille. Nous dormirons le cul sur la selle.

— Tu vois, Castelreng, c'est tout simple.

Guesclin riait. Le regard de Tristan tomba sur ses mains. Du sang les maculait. Le manche de sa hache avait dû maintes fois glisser dans ses paumes.

(1) Drap de qualité.
(2) Délai.
(3) Escarcelle. *Tassetier* : fabricant d'escarcelles.

— Si je l'osais, je te dirais – car je sais que tu le connais ou que tout au moins tu l'as vu –, oui, je te dirais : « *Après Reims, galope jusqu'en Avignon. Annonce la bonne nouvelle au Saint-Père.* » Je suis certain qu'il aurait de bonnes pensées pour moi (1).

« Voire », se dit Tristan que la navrure de Thierry, immobile et comme sourd, inquiétait.

— Est-ce tout ?

Le visage de Guesclin se durcit tandis que l'Alemant tapotait l'escarcelle qu'il avait, effectivement, bien gonflée.

— Va ôter ton armure, Castelreng. Confie-la à tes compères. Ne conserve que ton épée : il te faut être léger comme messire l'Alemant et Thibaut de la Rivière – qui s'apprête – pour ne point hoder les chevaux.

— Figure-toi que j'y avais pensé.

— A Reims, assurez messire Charles de ma... de mon...

— De ta dévotion.

Le mot était énorme. Guesclin acquiesça.

« Il veut me faire bisquer ! S'il savait que sa victoire, je me la mets au potron ! »

Mais peut-être s'en doutait-il.

— Trois de mes bons Bretons vous compagneront.

Le visage disgracieux s'enlaidit davantage. La voix tonnante graillonna :

— Alors, prépare-toi... Hâte-toi !

— Le temps de soigner mon ami.

— Certes !... Ah ! quel touillis, quel grand froissis de lames !... Je viens d'apprendre qu'un banneret de Navarre, le sire de Saux, est mort... Navarre qui n'était pas là... L'Archiprêtre qui n'était pas là... Quel trigaud (2), celui-là !... Oui, fais soigner ton ami. Par ma foi, il est plus pâle encore que le tronc d'un boul (3) de la forêt de Paimpont !

Guesclin s'éloigna, entraînant l'Alemant. Tristan prit Thierry par l'épaule :

— J'ai failli une fois à la mission dont m'avait chargé le nouveau roi. C'était en Avignon. Je ne puis faillir encore.

— Je te comprends.

— Ogier sait-il, lui aussi, où sa fille et Guillemette ont été conduites ?

(1) Guesclin ne se gêna jamais pour recommander ses parents à la bienveillance des Papes Urbain V en 1365 et Clément VII en 1378. Ainsi, le 27 mai 1365, il priait le Saint-Père de s'intéresser à Pierre Lévêque, bachelier ès lois, étudiant en droit canonique ; Geoffroy Raguenel, prêtre ; Renaud Hastelon, clerc du diocèse de Rennes et Yves de la Roche, clerc du diocèse de Saint-Malo. Il voulait pour ces trois derniers ni plus ni moins que les cathédrales de Rennes, Dol et Angers.

(2) Pas-franc, faux-jeton.

(3) Bouleau.

— Oui.

— Seul il ne peut les délivrer. Il est d'ailleurs trop circonspect pour essayer.

— C'est vrai.

— Je suis certain qu'il vous attend, Raymond et toi.

— C'est ce que je pense aussi.

Le regard de Tristan tomba sur cette main ensanglantée qu'il fallait soigner sans plus attendre : des mouches commençaient à s'en approcher.

— Je vais te confier Matthieu et Paindorge. Vous irez au château Ganne, mais en chemin, dans un boqueteau de Vernon, vous prendrez Tiercelet et mon blanc coursier, Alcazar, avec vous.

— Soit. Je n'abandonnerai pas le cheval de Raymond.

— Je vais galoper vers le roi avec l'Alemant et la Rivière. En deux jours, nous serons à Reims. Je ne sais combien j'en mettrai pour vous rejoindre aux abords du château Ganne... Tu m'as parlé d'un hameau dont j'ai retenu le nom : Saint-Christophe.

— Souviens-toi aussi de Cosseffeville et La Pommeraye.

— Dès maintenant ces noms sont gravés dans ma tête... Mais je vous en supplie, ne tentez rien sans moi !

— Je te le promets.

L'œil de Thierry s'était éclairé d'une flamme dont la vivacité plut à Tristan.

— Crois-moi, compère, nous délivrerons ces dames. Je me réconcilierai avec Luciane... Sois-en sûr !... Si son père se regimbe, liez-le à un arbre !

Cette fois Thierry se mit à sourire.

— Allons, viens te faire soigner. Je veux partir rassuré.

A peine avaient-ils fait quelques pas que Quintric, un des coureurs de Guesclin, passa sur un cheval noir qui se défendait sous le mors en renâclant et en se traversant.

— Taillefer, murmura Thierry. Où donc l'a-t-il trouvé ?

— Sale bête ! enrageait le Breton. Par saint Yves, quelle jument putassière t'a engendré ?... Avance !

— Il n'avancera pas, Quintric, dit Tristan alors que l'étalon se cabrait en hennissant de douleur et de rage.

— Et pourquoi ? Je vais lui faire goûter de l'éperon. Tu vas voir s'il va m'obéir !

— Je te le déconseille.

— Et pourquoi ?

Quintric était jeune, orgueilleux comme son chef, dur comme le granit de son pays. Petit front, gros sourcils, bouche lippue ouverte sur des dents ébréchées. Une tête dont, sans la barbute, on eût pu faire une

344

gargouille. « Il tient de famille », songea Tristan. Sur le jaseran de mailles fleurissaient quelques coquelicots. Les gantelets, eux aussi, portaient des traces de sang. Et les heuses. Quintric semblait s'être réjoui de piétiner des morts et des mourants.

— Je dis *non*, insista Tristan, parce que ce cheval est mien. Lorsqu'il m'a reconnu, il n'a plus voulu avancer. C'est tout de même simple à comprendre... Abroche-le et je t'en fais autant... Elle est de bon acier et rien ne lui résiste.

Il avait tiré sa Floberge. Le sang dont la lame était maculée produisit son effet : Quintric mit pied à terre et s'éloigna, furieux. Thierry s'approcha du cheval, regarda ses flancs où du sang perlait.

— Ces Bretons sont immondes.

— Ce sergent d'armes est encore sous le coup des émois qu'il a connus dans la bataille... Il ne peut prétendre à aucune rançon. Ton cheval l'a tenté... C'est un petit miracle qu'il soit passé...

Thierry se mit à parler à Taillefer qui, cependant, resta sur ses nerfs. Il en toucha le chanfrein, la ganache, et d'un doigt en ôta la bave. Puis il tapota la cuisse haute et ferme qui frémit.

— Tu as survécu, mon compère... Tu as dû t'effrayer...

Thierry caressa l'encolure empoussiérée, cherchant à faire pénétrer sa confiance et sa sérénité à travers le crâne et la robe de Taillefer. Tristan, tout en les observant, se disait qu'il avait bien fait de confier Alcazar à Tiercelet. Il était heureux, pourtant, que Malaquin fût proche de lui, prêt à couvrir les premières lieues qui le séparaient de Reims, puis, au retour, celles qui le rapprocheraient de Luciane.

Thierry revint vers lui :

— Tout va mieux... Je n'ai qu'une peur : Luciane... Elle t'aimait. Elle est encore amourée de toi. Elle a du regret de ce qui s'est passé... Mon beau-frère aussi. Je puis te le jurer...

— Luciane... soupira Tristan.

Il était parvenu à vider son cœur de cette présence, et voilà qu'en ce jour de sang et de deuil, la jouvencelle hardie et fragile le remplissait tout entier !

— J'ai du remords, avoua-t-il. Et Paindorge a eu plus de circonspection que moi. Un soir qu'il s'inquiétait pour vous tous, et particulièrement pour Luciane, je lui ai répondu qu'Ogier d'Argouges était suffisamment respecté des Navarrais pour qu'il n'eût pas à les craindre... Si tu savais, Thierry, comme je me repens de cette légèreté !

A quoi bon en dire davantage. Tristan leva un regard décidé sur Champartel désespéré :

— Aie confiance. Nous les délivrerons... Nous la délivrerons. Tu verras !

ANNEXES

Annexe I

Un des responsables de la défaite de Poitiers :
Arnoul d'Audrehem

A Brignais, plusieurs facteurs contribuèrent à l'écrasement de l'armée française : l'impéritie des chefs (particulièrement Bourbon et Tancarville), la trahison de l'Archiprêtre et l'insouciance des subalternes dont aucun ne prit la précaution, le soir venu, de doubler ou tripler la garde autour des campements afin de prévoir et repousser une attaque nocturne.

A Crécy, défaite elle aussi méritée, on peut incriminer l'insouciance pédantesque de Philippe VI, mais aussi, mais surtout la jactance, la présomption et l'émulation imbéciles des chevaliers aux lis. Depuis toujours, c'était à qui galoperait face à l'adversaire non seulement pour manifester à celui-ci son courage, mais aussi pour démontrer à ses pareils que l'on était un preux. La moindre réserve sitôt les décisions prises, la moindre hésitation d'un seigneur plus intelligent que ses pairs étaient tournées en dérision. Il était interdit de penser à une stratégie autre que celle qui avait été décidée par le roi après qu'il eut glané quelques conseils auprès de ses favoris. La tactique la plus valable, donc la plus intelligente, était balayée à grands coups de reproches, parfois de rires et d'exclamations méprisantes. Cela durait depuis les croisades et la malheureuse journée de Hattin.

A Poitiers, après avoir examiné le convenant (1) ennemi, le connétable, duc d'Athènes, demanda au roi Jean II s'il était disposé à ouïr son conseil.

« Certes », dit le roi.

Athènes lui suggéra de repousser l'attaque décidée depuis peu de façon que les Anglais (commandés superbement par le prince d'Aquitaine) souffrissent de la faim. Leur position était si avantageuse qu'il était nécessaire de les affaiblir en les empêchant de s'alimenter. Il faudrait s'attendre alors à quelque sortie des ennemis destinée à briser le cercle de fer dans lequel ils s'étaient empêtrés, mais cette tentative échouerait, puisqu'elle serait le fait de combattants fragilisés par l'absence de nourriture. Les Français s'engageraient dans la brèche et l'armée tout entière verrait sa charge facilitée.

Le maréchal de Clermont approuva cette tactique. Ce fut alors que le maréchal d'Audrehem, l'homme qui, depuis toujours, arrivait après les batailles, fut pris d'un emphatique désir de se montrer, désir d'autant plus véhément que l'engagement restait en suspens. Le roi atermoyait – et il avait bien raison !

(1) La disposition des troupes.

Les Français étaient considérablement excités. Ils avaient l'avantage du nombre. Deux chevaliers s'étaient lancés un défi : Chandos l'Anglais et Clermont. En effet, tous deux, en s'observant de près, avaient découvert qu'ils portaient la même devise (le même voile ou *volet*) à la cubitière senestre. « *Une devise d'une bleue dame ouvrée d'une bordure au ray d'un soleil.* »

« *Ces deux chevaliers qui estoient jeunes et amoureux* », écrit Froissart, « *on le peut et doit-on ainsi entendre* » partageaient donc le cœur (et sans doute le corps) d'une amante dont on ignore le nom.

Jean de Clermont se crut le plus fort aimé.

« *Je vous le nie* (cria-t-il à Chandos) *et si la souffrance (1) ne fut entre les nôtres et les vôtres* (les Français et les Anglais), *je le vous montrasse tantôt que vous n'avez nulle cause de la porter* (la devise).

« *Ha ! ce*, répondit messire Chandos, *demain au matin, vous me trouverez tout appareillé de défendre et de prouver par fait d'armes que aussi bien elle est mienne comme vôtre.* »

Ce défi n'eut pas de suite, puisque la bataille l'empêcha. Mais on peut se demander si Audrehem n'y assista pas de près ou de loin. Avait-il, lui aussi, des vues sur la dame si accommodante ? Toujours est-il qu'il fut pris d'une ire et d'une aversion difficilement compréhensibles envers Clermont.

Quand celui-ci préféra l'attente à l'attaque, lors de l'ultime conseil de guerre des Français, Audrehem l'apostropha en ces termes :

« Vous ferez tant, avec vos propos, que vous finirez par laisser aller (les Anglais) *comme souvent il advint* (!). Voyez-les qui bougent. Ils descendront vers nous pour se fortifier plus bas et se ménager une retraite. On dirait, Clermont, que vous êtes peu pressé de vous battre et qu'il vous peine de voir les Anglais de si près. »

Clermont, qui connaissait parfaitement son contempteur, répliqua :

« Vous ne serez point si hardi, mes-huy, Audrehem, que vous mettiez le museau de votre cheval au cul du mien. »

Et Clermont, pour prouver son courage, s'élança le premier.

Il en mourut.

Audrehem fut fait prisonnier fort rapidement. Aucun texte ne signale qu'il fut blessé (2). Le roi paya sa rançon.

---

(1) Trêve. (Et s'il y avait une trêve entre les deux armées, nous nous battrions en duel).

(2) A Poitiers, il y eut dans la bataille des Gascons Aymon de Pommiers dont il est question dans cet ouvrage. Il s'y trouvait en compagnie de Jean de Grailly, du seigneur de Labret, du seigneur de Langueren, de Jean de Chaumont, des seigneurs de Lesparre, Mussidan, Curton, Rozen, Condom, Montferrand, Landuras, du Souldich de l'Estrade (ou de la Trau, terre du Bazadois, domaine de l'ancienne Maison de Preissac connue sous le nom d'Eschignac).

Fouquant d'Archiac se trouvait-il parmi les chevaliers français ? C'est possible. Froissart ne le mentionne pas. Il est vrai qu'il fournit peu de noms, côté français, alors qu'il est prolixe pour tout ce qui concerne l'armée anglaise.

Annexe II

Une belle aventurière : Jeanne de Naples

Lorsque le roi de France quitta Paris, à la fin septembre 1362, une épidémie qui ne semble pas avoir été une résurgence de la peste noire commençait à désoler la cité (1).

Il entra dans Villeneuve-les-Avignon quinze jours après le couronnement du nouveau Pape, Urbain V, et participa à des fêtes chevaresques dont la présence de Valdemar III de Danemark (arrivé le 26 février 1363 dans la cité papale) et de Pierre Iᵉʳ de Chypre (arrivé le 29 mars) rehaussait la magnificence. Pierre Iᵉʳ avait vaincu les Infidèles, d'où son prestige.

Le vendredi saint 31 mars, les trois souverains prirent la croix pour répondre au vœu et à l'appel d'Urbain V.

Au dire d'un connaisseur, le scrupuleux Siméon Luce, le voyage royal en Avignon est resté une énigme aussi bien pour les chroniqueurs contemporains de Jean II que pour les historiens modernes. La papauté avait perdu Innocent VI le 12 septembre 1362, sans que Jean II, à l'inverse d'un Philippe IV, eut influencé l'élection d'Urbain V. Cependant, au conclave, deux hommes servaient les intérêts français : les cardinaux de Boulogne et de Talleyrand-Périgord. Ils imposèrent Guillaume Grimoard, professeur de droit canon à l'université de Montpellier, abbé de Saint-Germain d'Auxerre puis, en 1358, de Saint-Victor de Marseille. Il n'avait jamais obtenu le chapeau de cardinal et, au moment de l'élection, il se trouvait en Italie ou Innocent VI l'avait chargé d'une mission. Élu le 28 octobre 1362, il faut couronné le 6 novembre. La lettre que le nouveau Saint-Père adressa au roi de France lui donna pleine assurance qu'originaire de son pays, il aurait toujours à l'esprit l'intérêt du royaume, son honneur et sa prospérité. Or, parmi tous les soucis du roi, lequel était le plus important ? Eh bien, avant celui que le Pape contribuât au paiement de sa rançon, ce fut celui de rembourser à Archiprêtre les sommes promises pour le remercier de son dévouement ! Une lettre de Villeneuve-les-Avignon, le 23 avril 1363, prie ses *amis et féaux eslus sur le fait des aides ordonnez à Mascon, à Osthum (Autun) et à Chalon* de verser immédiatement à Arnaud de Cervole le reliquat de ses créances qui s'élevait à 21 000 florins sur les 35 000 alloués au coquin par décision royale du mois de juin 1362. Dans l'intervalle, le Trésor lui avait payé 14 000 florins.

Jean II voulait aussi – et il y parvint – que le nouveau Pape refusât l'autorisation indispensable au mariage de Marguerite de Flandre, veuve de Philippe de Rouvres, avec le fils d'Edouard III, Aymon, comte de Cambridge.

Reste l'affaire Jeanne de Naples qui fut peut-être un canular lancé par le régent… encore que le vaincu de Poitiers se fût intéressé à cette princesse.

Un cordon de soie

Jeanne de Naples, comtesse de Provence, naquit en 1326. Elle était la fille de Charles de Sicile, duc de Calabre, lui-même fils de Robert le Sage, duc d'Anjou,

(1) On trouve mention de cette épidémie dans la correspondance d'André Simonet, de Lucques, marchand de draps d'or et de soie à Paris, rue Neuve-Saint-Merri, qui se rendit à Bruges en septembre 1362 pour échapper à la contagion tout en traitant ses affaires.

comte de Provence et roi de Naples. Né en 1278, Robert mourut le 19 janvier 1343. Charles, qui trépassa avant son père (1331), avait épousé Marie de Valois.

Trois branches, alors, pouvaient revendiquer le trône : l'aînée qui régnait sur la Hongrie, les Tarente et les Duras. Afin de s'accorder avec la plus puissante, on envisagea que Jeanne succéderait à son aïeul, Robert le Sage, mais qu'il faudrait la marier avec un de ses cousins, André, fils puîné de Charobert, roi de Hongrie. Les deux « promis » avaient alors sept et six ans. Le mariage fut célébré le 26 septembre 1333. Cependant, lorsqu'elle accéda aux responsabilités du trône, Jeanne avait dix-sept ans. Elle était jolie, capricieuse et capiteuse.

Son union avait provoqué la venue à Naples d'un grand nombre de Hongrois. Leur arrogance irrita Jeanne qui en rendit son époux responsable. Alors que le couronnement de la jouvencelle devait avoir lieu le 20 septembre 1345, un complot fut tramé contre les indésirables et particulièrement André. Il fut étouffé au château d'Aversa, le 18, deux jours avant le sacre. Jeanne avait tissé elle-même le cordon de soie avec lequel son mari fut étranglé, « *pour lui faire le plus grand honneur* », selon Brantôme.

Asztrik Gabriel, dans son ouvrage : *les Rapports dynastiques franco-hongrois au Moyen Age* (Budapest, imprimerie de l'Université, 12 juin 1944) écrit fort justement que cette alliance avait engendré de nombreuses complications. La reine de Hongrie, Élisabeth de Lokietek qui, après la mort de son mari, conduisait le pays avec une grande sagesse, ne s'était pas imaginée quelles luttes intestines autant qu'extérieures ce mariage susciterait. *La politique napolitaine*, écrit Asztrik Gabriel, *était toute remplie de ruses et d'embûches ayant pour but d'évincer à tout prix le roi André dont la légitimité, en tant qu'héritier, fut toujours contestée. La date de son couronnement fut sans cesse différée et toute la politique de la reine Élisabeth aussi bien que celle de son fils Louis, sera dirigée dans le sens d'une reconnaissance des droits d'André sur le trône de Naples.*

Après le meurtre d'André, la politique de la branche hongroise s'épuisa en maints efforts pour le venger.

Après l'assassinat de son frère, Louis le Grand attendit en vain le jour des représailles. Des deux expéditions militaires qu'il dirigea en Italie, aucune n'apporta des résultats satisfaisants. Il avait refusé avec fierté les 300 000 florins d'or que Jeanne lui fit offrir pour les frais de la guerre : « Je n'ai pas pris les armes, dit-il aux ambassadeurs, pour entasser des richesses, mais pour venger mon frère. Remportez cet argent ». C'est alors qu'exaspéré il remit ses droits au trône de Naples entre les mains du Pape Clément VI, mais il ne renonça pas pour autant à son intention de profiter des rêves de l'extension française pour les intérêts propres de son royaume.

Suite au meurtre d'André, Clément VI avait ordonné des poursuites. On ne frappa que d'obscurs complices. Alors, Jeanne songea à épouser son parent, Louis de Tarente, fils de Philippe, frère du roi Robert de Naples, neveu, par conséquent, de Robert le Sage. Le mariage eut lieu sans dispense papale, le 20 août 1347. Louis devait mourir au début de 1362, sans doute empoisonné.

Ce fut au commencement de l'année 1348 que Louis de Hongrie arriva devant Naples pour venger son frère André. Jeanne parvint à s'enfuir (15 janvier). Elle débarqua à Marseille en pleine épidémie de peste noire. La veille de son arrivée, on venait de dénombrer 11 000 morts en un mois et demi.

La jeune reine ne fut pas contaminée par le fléau nommé *rifle-rafle*, et le 29, ses vassaux de Provence lui prêtèrent serment. Elle partit ensuite pour Avignon. Le 15 mars, elle était en sécurité auprès du Pape.

Pour combattre Louis de Hongrie, elle avait besoin d'hommes et d'armes.

Elle vendit au Pape sa suzeraineté sur Avignon contre la somme de 80 000 florins d'or. De retour à Naples, elle y fut indésirable. Pour imposer sa présence, elle se fit aider par Robert des Baux. Il perdit la vie dans cette entreprise.

Afin d'être parfaitement quitte avec Jeanne, le Pape lui avait accordé la dispense nécessaire à son second mariage. Il poussa l'amabilité jusqu'à la déclarer innocente du meurtre de son premier mari et déclara, pour conclure, qu'il ne se mêlerait plus de ses affaires.

La peste ravageait les armées de Louis de Hongrie. Il quitta Naples pour revenir dans son pays. Il y mourut le 25 ou 26 mai 1362. Son frère Charles, qui guerroyait contre lui, l'avait fait prisonnier. Cependant, Louis avait laissé des compagnies à Naples. Jeanne fut incapable de les en faire chasser. Elle ne put revenir dans ses états qu'une fois qu'elle s'y crut en sécurité.

Elle s'éprit alors d'un adolescent : Jayme ou Jacques d'Aragon, fils de Jacques II, roi de Majorque et l'épousa le 27 mai 1362, soit le 21 mai 1363, ce qui paraît plus vraisemblable... Encore que...

En effet, Froissart situe le combat de Fouquant d'Archiac et d'Amanieu de Pommiers le mardi 6 décembre *1363*. A-t-il ou non commis une erreur ? De toute façon, si Jean le Bon avait nourri ce projet de mariage, il eut renoncé à le concrétiser en apprenant que Jeanne était mariée depuis mai 1362. Il semble donc que Charles de Normandie ait répandu cette nouvelle à la Cour soit pour discréditer son père, soit pour qu'une étroite surveillance fût exercée sur lui s'il se trouvait en présence d'une femme encline à toutes sortes d'aventures. Mais si elle aimait les beaux mâles, jamais le roi de France ne l'eût intéressé. Il convient d'ajouter que certains textes prétendent que le mariage de Jeanne et de Jayme eut lieu en décembre 1362 !

Ce qui importe, dans ce bref résumé de l'existence de la reine de Naples, c'est que Jayme, craignant d'être assassiné, se réfugia en Espagne. Il y mourut le 25 octobre 1369 lors d'une bataille contre les troupes de Pèdre IV d'Aragon.

L'ultime mariage

Alors, Jeanne épousa Othon de Brunswick en 1376. Elle avait perdu les deux filles qu'elle avait eues de Louis de Tarente et adopta Louis d'Anjou, frère de Charles V qui, moralement, lui ressemblait.

Depuis longtemps, Charles de Duras (ou Duraz), neveu du vieux roi de Hongrie, convoitait Naples. Il décida de passer en Italie, prit le nom de Charles III et se fit couronner à Rome roi de Naples par le Pape Urbain VI... alors que Jeanne s'était déclarée en faveur de Clément VII. Le Grand Schisme battait son plein.

Le 16 juillet 1381 au soir, sans même livrer bataille, Charles investit Naples qu'Othon de Brunswick avait renoncé à défendre.

Le bruit avait couru que la Reine était morte. C'était faux. Elle s'était enfermée au Château-Neuf d'où elle fut obligée de sortir, faute de vivres. Il eût suffi peut-être qu'elle déclarât le Hongrois son héritier pour avoir la vie sauve. Elle n'y consentît point. Charles la fit étouffer sous un lit de plumes le 12 ou le 22 mai 1382 au château de Muro dans le Basilicate. Le vieux souverain hongrois avait, dit-on, suggéré ce supplice à Charles afin de venger la mort d'André, le premier mari de Jeanne.

Jeanne, sa famille et ses époux

| Marguerite d'Anjou et Charles de Valois | Charles Martel de Hongrie et Clémence | Charles II roi de Naples | Marie de Hongrie | Robert le Sage (1278-1343) et Yolande | Philippe Ier de Tarente et Catherine | Jean de Duras et Mathilde |

Charles II roi de Naples — Marie de Hongrie

Marguerite d'Anjou et Charles de Valois

Charles Martel de Hongrie et Clémence

Robert le Sage (1278-1343) et Yolande

Philippe Ier de Tarente et Catherine

Jean de Duras et Mathilde

Philippe VI roi de France

Charles Ier roi de Hongrie

Charles, duc de Calabre et Marie

Louis de Tarente 1320-1362 2e époux

Louis et Marguerite

Jean II le Bon roi de France

Louis roi de Hongrie

André de Hongrie 1327-1345 1er époux

Jeanne 1326-1382

Othon de Brunswick 1320-1399 4e époux

Jacques III de Majorque 1336-1375 3e époux

Charles III de Duras 1345-1386

Charles V

Louis d'Anjou

Annexe III

L'affaire des vins de Bourgogne

Arnaud de Cervole se prétendait le légitime créancier de la succession de Charles d'Espagne, succession recueillie par Jean II. Déduction faite des acomptes qu'il n'avait jamais cessé de toucher, le montant de sa réclamation atteignait le chiffre exorbitant de 100 000 florins. A ses demandes réitérées, les gens du Conseil, économes par devoir et nécessité, rétorquaient par des objections sans doute plus spécieuses que solides. D'ailleurs, le Trésor était à sec.

Après de longs débats et, certainement, des menaces, l'Archiprêtre prit le parti de s'en remettre « *à la bonne volonté et ordonnance du roi Jean* ». Cet éternel perdant n'osa contester la valeur des services (!) rendus par le demandeur à la Couronne mais lui proposa, à titre d'arrangement gracieux, les conventions suivantes : 35 000 florins de Florence et le château de Cuisery (situé à l'Est de la Saône, dans la Bresse-Chalonnaise, qui ne dépendait pas de la Franche-Comté mais du duché de Bourgogne) en attendant un second versement de 35 000 florins. Bonne affaire, puisque Cervole épousait, en même temps que Jeanne de Châteauvilain, une fortune considérable.

On ne vit pas l'Archiprêtre en Avignon. Et pour cause : il s'y était déjà rendu tristement célèbre. A la tête d'un groupe de Gascons et Bretons, il assiégeait le château de Vitteaux-en-Auxois. En voici la raison :

A la fin de l'année 1362, Hugues et Louis, fils de Jean II de Châlon-Arlay, sous prétexte des méfaits commis en Franche-Comté par les brigands de l'Archiprêtre, « *répondirent aux dévastations de ses soldats en portant le feu dans sa terre de Châteauvilain au diocèse de Langres* » (1). Malgré l'intervention du comte de Tancarville et la réparation qu'il avait obtenue, l'Archiprêtre se vengea.

Après la mort de Jean II, Hugues, son fils aîné, devenu chef du nom et de la famille, recueillit dans l'héritage paternel les terres et seigneuries de Franche-Comté qu'on appelait *le meix-d'Arlay*. Louis, le puîné, obtint les autres domaines, parmi lesquels Vitteaux, Lisle-sous-Montréal et Lormes (2).

Vitteaux se trouvait à proximité d'Arnaud de Cervole qui, après son mariage avec Jeanne de Châteauvilain, avait fixé sa résidence au château de Thil-en-Auxois.

L'Archiprêtre conduisit ses bandes sous les murs de Vitteaux. Le siège commença. Afin d'être à son aise et de ne point subir d'attaque par-derrière, il envoya une partie de ses gens battre la campagne. Lors de leurs reconnaissances, Gascons et Bretons ne firent que semer la terreur. Le lundi et le mardi avant Noël 1362, ils découvrirent que les vins de Bourgogne destinés à la Cour avaient été réunis à Villaines-en-Duemsis et que la cave était située hors du château où le seigneur et ses gens n'avaient eu que le temps de s'enfermer.

(1) *Histoire de la Franche-Comté*, par Ed. Clerc, tome II, p. 132-133.
En 1363, le comte de Tancarville, cherchant à concilier les parties, se proposa comme arbitre. Il condamna les Châlon-Arlay à verser à l'Archiprêtre une indemnité de 2 000 florins. Le 23 avril 1363, à Auxonne, les deux frères acceptèrent la sentence : la raison des plus forts…
(2) Canton de Vitteaux, contigu à celui de Précy-sous-Thil, près du château de Thil-en-Auxois.

Pendant des jours, les hommes burent les vins du roi de France. Lorsque, repus, ils décidèrent de partir, ils enlevèrent les fûts qu'ils n'avaient pas encore vidés « *malgré le chastellain et les aultres qui estoient audit chastel, qui défendoient ce qu'ils pouvoient ladite cave de pierres et de traits* ».

Après ce haut fait d'armes de ses gens, l'Archiprêtre disparut un temps. On le retrouve en février 1363 au service de Jean, duc de Berry et recevant pour ses « services » une rente de 500 tournois et le château de Concressault-en-Berry. Il réapparaît en juillet de la même année et reçoit du trésor royal la somme de 3 700 francs or pour aller « vider » les forteresses d'Arcy, Dannemarie-en-Puisaie et Vésigneux-en-Morvan dont les garnisons étaient commandées par Gilles Trousse-Vache.

L'Archiprêtre ne combattit pas Trousse-Vache. Comme Arnoul d'Audrehem, il négocia. Le chef de bande au nom singulier évacua Arcy et Dannemarie. Comme on râclait alors les fonds des tiroirs, voici, décomposée, la somme que le roi Jean destinait à Arnaud de Cervole :

C'est assavoir en XIIe XLV frans or, pièce XX s. tournois ; en Ve IIII florins de Florance, pièce pour XVI s.VIII deniers tournois ; en VI^{xx} et XLIII escus de Philippe, pièce XVIII s.IIII deniers tournois ; en VIII^{xx} et XV que chaières que motons dou roy, pièce XX^s VI deniers ; en LX roiaulx d'or, pièce pour XVIIs.III d.t., et en XXVII escuz de Jehan, pièce XVs.t. Pour ce partout par lesdites lettres de mandement et par lettres de réception dudit seigneur de Chastelvillain, sobz son seel, rendu à court, avaluez lesdits paiements à tournois, et les autres monnoyes en or au pris que dit est : III^m VIIIe XXV 1.VI s. IX den. tourn.

Annexe IV

L'hiver 1362-1364 et le siège de Rolleboise

L'hiver 1361-1362 avait été d'une rudesse peu commune. Les séquelles de cette calamité sévissaient encore au printemps, qui permirent à l'armée française de passer sur l'eau pétrifiée des étangs voisins de Brignais pour subir, le 6 avril, une des défaites les plus humiliantes et les plus meurtrières de cette Guerre de Cent Ans qui, sans cesser d'opposer la France à l'Angleterre, avait engendré les Grandes Compagnies (1).

L'hiver 1363-1364 s'annonça dès le commencement de l'automne. Le froid devint peu à peu inquiétant, inhabituel et, dans la France exsangue, les moyens de se prémunir contre lui semblent avoir été assez rares. Froissart ne mentionne ni son apparition ni son aggravation ni ses conséquences. Les *Grandes Chroniques* sont discrètes. En revanche, l'auteur anonyme de la *Chronique des IV premiers Valois* écrit qu'à « *la date mil trois cens soixante trois, furent les plus grans gelées et le gregnieur* (majeur) *yver que l'on eust oncquez veu ne ouy parler de plus de cent ans devant.* » La météo – qui parfois se trompe – n'existait pas, mais l'on savait par ouï-dire que, cent ans plus tôt, il avait fait un froid exceptionnel.

Si le mois de décembre 1363 fut d'une froidure polaire, les deux premiers mois de 1364 furent terrifiants. Selon un moine de Malmesbury, l'Angleterre n'échappa pas à cette forme particulière de tourmente : il gela sans discontinuer du 7 décembre au 11 mars. En France, d'après un chroniqueur de Montpellier, il gela du 30 novembre jusqu'au 7 mars. Servait-on du vin sur une table qu'il était solidifié avant qu'on l'eût porté à ses lèvres (2). Un commerçant qui s'était déplacé vers Carcassonne fut refroidi à mort sur son cheval, lequel continua de marcher vers l'hôtellerie où son maître avait coutume de se rendre (3). On allait à pied de l'étang de Thau depuis Sète jusqu'à Mèze . Le cours du Rhône était « pris » sur toute son étendue. La couche de glace atteignit parfois jusqu'à 15 pieds de profondeur (4,80 m). On le traversait, comme la Seine, à pied et en charrette. Les douves des châteaux subissant le même sort que les fleuves, les rivières et les étangs, on les attaqua plus commodément.

Les animaux furent également frappés. Les vignes et les oliviers périrent. L'Église, terrorisée, se répandit en prières. Dieu ne les entendit pas. Et l'on continua de se battre !

Siméon Luce écrit fort justement :

Les historiens du Moyen Age auraient grand tort de négliger ces accidents des saisons qui ont exercé parfois une si décisive influence sur la marche des événements, sur la destinée des individus et des sociétés. Ne savons-nous pas, par une expérience toute récente, qu'il suffit de quelques bonnes récoltes pour consoler une nation abattue et l'aider à se relever, comme aussi un hiver exceptionnellement rude peut mettre le comble aux maux dont souffre un peuple ? Quoi qu'il en soit, au plus fort de ce cruel hiver, alors que c'est presque un travail de vivre en restant à se chauffer au coin de son foyer, du Guesclin

(1) Lire, *les Amants de Brignais,* pour y trouver le récit de cette bataille.

(2) *L'aygua si gelava a taula en las copas, e las copas se gelavon am las toalhas (Parvus Thalamus).*

(3) *Aquel an, fon tan grand freg et an gran gelada que lo Rozer gelet (Parvus Thalamus).*

trouve assez d'énergie, jointe à une incomparable force physique, pour entreprendre et mener à bien une expédition dont nous allons lui restituer l'honneur (1).

C'est oublier sciemment les autres combattants. Pour se réchauffer le corps, il fallait boire et manger. Donc, batailler. Et l'on ne s'en priva pas.

Cette période est nommée par les archéologues *la petite glaciation des XIIIᵉ et XIVᵉ siècles*. La vague de froid qui s'abattit sur l'Europe fut ressentie jusqu'au Proche-Orient. Elle correspondait exactement au moment où l'Occident formait « un monde plein » par la population, l'économie ; d'où les famines brutales avec, pour conséquence, la non-résistance aux épidémies diverses, dont la peste. Le niveau de la mer s'abaissa avec, pour résultat, l'ensablement des littoraux. La formation de dunes sableuses et le dépôt des vases littorales proviennent toujours des régressions marines et non des transgressions ainsi qu'on le pourrait penser : la mer en baisse dégage de grandes surfaces de plages desséchées par le froid, le vent emporte aisément ce sable et le dépose dès que les accidents de terrain le ralentissent.

Cette mini-glaciation est bien connue des spécialistes (entre autres P. Chaunu, Fossier, etc.) Elle est responsable de l'ensablement des ports et canaux de la mer du Nord, de la Hollande, Belgique et France du Nord. Et subséquemment de la fin de la Ligue Hanséatique au profit des Italiens.

En réalité, il suffit d'une descente minime de 1 à 3° de la température moyenne générale pour susciter une catastrophe, en raison des hivers prolongés, du décalage des saisons provoquant une inadaptation des végétaux. Depuis le pléniglaciaire supérieur (Weichselien III), la température du globe ne cesse de monter. Depuis, donc, une vingtaine de millénaires. Actuellement, le niveau de la mer continue de monter d'environ 5 mm par an en moyenne.

L'homme de Dieu

Les guerriers retranchés dans le donjon et l'enceinte de Rolleboise étaient-ils redoutables ? Pas plus que d'autres, en vérité. Comme chaque fois qu'à la guerre ou en sport, les Français ont du fil à retordre, il faut bien avancer des excuses soit à leur reculade, soit à leur immobilité, soit à leur défaite.

Jean Jouel n'était pas plus ignoble, dans la guerre, que Guesclin le fut (et s'en vanta lorsqu'il s'allia aux Compagnies). Et Wauter Strael ?

Voici ce qu'en dirent Guyard de Berville et J.G. Masselin dans leur apologie de l'aventurier breton :

Rolleboise était occupée, pour le Navarrais, par Wautaire Austrade, Bruxellaire, qui s'était tellement rendu formidable que personne n'osait aller ou venir de Rouen à Paris sans passe-port de lui, et que tout commerce était interrompu, tant par terre que par la rivière.

Lors de l'affaire d'Evran (12 juillet 1363) où la bataille entre les Bretons de Blois et ceux de Montfort n'eut pas lieu, et où fut ébauché un partage équitable de la Bretagne (2), on avait vu les soudoyers des deux camps fraterniser et s'embrasser « *avec toute l'amitié possible* ». A l'instigation des prélats des deux camps dont les démarches avaient empêché la bataille, on avait convenu de se

(1) Siméon Luce : *Histoire de Bertrand du Guesclin* (1876). L'allusion concerne la défaite devant l'Allemagne et l'expédition Rolleboise. Or, il n'y eut pas que le Breton et ses hommes dans cette affaire. *Et Bertrand ne conquit pas cette place.*

(2) Charles de Blois eût régné au nord, Montfort au sud. Ce partage, Jeanne de Penthièvre, qui ne brillait point par l'intelligence, refusa de le ratifier.

donner de part et d'autre des otages pour respecter cette trêve opportune. C'étaient, pour le comte de Blois, les seigneurs de Rohan, de Léon, de Retz, de Malestroit, de Châtillon, de Rieux, de Rochefort et de Beaumanoir. Jean de Montfort exigea que Bertrand Guesclin fût du nombre, dans l'idée qu'en son absence, Charles de Blois n'oserait jamais enfreindre les clauses du traité. Chacun exprima son sentiment et Bertrand fournit le sien.

— Monseigneur Charles, dit-il, je suis fort aise que vous ayez la paix, mais vous la payez cher : en refusant le combat, vous avez manqué une belle occasion de vous faire seul duc de Bretagne. Quant à moi, j'accepte d'être un mois l'otage de nos ennemis.

Il fut remis à Robert Knolles qui le traita avec tous les égards et lui permit, dans sa maison et son camp, de jouir d'une liberté complète.

Un mois s'écoula et Bertrand regagna Vitré, accompagné, dit-on, d'un écuyer de Knolles. Tout semblait pour le mieux au duché de Bretagne.

Or, Bertrand s'était fait un ennemi : un Anglais, Guillaume de Felton, sénéchal du Poitou pour le roi Edouard III. Felton égalait Guesclin en jactance et en courage. Ayant appris la « retraite » d'un rival contre lequel il s'était déjà battu, il prétendit qu'il avait manqué à sa parole et qu'il eût dû demeurer près de Knolles jusqu'à ce que la cité de Nantes eût été délivrée au comte de Montfort. Le 13 novembre 1363, il l'accusa, par lettre, d'avoir rompu, par une évasion, son otagerie, et qu'en cas qu'il nierait le fait, il le soutiendrait *par son corps* en présence du roi de France. Le 19 décembre, Bertrand répondit qu'il comparaîtrait devant le roi ou le duc de Normandie le mardi avant la mi-carême et nia qu'il se fût engagé à servir d'otage plus d'un mois. Il promit de prouver *par son corps* tout ce qu'il avançait, comme tout chevalier devait le faire en pareil cas.

Les deux hommes comparurent et plaidèrent devant le dauphin, en présence du roi de Chypre et de tous les clercs et nobles hommes de la Cour. Les juges déclarèrent que le gage de duel ou la guerre ne tombait point sur une affaire de cette nature. Le motif de l'arrêt fut la loi qui ne permettait les duels qu'au défaut de preuves testimoniales. Or, à Evran, Bertrand s'était exprimé en présence de nombreux témoins : 200 chevaliers et écuyers.

L'affaire en resta là. On ignore si Felton, traitant de la Chevalerie et de ses devoirs, informa son auditoire que peu avant ce *plaid*, Bertrand avait fait coudre dans un sac et jeter en rivière deux femmes qui avaient eu le tort de « collaborer » avec les Anglais.

Il est évident qu'en raison de ce procès, Bertrand ne pouvait être en décembre à Rolleboise. Libéré de Felton, il se rendit à Guingamp et guerroya à sa façon. L'on commençait pourtant à le déifier. On raconte que certaines femmes se prosternaient sur son passage. « *Homme de Dieu* », s'écriaient-elles, « *aidez-nous ! Secourez-nous* ! » Il marcha sur Pestivien, qu'il soumit, sur Trogost, qui capitula, et ce fut alors que le dauphin le manda auprès de lui pour qu'il conquît Rolleboise.

Avant d'obtempérer aux ordres de monseigneur Charles, le Breton et son cousin, Olivier de Mauny, lui réclamèrent sans précautions oratoires le remboursement des frais engagés lors de leurs précédentes campagnes et, certainement, des arrhes pour la suivante. Or, le Trésor était vide. Il fallut emprunter aux Juifs et aux Lombards. Charles, méfiant, par un acte daté de Paris, le 13 mars 1364, manda au bailli et au vicomte de Caen ainsi qu'au vicomte de Bayeux, de faire une enquête sur les frais supportés par Olivier de Mauny afin qu'on le remboursât « *si tost et si prestement qu'il* (n'eût) *cause d'en retourner plaintif par devers nous* ». Or, Olivier de Mauny avait déjà touché une grosse indemnité pour sa campagne bretonne. On imagine ce que Bertrand put demander et reçut.

Le 25 mars, le lendemain de Pâques, Bertrand mit le siège devant Rolleboise. Des historiens ont prétendu qu'il avait enlevé vivement la place. C'est fausseté.

Voyant les guerriers du Breton se joindre aux quelques assiégeants qui se trouvaient là, Wauter Strael fit aussitôt une sortie et intercepta le convoi de vivres destiné à Bertrand.

Le 4 avril, le duc de Normandie manda à Jean de Lyons, son maître artilleur, d'expédier certains engins et quantité de traits à Bertrand. Lorsque ces engins arrivèrent, Bertrand, le comte d'Auxerre, son frère, le Vert Chevalier, et d'autres prud'hommes se lancèrent à l'attaque. En vain.

On discutait sur la façon d'emporter la place quand Boucicaut, maréchal de France, fit son apparition porteur, pour Bertrand, d'un message de monseigneur Charles. Le Breton y était informé d'une reprise possible des combats contre les Navarrais et les Anglais. Bertrand devait se rendre immédiatement maître de Mantes et Meulan. Il abandonna Rolleboise. Dans ces deux cités appartenant à Charles le Mauvais, les Bretons eurent une conduite *abominable*. Une tour seulement résista à Meulan. Le 10 avril 1364, le prince Charles vint lui-même en commander l'assaut. Ce fut un carnage.

Qu'advint-il de la forteresse de Rolleboise, abandonnée pour d'autres batailles ? Les textes des chroniqueurs divergent et l'on ignore quand cette place fut conquise.

Annexe V

Les voyages de Pierre 1er

Après qu'il eut quitté Avignon, les intentions du roi de Chypre étaient bien arrêtées : rallier tous les rois à la nouvelle croisade, les contraindre à une espèce de fraternelle alliance contre les Arabes sous l'égide du Très-Haut. Cette alliance était une utopie.

Lorsqu'il assista au procès de Felton contre Guesclin, il revenait d'Angleterre (en passant par l'Aquitaine). Sur la Grande Ile, il avait été fêté comme on le faisait si bellement outre-Manche, puisque Jean II tint à y revenir *causa joci* : pour cause d'amusement. Edouard III et ses fidèles, « le comte de Hartford, Gauthier de Masny, le Despenser, Raoul de Ferrières, Richard de Pennebruge, Alain de Bousquelle, Richard Sturi », disent les chroniques, firent au roi de Chypre un séjour enchanteur. Vint aussi Waldemar de Danemark, qui s'était embarqué le 1ᵉʳ février pour l'Angleterre.

Un jour, au terme d'un festin, Pierre 1ᵉʳ pressa Edouard III de prendre part à la croisade dont il lui vanta les principaux avantages : la gratitude divine et les butins prodigieux.

— Lorsque vous aurez conquis la Terre Sainte, répondit le roi d'Angleterre qui avait de la mémoire, pensez à me restituer le royaume de Chypre dont mon ancêtre, Richard, confia la garde à l'un de vos prédécesseurs.

Pierre 1ᵉʳ feignit d'être sourd. Peu après, il quitta l'Angleterre (1).

Avant de se rendre à Londres, via Douvres, il s'était arrêté à Paris pour s'y gaver de fêtes et de nourriture en compagnie de Jean II et du prince Charles de Normandie. Il se rendit à Rouen où l'archevêque Philippe d'Alençon le reçut avec des égards grandissimes. Ensuite, il séjourna à Caen et Cherbourg où, dit-on, il fut reçu par le roi de Navarre et son frère Louis. Mais Charles le Mauvais n'était-il pas à Pampelune ?... Toujours est-il que Pierre 1ᵉʳ émit la proposition d'un traité de paix avec la France, ce qui indigna ses interlocuteurs. Après quinze jours de liesses, le roi de Chypre gagna Pont-de-l'Arche et de là Abbeville, Montreuil, Calais où il retrouva les trois ducs (Orléans, Berry, Bourbon). Il leur offrit de bonnes paroles et s'embarqua.

Toujours hanté par son idée de croisade, il proclamait qu'il allait rallier les seigneurs de l'Empire, du Brabant, de Flandre et de Hainaut.

Il partit pour l'Allemagne. A Prague, il discuta avec Charles IV, fils du roi de Luxembourg. Il se rendit en Brabant, à Bruxelles, en Flandre, à Bruges. Partout il fut fêté mais le grand ralliement n'avança pas d'un pouce !

---

(1) Le 29 février 1364, il n'assista pas à la séance du Parlement où fut rendu l'arrêt dans le procès pendant entre Felton et Guesclin.

Annexe VI

Jean III de Grailly, captal de Buch, connétable d'Aquitaine

Tout bien pesé, la victoire de Poitiers ne fut que pour un tiers anglaise. En effet, la majeure partie de l'armée du Prince Noir était composée de Gascons. Un des leurs en assumait le commandement : Jean III de Grailly, captal de Buch. « *C'étoit* », écrit Froissart, « *le plus renommé chevalier de Gascoigne et que les François redoubtoient le plus pour ses hautaines entreprises.* » Un érudit s'est fait l'écho de ce jugement : Siméon Luce. Il écrit :

Le captal est la fleur de la chevalerie de Gascogne. Les Grailly et les Albret se partagent la domination de ces landes immenses qui s'étendent jusqu'aux portes de Bordeaux. Ces deux puissantes familles se disputent les faveurs des rois d'Angleterre, maîtres de la Guyenne. Le captal, lorsqu'il ne va pas guerroyer au loin, passe le temps à courir le cerf ou à lancer l'épervier dans les giboyeuses forêts de pins. Il est devenu, à l'école du comte de Foix, son cousin, l'un des premiers chasseurs de son temps... Le captal est, en outre, bien fait de sa personne, aimable, galant avec une pointe de gaillardise, doué de cette faconde un peu théâtrale qui a toujours été l'un des dons naturels des habitants de Gascogne.

Erreur (à retardement) Monsieur Siméon Luce. Et magistrale : à l'époque du captal, les Landes n'étaient qu'une étendue de sables et de marécages. L'assèchement n'en fut commencé qu'à la fin du XVIIIe siècle, par Nicolas Bremontier (1738-1809) qui arrêta, par une infinie plantation de pins, la progression des dunes vers l'intérieur, et poursuivie par Jules Chambrelent (1817-1893). Les « *giboyeuses forêts de pins* » n'existaient pas. Il est vrai qu'anachroniquement, Maurice Magre fit pousser du maïs en Languedoc au temps de Simon de Montfort et qu'Anatole France, dans *le Procurateur de Judée*, fit fumer le Vésuve, lequel ne s'éveilla qu'en 55 pour ensevelir Herculanum et Pompéi. Le maître rectifia lors d'une réimpression.

Les seigneurs de Greilly, puis de Grailly étaient originaires du pays de Gex. Ils y étaient barons de Rolle et vassaux de Savoie. Leur lignée commence par un Gérard, chevalier, en 1120. Il fut le père de Jean 1er, seigneur de Grailly, vivant en 1150, lequel eut pour fils Jean II, seigneur de Grailly en 1194, père de Pierre, seigneur de Grailly et de Rolle. Le fils de ce Pierre, Jean, fut sénéchal de Guyenne sous Edouard 1er d'Angleterre, fils aîné d'Henri III. C'est à lui seulement que le père Anselme fait remonter les Grailly en l'appelant Jean 1er... alors qu'il était Jean III. Les historiens ont adopté la généalogie du Père Anselme, bien qu'elle soit fautive, mais il restera patent qu'avant ce Jean 1er, Samuel Guichenon a relevé, dans *l'Histoire de la Maison de Savoie*, l'existence de Gérard, Jean 1er, Jean II et Pierre 1er, c'est-à-dire de quatre degrés dans la filiation des Grailly :

1. – Jean 1er, sire de Grailly au bailliage de Gex, chevalier, vicomte de Benauges et de Châtillon, seigneur de Gurzon, de Flex, du Puy, de Chaslus, de Villagrand en Genévois et de Rolle, sénéchal de Guyenne, favori du prince Edouard, fils aîné de Henry III d'Angleterre qui lui donna, le 20 mars 1261, les terres de Brierre, Scorbian, d'Artige, moyennant l'hommage d'une paire d'éperons dorés par an, le jour de Pâques, et le 2 janvier 1266, la vicomté de

Benauges avec la ville de Natz et le Salin de Bordeaux. Jean 1er, sénéchal de Guyenne, se distingua en Terre-Sainte pendant la Croisade de 1270, où il suivit le prince Edouard. Abrégeons et disons qu'il portait : *d'argent à la croix de sable chargée de cinq coquilles d'argent.* Il eut pour femme Claremonde de la Motte, fille et héritière de Gaillard de la Motte, seigneur de Landirans, suivant acte du 27 octobre 1280, et en eut Pierre de Grailly (qui suit) et Jean de Grailly, seigneur de Langon, qui testa en faveur de son neveu et de Catherine de Grailly, sa nièce.

2. – Pierre, sire de Grailly, vicomte de Benauges et de Castillon, armé chevalier en 1288. Il figura parmi les seigneurs d'Angleterre choisis pour aller au-devant de la princesse de Salerne. Il épousa, en 1287, Rubea, fille de Bernard, comte d'Asturac et en eut Pierre (qui suit) et Catherine, mariée à Jourdain de l'Isle, seigneur de Causabon, qui mourut sans enfant et dont les biens rentrèrent dans la maison de Grailly.

3. – Pierre II, seigneur de Grailly, Villegrand, Rolle, vicomte de Benauges et de Castillon, captal de Buch, chevalier de la Jarretière à la fondation. Il suivit le parti anglais et s'attira la disgrâce de Philippe le Bel. En 1345, il fut de la prise de Bergerac par Henry de Lancastre, testa en 1356 et donna Castillon et Gurzon à Archambaud de Grailly, son second fils. Il se maria tout d'abord avec Assalide de Bordeaux, captalesse de Buch, dame de Puypaulin et de Castelnaud en Médoc dont il eut trois enfants (Jean II, captal de Buch – qui suit –, Brunissende de Grailly (qui épousa, en juin 1336, Bernard d'Albret) et Jeanne de Grailly (qui épousa, en 1331, Senebrun de Lesparre). Ensuite, il épousa Rosamburge de Périgord, fille d'Hélie de Talleyrand, comte de Périgord, et de Brunissende de Foix (1328), dont il eut Archambaud de Grailly, qui continua la postérité, et Rogette de Grailly, seconde de Grailly, seconde femme d'Aymery III, seigneur de la Rochefoucauld.

4. – Jean II de Grailly, captal de Buch, testa en 1353 et fut enterré aux Cordeliers de Bordeaux. Il eut de Blanche de Foix, fille de Gaston, comte de Foix, et de Jeanne d'Artois qu'il épousa en 1328 : Gaston de Grailly, captal de Buch, mort sans enfants, Marguerite de Grailly, *Jean III de Grailly, captal de Buch* qui épousa, en novembre 1350, Rose d'Albret, fille émancipée de Bernard, sire d'Albret, assistée de Guillaume Amajeu de Miossan, son curateur.

5. – Jean III de Grailly n'eut pas d'enfant légitime. Il eut pour héritier Archambaud de Grailly, son oncle, qui fut captal de Buch, comte de Benauges, Lavaux, Longuecille, etc.

Jean III de Grailly avait pour armes : *d'argent à la croix de sable chargée de cinq coquilles d'argent.* L'ancien cimier de la maison de Grailly était *un col d'autruche d'argent.* Jean III le remplaça par *une tête de Nègre avec deux oreilles d'âne.*

Vaillant, pieux et hardi

Captal, captau, capitau était le titre fréquemment ajouté par la coutume municipale de Bordeaux au nom de quelques Grands d'Aquitaine. Cette dignité fut illustrée par Jean III de Grailly. Le village de Buch, au Moyen Age, était le siège d'un captalat important sis près de l'étang d'Arcachon. La date de naissance de Jean III ne nous est qu'approximativement connue. Comme il fut le troisième enfant de Blanche de Foix, mariée en 1328, il dut naître en 1331, selon le colonel Babinet qui, en 1895, lui consacra une étude. Il avait l'âge de son cousin germain, Gaston Phoebus, et fut élevé à la Cour du comte de Foix. En 1350, il épousa Rose d'Albret, fille de Bernard Esi II, sire d'Albret et vicomte de Tartas (samedi avant la fête de saint André). La dot était de 15 000 réaux d'or.

Jean de Grailly donna quittance de cette dot au sire d'Albret, le 12 février 1359 à Bazas.

Quand, en janvier 1355, la reine Philippa mit au monde son septième fils : Thomas, futur duc de « Glocaster », des fêtes eurent lieu à Londres. Une députation des seigneurs de Guyenne y fut conviée. Le héraut Chandos, qui vit Jean de Grailly jouter, écrit que *le captal étoit vaillant et pieux, très hardi, et très aimé de tous*. Lors de la terrible chevauchée que le Prince Noir entreprit en Languedoc contre le comte d'Armagnac et Jacques de la Marche, connétable de France, le captal se fit remarquer à la prise de Plaisance puis pendant une campagne d'hiver avec Chandos et Audley (sièges de Cahors et d'Agen). Il fit merveille à Poitiers, le 19 septembre 1356, par un mouvement tournant qui assaillit la bataille du roi Jean par derrière et fut à Londres, le 24 mai 1357, lors de l'entrée triomphale des Anglais vainqueurs et de celle, assez piteuse, du roi de France.

Une longue trêve : le captal et son cousin Phoebus se rendirent en Prusse pour y aider les Teutoniques en guerre. Ils revenaient (1358) quand ils apprirent que de nobles dames, dont la duchesse de Normandie, étaient cernées par les Jacques dans la forteresse du marché de Meaux, sise dans une île de la Marne que les Meldois assiégeaient. Étienne Marcel leur avait envoyé 1 400 hommes du commun de Paris sous le commandement de Pierre Giles, épicier, et Jean Vaillant, prévôt des monnaies. Le Borgne de Chambly avait été tué en défendant le pont qui reliait le marché de la cité. Avec 25 hommes d'armes, le 9 juin 1358, les deux compères vinrent à bout des Jacques dont on dit qu'il en périt 6 000 morts ou noyés ! Le régent avait laissé à Meaux la duchesse de Normandie, sa fille, Isabelle de France, sa sœur et des dames de leur maison. Elles avaient été placées sous la surveillance du Bègue de Villaines, de Héron du Mail et du Borgne de Chambly.

Après cette aventure, le captal ne resta point inactif. En novembre 1359, il débarque à Cherbourg avec 100 lances à ses gages. Le roi de Navarre lui obtient, du régent – reconnaissant – un sauf-conduit pour le rejoindre à Evreux. Le Gascon s'empare du donjon de Clermont-en-Beauvaisis qu'il fait escalader, dans la nuit du 18 novembre, par un de ses hommes, Bernard de la Salle, muni de grappins d'acier à pointes aigües fixées à ses mains et à ses pieds. Ensuite, à l'entour, des ravages sont commis. Charles de Navarre peut être satisfait.

Dès le 30 octobre, Edouard III avait envahi la France. Lors des six mois de cette chevauchée, il ne compta que de faibles succès. Mandé de Clermont-en-Beauvaisis dont il avait pris le château, le captal le rejoignit devant Paris, précisément à Bourg-la-Reine. Les Parisiens ayant fait une sortie, tous tombèrent dans une embuscade entre Bourg-la-Reine et Montlhéry. Il y avait cent lances, neuf chevaliers bannerets. Ils furent pris et libérés le soir même après promesse de rançon. L'instigateur de l'embusce (embuscade) n'était autre que le captal de Buch.

Le traité de Brétigny-les-Chartres (8 mai 1360) ne débarrassa pas Paris des compagnies anglaises et navarraises. Le 12 mai, le régent traitait avec Thomas de Beauchamp, comte de Warwich, maréchal d'Angleterre, pour l'évacuation des forteresses anglaises, et avec Jean de Grailly pour les navarraises. Chacun d'eux reçut 12 000 florins d'or (13 mai et 24 juin). Comme lieutenant du roi de Navarre en Normandie et pour raison d'hommage, le captal se vit compter 1 500 écus d'or et reçut les terres de Tartas, Mixe-outre-Pont, avec retour au donateur s'il ne laissait pas d'héritier. Les bienfaits du Mauvais s'accompagnèrent du désir que Jean de Grailly envahît le Poitou mais la peste réapparut. Jean et son frère Gaston en furent atteints. Gaston en mourut, Jean survécut. Il n'y eut point d'expédition.

Nommé prince d'Aquitaine (19 juillet 1362), le prince de Galles tint à Bordeaux, Poitiers, Angoulême, une Cour fastueuse. Le captal aimait à s'y pavaner devant les dames, mais il aimait surtout la guerre. Aussi, quand Charles le Mauvais, en 1364, de Pampelune, lui proposa d'attaquer « la France », il eut grand-hâte d'atteindre Cherbourg où débarquaient les Navarrais. Il s'agissait de satisfaire une vengeance : Jean II ayant refusé de reconnaître les droits légitimes du Mauvais sur le duché de Bourgogne, il entrait en conflit armé par alliés interposés. On sait ce qui se passa.

Un baiser historique

Le captal se dirigea vers Evreux. Les garnisons navarraises l'y rejoignirent et Jean Jouel lui amena ses compagnies anglaises. En tout : 700 lances, 300 archers, 500 soudoyers. D'Evreux, Jean de Grailly se rendit à Vernon où il savait trouver les trois reines : Blanche, Jeanne de Navarre et Jeanne d'Evreux. Dame Blanche donna un grand dîner en son honneur le lundi des féeries de la Pentecôte (13 mai), vrai dîner de fiançailles selon le colonel Babinet… *Au départir*, narre la *Chronique des IV premiers Valois*, Jean de Grailly *baisa Mme Jehanne, car le roi de Navarre, à la requeste et prière du prince de Galles, lui avait accordé qu'il l'aurait à femme. Moult plut ce baiser au captal, car Mme Jehanne était une des plus belles dames de la* crestienté. *Puis se parti le captal de Vernon et se mist sur les champs.*

Le baiser de la reine Jeanne, veuve de Charles le Bel, paraissait la récompense anticipée d'une victoire aisée. Jeanne semblait ainsi recouvrer sa jeunesse, mais elle avait cinquante ans bien sonnés, et ce ne sont point des baisers qui importent pour triompher à la guerre, mais des armes, du courage, de l'abnégation. Le colonel Babinet donne de Jeanne un portrait fort succinct puisqu'il tient en quelques mots : « *Quel philtre possédait cette Ninon de Lenclos royale ?* »*

Il est inutile de revenir sur Cocherel, sinon pour préciser que les Anglais y perdirent 800 hommes et les Bretons entre 30 et 40 et que le seul bénéficiaire de cette victoire fut Guesclin. Charles V, le 27 mai, à Saint-Denis, investit le Breton du comté de Longueville. Six prisonniers furent remis au roi : le captal, Baudoin de Bauloz, Jean Gansel, Pierre d'Aigrement, Lopez de Saint-Julien et Pierre de Sacquenville. Il est dommage que Guesclin eût passé sous silence l'immonde conduite de l'Archiprêtre. Il ne jouait point le double jeu ; il était aux 3/4 pour les Anglais.

* Jeanne d'Evreux, troisième femme de Charles le Bel, était sa cousine germaine, étant fille de Louis de France, comte d'Evreux et de Marguerite d'Artois. Son mariage avec le roi de France avait eu lieu en 1325, après une dispense du Pape Jean XXII à la date du 21 juin 1324, confirmée par une seconde du 5 avril 1326 estimée nécessaire, le mariage ayant été célébré sans publication de bans. Elle fut couronnée à Paris le 11 mai, jour de la Pentecôte 1326. Le roi était âgé de 31 ans. La dot de Jeanne se montait à 700 livres de rente et 20 000 francs payés en une fois.

Charles le Bel mourut le 1er février 1328. Sa femme était enceinte. Elle accoucha d'une fille deux mois après, cependant que Philippe de Valois accédait au trône. Il résulte de ces deux dates : 1325 (mariage de Jeanne) et 1364 (Cocherel) que 39 ans s'étaient écoulés. Pour que Jeanne eût 50 ans la veille de Cocherel, il eût fallu qu'elle se fût mariée avec Charles le Bel à 11 ans. En supposant qu'elle avait 16 ans à son mariage, elle était âgée de 55 ans en 1364. Elle était dame de Château-Thierry et mourut le 4 mars 1370 à Brie-Comte-Robert.

Ses amours avec le captal sont prouvées par le fait que Quéret Mausergent, bailli d'Evreux, fut assassiné par Charles le Mauvais pour avoir favorisé leur idylle ainsi que Robert de Chartres. C'est ce qui résulte des aveux de du Tertre, secrétaire du roi de Navarre en 1348, jugé par le Parlement et exécuté. Mausergent était lieutenant du captal de Buch.

La vie de château

Jean de Grailly fut interné au château de Meaux où, six ans auparavant, il avait sauvé la vie de la duchesse de Normandie, désormais reine de France. Il fut autorisé à se rendre en Angleterre du 1er au 23 septembre 1364 pour y mettre de l'ordre dans ses affaires. En fait, il s'agissait de traiter lui-même de son échange contre le duc de Berry, mais Edouard III y fut hostile. Charles V, à son retour, lui permit de se rendre auprès de Jeanne d'Evreux, qui demandait à le voir.

Lors de l'hiver de 1364, les reines Jeanne et Blanche s'entremirent pour instaurer la paix entre la France et la Navarre. Le captal était leur conseiller. Pour s'attacher Jean de Grailly, Charles V le délivra de sa rançon, lui donna, moyennant l'hommage, le château de Nemours et ses dépendances. Ce rapprochement avec la France était dû à un accès de mauvaise humeur : le captal en voulait à Edouard III de n'avoir par accepté son échange avec le duc de Berry. Quand le prince de Galles, son ami, lui eut reproché sa conduite, Jean de Grailly retourna son hommage au roi de France. Dès lors, son attachement à l'Angleterre fut indestructible.

Il fut un des meilleurs à Najera. Le 3 avril 1367, au soir d'une bataille qui replaçait le roi Pèdre sur le trône de Castille, ce fut à sa garde que l'on confia Guesclin prisonnier. De retour à Bordeaux, Jean Chandos et le captal contribuèrent à décider le Prince Noir à mettre Guesclin à forte rançon. La réunion des corps d'armée avait eu lieu à Dax. Il y avait été rejoint par Jean de Grailly, les sires d'Albret et de Clisson et leurs guerriers. Le lundi 15 février, le premier corps anglais avait passé les défilés conduisant en Espagne sous le commandement du duc de Lancastre, suivi le lendemain par le deuxième corps commandé par le prince Edouard et don Pèdre, et le surlendemain par le troisième corps où se trouvaient le comte d'Armagnac, Bernard d'Albret, le sire de Mussidan, Perducas d'Albret, le bourg de Verteuil, le bourg Camus, Naudon de Bagerant, Bernard de la Salle et Lamit. Ces derniers s'arrêtèrent dans la vallée de Pampelune où le ravitaillement était assuré. Ils furent suivis par le captal et le seigneur d'Albret qui amenaient chacun 200 soudoyers.

Après Guesclin, Clisson

Sentait-il la mort approcher ? Le 6 mars 1368, le captal fit son testament. Il n'avait que 37 ans.

Dans le courant de l'année 1368, comme lieutenant de Charles le Mauvais, il défendit la Normandie contre les Compagnies. En effet, et contrairement aux espérances de Charles V, les hordes répandues sur l'Espagne étaient revenues en France. Afin de les détruire, une alliance fut scellée entre le roi de France, le captal et Olivier de Clisson. Elle fut sans grand effet sur le terrain. Son seul résultat fut l'admiration que Charles V éprouva pour Clisson.

Le 27 mars 1369, le prince d'Aquitaine récompensa son favori en lui faisant donation du comté de Bigorre moyennant un faucon et un tiercelet pour toute redevance annuelle, cependant que la guerre recommençait et que le prince, atteint d'un mal incurable, s'en vengeait en ravageant tout ce qu'il pouvait. Il commandait de sa litière et sa rage venait aussi, peut-être, du fait que son épouse, la belle et frivole Jeanne, commençait à le trouver répugnant. Audley, le fidèle lieutenant, trépassa à Fontenay-le-Comte ; Chandos fut tué au pont de Lussac, le 31 janvier 1370 : le captal resta seul à devoir affronter Guesclin rentré en France après avoir replacé Enrique de Trastamare sur le trône de Castille.

Jean de Grailly fut fait connétable d'Aquitaine et Thomas de Percy sénéchal du Poitou. Le duc d'Anjou attaqua La Linde et Limeuil que Tonnet de Badefol décidait de livrer. Accouru de Bergerac, le captal tua le traître au moment où il négociait avec les Français (août 1370).

Lors de l'affreux et sanglant siège de Limoges (14-19 septembre 1370), le captal fit prisonnier Roger de Beaufort, frère de Grégoire XI. Comme frappé d'une céleste punition pour les crimes qu'il avait commis, le Prince Noir, malade et se sachant perdu, fut contraint (janvier 1371) de regagner l'Angleterre. Le duc de Lancastre le remplaça. Il prit Montpont avec l'aide du captal et lui offrit la forteresse. Et comme le Pape, furieux que l'on eût capturé son frère, exigeait sa libération auprès d'Edouard III, le captal consentit à le lui restituer. La rançon fut si énorme que le Saint-Père, pour la payer, dut mettre une dîme sur les églises. Il mourut avant qu'elle eût été entièrement acquittée.

La fin de l'année 1371 fut marquée par la prise de Moncontour, que Guesclin ne put secourir. Lancastre repartit pour l'Angleterre, Pembroke le remplaça. Le captal fut chargé de défendre Bordeaux et les marches de Gascogne.

Les Anglais sentaient venir la fin de leur règne en Aquitaine. Pembroke arriva sur le continent avec des renforts (400 guerriers) et une flotte portant 20 000 marcs d'argent. La flotte franco-espagnole lui fit subir un désastre. Aucun vaisseau, aucun chevalier ne put s'échapper. Tout fut coulé ou pris ou tué. C'était le 23 juin 1372. Cependant le captal conserva La Rochelle.

Poitiers tomba au pouvoir des Français le samedi 7 août 1372. Le captal s'inquiéta pour l'avenir… et pour lui-même.

L'impossible serment

Charles V avait envoyé en Espagne, avec quelques uns de ses rares vaisseaux, Owen de Galles, homme de mer fort célèbre, pour réunir la flotte alliée. Il revint et ramena devant La Rochelle 14 grosses nefs et 8 galées. Pour se dégager, il fallait combattre. Guesclin envoya Pons et Thibaut du Pont attaquer Soubise à l'embouchure de la Charente. La dame de Soubise réclama du secours à Jean de Grailly. De Saint-Jean-d'Angély, il marcha contre les Français à la tête de 200 lances.

A Soubise, il captura Pons et Thibaut de Pont, mais Owen lui avait préparé un piège. Avec 400 lances réparties sur 14 barges, il était venu secrètement prendre pied face à la cité, sur la rive droite de la Charente. Il traversa nuitamment et se trouva bientôt devant les Anglais et les Gascons vainqueurs. Le combat commença à la hache. Jacques de Montmor, le frère d'Owen, les Normands et les Espagnols se ruèrent sur les Anglais qui furent contraints à la retraite. Le captal recula lui aussi en se défendant furieusement. Il fut entouré par Pierre d'Auvilliers, Mgr d'Auvilliers, le sire de Magny et leurs hommes.

D'un coup de hache, il tue le sire de Magny et se défend toujours.

— *Sire* ! hurle Pierre d'Auvilliers, *rendez-vous ou vous estes mort.*

— *Donc*, répond le captal, *es-tu gentilhomme ? car pour mourir, je ne me rendroye que à ung gentilhomme.*

— *Gentilhomme suys-je, fils de chevalier et de dame* !

Alors Grailly se rendit. C'était au cœur de la nuit du 22 au 23 août 1372.

Peu après cette capture, une discorde éclata entre les Français et les Espagnols à propos du captal. Tous prétendaient l'avoir pris. Les frères de Montmor eurent le dessus. Il demeura sous leur garde en pleine mer, dans les eaux d'Oléron, sur une nef occupée par 80 mariniers et 20 arbalétriers.

La Rochelle étant redevenue française (8 septembre), les prisonniers de Soubise y furent transférés. Ils y demeurèrent jusqu'au 8 octobre. Ensuite, ils furent internés au château de Saint-Maixent jusqu'en fin du mois de novembre. Jean de Grailly savait la Guyenne perdue.

Il prit le chemin de Paris derrière les ducs de Berry, de Bourgogne et de Bourbon, eux-mêmes derrière Bertrand Guesclin. Ils avaient reçu, le 20 novembre, la soumission des barons du Poitou. Ils furent à Paris le 11 décembre.

Charles V accueillit le prisonnier sans hautaineté mais sans sympathie. Il fut enfermé au Temple et placé sous la garde du grand prieur de France. Il espérait une mise à rançon. Le roi y mit une condition inacceptable pour un homme tel que le captal.

Les mois passèrent. Et les années. Le captal recevait quelques visiteurs. Il ne se plaignait que d'une chose : qu'en ne le prenant pas à finance, on ne lui faisait pas le droit d'armes dû à un chevalier capturé en servant loyalement son seigneur. Ce n'était point ainsi que le roi d'Angleterre avait agi avec Guesclin et les autres seigneurs de France. On le faisait mourir et perdre vilainement son temps.

Charles V, cet impotent qui ne comprenait rien à la Chevalerie, restait sourd à tout ce qu'on lui disait de son prisonnier. Après la paix de Bruges, en septembre 1375, Edouard III et le Prince Noir offrirent de l'échanger contre le comte de Saint-Pol-Valerant et trois ou quatre gentilshommes. Une grosse rançon accompagnerait cet échange. Les chevaliers français s'émurent et Pierre d'Auvilliers ne se gêna pas pour claironner qu'il regrettait d'avoir capturé un tel homme.

Le sire de Coucy proposa une solution : que Jean de Grailly jurât qu'il ne s'armerait jamais contre la France. Le captal répondit que jamais il ne ferait un tel serment.

Le Prince Noir ne décolérait pas. Sa fureur contre le roi de France hâta sa fin. Il expira le 8 juin 1376. Quand Jean de Grailly apprit sa mort, il fut pris, écrit Froissart, « *d'une petite maladie frénésieuse, et ne volait ne boire ne manger. Si, affaibli de corps durement, il entra en une langueur qui le mena jusqu'à la mort.* »

Il était prisonnier depuis quatre ans.

Charles V qui voulait conserver sa popularité, lui fit faire de magnifiques obsèques. C'était en septembre 1376. Jean de Grailly n'avait vécu que 45 ans. Deux de plus que le roi de France.

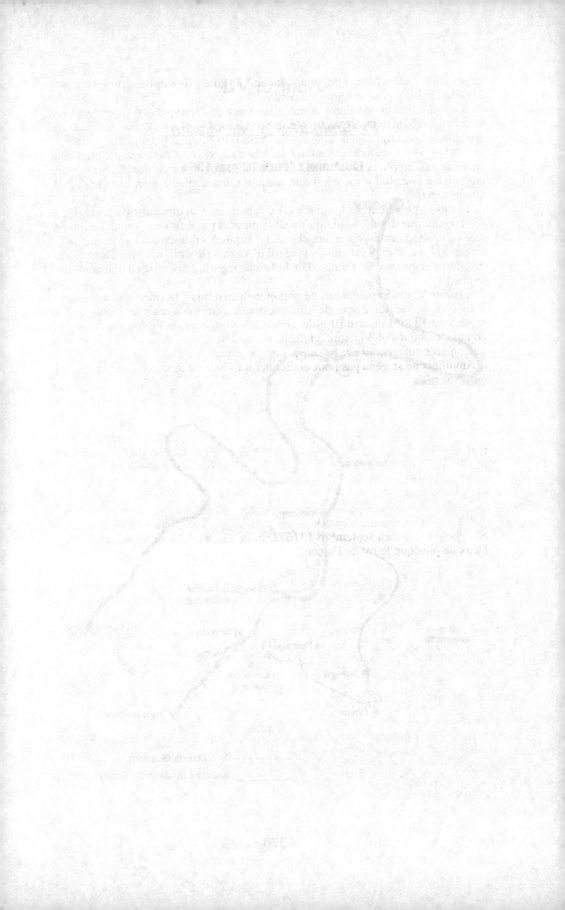

Annexe VII

Préliminaires d'une victoire

Cocherel : jeudi 16 mai 1364

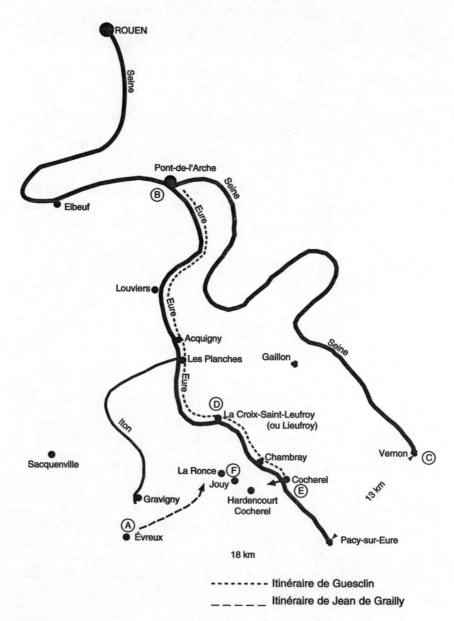

ROUEN

Seine

Pont-de-l'Arche

Ⓑ

Seine

Eure

Elbeuf

Louviers

Eure

Acquigny

Les Planches

Gaillon

Seine

Eure

Iton

Ⓓ La Croix-Saint-Leufroy
(ou Lieufroy)

Sacquenville

Chambray

Vernon Ⓒ

La Ronce Ⓕ

Jouy

Cocherel

Ⓔ

Gravigny

Hardencourt
Cocherel

13 km

Ⓐ

Évreux

Pacy-sur-Eure

18 km

- - - - - - - - Itinéraire de Guesclin

— — — — Itinéraire de Jean de Grailly

370

A

Evreux. Le captal de Buch a commencé de réunir les éléments de son armée dès le mois d'avril 1364. Il concentre ses forces le mardi 14 mai à l'aube, au retour de sa sentimentale entrevue de Vernon, et fait immédiatement mouvement vers Pont-de-l'Arche afin de couper la voie à Guesclin et de marcher sur Reims pour s'opposer au sacre de Charles V.

Son armée se compose de 700 lances (environ 4 000 chevaliers, écuyers, « barbutes »), 300 archers et 500 piétons. En chemin, il rencontre le héraut Faucon qui lui annonce qu'après avoir dépassé Pont-de-l'Arche, les Français marchent vers Pacy.

B

Pont-de-l'Arche. Guesclin fait halte chez les Cordeliers et passe la Seine pour s'engager sur la rive droite de l'Eure (10-11 mai).

C

Vernon. Jean de Grailly est allé visiter les reines Blanche et Jeanne, puis il est revenu en hâte auprès de ses guerriers (12-13 mai).

D

La Croix-Saint-Lieufroy. Guesclin fait halte en l'abbaye bénédictine (12-13 mai) puis se dirige vers Pacy en longeant l'Eure sur sa rive droite.

E

Cocherel. Guesclin s'arrête devant Cocherel et atermoie pour franchir le pont.

F

Cocherel. Le captal et ses hommes descendent des villages de Cresne et de la Ronce, au-dessus de Jouy-sur-Eure, et s'avancent sur les hauteurs de Hardencourt où les Français les « rebouteront » lors de la bataille. Ils observent leurs ennemis jusqu'au jour de l'affrontement : jeudi 16 mai 1364.

Principaux personnages ayant participé à la bataille

Les informations sur les « batailles » anglo-gasco-navarraises sont assez floues. Voici ce qu'on peut en dire :

La première eut pour chef Jean Jouel, peut-être assisté d'un banneret du royaume de Navarre : le sire de Saux.

La seconde devait être conduite par le captal de Buch.

La tierce fut commandée par le Bâtard de Mareuil, Bertrand du Franc et Sanche Lopez (Sanse Lopin dans les *Grandes Chroniques*).

Le héraut du roi d'Angleterre, Faucon, qui devait renseigner Jean de Grailly sur les effectifs français déclara que Guesclin avait 5 000 hommes à sa disposition.

371

Parmi les chevaliers de l'armée du captal on remarquait la présence de Robert Chesnel, qui venait du Perche, Jacques Plantin et Robin Scot, un Écossais.

Les *Navarrais* étaient représentés par Lopez de San Julian, capitaine de Saint-Sever, Pedro de Uriz, capitaine de Breteuil, Pierre d'Aigrement, capitaine du Bois-du-Maine.

Les *Gascons* avaient à leur tête Archambaud de Grailly, oncle du captal, Baudoin de Beaulo, capitaine d'Anet, Jean Gansel, capitaine de Livarot, Guillaume de Gauville, capitaine d'Évreux, Pierre de Sacquenville et Jacques Froissart, son secrétaire, Guerard Mausergent, plus tard bailli d'Évreux, Henri Quieret, les vicomtes d'Évreux et d'Orbec, Pierre Godelle, Michel Durant, Jean Rossignol, Guillaume le Noir, de Graville, Baudet de Saint-Pol, Jean Rosiaux (?), Guy de Mortemer, etc. Une fois prisonnier, le captal fut remplacé par son cousin : Pierre de Landiras.

Les Français avaient avec eux un contingent de Gascons « repentis » : les gens du seigneur d'Albret : Petiton de Courton, Aymon ou Amanieu de Pommiers, le soudich de l'Estrade et Perducas d'Albret, le seul des Albret (Lebreth, Lebret) qui fut à la bataille. En effet, Jean, sire d'Albret, se trouvait à Paris auprès du dauphin et Bernardet était demeuré en Gironde.

Guesclin était accompagné de son cousin Olivier de Mauny et de son pennoncier Bertrand Goyon. Le sire de Beaujeu avait pour pennoncier Pierre de Louesme. Il y avait aussi, pour Fleur de la Chevalerie française : Jean de Châlon, comte d'Auxerre, le vicomte de Beaumont, messire Hugues de Châlon, le Maître des arbalétriers : Beaudouin d'Ennequin (ou d'Annequin), Oudart de Renty et l'abominable Archiprêtre.*

La première bataille eut Bertrand pour *conduiseur*. On y trouvait Olivier de Mauny, Hervé de Mauny, Geoffroy Feiron, Alain de Saint-Pol, Robin de Guite, Eustache et Alain de la Houssaye, Jean de Boier, Robert de Saint-Père, Guillaume Bodin, Olivier de Quoiquen (Quoyquem), Lucas de Maillechat, Geoffroy de Quedillac (Quadillac, Cadillac) Geoffroy Palem (Païen), Guillaume du Hallay, Jean de Pairigny (Périgny), Sevestre Budes, Berthelot d'Angoulevent, Olivier Feiron et Jean Feiron, son frère. Thomas l'Alemant, huissier d'armes du roi et Thibaut de la Rivière, attaché au Breton, y figuraient sans doute.

La seconde bataille eut pour principaux chefs Auxerre, Beaumont, Baudouin d'Annequin, et des piétons français, normands et picards sous la conduite d'Oudard de Renty, Enguerrand de Hesdin, Louis de Havers Kerques (Haves Kierque).

La tierce bataille réunit à sa tête le Vert Chevalier, Beaujeu, Jean de Vienne – qui n'apparaît guère dans les textes –, le Bâtard de Mareuil, Guy de Trelay, Hugues de Vienne.

De crainte, sans doute, d'une défection au moment du besoin, les Gascons furent placés en arrière-garde, sous la conduite de Perducas d'Albret, d'Amanieu de Pommiers, du soudich de l'Estrade et Petiton de Curton.

Toutes ces dispositions furent à vrai dire inutiles vu le comportement de Jean de Grailly et de ses compagnies. La mêlée fut inextricable. Il semble que les chiffres des morts de cette journée ne correspondent pas aux réalités de ce grand et sanglant « estour ».

* A cette époque, le maréchal de Normandie était le sire de la Ferté.

Froissart a mis beaucoup de cœur dans la description de la bataille de Cocherel. On doit cependant observer que son récit diffère en plusieurs points de celui du continuateur de Nangis, de celui de Cuvelier plus complet peut-être, mais plus « copieux » (les ribaudes, la joute, le repas du captal), et surtout des hagiographies de Guesclin, particulièrement celle de Roger Vercel dont le récit est un tissu de fariboles. Où a-t-il pris que le captal avait franchi le pont de Cocherel alors qu'il venait d'Evreux ? Où a-t-il lu que Enguerrand de Hesdin avait, *en armure*, traversé la Seine à la nage « *sur son cheval d'armes, le bassinet à son arçon* » pour rejoindre le Breton ? Où a-t-il vu que la reine Blanche « *avait fait fermer les portes des ponts (!) afin que nul ne puisse secourir les Français* » ? Où a-t-il trouvé que ce furent les « valets » des deux armées qui engagèrent le combat à coups d'injures, de pierres, de fourches ? Où a-t-il puisé que le comte d'Auxerre et Hugues de Châlon (le Vert Chevalier) étaient jumeaux ? Par quel miracle de lecture a-t-il su que l'épée de Thibaut du Pont mesurait deux mètres et pesait 6 kilos ? Enfin, où a-t-il pêché que le captal se battait à coups de... maillet ?

• Dans la *Chronique normande*, Strael, le résistant de Rolleboise, devient Gautier d'Estraonc.
• Pendant que s'affrontaient les adversaires de Cocherel, Mouton de Blainville assiégeait Gournay et le Neubourg qui étaient à la reine Blanche.
• Le captal de Buch est nommé le *captal de Buche* et le *castal de Beuf* dans la *Chronique normande*.
• La présence de Robert Knolles est signalée par certains auteurs parmi les Navarrais. Rien ne justifie cette affirmation.

Annexe VIII

Sur l'attitude de l'Archiprêtre à Cocherel

Pour expliquer la « défaillance » d'Arnaud de Cervole à Cocherel, son hagiographe, Aimé Chérest, prétend que ce coquin notoire fut ulcéré de voir que, pour conduire la bataille, « les suffrages » (des combattants) se portèrent d'abord sur celui que Froissart appelle le comte d'Auxerre, et qui était sûrement le fils aîné, le tuteur et l'administrateur du véritable comte Jean III de Châlon-Auxerre, encore vivant mais interdit. Aucune considération sérieuse ne justifiait ce choix, et le jeune homme eut la sagesse de ne pas s'aveugler sur son propre mérite. Il pria ses compagnons d'armes de reporter leurs voix sur de plus habiles et plus expérimentés. Quels sont les deux premiers noms qu'il met en avant ? « monseigneur Bertrand » et « monseigneur l'Archiprêtre ». Entre les deux, l'hésitation paraîtrait aujourd'hui singulière. Nous voyons Guesclin à travers l'éclat prestigieux de ses dernières années. Avant Cocherel, il fallait des yeux bien clairvoyants pour deviner le futur connétable sous les traits de l'aventurier breton. L'Archiprêtre avait sur lui l'avantage de s'être vaillamment comporté (!) aux deux plus « grosses besoignes », aux deux « journées arrêtées » de l'époque : Poitiers et Brignais (!!). Le lendemain soir, toute comparaison entre les deux personnages était désormais impossible. L'armée royale acclamait Guesclin vainqueur et se demandait avec une surprise *mêlée de défiance* (1), ce que l'Archiprêtre, « *qui étoit là un grand capitaine étoit devenu* ». Bientôt, la France entière partagea les mêmes impressions. De nos jours encore, la question embarrasse et divise les historiens, les uns justifiant, les autres flétrissant la conduite d'Arnaud de Cervole.

Avant que de citer l'opinion de Siméon Luce, examinons les récits de la bataille. Selon Cuvelier, premier hagiographe de Guesclin, Cervole se sépara du reste de l'armée avant la bataille, avec l'assentiment de qui ? De ses compagnons d'armes, afin d'aller, un peu comme à Poitiers, beaucoup comme à Brignais, reconnaître l'ennemi, étudier sa position et découvrir ses desseins. Il semble qu'il n'en eût pas reçu l'ordre. C'était dans son habitude d'aller de l'avant pour savoir comment, le moment venu, il pourrait faire défection.

Le long poème de Cuvelier indique clairement qu'avant qu'il eût vu l'Archiprêtre, Bertrand engagea l'action *malgré des troupes amenées par Cervole*. Aimé Cherest ajoute même à ce sujet, sans songer qu'il se contredit, que Bertrand, prévoyant que ces troupes n'arriveraient pas assez tôt pour prendre part à la lutte, « *il indiqua les moyens de se passer d'elles et se contenta de dire* :

> *Et j'ai Dieu en couvent que s'ainsi le faisons,*
> *Que je croy fermement, nous les déconfirons ;*
> *A l'Archiprêtre aussi ce fait-ci manderons.*

Certains ont vu là des paroles qui excluaient l'idée d'un blâme. Où ont-ils pu trouver matière à leur satisfaction ? D'autant plus qu'alors que la bataille allait être gagnée, un écuyer, Clément, annonça la venue d'un nouveau corps anglo-navarrais, ce qui fit enrager Bertrand de ne voir, pour tout secours en provenance de l'Archiprêtre, que ce Clément chargé d'excuser son maître.

Mieux vaut se référer à Froissart :

« *Je vous dirai la vérité. Si très tôt que l'Archiprêtre vit l'assemblement de la*

---

(1) C'est Pierre Naudin qui souligne (N. de l'E.).

374

bataille, et que l'on se combattroit, il se bouta hors des routes; mais il dit à ses gens et à celui qui portoit sa bannière : « Je vous ordonne et commande, sur quant que vous vous pouvez mesfaire envers moi, que vous demeurez et attendez la fin de journée : je me pars sans retourner ; car je ne puis huy combattre ni être armé contre aucun des chevaliers qui sont par de là ; et si l'on vous demande de moi, si en répondez ainsi à ceux qui en parleront. Adonc se partit-il, et un sien écuyer tant seulement, et repassa la rivière, et laissa les autres convenir. Oncques François ni Bretons ne s'en donnèrent garde, pourtant que ils veoient ses gens et sa bannière jusques en la fin de la besogne, et le cuidoient de lez eux avoir. »

Il s'agit donc bien d'une fuite avec, en prologue, des justifications filandreuses. D'ailleurs, ce grand malandrin en était si penaud qu'il alla, sans gêne, demander la protection de Philippe le Hardi, devenu duc de Bourgogne, lequel se hâta de justifier la conduite de « *son compère monseigneur l'Archiprêtre, et qu'il le rapaisa au roi, parmi bonnes excusations que le dit Archiprêtre montra au dit roi de ce que à la journée de Coucherel il ne se put armer contre le captal, qui étoit adonc amené à Paris de lez le roi et qui avoit juré à la tenir prison... lequel captal aida moult à excuser l'Archiprêtre devers le roi et les chevaliers de France qui parloient vilainement sur sa partie.* »

Il n'est pas nécessaire d'énumérer les acrobaties auxquelles le défenseur de l'Archiprêtre s'est livré pour excuser son héros. Mieux vaut conclure en citant Siméon Luce :

Bertrand vient d'avoir tous les bonheurs dans cette journée. L'Archiprêtre a voulu jouer, selon son habitude, un double jeu. En sa qualité de Périgourdin, Arnaud de Cervole compte des amis et des parents parmi les Gascons de Jean de Grailly. Il prétexte ces relations d'amitié et de parenté pour quitter, dès le début de l'action, le champ de bataille, et regagner Pont-de-l'Arche, mais il ordonne à ses gens de rester pour prêter main-forte aux Français. En réalité, il n'a d'autre but que de se prévaloir de ce départ si le captal est vainqueur, et l'assistance prêtée par les hommes d'armes à sa solde si, au contraire, l'avantage reste à l'armée dont il fait partie. Mais l'absence de ce misérable est une bonne fortune pour du Guesclin : il y a des auxilliaires dont le concours ternirait les plus belles victoires.

Arnaud de Cervole ne fut, tout au long de sa vie, qu'une espèce de malandrin auquel il est vain de chercher quelque excuse. Son art de plaire aux rois de France participait du grand art. Le mérite de Charles V est d'avoir fait preuve, à son sujet, d'un discernement que n'eut point son père, et que d'un autre malandrin, Guesclin, il sut faire progressivement un homme de devoir. Il est vrai qu'il y trouvait son compte.

Quelques renseignements subsidiaires

Page 244, il est question des dommages et intérêts que Guesclin réclamait à Felton : 100 000 francs or. Le mot *franc* peut choquer dans un récit où jusque-là, il semble avoir été exclu.

Le franc existait. Il fut, à l'origine, l'équivalent de la livre (20 sols). Les premiers francs, qui étaient d'or fin, furent fabriqués en 1360, sous le règne de Jean II, avec la devise : *francorum rex*, d'où le nom. On les nomma *francs à cheval* parce que le roi y était représenté sur un palefroi. Charles V, mauvais cavalier, fit battre des *francs à pied*.

* *
*

La prise de Mantes, puis celle de Meulan furent suivies de scènes si terrifiantes que l'hagiographe de Bertrand du Guesclin, Siméon Luce, fut bien obligé d'écrire :

Ces brigandages honteux pour les deux chefs qui les tolèrent (Guesclin et Jean de Châlon), dégradants pour les gens d'armes qui s'y livrent, ne contribuent pas peu à accréditer le dicton qui a cours pendant la seconde moitié du XIVe siècle, et d'après lequel Breton *et* pillard *sont deux mots synonymes.*

Et plus loin :

La surprise de Mantes, le pillage de cette ville de Meulan, la connivence manifeste de du Guesclin *dans les excès commis par les Bretons, achèvent de donner aux débuts de cette campagne quelque chose qui rappelle les exploits des voleurs de grand chemin.*

Le duc de Normandie en ordonnant que l'on prît les deux villes, avait voulu effrayer la reine Blanche, nièce de Charles le Mauvais et veuve de Philippe de Valois, qui tenait le château de Vernon, situé sur la Seine en aval de Meulan et de Mantes, où elle prenait fait et cause pour les Navarrais. Sollicitée par les seigneurs de Fricamps et de Braquement, elle promit de garder la neutralité, mais elle exécrait les Français. Jeanne de Navarre, qui l'avait rejointe à Vernon, considéra, elle aussi, comme une trahison le sort réservé aux habitants *qui avaient accueilli les Français.*

Ce fut à la suite de ces carnages que monseigneur Charles nomma Bertrand chambellan, haut titre réservé jusque-là aux grands seigneurs. Et ce n'était qu'un commencement.

* *
*

A propos de *Charles le Mauvais*, dans le livre qu'il lui a consacré (*Société libre de l'Eure*, Évreux, 1972), André Plaisse écrit avec juste raison que les gens du dauphin ne furent pas moins « redoutables » que les soudoyers navarrais, et il ajoute :

De même que les Gascons avaient la réputation d'être d'excellents « eschelleurs », les Bretons « signalant leur présence par le rapt, l'incendie et tout ce qu'on peut imaginer de plus abominable » étaient tellement redoutés pour leurs brigandages que, pour désigner les excès commis par des hommes d'armes, on employait alors le verbe bretonner. *Après leur victoire de Cocherel, les Bretons de Duguesclin durent être délogés du Bec-Hellouin car « ilz*

376

damagoient trop le pais ». *La seule annonce de leur approche devait aussi déterminer les bourgeois de Bernay à traiter avec les gens du roi de France. Il n'est pas davantage niable qu'en 1358, la région entre Seine et Marne fut ravagée par les troupes du régent. Enfin, il n'est pas sans intérêt de savoir qu'avant que Guillaume Carle (le chef des Jacques) fût fait prisonnier par traîtrise (ou par vengeance) les Jacques de l'Amiénois avaient assassiné Guillaume de Picquigny, d'une famille chère au roi de Navarre, pendant qu'il était en conférence avec eux.*

Lorsque l'on reproche à Charles, dit le Mauvais, toutes les cruautés commises dans le Beauvaisis en juin 1358, il convient donc de se persuader qu'il serait tout aussi facile de faire de Charles, dit le Sage, un personnage odieux en le rendant personnellement responsable des crimes commis par ses capitaines.

Et de démontrer combien le roi de Navarre, par ses positions stratégiques en Cotentin et Normandie tenait les clés du royaume de France et combien partout, mais surtout à Paris, sa jactance l'avait rendu populaire face à « *une loque sur le trône* » (Charles V), « *usant de moyens obliques, faux-fuyants et simulacres pour essayer de briser les obstacles qui se dressaient devant lui* », « *aussi capables de bassesses l'un que l'autre* », « *aussi portés vers la duplicité l'un que l'autre puisqu'il est généralement admis que le jeune dauphin, en avril 1356, complota réellement contre son père et qu'en 1357, après avoir promis au comte d'Évreux la restitution de ses domaines, il incita en sous-main les châtelains normands à la résistance, sans compter qu'un doute subsiste au sujet de sa participation à l'évasion de son beau-frère ; aussi enclins à la vengeance l'un que l'autre comme le prouve la saisie brutale des domaines navarrais en 1378, décidée froidement à la suite d'une campagne d'odieuses accusations contre Charles de Navarre et une alliance étroite avec le fameux Henri de Trastamare, roi de Castille. Il convient donc, semble-t-il, d'accueillir avec beaucoup de réserves le portrait idéalisé tracé de Charles V par les thuriféraires des Valois.* »

Charles V était, selon Froissart, un *visseux*, un vicieux, un retors. En fait, et quoi qu'on dise et écrive, il était de la même espèce que Charles de Navarre. Et le plus lettré des deux n'était pas celui que l'Histoire nous désigne !

Aux considérations parfaitement exactes exprimées ci-dessus, il convient d'ajouter l'opinion d'Edmond Meyer (*Charles II, roi de Navarre, comte d'Évreux, et la Normandie au XIV⁰ siècle*, Paris 1898) qui mit à mal, preuves à l'appui, toutes les affirmations mensongères déversées à propos du Mauvais. Pour cet auteur consciencieux, une partie des erreurs commises à propos de ce trublion provient de la quantité de Jeannes (le pluriel s'impose) qui jouèrent un rôle dans le royaume. A savoir : Jeanne de France, femme de Charles II, roi de Navarre ; Jeanne d'Évreux, veuve de Charles IV, roi de France et de Navarre, sa tante ; Jeanne d'Évreux ou de Navarre, sa sœur ; Jeanne de Navarre, sa mère. Et de démontrer les erreurs commises par Michelet, Siméon Luce, G. Dupont, Quicherat, etc. Il brosse de Charles V un portrait des plus précis. Au mot *perfide*, qu'il emploie fréquemment, l'on pourrait ajouter : *cruel, couard, hypocrite, mesquin*, sans atteindre à la satiété. Bien entendu, les personnages de ce récit expriment des opinions fondées en majeure partie sur les rumeurs de leur temps. Ils ne pouvaient, *comme nous, d'ailleurs, malgré les moyens d'information dont nous disposons*, sonder l'âme et le cœur des Grands du royaume et se fiaient – comme nous hélas ! – à ce qui se disait et à ce qu'on leur disait.

Annexe IX

Remise des prisonniers de Cocherel (1364)

A tous ceux qui ces lettres verront, nous Bertran du Guesclin, conte de Longueville, chambellan du roy nostre seigneur, salut : Savoir faisons que nous avons promis, accordé et enconvenancé, et promettons par ces lettres en bonne foy, accordons et enconvenançons au roy nostre dit seigneur, que nous li rendrons et déliverrons à ses députez franchement et quittement en la ville de Paris, à nos périlz, cous et dépens, dedans quinze jours de la date de ces lettres, le captal de Beugh, messire Baudouin de Boucloz, capitaine d'Anuet ; messire Jehan Gausel, capitaine de Liverrot ; Pierre d'Aigremont, capitaine de Boys de Mainne ; Louppe de Saint-Julien, capitaine de Saint-Sevoir, et messire Pierre de Saquainville, qui nagaires furent pris par aucuns de noz genz en la bataille près de Pacy. Et promettons avec ce, comme devant, que nous ferons notre loyal povoir de lui rendre et délivrer, par la manière et dedans le jour dessusdiz, un appelé Malsergent, que l'en dit estre pris de noz dites genz ou soudoyers ; et oultre ce, li déliverrons tous autres capitaines de la dite bataille qui appartiendront à nous ou à nos genz ou soudoyers, tous délivrés de foiz et sermens qu'ils avaient ou pourraient avoir à nous à noz dites gens ou soudoyers, pour en ordener par le roy nostre dit seigneur ainsy comme bon lui semblera ; et yceux tous garantissons au roy nostre dit seigneur envers tous autres qui y voudroient ou pourroient aucun droit réclamer. En tesmoing de ce nous avons fait mettre nostre scel à ces lettres avec le scel du Chastelet de Paris, qui aussy y a esté mis à nostre requeste. Donné à Saint-Denis en France, le XXVIIᵉ jour de may, l'an de grâce mil trois cens soixante quatre.

Cette lettre fut dictée à quelque clerc. Guesclin ne savait ni lire ni écrire et ne connaissait que quelques mots de breton, sa langue natale étant le gallo, ce patois français parlé en Bretagne du Nord et qui se rapprochait du patois de basse Normandie.

Ce qui se passait à Vernon pendant la bataille

Le captal de Buch était si certain de vaincre Guesclin que sa confiance avait déteint sur les nobles dames de Vernon. Voici ce qu'on lit dans la *Chronique normande* de Pierre Cochon (pages 111-112) :

Adonc estoit Blanche, seur du roy de Navarre, qui fu fame du roy Philippe, demourante à Vernon ; et estoit son douaire là assis, laquelle reconfortoit les Navarrois pour l'amour de son frere. Si avint que messire Bertran se retray, et fist passer ses sommages oultre la riviere : les nouvelles vindrent à la royne Blanche que les Franchois estoient déconfits ; et, celles nouvelles oyes, menesteriex commencherent à corner, et dames et damoillez à danser, et demener si grant joye, que nul ne le peust penser.

Et tantost après, en mainz de ij hores, oirent autres nouvellez : de quoy le les viellez furent mises soulz le banc, et fu la grant joye tournée en grant plor.

CET OUVRAGE
A ÉTÉ REPRODUIT
ET ACHEVÉ D'IMPRIMER
SUR ROTO-PAGE
PAR L'IMPRIMERIE FLOCH À MAYENNE
LE 9 AOÛT 1996
SUIVI DE FABRICATION
ATELIERS GRAPHIQUES DE L'ARDOISIÈRE

DÉPÔT LÉGAL : AOÛT 1996
N° D'ÉD. 44 - N° D'IMP. 39938